AUFKLÄRUNG

Interdisziplinäres Jahrbuch
zur Erforschung des 18. Jahrhunderts
und seiner Wirkungsgeschichte

In Verbindung mit der
Deutschen Gesellschaft für die Erforschung des 18. Jahrhunderts
herausgegeben von
Lothar Kreimendahl, Martin Mulsow
und Friedrich Vollhardt

Redaktion:
Marianne Willems

Band 23 · Jg. 2011

Thema:

DIE NATÜRLICHE THEOLOGIE BEI CHRISTIAN WOLFF
Herausgegeben von Michael Albrecht

Im Anhang:

CHRISTIAN WOLFF

De differentia intellectus systematici & non systematici /
Über den Unterschied zwischen dem systematischen
und dem nicht-systematischen Verstand.
Übersetzt, eingeleitet und herausgegeben
von Michael Albrecht

FELIX MEINER VERLAG

ISSN 0178–7128

Aufklärung. Jahrbuch für die Erforschung des 18. Jahrhunderts und seiner Wirkungsgeschichte. – In Verbindung mit der Deutschen Gesellschaft für die Erforschung des 18. Jahrhunderts herausgegeben von Lothar Kreimendahl, Monika Neugebauer-Wölk und Friedrich Vollhardt. – Redaktion: Dr. Marianne Willems, Ludwig-Maximilians-Universität München, Institut für deutsche Philologie, Schellingstraße 3, 80799 München, E-mail: aufklaerung@lrz.uni-muenchen.de.

INHALT

Aufklärung 23 · © Felix Meiner Verlag 2011 · ISSN 0178-7128

TEXTEDITION

KURZBIOGRAPHIE

DISKUSSION

IN EIGENER SACHE

Der vorliegende Jahrgang der *Aufklärung* verzeichnet personelle Veränderungen im Gremium der Herausgeber, die vorab kurz zu erläutern sind.

Mit ihrer Emeritierung ist Frau Neugebauer-Wölk in diesem Jahr aus dem Gremium der Herausgeber ausgeschieden. Ihre Nachfolge hat bereits im vergangenen Jahr Martin Mulsow (Erfurt) angetreten.

Frau Neugebauer-Wölk hat das Profil der Zeitschrift entscheidend geprägt. Für ihr großes Engagement in einem nicht immer einfachen Gespräch zwischen den verschiedenen Disziplinen sei ihr an dieser Stelle herzlich gedankt.

Die Herausgeber

Aufklärung 23 · © Felix Meiner Verlag 2011 · ISSN 0178-7128

Siglenverzeichnis der zitierten Werke Christian Wolffs

GW	Christian Wolff, Gesammelte Werke, hg. von Jean École u. a. – Abt. I: Deutsche Schriften. – Abt. II: Lateinische Schriften. – Abt. III: Materialien und Dokumente, Hildesheim u. a. 1962 ff.
Deutsche Logik	Christian Wolff, Vernünfftige Gedancken von den Kräfften des menschlichen Verstandes und ihrem richtigen Gebrauche in Erkäntnis der Wahrheit ([1]1713), Neuausgabe, hg. von Hans Werner Arndt: Hildesheim 1965, [3]2003 (GW, Abt. I, Bd. 1).
Deutsche Metaphysik	Christian Wolff, Vernünfftige Gedancken von Gott, der Welt und der Seele des Menschen, auch allen Dingen überhaupt ([1]1720), Halle [11]1751, Nachdruck, hg. von Charles A. Corr: Hildesheim [3]2003 (GW, Abt. I, Bd. 2).
Anmerkungen zur Deutschen Metaphysik	Christian Wolff, Anmerckungen über die vernünfftigen Gedancken von Gott, der Welt und der Seele des Menschen, auch allen Dingen überhaupt ([1]1724), Halle und Frankfurt [4]1740, Nachdruck, hg. von Charles A. Corr: Hildesheim 1983 (GW, Abt. I, Bd. 3).
Deutsche Ethik	Christian Wolff, Vernünfftige Gedancken von der Menschen Thun und Lassen, zu Beförderung ihrer Glückseligkeit ([1]1720), Frankfurt und Leipzig [4]1733, Nachdruck, hg. von Hans Werner Arndt: Hildesheim [2]1996 (GW, Abt. I, Bd. 4).
Deutsche Politik	Christian Wolff, Vernünfftige Gedancken von dem gesellschaftlichem Leben der Menschen ([1]1721), Frankfurt und Leipzig [4]1736, Nachdruck, hg. von Hans Werner Arndt: Hildesheim [2]1996 (GW, Abt. I, Bd. 5).
Deutsche Physik	Christian Wolff, Vernünfftige Gedancken von den Würckungen der Natur, Halle 1723, Nachdruck: Hildesheim [2]2003 (GW, Abt. I, Bd. 6).
Deutsche Teleologie	Christian Wolff, Vernünfftige Gedancken von den Absichten der natürlichen Dinge ([1]1724), Frankfurt und Leipzig [2]1726, Nachdruck: Hildesheim 1980 (GW, Abt. I, Bd. 7).

Aufklärung 23 · © Felix Meiner Verlag 2011 · ISSN 0178-7128

Ausführliche Nachricht	Christian Wolff, Ausführliche Nachricht von seinen eigenen Schrifften, die er in deutscher Sprache von den verschiedenen Theilen der Welt-Weißheit heraus gegeben ([1]1726), Frankfurt a.M. [2]1733, Nachdruck, hg. von Hans Werner Arndt: Hildesheim [2]1996 (GW, Abt. I, Bd. 9).
Kleine Schriften	Christian Wolff, Gesammlete kleine philosophische Schrifften [übersetzt. von Gottlieb Friedrich Hagen], 6 Bde., Halle 1736–1740, Nachdruck: Hildesheim 1981 (GW, Abt. I, Bd. 21.1–6).
Hagen	Christian Wolff, Von dem Unterscheid des zusammenhangenden und nicht zusammenhangenden Verstandes, in: Kleine Schriften, Bd. 4, 163–219.
Discursus praeliminaris	Christian Wolff, Discursus praeliminaris de philosophia in genere / Einleitende Abhandlung über Philosophie im Allgemeinen, übersetzt und hg. von Günter Gawlick und Lothar Kreimendahl, Stuttgart-Bad Cannstatt 1996 (Forschungen und Materialien zur deutschen Aufklärung, Abt. I, Bd. 1).
Logica	Christian Wolff, Philosophia rationalis sive Logica, methodo scientifica pertractata et ad usum scientiarum atque vitae aptata, 2 Bde. ([1]1728), Frankfurt und Leipzig [3]1740, Nachdruck, hg. von Jean École: Hildesheim 1983 (GW, Abt. II, Bd. 1.1–3).
Cogitationes rationales	Christian Wolff, Cogitationes rationales de viribus intellectus humani ([1]1730), Frankfurt und Leipzig [3]1740, Nachdruck, hg. von Jean École : Hildesheim 1983 (GW, Abt. II, Bd. 2).
Ontologia	Christian Wolff, Philosophia prima, sive Ontologia, methodo scientifica pertractata, qua omnis cognitionis humanae principia continentur ([1]1730), Frankfurt und Leipzig [2]1736, Nachdruck, hg. von Jean École: Hildesheim [3]2001 (GW, Abt. II, Bd. 3).
Cosmologia	Christian Wolff, Cosmologia generalis, methodo scientifica pertractata ([1]1731), Frankfurt und Leipzig [2]1737, Nachdruck, hg. von Jean École: Hildesheim 1964 (GW, Abt. II, Bd. 4).
Psychologia empirica	Christian Wolff, Psychologia empirica, methodo scientifica pertractata ([1]1732), Frankfurt und Leipzig [2]1738, Nachdruck, hg. von Jean École: Hildesheim 1968 (GW, Abt. II, Bd. 5).

Pschologia rationalis

Christian Wolff, Psycholgia rationalis, methodo scientifica pertractata (^{1}1734), Franfurt und Leipzig ^{2}1740, Nachdruck, hg. von Jean École: Hildesheim ^{2}1994 (GW, Abt. II, Bd. 6).

Theologia naturalis

Christian Wolff, Theologia naturalis, methodo scientifica pertractata, 2 Bde. (^{1}1736 f.), Frankfurt und Leipzig ^{2}1739–1741, Nachdruck, hg. von Jean École: Hildesheim 1978–1980 (GW, Abt. II, Bd. 7.1–2 und 8).

Philosophia practica universalis

Christian Wolff, Philosophia practica universalis, methodo scientifica pertractata, 2 Bde., Frankfurt und Leipzig 1738 f., Nachdruck, hg. von Winfried Lenders: Hildesheim 1971–1978 (GW, Abt. II, Bd. 10 f.).

Ethica

Chistian Wolff, Philosophia moralis sive Ethica, methodo scientifica pertractata, 5 Bde., Halle 1750–1753, Nachdruck, hg. von Winfried Lenders: Hildesheim 1970–1973 (GW, Abt. II, Bd. 12–16).

Jus Naturae

Christian Wolff, Jus Naturae, methodo scientifica pertractatum, 8 Bde., Frankfurt, Leipzig und Halle 1740–1748, Nachdruck, hg. von Marcel Thomann: Hildesheim 1968–1972 (GW, Abt. II, Bd. 17–24).

Institutiones

Christian Wolff, Institutiones juris naturae et gentium, Halle 1750, Nachdruck, hg. von Marcel Thomann: Hildesheim 1969 (GW, Abt. II, Bd. 26).

Elementa matheseos

Christian Wolff, Elementa matheseos universae, 2 Bde. (^{1}1713–1715), Fünfbändige Neuausgabe Halle 1730–1741, Nachdruck, hg. von Joseph Ehrenfried Hofmann: Hildesheim ^{2}2003 (GW, Abt. II, Bd. 29–33).

Horae subsecivae

Christian Wolff, Horae subsecivae Marburgenses quibus philosophia ad publicam privatamque utilitatem aptatur, 3 Bde., Frankfurt und Leipzig 1729–1741, Nachdruck, hg. von Jean École: Hildesheim 1983 (GW, Abt. II, Bd. 34.1–3).

Meletemata

Christian Wolff, Meletemata mathematico-philosophica, Halle 1755, Nachdruck: Hildesheim ^{2}2003 (GW, Abt. II, Bd. 35).

Ratio praelectionum

Christian Wolff, Ratio praelectionum Wolfianarum (^{1}1718), Halle ^{2}1735, Nachdruck, hg. von Jean École: Hildesheim 1972 (GW, Abt. II, Bd. 36).

D

De differentia intellectus systematici & non systematici, in: Horae subsecivae, Bd. 1, Trimestre brumale 1729, 107–154.

EINLEITUNG

Christian Wolff (1679–1754) wollte eigentlich Theologe werden. Noch als Professor der Mathematik und (seit 1715) der Physik in Halle hielt er an dem Vorsatz fest, später „Gott im Predigtamte zu dienen".[1] Die Vertreibung aus Preußen und die Berufung auf die Marburger Professur (1723) gaben seinem Lebensweg eine andere Richtung. Doch auch als Professor der Mathematik, Physik und Philosophie in Marburg bewies Wolff ein waches Interesse für Fragen der Theologie.

Dieses Interesse hatte zwei Wurzeln: die gelebte Frömmigkeit des Elternhauses und die konfessionellen Diskussionen und Streitigkeiten, die in Wolffs Heimatstadt Breslau an der Tagesordnung waren. Die evangelisch-lutherische Stadt gehörte zum katholischen Habsburgerreich, das in Breslau erfolgreich Jesuitenschulen gegründet hatte und schließlich gegen den Widerstand der Stadt die Gründung einer katholischen Universität durchsetzte. Diese geistige Atmosphäre hätte auf eine Abgrenzung und Verhärtung der Positionen hinauslaufen können. Beim jungen Wolff war jedoch das Gegenteil der Fall. Schon als Schüler diskutierte der Lutheraner Wolff mit befreundeten katholischen Mönchen. Er begann, nicht nur lutherische, sondern auch reformierte und katholische Lehrbücher zu studieren. Wolff suchte nach einer Möglichkeit, die theologischen Gegensätze zu überwinden. Von der Theologie selber war keine Lösung zu erhoffen, wohl aber von der Anwendung der sogenannten mathematischen Methode auf die Theologie. Zugleich sollte die Theologie dadurch jene wissenschaftliche Gewißheit erreichen, die von der Mathematik auf so unwiderlegliche Weise gelehrt wurde. Als Wolff sein Studium begann, widmete er sich darum besonders der Mathematik. Die Schulung im mathematisch-methodischen Denken sollte die Vorstufe und die Grundlage für eine Theologie sein, die alle Unsicherheiten und Streitigkeiten hinter sich lassen würde.

Eine derartige Theologie war jedenfalls als Natürliche Theologie aufzufassen. Das mußte keineswegs einen Gegensatz zur Offenbarungs-Theologie mit sich bringen. Aber nicht ihr, d. h. nicht dem Bibeltext und seiner Exegese galt Wolffs eigentliches Interesse, auch wenn Wolff als Student und als Privatdozent ziemlich regelmäßig Predigten hielt. Die Natürliche Theologie stützt sich auf die menschliche Vernunft, auf deren Erkenntnisse und Schlüsse; deswegen ist die Natürliche Theologie eine philosophische Disziplin. Allerdings ist „die Lehre von GOTT die

---

[1] Heinrich Wuttke (Hg.), Christian Wolffs eigene Lebensbeschreibung, Leipzig 1841, Nachruck: Hildesheim 1980 (in: GW, Abt. I, Bd. 10, hg. von Hans Werner Arndt), 120, vgl. 127: „Weil aber meine Haupt-Absicht immer auf die Theologie gerichtet war […]".

Aufklärung 23 · © Felix Meiner Verlag 2011 · ISSN 0178-7128

allerwichtigste […], welche in der gantzen Welt-Weißheit vorkommet".[2] Genauer: Wolff sollte die Natürliche Theologie als abschließenden Teil der Metaphysik einordnen. Der Titel von Wolffs Hauptwerk, der *Deutschen Metaphysik* nennt die Teile der Metaphysik, allerdings kehrt der Titel die systematische Reihenfolge um: *Vernünfftige Gedancken von GOTT, der Welt und der Seele des Menschen, auch allen Dingen überhaupt.* Die vom System her gebotene Reihenfolge ist nämlich: Ontologie, Psychologie, Kosmologie, Natürliche Theologie. Die Kernthemen der Natürlichen Theologie sind der Beweis des Daseins Gottes und die Herleitung von Gottes Eigenschaften.

Wolffs Beschäftigung mit den verschiedenen älteren und neueren Gottesbeweisen setzt in der *Ratio praelectionum* von 1718 mit einer kritischen Überprüfung ein. Was auf Vernunftgründen beruht, ist nicht – wie die übernatürliche Offenbarung – jeder rationalen Kritik enthoben, sondern kann mit vernünftigen Argumenten diskutiert und erwogen werden. Zwar wird Wolff später nicht mehr die kritische Liste von 1718 wiederholen. Welche Gottesbeweise er aber 1718 über die Klinge springen läßt, ist bemerkenswert, z. B. den ontologischen, den teleologischen oder den Beweis aus der Tatsache des Gewissens. Was bleibt, ist der Schluß von der (kontingenten) Existenz der Welt auf das Dasein Gottes. (Kant wird diesen Gottesbeweis als ‚kosmologischen Beweis' bezeichnen.) Ein wichtiges Ergebnis dieser Natürlichen Theologie ist am Ende ihre genaue Übereinstimmung mit den biblischen Lehren. Wenn Gott z. B. den zureichenden Grund für die Wirklichkeit der Welt in sich enthält, so stimmt dieser Gottesbegriff mit dem Gottesbegriff des Bibeltextes (Gen 1,1) überein.[3] Wolff verkündete die wechselseitige Ergänzung von Natürlicher Theologie und Offenbarungstheologie, von Vernunft und Glauben. Diese anvisierte Versöhnung von Wissenschaft und Religion trug sicher zu Wolffs europaweitem Erfolg bei, der aber in noch höherem Maße auf die beanspruchte Sicherheit – eine Sicherheit wie in der Mathematik – zurückzuführen ist, die anscheinend dank der mathematischen (demonstrativen und systematischen) Methode auf allen Gebieten erreicht werden konnte; auch und besonders auf dem Felde der Natürlichen Theologie.

Schon im Dezember 1719 (Datierung auf dem Titel: 1720) erschien die *Deutsche Metaphysik.* Das abschließende sechste Kapitel enthält die Natürliche Theologie und beginnt mit dem Gottesbeweis. Anders als in der *Ratio praelectionum* setzt er beim menschlichen Selbstbewußtsein an, nicht bei der Welt. In beiden Fällen ist der Ausgangspunkt aber etwas, dessen Dasein feststeht, ein Dasein jedoch, das seinen Grund nicht in sich selbst hat, sondern in einem selbständigen Wesen,

---

[2] Ausführliche Nachricht, 296.

[3] Ratio praelectionum, 160. Deutsch: Nachricht von Vorlesungen, in: Christian Wolff, Übrige theils noch gefundene kleine Schriften, Halle 1775, Nachdruck: Hildesheim 1983 (GW, Abt. I, Bd. 22), 649.

dessen Sein notwendig ist. Die Struktur des Gottesbeweises ist also in beiden Fällen dieselbe, nämlich die Anwendung des Satzes vom zureichenden Grund. Auf den Gottesbeweis folgt die Herleitung der Eigenschaften Gottes, wobei besonders die Unterscheidung zwischen dem Verstand und dem Willen erörtert wird. Der Wille Gottes ist zuständig für die Wahl der besten Welt. Daraus ergibt sich das Problem der Theodizee, das in anderen Zusammenhängen wiederkehrt. Wenn z.B. Gottes Erhaltung der Welt behandelt wird, taucht die Frage auf, wie der Schöpfer der Welt angesichts der Übel in der Welt gerechtfertigt werden kann (Theodizee). Mit Leibniz stellt Wolff fest: Gott hätte diese unsere Welt nicht erschaffen, wäre sie nicht die beste aller möglichen Welten. Da also diese Welt – so wie sie ist – die beste ist, wäre eine Welt ohne Leid und Sünde nicht mehr die beste Welt. Daher läßt Gott das Böse zu. – Aufschlußreich ist der Ausblick auf die Offenbarung, werden deren Kennzeichen doch von der Natürlichen Theologie ermittelt und festgelegt. Wunder werden nicht geleugnet, aber Wolff stellt klar, daß eine Welt mit vielen Wundern unvollkommener ist als eine Welt mit wenigen Wundern.

Die Natürliche Theologie beantwortet auch die Frage, welche ,Absicht' bzw. welchen Zweck Gott mit der Erschaffung der Welt verfolgte: die Offenbarung seiner Herrlichkeit. Genau hier liegt dann der Ansatz der *Deutschen Teleologie* von 1723 (Datierung auf dem Titel: 1724). Wolff zeigt detailliert, wie die Natur die verschiedenen göttlichen Vollkommenheiten ,spiegelt', indem sie in ihren einzelnen Erscheinungen einen Nutzen aufweist, der göttliche ,Absicht' ist.[4] Wolff vertritt hier die Sichtweise einer breiten zeitgenössischen Strömung: der Physikotheologie. Allerdings ergibt sich aus dem Aufweis von Zweckmäßigkeit in der Natur für Wolff kein Gottesbeweis.[5] Was Wolff erschließt, sind die Vollkommenheiten Gottes, dessen Existenz mit einem anderen Beweisgang festgestellt wurde.

Das Jahr 1723 war indessen zu einem biographischen Wendepunkt geworden. Wegen seiner Rede über die praktische Philosophie der Chinesen wurde Wolff von den Pietisten für einen Gottesleugner gehalten; sie erwirkten bei König Friedrich Wilhelm I. eine Kabinettsorder, derzufolge Wolff nicht nur seiner Professur enthoben wurde, sondern auch ,bei Strafe des Stranges' am 12. November 1723 aus Preußen emigrieren mußte. Zwar konnte Wolff, der Märtyrer der Aufklärung, alsbald in Marburg eine glänzende Wirksamkeit entfalten. Dennoch sah er sich genötigt, seine philosophischen Anschauungen in eigenen Schriften zu verteidigen. Dies geschah z.B. in der *Luculenta commentatio* und in den *Anmerkungen zur Deutschen Metaphysik*. Als sehr informative Ergänzung der deutschen Werkreihe erschien 1726 die *Ausführliche Nachricht*, in der Wolff seine deutschen Schriften Revue passieren ließ, seine Lehren wiederholte und verteidigte. –

---

[4] Daher der Titel: Vernünfftige Gedancken von den Absichten der natürlichen Dinge [...].
[5] Ratio praelectionum, 158. Nachricht von Vorlesungen (wie Anm. 3), 647.

Die *Luculenta commentatio* erschien noch 1723 (Datierung auf der Titel: 1724). Diese Schrift beginnt mit der Erörterung der Gottesbeweise. Wolff bekräftigte, daß der Schluß von der Kontingenz der Welt auf ein notwendiges Wesen als deren Grund der beste Gottesbeweis sei. In der *Ausführlichen Nachricht* von 1726 hob Wolff den Nutzen seiner Philosophie als Waffe im Kampf gegen den Atheismus hervor. Außerdem sei seine Philosophie ein Wegweiser zur Heiligen Schrift.

Innerhalb der in Marburg begonnenen lateinischen Werkreihe werden auch die Disziplinen, die in der *Deutschen Metaphysik* dargestellt worden waren, erneut behandelt, und zwar viel ausführlicher. Natürlich knüpft Wolff an die Lehren der *Deutschen Metaphysik* an, doch bietet die lateinische Metaphysik an vielen Stellen erheblich mehr und anderes als eine Wiederholung des Buches von 1719. Jeder metaphysischen Disziplin ist jetzt ein eigener Foliant gewidmet, der Natürlichen Theologie sogar deren zwei, die 1736 und 1737 erschienen und das lateinische metaphysische System abschließen. Diese Zweiteilung der *Theologia naturalis* ergibt sich aus der Aufteilung in einen aposteriorischen und einen apriorischen Teil. Der erste Teil führt einen Gottesbeweis a posteriori, der zweite Teil beginnt mit einem Gottesbeweis a priori. Der Beweis des ersten Teils setzt wieder beim kontingenten Seienden an (die menschliche Seele bzw. die sichtbare Welt), das den zureichenden Grund seiner Existenz weder in sich noch in der Welt haben kann. Folglich gibt es ein notwendiges Wesen, das jenen Grund sowie den Grund seiner eigenen Existenz in sich enthält. Die anschließende Herleitung der Eigenschaften Gottes berührt bei den Themen Macht, Wille, Weisheit und Güte wiederum die Theodizee-Problematik. Es werden auch wieder die sieben Kennzeichen der Offenbarung aufgestellt: vernünftige Kriterien, an denen die Offenbarung gemessen wird. Dem steht nicht entgegen, daß die geoffenbarte Wahrheit nicht in jedem Fall von der menschlichen Vernunft erkannt werden kann.

Wolff stellt fest, daß dieser erste Teil ein vollständiges System (integrum systema)[6] der Natürlichen Theologie bietet. Der Gottesbeweis a priori, der den zweiten Teil eröffnet, geht vom Begriff des vollkommensten Seienden aus. Da dieser Begriff von der menschlichen Seele her erschlossen wird, ist auch dieser Beweis im Grunde wiederum ein Beweis a posteriori. Allerdings führt dieser Gottesbegriff ganz leicht zu Gottes Attributen. Dabei wird – wie schon in der *Deutschen Metaphysik* kurz erörtert – die menschliche Seele auf ihre Eigenschaften hin durchmustert. Sie werden zunächst gefiltert (wobei z. B. die Affekte ausscheiden) und dann auf ihren höchsten, ins Unendliche reichenden Grad erhoben; in dieser Form sind sie Eigenschaften Gottes. Damit kehren die göttlichen Eigenschaften des ersten Teils im zweiten Teil unter anderem Aspekt wieder. Bis hierher weisen der erste und der zweite Teil der *Theologia naturalis* dieselbe Gliederung auf. Der zweite

---

[6] Beginn der Praefatio zu Bd. 2 der *Theologia naturalis*.

Teil enthält aber noch eine zweite Abteilung. Sie besteht aus elf Widerlegungen von Irrlehren, beginnend mit dem Atheismus. (Dieser Teil hat keinen Vorläufer in der *Deutschen Metaphysik*.) Wolffs besonderes Interesse gilt der Widerlegung des Spinozismus, der atheistisch sei und darüber hinaus noch fatalistisch. Allerdings führe der Atheismus nicht zwangsläufig zu einem lasterhaften Lebenswandel, wie der ehrbare Spinoza beweist. – Daß die menschliche Vernunft in Gestalt der Natürlichen Theologie dasselbe lehrt wie die Bibel, gibt den traditionellen biblischen Wahrheiten eine moderne, wissenschaftliche Bestätigung. Andererseits fragt man sich, welche Bedeutung dann noch dem biblischen Text zukommt, wenn man ihn nicht auf seine übernatürlichen Wahrheiten (Mysterien) beschränkt.

Unter Wolffs lateinischen Metaphysik-Büchern war die *Theologia naturalis* das einzige, das ins Deutsche übersetzt wurde.[7] 1740 war Wolff im Triumph von Marburg nach Halle zurückgekehrt. 1751 erschien der dritte Band der *Ethica*. Er enthält in seinem ersten Kapitel (De Agnitione Dei) auf zweihundert Seiten noch einmal eine Darstellung der Natürlichen Theologie.

Wolffs Einfluß auf die Theologen des 18. Jahrhunderts, und zwar auch auf die katholischen Theologen, war erheblich. Dieser Einfluß beruhte allerdings in erster Linie auf Wolffs Methode und auf seinem System als ganzem, weniger auf Wolffs Natürlicher Theologie. Später stand diese Disziplin, die inzwischen dem geistesgeschichtlichen Wandel zum Opfer gefallen war, ohnehin nicht mehr im Zentrum des historischen Interesses. Darum sei hier auf einige Arbeiten hingewiesen, die zur Einführung in Wolffs Natürliche Theologie geeignet sind.[8] Als älteste[9] einführende Literatur ist hier das Buch von Max Wundt *Die Deutsche Schulphilosophie im Zeitalter der Aufklärung*[10] zu nennen, das trotz seines Alters von bald 70 Jahren noch immer seine Dienste leistet. 1970 erschien Anton Bissingers ebenso gelehrte wie eindringliche Arbeit über *Die Struktur der Gotteserkenntnis*[11] bei Wolff. Ein Markstein der Wolff-Forschung war 1983 der von Werner Schneiders herausgegebene Wolff-Band, der auf allen Feldern des Interesses

---

[7] Christian Wolff, Natürliche Gottesgelahrheit, nach der beweisender Lehrart abgefasset, übers. von Gottlieb Friedrich Hagen, 2 Teile in 5 Bdn., Halle 1742–1745, Nachdruck: Hildesheim 1995 (GW, Abt. I, Bd. 23.1–23.5).

[8] Die Wolff-Bibliographie von Gerhard Biller, Wolff nach Kant. Ein Bibliographie, Hildesheim 2004 (GW, Abt. III, Bd. 87) bietet nur wenige Einträge zu diesem Stichwort.

[9] Schon 1939 erschien die gewichtige Studie von Mariano Campo, Christiano Wolff e il razionalismo precritico, 2 Bde., Milano 1939, Nachdruck in 1 Bd.: Hildesheim 1980 (GW, Abt. III, Bd. 9), vgl. Bd. 2, 573–663. Wegen der sprachlichen Barriere wurde dieses Werk in Deutschland nicht in besonderem Maße rezipiert. Daß die Wolff-Forschung seit längerer Zeit eine durchaus internationale Angelegenheit ist, spricht für den Rang Wolffs, erschwert dem Anfänger aber den Zugang.

[10] Tübingen 1945 (Heidelberger Abhandlungen zur Philosophie und ihrer Geschichte, 32), Nachdruck: Hildesheim 1964 (Olms Paperbacks, 4), 170 f., 193–195.

[11] Bonn 1970 (Abhandlungen zur Philosophie, Psychologie und Pädagogik, 63).

an Wolff hochrangige Aufsätze enthält, so auch für die Natürliche Theologie: Mario Casula beleuchtete das Verhältnis zwischen Vernunft und Offenbarung bei Wolff;[12] Günter Gawlick erforschte Wolffs Stellung zum Deismus,[13] wobei zwischen Wolffs eigenem Deismus-Begriff und der aktuellen Verwendung dieses Begriffes unterschieden werden muß. Als letzter Name ist Jean École zu nennen. Bereits 1978 und 1981 hatte École die beiden Bände der *Theologia naturalis* herausgegeben;[14] auf die Einleitungen ist ebenso hinzuweisen wie auf die Anmerkungen und die Register. Diese Werke Wolffs wurden dadurch auf vorbildliche Weise erschlossen. Durch diese neuen Nachdrucke wurde darüber hinaus der Zugriff in den Bibliotheken wesentlich erleichtert. 1990 erschien schließlich Écoles *La métaphysique de Christian Wolff.*[15]

Der vorliegende Band beabsichtigt nicht, einen systematischen Aufriß der Natürlichen Theologie Wolffs zu geben. Daß die elf Abhandlungen aus vier verschiedenen Ländern (Italien, Deutschland, Frankreich, Luxemburg) stammen, ergab sich aus der Situation der Wolff-Forschung heraus von selbst. Die Reihenfolge, in der die Beiträge abgedruckt sind, mußte die Verschränkung von systematischen und chronologischen Aspekten berücksichtigen. Am Anfang steht der Aufsatz von Robert Theis, in dem zwei heuristischen Vermutungen nachgegangen wird: 1) daß Wolffs Natürliche Theologie innerhalb seiner Metaphysik eine richtungweisende Funktion hat, 2) daß Wolffs Metaphysik von vornherein den biblischen Schöpfergott im Blick hat. Um diese Vermutungen zu überprüfen, wird nach dem Ort der Natürlichen Theologie im Gefüge der Metaphysik Wolffs gefragt, es wird das Verhältnis Gottes zum Seienden untersucht, und es wird Wolffs Einstellung zum Verhältnis zwischen natürlicher und geoffenbarter Theologie erörtert.

Auch der Beitrag von Luigi Cataldi Madonna behandelt Grundfragen der Wolffschen Theologie, jedoch mit ganz anderer Akzentsetzung. Cataldi Madonna betont, in welchem Ausmaß die Vernunft für Wolff die Grundlage des Glaubens sei. So sind z. B. die Wunder eigentlich überflüssig, da diese Welt von Gott aufs Beste geordnet wurde. Gott selbst ist rational und damit ist er auch rational entschlüsselbar. Wolffs Versöhnung von Vernunft und Glauben geschieht also in Gestalt einer Theologie, die bereits auf die Neologie vorausweist; Cataldi Madonna

---

[12] Die Theologia naturalis von Christian Wolff: Vernunft und Offenbarung, in: Werner Schneiders (Hg.), Christian Wolff 1679–1754. Interpretationen zu seiner Philosophie und deren Wirkung, Hamburg ([1]1983) [2]1986 (Studien zum achtzehnten Jahrhundert, 4), 129–138.

[13] Christian Wolff und der Deismus, in: ebd. 139–147.

[14] GW, Abt. II, Bd. 7.1 und 7.2.

[15] GW, Abt. III, Bd. 12.1 und 12.2. – Daß auf dem Halleschen Wolff-Kongreß (2004) nur wenige Vorträge der Natürlichen Theologie gewidmet waren, dürfte keine repräsentative Abbildung der Interessenlage sein. Immerhin waren sieben der Beiträger des vorliegenden Bandes auch auf dem Halleschen Kongreß vertreten.

bezeichnet Wolffs Natürliche Theologie darum als „kritische Theologie". Auch im vorliegenden Band schlägt sich damit die Frage nieder, ob Wolff als Theologe eher nach rückwärts oder nach vorwärts weist bzw. ob die Linkswolffianer oder die Rechtswolffianer Wolffs Ansichten adäquater weiterführten.

Francesco Valerio Tommasi widmet sich der diffizilen Aufgabe, den Gedanken der Analogie in Wolffs Ontologie und Theologie aufzuspüren. Der bloße Wortlaut der Texte Wolffs reicht dafür nicht aus; auf den zweiten Blick lassen sich aber Problemgehalte ermitteln, die auf analogische Bezüge hindeuten.

Im zweiten Teil der *Theologia naturalis* werden die Eigenschaften Gottes von den Eigenschaften der menschlichen Psyche her gewonnen. Dieser Ansatz wird in zwei Beiträgen behandelt. Matteo Favaretti Camposampiero zeigt auf, daß mit diesem „psychotheologischen Weg" vom endlichen Geist zum unendlichen Geist eine in sich schlüssige Rechtfertigung der Natürlichen Theologie geleistet wurde. Auch Manuela Mei erörtert die Schlüsselrolle des psychologischen Wissens für die Begründung der Natürlichen Theologie bei Wolff. Manuela Mei geht besonders auf zwei Problemkreise ein: die Beschränkungen, denen der Mensch durch den unteren Teil seiner Seele ausgesetzt ist (was beim Hinblick auf die Vollkommenheiten Gottes ganz deutlich wird), und die Möglichkeit, Gott sichtbar werden zu lassen (durch hieroglyphische Figuren).

Wolffs Theorie und Begründung der Wunder wird von Werner Euler im einzelnen dargestellt. Wolff hat sich hier mit Locke, Clarke und Spinoza auseinandergesetzt und an Leibniz angeknüpft. Gerade aus dem Vergleich mit diesen Denkern ergeben sich aber Kritikpunkte, die das Verhältnis zwischen dem Natürlichen und dem Übernatürlichen als eine Aufgabe erweisen, die von Wolff nicht gelöst wurde.

Zwei Abhandlungen beschäftigen sich mit der Rolle der Physikotheologie bei Wolff. Den physikotheologischen Gottesbeweis hat Wolff abgelehnt. Ferdinando Luigi Marcolungo stellt in seinem Beitrag fest, daß diese Ablehnung eine eigene Fruchtbarkeit aufweist, aber auch ein Punkt der zeitgenössischen Wolff-Kritik war. Stefanie Buchenau arbeitet die umstrittene Zwischenstellung der Physikotheologie heraus. Sie ist eine Teleologie, die zwischen Physik und Theologie steht, aber eigentlich ein Teil der Physik ist. Auch unter diesem Aspekt war also für Angriffsflächen gesorgt.

Ob die Kritik Joachim Langes, Johann Franz Buddes und Johann Georg Walchs nicht ihre Spuren in Wolffs Schreib- und Denkweise hinterlassen mußte, das fragt sich Jean-François Goubet. Wolff behauptet ja, eine (seine) konstruktiv-systematische Darstellungsweise könne auf Polemik verzichten. Goubets Aufsatz wirft damit auch neues Licht auf Wolffs Systemidee.

Johannes Bronisch weist nach, wie sehr sich Wolff in Fragen der Natürlichen Theologie engagierte: Im Streit, der 1746–48 innerhalb des Wolffianismus über die Notwendigkeit der Offenbarung geführt wurde, bezog er entschieden Stellung, und zwar ganz im Sinne der traditionellen Dogmatik. (Also waren wohl doch die Rechtswolffianer die treueren Anhänger.) Dies wird durch die Edition eines Briefes von Wolff an Ernst Christoph von Manteuffel dokumentiert.

Der abschließende Beitrag von Clemens Schwaiger behandelt Grundlagen der Natürlichen Theologie Wolffs, nämlich zentrale Begriffe wie ,fides', ,ratio' und ,philosophia' sowie deren Verhältnis zueinander. Insofern hätte Schwaigers Abhandlung an den Anfang des Bandes gehört. Allerdings wird auch die weitere Entwicklung untersucht, und zwar in Gestalt von Alexander Gottlieb Baumgarten, dem bedeutendsten Wolffianer. Dabei werden die Übernahmen Wolffscher Gedanken ebenso deutlich wie Baumgartens selbständige Abweichungen von Wolff.

An die Abhandlungen schließt die Edition und Übersetzung von Wolffs Schrift über den systematischen Verstand an. Sie hat eine eigene Einleitung.

Michael Albrecht

ABHANDLUNGEN

Robert Theis

„Ut & scias, & credas, quae simul sciri & credi possunt"[1]

Aspekte der Wolffschen Theologie

Die folgende Untersuchung wendet sich einigen Aspekten der Wolffschen Theologie zu. In einem *ersten* Teil wird der Ort der natürlichen Theologie im Gefüge
der Wolffschen Metaphysik beschrieben. In einem *zweiten* Teil wenden wir uns
der systematischen Problematik der Funktion Gottes im Hinblick auf Möglichkeit
und Wirklichkeit der Dinge zu. In einem *dritten* Teil schließlich werden Wolffs
Überlegungen zum Verhältnis zwischen Philosophie bzw. natürlicher Theologie
und geoffenbarter Theologie erörtert.

Die Vermutung, die dieser Abhandlung zugrunde liegt und näherhin begründet
werden soll, ist eine doppelte, (1) daß in Wolffs Metaphysik die natürliche Theologie das eigentliche Regulativ ist; (2) daß diese Metaphysik bis in ihre Grundprinzipien hin *ex ante* so konzipiert ist, daß sie mit der Wahrheit des christlichen
Glaubens und näherhin mit dessen *Grundaussage vom Schöpfergott* (Gen. I,1) als
ihrem Subtext zusammenstimmt.[2]

I. Der Ort der natürlichen Theologie im Aufbau
der Wolffschen Metaphysik

In der 1718 erschienenen *Ratio praelectionum wolfianarum in Mathesin et Philosophiam universam* definiert Wolff die Metaphysik folgendermaßen:

---

[1] De usu methodi demonstrativae in tradenda Theologia revelata dogmatica, in: Horae subsecivae, Bd. 3, Trimestre aestivum 1731, 523 (§ 14).

[2] Günter Gawlick (Christian Wolff und der Deismus, in: Werner Schneiders [Hg.], Christian
Wolff 1679–1754. Interpretationen zu seiner Philosophie und deren Wirkung. Mit einer Bibliographie der Wolff-Literatur, Hamburg [¹1983] ²1986 [Studien zum 18. Jahrhundert, 4], 139–147)
vertritt, im Vergleich zu unserer Hypothese, eine etwas ‚schwächere' These, wenn er behauptet,
Wolff sei überzeugt gewesen, „daß das Christentum die wahre Religion [sei], daß seine Wahrheit
bewiesen werden [könne] und daß seine Philosophie geeignete Beweismittel zur Verfügung stellte"
(ebd., 141).

Aufklärung 23 · © Felix Meiner Verlag 2011 · ISSN 0178-7128

Tenendum [...] mihi *Metaphysicam* potissimum vocari scientiam de Deo & mente humana rerumque principiis, unde ista pendet; scientiae vero entis, qua ens est, *Philosophiae primae* nomen servari: id quod enim ab aliis fieri solet Philosophis.[3]

Die Metaphysik beschäftigt sich demnach mit zwei Arten von Seienden (*entia*): Gott und dem menschlichen Geist, sowie mit den ersten Grundsätzen, auf denen die vorige Beschäftigung beruht. Von ihr zu unterscheiden ist die erste Philosophie, die es nicht mit einer bestimmten Art von Seienden zu tun hat, sondern allgemein mit dem *ens qua ens*, d. h. mit allgemeinen Bestimmungen oder Eigenschaften des Seienden, *insofern es Seiendes* ist. Einige Zeilen später freilich schlägt Wolff eine erweiterte Definition der Metaphysik vor, die er offensichtlich als kanonisch ansieht: „Ego Metaphysicam ex Philosophia prima seu Ontologia, Cosmologia, Psychologia & Theologia naturali componere soleo".[4]

Dieser Definition von der Metaphysik entspricht denn auch diejenige in der 1726 erschienenen *Ausführlichen Nachricht:* Zur Metaphysik, auch Hauptwissenschaft genannt, gehören

wenn sie recht vollständig seyn soll, 1. die Grund-Wissenschaft oder *Ontologie* von der allgemeinen Betrachtung der Dinge; 2. die Geister-Lehre oder Pneumatick von der Seele des Menschen und einem Geiste überhaupt; 3. die allgemeine Welt Lehre, oder *Cosmologie*, von der Welt überhaupt und 4. die natürliche Gottes-Gelahrtheit oder Theologie von Gott.[5]

Im *Discursus praeliminaris* definiert Wolff die Metaphysik etwas abweichend von dem Vorigen:

Psychologia & Theologia naturalis nonnunquam *Pneumaticae* nomine communi insigniuntur, & *Pneumatica* per spirituum scientiam definiri solet. Ontologia vero, Cosmologia generalis & Pneumatica communi *Metaphysicae* nomine compellantur. Est igitur *Metaphysica* scientia entis, mundi in genere atque spirituum.[6]

Dieser Aufzählung liegt ein methodisch wichtiger Gedanke zu Grunde, nämlich der der Ordnung der Darstellung der einzelnen Teile der Metaphysik: „Partes Metaphysicae eo collocandae sunt ordine, ut praemittantur, unde principia sumunt ceterae".[7] Gemäß diesem Prinzip wird die natürliche Theologie als letzter Teil der Metaphysik abgehandelt, da sie ihre Grundsätze aus der Ontologie, der Kosmologie und der Psychologie hernimmt. Es sei hier die ausführliche Begründung dieses Sachverhalts im *Discursus praeliminaris* angeführt, in der sich im übrigen bereits systematisch zentrale Aussagen über die Grundform der natürlichen Theologie befinden:

---

[3] Ratio praelectionum, 141 (cap. III, § 2).
[4] Ebd.
[5] Ausführliche Nachricht, 8 (§ 4).
[6] Discursus praeliminaris, 86 (§ 79).
[7] Ebd., 108 (§ 99).

Si Theologia naturalis methodo demonstrativa tradenda, principia ex Cosmologia, Psychologia & Ontologia petenda. In Theologia naturali agitur de existentia, attributis & operibus Dei […]. Quodsi de his demonstrativa methodo agendum, ex principiis certis & immotis, quae de Deo praedicantur, sunt inferenda […]. Immota ista principia, ex quibus existentia Dei ejusque attributa firmiter concluduntur, desumenda sunt a contemplatione mundi : ab ejus enim existentia contingente necessaria consequentia argumentamur ad Dei existentiam necessariam, & ea eidem tribuenda sunt attributa, unde intelligitur mundi unicus Autor. Quamobrem cum Cosmologia generalis mundi contemplationem generalem tradit, unde ejus dependentia ab attributis divinis fit conspicua […]; Theologia naturalis principia ex Cosmologia petit. Notiones attributorum divinorum formamus, dum notiones eorum, quae animae conveniunt, a limitibus liberamus. Quare cum animae cognitio ex Psychologia hauriatur […]; Theologia quoque naturalis principia ex Psychologia desumit. Quoniam denique notionibus generalibus, quae in Ontologia evolvuntur […], in demonstrationibus Theologiae naturalis maxime opus est; eadem non minus ex Ontologia principia mutuatur.[8]

Von diesem methodischen Ordnungsprinzip ist allerdings diejenige Ordnung zu unterscheiden, die sich aus der Dignität der Gegenstände selber herleitet. Diese ist zum Beispiel im Titel der *Deutschen Metaphysik* ersichtlich: *Vernünfftige Gedancken von GOTT, der Welt und der Seele des Menschen, auch allen Dingen überhaupt.* Hier werden zunächst bestimmte *entia*, um die es in der Metaphysik geht, aufgezählt. Diese Aufzählung entspricht auch derjenigen, die Wolff im dritten Kapitel des *Discursus praeliminaris* gibt, wo er von der Grundlage (*fundamentum*) der Teile der Philosophie (!) spricht, also von denjenigen Seienden, von denen die Philosophie handelt: „*Entia, quae cognoscimus, sunt Deus, animae humanae ac corpora seu res materiales*".[9] Die Vorrangstellung von Gott in dieser Aufzählung ergibt sich aus der Überzeugung, daß Gott der Urheber (*autor*) der Seelen und der Körper ist.[10] Diese Aussage ist m. E. von zentraler Bedeutung, weil sie direkt auf die grundlegende Aussage des Subtextes der Metaphysik, nämlich auf Genesis I,1 anspielt.

Der Theologie kommt im Wolffschen System der Metaphysik eine Vorrangstellung zu. In der *Praefatio* der *Theologia naturalis. Pars prior* lesen wir: „[…] Theologia naturalis est scopus, ad quem tendunt disciplinae Metaphysicae anteriores omnes […]".[11] Umgekehrt heißt dies auch: Die anderen Disziplinen der Metaphysik sind von der Theologie her zu deuten; die Theologie ist deren Regulativ.

---

[8] Ebd., 104 (§ 96).
[9] Ebd., 66 (§ 55).
[10] Vgl. ebd., 68 (§ 56 nota).
[11] Theologia naturalis. Pars prior (Theologia naturalis I), Praefatio, Bd. 1, 25*.

II. Das theologische Fundament der Metaphysik

Wir wollen uns demzufolge nach dieser ersten Verortung der natürlichen Theologie im Aufbau der Metaphysik der *systematischen* Frage zuwenden, inwiefern diese Metaphysik in ihrem zentralen Anliegen, nämlich der Frage nach dem Grund bzw. der Ursache des Seienden, auf ein theologisches Fundament hin fokussiert ist.

In der im Jahre 1729 in den *Horae subsecivae Marburgenses* erschienenen Abhandlung *De notionibus directricibus et genuino usu philosophiae primae* schreibt Wolff: „Deduximus philosophiam primam omnem ex principio contradictionis & rationis sufficientis, rebus existentibus non invitis".[12]

Mit Rückgriff auf den Satz vom Widerspruch erläutert Wolff, was der Grund des Seienden ist oder was am Seienden das „primum conceptibile" ist.[13] Dies ist die Tatsache, daß es *möglich* ist, und diese seine Möglichkeit besteht, formal betrachtet, in der Nichtwidersprüchlichkeit, also in der Denkbarkeit. In der *Philosophia prima sive Ontologia* heißt es: „*Possibile* est, quod nullam contradictionem involvit".[14] In dieser formalen Bestimmung liegt beschlossen, daß das Mögliche *etwas* ist (*aliquid*), insofern von Nichtwidersprüchlichkeit nur dann gesprochen werden kann, wenn es etwas zu denken gibt, das sich nicht widerspricht, und daß ihm demzufolge eine *notio* entspricht. In der lateinischen Ontologie gibt Wolff, nachdem der Begriff des Möglichen (als *aliquid*) als Nichtwidersprechendem eingeführt wurde, eine zweite im weiteren Sinn ontologische Bedeutung, nämlich daß das Mögliche etwas ist, das *existieren* kann: „*Quod possibile est, illud existere potest*".[15] Dabei wird das Existieren-Können zunächst wiederum formal auf der Grundlage des Satzes vom Widerspruch eingeführt:

> *Quod possibile est, illud existere potest.* Cum enim possibile contradictionem nullam involvat [...] ; eo posito idem non ponitur simul esse & non esse [...], consequenter quod esse ponitur, tantum esse, haud quaquam vero simul non esse ponitur. Nihil igitur in notione possibilis continetur, unde intelligatur, cur existere nequeat [...]. Quamobrem cum sine ratione sufficiente nihil esse possit [...], nec fieri potest ut existentia possibili repugnet. Quoniam adeo eidem non repugnat, existere item utique potest.[16]

Im *Discursus praeliminaris* zieht Wolff bezüglich des Möglichen nur diesen zweiten Aspekt in Betracht. Bereits die Definition der Philosophie im § 29 läßt eine zweifache Interpretation des Möglichen zu: „*Philosophia* est scientia possibili-

---

[12] De notionibus directricibus et genuino usu philosophiae primae, in: Horae subsecivae, Bd. 1, Trimestre vernale 1729, 311.

[13] Ebd.

[14] Ontologia, 65 (§ 85).

[15] Ebd., 114 (§ 133).

[16] Ebd.

um, quatenus esse possunt".[17] Das „quatenus esse possunt" läßt sich im Sinne des *logisch* Möglichen, aber auch in dem des *real* Möglichen interpretieren. Im § 31 deutet Wolff das „esse posse" im Sinne der realen Möglichkeit: *„In philosophia reddenda est ratio, cur possibilia actum consequi possint"*.[18]

Dieser Gesichtspunkt der realen Möglichkeit ist auch bereits in der *Deutschen Metaphysik* gleich eingangs des zweiten Kapitels an zentraler Stelle angeführt. Nachdem Wolff dort zunächst von der logischen Möglichkeit gehandelt hat, betont er, daß, „[…] wenn ich erkenne, daß etwas möglich sey; so kan ich deswegen nicht annehmen, daß es würcklich da sey, oder vorher dagewesen, oder auch künftig kommen werde".[19] Deshalb muß „[…] ausser der Möglichkeit noch was mehrers dazu kommen, wenn etwas seyn soll, wodurch das Mögliche seine Erfüllung erhält. Und diese Erfüllung des Möglichen ist eben dasjenige, was wir Würcklichkeit nennen".[20] Die lateinische Ontologie formuliert in ähnlicher Weise: *„Praeter possibilitatem entis aliud quid adhuc requiritur, ut existat"*.[21] Diese These, so wird sich weiter unten zeigen, gilt für das kontingente Seiende, nicht aber für das notwendige Seiende, das eine Sonderstellung innehat.

Dasjenige, wodurch ein Mögliches ins Dasein gerufen wird, kann ein wirkliches Seiendes, ein *ens actu* sein; dann spricht man vom Möglichen als einem *ens in potentia proxima*;[22] oder ein anderes mögliches Seiendes, und dann ist das Mögliche ein *ens in potentia remota*.[23] Letztlich jedoch muß der Grund eines Möglichen in etwas wirklich Existierendem liegen. In der *Ontologia* behauptet Wolff bezüglich des *ens in potentia remota*, es könne nur dann wirklich werden, wenn die gesamte Reihe der Seienden vorher existiert.[24]

Die Diskussion um die Frage nach dem Grund des Wirklich-Werdens des Möglichen setzt die Geltung des *Satzes vom Grunde* voraus. In der *Deutschen Metaphysik* definiert Wolff den Grund als „dasjenige, wodurch man verstehen kan, warum etwas ist".[25] Ähnlich heißt es in der *Ontologia*: „Per *Rationem sufficientem* intelligimus id, unde intelligitur, cur aliquid sit".[26] In der *Deutschen Metaphysik* geht Wolff, im Anschluß an die Definition des Grundes, einen Schritt weiter, indem er den Grund mit der Ursache in Verbindung bringt: „[…] die Ursache ist

---

[17] Discursus praeliminaris, 32 (§ 29).
[18] Ebd., 34 (§ 31).
[19] Deutsche Metaphysik, 8 (§ 13).
[20] Ebd., 9 (§ 14).
[21] Ontologia, 142 (§ 173).
[22] Vgl. ebd., 145 (§ 176).
[23] Vgl. ebd.
[24] Vgl. ebd., 147 (§ 178).
[25] Deutsche Metaphysik, 15 (§ 29).
[26] Ontologia, 39 (§ 56).

ein Ding, welches den Grund von einem andern in sich enthält".[27] Hier treten zwei
Begriff auf: der des *Grundes*, der eine *epistemische* Bedeutung hat („verstehen"),
insofern Gründe sich zunächst auf Begründungszusammenhänge in Aussagenreihen beziehen; der der *Ursache*, dem eine ontologische Bedeutung zukommt, insofern verursachen soviel heißt wie: etwas ins Dasein bringen (unabhängig davon,
ob es ein Seiendes ist oder ein Zustand eines Seienden). In dem eben angeführten
Zitat lesen wir auch, daß etwas Verursachtes in einer Ursache *gegründet* sei, also
seinen Grund in ihr hat und demzufolge in seinem Sein kraft dieses Grundes *verstehbar* wird.

In den *Anmerkungen zur Deutschen Metaphysik* (1724) kommt Wolff auf diesen Punkt zurück:

> Grund nenne ich hier, was die Frantzosen *Raison*, die Lateiner *Rationem* nennen. Ich
> habe im Teutschen kein besseres Wort finden können, wodurch ich das Wort *Raison*
> übersetzen könte. Es ist wohl wahr, daß wir in unserer Sprache das Wort Ursache brauchen. [...] Das Wort *Raison* oder *Ratio* ist allgemeiner, als das Wort *Causa* oder Ursache, und hat etwas mehrers, als dieses, zu sagen.[28]

In der *Deutschen Metaphysik* entwickelt Wolff, in der Folge der Einführung des
Begriffs des Grundes, eine Argumentation, die unter dem Titel „Satz des zureichenden Grundes"[29] die Problematik des Grundes eindeutig ins Metaphysische
ausweitet, also im Hinblick auf die *Begründung* des Vorhandenseins von Seienden. Wolffs Argumentation lautet, etwas verkürzt, folgendermaßen: Dasjenige,
woraus man begreifen kann, warum etwas anderes ist, nennt man seinen
Grund. Wo kein solcher Grund vorhanden ist, da ist nichts, woraus man begreifen
kann, warum es ist. Wenn es also ist, ohne daß ein zureichender Grund vorhanden
ist, dann heißt das, daß es aus Nichts entstanden ist. Was nicht aus Nichts entstehen
kann, muß einen zureichenden Grund haben, warum es ist. Und dann fügt Wolff
hinzu: Es muß an sich möglich sein und eine Ursache haben, die es zur Wirklichkeit bringen kann, „wenn wir von Dingen reden, die nicht nothwendig sind".[30]

Wolff spricht in diesem Auszug von zwei Bedingungen, die erfüllt sein müssen,
damit ein nicht-notwendiges Wesen existiere. Die erste bezeichnet er in den *Anmerkungen* als *innere Möglichkeit* (*possibile internum* sive *intrinsecum*);[31] diese
besteht, wie wir wissen, in der Nicht-Widersprüchlichkeit. Die zweite Bedingung
besteht in der Verursachung als dem Überführen des bloß Möglichen ins Dasein.
Das Dasein oder die Wirklichkeit ist, wie aus obigem Zitat ersichtlich, die *Erfül-*

---

[27] Deutsche Metaphysik, 15 (§ 29).
[28] Anmerkungen zur Deutschen Metaphysik, 26 f. (§ 13).
[29] Vgl. Deutsche Metaphysik, 16 (§ 30).
[30] Ebd.
[31] Anmerkungen zur Deutschen Metaphysik, 13 (§ 6).

lung der Möglichkeit.[32] Dieser Begriff der Erfüllung ist durchaus dynamisch zu verstehen, d. h. das Mögliche hat in sich die *Tendenz* zu existieren. In der *Deutschen Metaphysik* nun geht Wolff bezüglich des Grundes, der das Mögliche ins Dasein treten läßt, also der Ursache (des Nicht-Notwendigen) einen *entscheidenden* Schritt weiter, der an dieser Stelle methodisch nicht gerechtfertigt ist: „[…] wie das Mögliche zur Würcklichkeit gelanget, wird unten an seinem Orte gezeiget werden […] in Ansehung GOttes, als des nothwendigen und selbstständigen Wesens […] in Ansehung der übrigen Dinge".[33]

Dieser Hinweis auf einen letzten Grund *qua* Ursache scheint uns von der größten Bedeutung zu sein, weil sich hier bereits am Anfangspunkt der Ontologie deren Hinordnung auf die Theologie zeigt: Nach dem Grund des Wirklichen fragen bedeutet in dieser Metaphysik: nach dem letzten, und das heißt, nach dem göttlichen Grund fragen.

Der vorhin zitierte § 29 der *Deutschen Metaphysik* enthält hinsichtlich der Verursachung des Möglichen eine wichtige Bemerkung, nämlich, daß diese solche Dinge betrifft, die *nicht notwendig*, also zufällig sind. Wenn wir nun den Satz vom zureichenden Grund in der Interpretation des Grundes *qua* Ursache deuten, dann besagt Wolffs These, daß *nur* nicht-notwendige Dinge einer Ursache bedürfen, kraft welcher sie wirklich werden oder existieren. Die Einführung des Begriffs des Nicht-Notwendigen verweist ihrerseits implizit auf den Begriff des notwendigen Wesens oder Dinges. Was ist hierunter zu verstehen? Zwei Aspekte sind in der Beantwortung dieser Frage zu unterscheiden: 1. Was ist unter dem *Begriff* eines notwendigen Wesens zu verstehen? 2. Wie gelangt das Denken zur Behauptung des *Daseins* eines notwendigen Wesens?

Die erste Frage ist eine begriffsanalytische, und ihre Behandlung gehört in die Ontologie. In der *Deutschen Metaphysik* heißt es diesbezüglich, ein Ding sei notwendig, wenn das, was ihm entgegengesetzt ist, unmöglich ist,[34] d. h. einen Widerspruch enthält. Ähnlich lautet die Formulierung in der lateinischen Ontologie: „Cujus oppositum impossibile, seu contradictionem involvit […], id *Necessarium* dicitur".[35]

In diesem Paragraphen gibt Wolff zwei Beispiele: 1. In einem rechtwinkligen Dreieck ergibt die Summe der drei Winkel 180 Grad. Es ist unmöglich, daß in einem solchen Dreieck die Summe der drei Winkel nicht 180 Grad beträgt. Also sind drei Winkel, die man zusammennimmt, notwendigerweise zwei rechten Winkeln gleich. 2. Das zweite Beispiel ist interessanter, weil es näher an unserer Problematik liegt: Das *Ens a se* (das unabhängige oder selbständige Seiende) exi-

---

[32] Vgl. Deutsche Metaphysik, 9 (§ 14); vgl. Ontologia, 143 (§ 174).
[33] Deutsche Metaphysik, 9 (§ 14).
[34] Vgl. ebd., 19 f. (§ 36).
[35] Ontologia, 227 (§ 279).

stiert, und es ist unmöglich, daß dasselbe nicht existiert. Das *Ens a se* existiert also notwendigerweise.

Der Unterschied zwischen den beiden Beispielen ist deswegen von Bedeutung, weil im Fall des Dreiecks die Notwendigkeit, wie Kant sich im *Beweisgrund* ausdrücken wird, auf „logischen Beziehungen von einem Denklichen zum andern, da eins nur nicht ein Merkmal des andern sein kann"[36] beruht, während im zweiten Beispiel nicht ein Merkmal mit einem anderen Merkmal in Widerspruch steht, also die Notwendigkeit nur *logischer* Natur ist, sondern ein Ding hinsichtlich des Existierens bzw. Nicht-Existierens in Widerspruch steht, die Notwendigkeit also *ontologischer* Natur ist und somit das Dasein des Dinges selber betrifft.

Es ist nun genau hier, wo mit der Beantwortung der zweiten oben gestellten Frage anzusetzen ist. Aufgrund der begriffsanalytischen Bestimmung des absolut Notwendigen drängt sich gleichsam ein sog. apriorischer Beweis des Daseins eines solchen Wesens auf: Das notwendige Wesen existiert notwendigerweise, da seine Nicht-Existenz einen Widerspruch impliziert. Nun beschreitet Wolff aber diesen Weg *nicht*, um das Dasein des notwendigen Wesens zu beweisen, d. h. er begründet dieses nicht durch Rekurs auf den Satz vom Widerspruch. In der lateinischen Ontologie definiert er das notwendige Wesen folgendermaßen: „*Si existentiae ratio sufficiens in essentia entis continetur, ens necessario existit, estque exsistentia ejus absolute necessaria*".[37]

Wie aber gelangt Wolff zur Behauptung eines Wesens, das den zureichenden Grund seines Daseins in sich enthält und demzufolge notwendig existiert? In der *Deutschen Metaphysik* und in der *Theologia naturalis I* entwickelt er die folgende Argumentation: Im Ausgang von der Erfahrungstatsache, daß wir sind[38] bzw. daß die menschliche Seele existiert,[39] sowie der Feststellung, daß alles, was ist, einen zureichenden Grund haben muß, warum es vielmehr ist als nicht, wird in einem ersten Schritt gefolgert, es sei notwendig, daß es einen zureichenden Grund unseres Daseins gebe. Entweder liegt dieser in uns selber oder in einem anderen Seienden außer uns. In der *Deutschen Metaphysik* heißt es, für welches der beiden Glieder der Alternative man sich auch entscheide, es folge daraus, daß es ein „nothwendiges Ding" gebe. Wolff geht sodann einem Einwand nach, nämlich daß der Grund, warum wir sind, in einem Seienden liegen könnte, das seinerseits den Grund seines Daseins *nicht* in sich selber habe. Diesen Einwand entkräftet er mit dem Argument, daß man in dem Falle nicht begriffen habe, was unter einem *zureichenden* Grund zu verstehen sei, weil man bei besagtem Grund wiederum zu

---

[36] Immanuel Kant, Der einzig mögliche Beweisgrund zu einer Demonstration des Daseins Gottes (Akad.-Ausgabe, Bd. 2, 77).

[37] Ontologia, 244 (§ 308).

[38] Vgl. Deutsche Metaphysik, 574 (§ 928); Theologia naturalis I, 25 (§ 24).

[39] Theologia naturalis I, 25 (§ 24).

fragen habe, worin sein Grund liege und so schließlich auf ein Ding stoßen müsse, das „ausser sich keinen Grund brauchet, warum es ist".[40]

In der *Theologia naturalis I* argumentiert Wolff umgekehrt. Hier geht er von der Hypothese aus, daß, wenn man annehme, der Daseinsgrund von uns selber befinde sich in einem Seienden, das den Grund seines Daseins ebenso nicht in sich selber habe, man nur dann zu einem zureichenden Grund gelange, wenn man ihn in einem Seienden setze, das diesen in sich selbst habe. Dann erst stellt er die Alternative auf: Entweder wir selbst seien das notwendige Wesen, oder aber es gebe ein solches außer uns, woraus folgt, *daß* es ein solches gibt.[41]

Um zu entscheiden, was genau als notwendiges Wesen anzusehen ist, wendet sich Wolff den *Eigenschaften* dieses Wesens zu. Auch diesbezüglich sollen die Argumentationen der *Deutschen Metaphysik* und der *Theologia naturalis I* getrennt vorgestellt werden. In der *Deutschen Metaphysik* lesen wir: „Dasjenige Ding, welches den Grund seiner Würcklichkeit in sich hat, und also dergestalt ist, daß es unmöglich nicht seyn kan, wird ein selbständiges Wesen genennet. Und demnach ist klar, daß es ein selbständiges Wesen giebet".[42] Die Selbständigkeit oder Unabhängigkeit im Sein, die darin besteht, daß der Grund der Wirklichkeit im betreffenden Seienden liegt, wird von Wolff im darauffolgenden Paragraphen auf die Beziehung zu nicht-selbständigen Seienden hin thematisiert: „[…] das selbständige Wesen [enthält] den Grund in sich […], warum die übrigen Dinge sind, die nicht selbständig sind".[43] Mit diesem Gedanken knüpft Wolff nahtlos an die im § 29 aufgestellte Bemerkung an, das Nicht-Notwendige bedürfe eines Grundes seines Daseins, der also (letztlich) nur in einem selbständigen Wesen bestehe. In den *Anmerkungen zur Deutschen Metaphysik* hebt er diesen Punkt eigens hervor: „Ich habe zur Erklärung des Wortes GOtt angenommen, daß es sey ein selbständiges Wesen, darinnen der Grund von der Würcklichkeit der Welt und der Seelen zu finden".[44]

In der *Theologia naturalis I* begegnen wir einer anderen Vorgehensweise, in der ein unserer Auffassung nach für das Verständnis der Frage nach dem Grund zentraler Begriff eingeführt wird. Dort heißt es, bevor der Begriff der *independentia entis a se* auftaucht, gleichsam als Vorbereitung: „*Ens necessarium non indiget vi entis alterius ad existendum*".[45] Das Pendant zu dieser Behauptung lautet: „Quoniam *ens necessarium* non indiget vi alterius ad existendum, *vi propria existit, seu*

---

[40] Deutsche Metaphysik, 575 (§ 928).
[41] Theologia naturalis I, 25 f. (§ 24).
[42] Deutsche Metaphysik, 575 (§ 928).
[43] Ebd., 576 (§ 929).
[44] Anmerkungen zur Deutschen Metaphysik, 556 f. (§ 342).
[45] Theologia naturalis I, 27 (§ 25).

sibimetipsi sufficit ad existendum".[46] Ein solches Wesen wird dann als *ens a se* bezeichnet und die *aseitas* als „independentia existentiae ab ente alio".[47]

Die *Deutsche Metaphysik* kommt in einem späteren Zusammenhang, nämlich bei der Aufzählung bestimmter ‚ontologischer' Prädikate des selbständigen Wesens, ebenfalls auf den Begriff der Kraft zu sprechen. Im § 937 schreibt Wolff: „Alles, was ist, ist entweder durch seine eigene Kraft, oder durch die Kraft eines andern".[48] Weder die *Deutsche Metaphysik* noch die lateinische Ontologie sind bezüglich der Definition der Kraft sehr aufschlußreich. In der ersteren lesen wir: „Die Quelle der Veränderungen nennet man eine Kraft; und solchergestalt findet sich in einem jeden vor sich bestehenden Dinge eine Kraft, dergleichen wir in den durch andere bestehenden Dingen nicht antreffen".[49] In der *Philosophia prima sive Ontologia* heißt es lapidar: „Quod in se continet rationem sufficientem actualitatis actionis *Vim* appellamus".[50] In der ersten der angeführten Definitionen wird die Kraft mit der Möglichkeit von Veränderung in Beziehung gebracht; in der zweiten mit der Wirklichkeit einer Handlung bzw. einer Tat oder eines Tuns. In der These des Seins durch eigene Kraft, die das *ens independens* charakterisiert, liegt aber mehr als das bloße Faktum der Veränderung oder des Tuns. Wie ist also der Begriff der Kraft in diesem Zusammenhang zu verstehen? Die Beantwortung dieser Frage führt zu einem erstaunlichen Ergebnis.

In der *Theologia naturalis I* schreibt Wolff:

> Quomodo quid vi propria existat distincte explicare minime valemus. Quomodo quid existat vi alterius, abunde intelligitur: quotidie enim experimur causarum efficientium in effectus influxum, quo ad actualitatem perducitur, quod antea non erat.

Und er fügt hinzu, daß wir eigentlich nur *per viam negationis* wissen können, was damit gemeint ist: „magis negante quam ajente sensu" vermögen wir zu sagen, was *vi propria existere* bedeutet. Er gelangt dann zu dem Schluß: „[…] quando intelligimus quid sit existere vi alterius, ea removemus ab ente, quod propria vi existere ponitur".[51]

Das notwendige Wesen hat demnach eine Art Sonderstellung inne: Der zureichende Grund seines Daseins besteht in der Kraft seines Wesens zu sein. Diese Kraft dürfte nichts anderes sein als die *Vollkommenheit* selbst, der höchste Realitätsgrad der Eigenschaften, die zu diesem Wesen gehören, so daß man sagen könnte: „Ens necessarium existit quia est perfectissimum".

---

[46] Ebd., 27 (§ 26).
[47] Ebd., 28 (§ 28).
[48] Deutsche Metaphysik, 578 (§ 937).
[49] Ebd., 60 (§ 115).
[50] Ontologia, 542 (§ 722).
[51] Vgl. Theologia naturalis I, 27 f. (§ 26).

Wenn dem aber so ist, dann enthält der aposteriorische Beweis zwei Schritte: a) den Aufweis, *daß* es ein notwendiges Wesen gibt, und zwar im Ausgang vom zufällig Seienden; b) den Aufweis, *warum* das notwendige Wesens existiert, und zwar aufgrund seines Wesens. In dieser letzteren Hinsicht aber würde dann das a posteriorische Argument, wie Kant richtig vermutete, in ein apriorisches umschlagen,[52] und zwar deshalb, weil sich aufgrund der Erfahrung der Begriff eines *vollkommensten Wesens* nicht herleiten läßt, der allein den Grund angeben kann, *warum* ein notwendiges Wesen existiert. Ein solcher Begriff müßte also erst konstruiert werden, was die aposteriorische Theologie nicht tut. Der apriorische Beweis indes zeigt, wie dieses *warum* zu denken ist.

Von da aus gesehen ließe sich m. E. der systematische Ort dieser Demonstration des Daseins Gottes erklären, die gewissermaßen diese Leerstelle in der aposteriorischen Argumentation ausfüllt. Denn daß eine apriorische Theologie als eigenständiger Traktat zunächst nicht selbstverständlich ist, ergibt sich aus einer Reihe von Bemerkungen, so etwa, wenn Wolff in den *Anmerkungen* schreibt, es gebe zwar viele Beweise vom Dasein Gottes, er selber sei aber bei einem einzigen geblieben – was ja zumindest für die *Deutsche Metaphysik* zutrifft – „nicht allein, weil ein einiger genug ist, sondern auch, weil man bey einem *demonstrativi*schen Vortrage nicht wohl mehr als einen gebrauchen kan".[53] In der *Theologia naturalis I* heißt es ähnlich: „*In Theologia naturali nec opus est, nec fieri commode potest, ut existentiam Dei pluribus argumentis evincas; sed unum sufficit*".[54] Diese Erklärung steht allerdings in einem merkwürdigen Widerspruch zum Untertitel der Schrift, wo von einer „pars prior" die Rede ist, was impliziert, daß Wolff bereits zu diesem Zeitpunkt auch an eine „pars posterior" gedacht hat.

Wolff scheint sich allerdings des Problems bewußt gewesen zu sein. Seine Erklärung in der *Praefatio* der *Theologia naturalis II*, in der Gottes Dasein und seine Attribute „ex notione entis perfectissimi et natura animae demonstrantur", wie es im Untertitel der Schrift heißt, ist aber wenig aufschlußreich, wenn er schreibt, es sei das gleiche, das Dasein des wahren Gottes aus dem Begriff des vollkommensten Wesens zu beweisen als ihn aus der Betrachtung unserer Seele abzuleiten, „sicque demonstratio non minus a posteriori procedit, quam si ex contemplatione mundi hujus adspectabilis derivatur, quemadmodum parte prima fecimus".[55] Wie man zugestehen muß, ist diese Erklärung nicht sehr überzeugend.

In der gleichen *Praefatio* heißt es etwas später, in ein und demselben System könnten und dürften die Argumente für das Dasein Gottes nicht angehäuft (*cumu-*

---

[52] Vgl. Immanuel Kant, Kritik der reinen Vernunft, B 633 ff. (Akad.-Ausgabe, Bd. 3, 404 ff.).

[53] Anmerkungen zur Deutschen Metaphysik, 558 (§ 342).

[54] Theologia naturalis I, 12 (§ 10).

[55] Theologia naturalis. Pars posterior (Theologia naturalis II), Praefatio, 13*.

lari) werden.[56] Dennoch, so Wolff, auch wenn es nicht nötig ist, ein und dieselbe Wahrheit „pluribus modis" zu beweisen, wo eine einzige die Zustimmung herbeizuführen in der Lage ist, ist es nicht unbesonnen, Gottes Dasein und seine Attribute „variis modis" zu beweisen. Genauer scheint dies nun den Aufweis der letzteren zu betreffen, die im Beweis „ex notione entis perfectissimi" viel einfacher zu eruieren sind als aus der Kontigenz der Welt. Die Frage aber ist, welches der substanzielle Zusammenhang zwischen dem Begriff bzw. der Existenz eines *ens perfectissimum* und der Herleitung von dessen Eigenschaften aus der menschlichen Seele ist.

Zu Beginn des dritten Teiles der *Philosophia moralis sive Ethica* (1751) kommt Wolff erneut auf die Frage zurück. Zwar ist nun nicht mehr die Rede davon, daß ein einziges Argument ausreiche, sondern daß das aposteriorische dem apriorischen *vorzuziehen* sei. Der Grund liegt in der höheren Abstraktheit des letzteren: Das apriorische Argument „supponit tanquam sumtam notionem entis perfectissimi",[57] dessen Möglichkeit zuerst erwiesen werden muß, um auf das Dasein zu schließen. Dies aber ist schwierig, da der Beweis aufgrund sehr abstrakter Begriffe erfolgt, im Gegensatz zum aposteriorischen. Da nun aber die einfacheren Beweise den schwierigeren vorzuziehen sind, ist das auch so im Fall der Demonstration des Daseins Gottes. Diese Erklärungen von Wolff lösen die systematische Schwierigkeit indes auch nicht.

Anton Bissingers Vermutungen bezüglich der Präsenz einer apriorischen Theologie im Wolffschen System sind nicht überzeugend:

> Wenn Wolff den Beweis aus dem Begriff des ens perfectissimum [...] dennoch durchführt und deswegen die lateinische Theologie zweimal behandelt, dürfte dies auf verschiedene Gründe zurückzuführen sein: die große Bedeutung, die diesem Argument in der Zeit Wolffs zukommt, und Wolffs Bemühen, alles in sein System einzubringen; damit eng zusammenhängend der Grundzug Wolffschen Denkens, Aposteriorisches und Apriorisches zusammenzubringen; und schließlich, wie Wolff selbst ausführt, die Vorzüge dieses Beweises, daß er sich als Krönung bzw. als eigentliche Begründung eines wahren Systems erweist.[58]

Jean-Paul Paccioni koppelt den apriorischen Beweis an ein ‚apologetisches' Ziel der *Theologia naturalis II*. Eine solche Intention geht in der Tat bereits aus dem Titel der Schrift hervor: *Theologia naturalis* [...] *pars posterior qua existentia et attributa Dei ex notione entis perfectissimi et natura animae demonstrantur, et Atheismi, Deismi, Fatalismi, Naturalismi, Spinosismi aliorumque de Deo errorum fundamenta subvertuntur.* Paccioni schreibt:

---

[56] Ebd., 14*

[57] Ethica, Bd. 3, 15 (§ 13).

[58] Anton Bissinger, Die Struktur der Gotteserkenntnis. Studien zur Philosophie Christian Wolffs, Bonn 1970 (Abhandlungen zur Philosophie, Psychologie und Pädagogik, 63), 259 f.

Ce qui a été démontré ici [in den §§ 20 und 21] c'est la *nécessité* de l'existence de Dieu comme étant très parfait, *non que Dieu existe.* Grâce à cette nécessité l'existence apparaît comme une réalité qui est un attribut de l'essence du concept de l'étant très parfait. Manifestement le but de Wolff était de construire son concept avec son attribut principal. Ainsi le progrès réalisé ici n'est pas dans la démonstration de l'existence de Dieu, la preuve *a posteriori* l'avait déjà fait. Le progrès réside dans la construction du concept qui permettra de réfuter les erreurs des 'insensés' pour reprendre l'expression de saint Anselme.[59]

Paccionis Behauptung, in § 21 werde nicht bewiesen, daß Gott notwendig existiert, erscheint problematisch. Darüber hinaus geht Paccioni leider nicht auf die Begründungszusammenhänge ein, die zwischen dem so konstruierten Gottesbegriff und den Widerlegungen der gegnerischen Positionen bestehen. Ob der in der *Theologia naturalis I* konstruierte Gottesbegriff nicht bereits das gleiche gewährleistet, wäre zu fragen.[60]

Kommen wir nach diesen Überlegungen auf die Frage der *Verursachung des zufällig Seienden durch Gott* zurück. Ihre Beantwortung entspricht genaugenommen dem, was Wolff im ersten Paragraphen der *Theologia naturalis I* als die Aufgabe der natürlichen Theologie ansieht: „*Theologia naturalis* est scientia eorum, quae per Deum possibilia sunt, hoc est, eorum, quae ipsi insunt, & per ea, quae ipsi insunt, fieri posse intelliguntur".[61] In diesem weiteren Zusammenhang der Frage nach den Gründen des durch Gott Möglichen stellt sich als erstes die Frage nach Gottes Dasein, denn ohne ihre Beantwortung gibt es keine natürliche Theologie.[62] Dieser Frage haben wir uns bereits vorhin zugewandt.

Um die Frage nach der *Verursachung* des zufällig Seienden durch Gott, dessen Existenz somit als bewiesen vorausgesetzt wird, zu beantworten, müssen wir uns Wolffs Darlegungen über „ea, quae ipsi insunt" ansehen, und das heißt, Gottes Verstand, seinen Willen und seine Macht.

Wolff definiert Gottes *Verstand* zunächst im Ausgang vom menschlichen Verstand, nämlich als eine *Kraft*, sich das Mögliche deutlich vorzustellen.[63] Im Gegensatz zum menschlichen Verstand, der nur einiges erkennt, entsprechend der Stellung des jeweiligen Körpers in der Welt, erkennt Gott alles, was möglich ist, und zwar deutlich und auf einmal. Der göttliche Verstand ist unendlich und muß als ein Verstand *in actu* angesehen werden, nicht als ein Vermögen: „*Intellectus divinus actus est, non facultas*".[64] Darin liegt nun auch, daß das Mögliche

---

[59] Jean-Paul Paccioni, Cet esprit de profondeur. Christian Wolff, l'ontologie et la métaphysique, Paris 2006, 192 f.
[60] Vgl. etwa Wolffs Bemerkung in Theologia naturalis I, 17 (§ 15).
[61] Ebd., 1 (§ 1). Vgl. Discursus praeliminaris, 68 (§ 57).
[62] Vgl. Theologia naturalis I, 4 (§ 4).
[63] Vgl. Deutsche Metaphysik, 589 (§ 954).
[64] Theologia naturalis I, 148 (§ 163).

seit Ewigkeit in Gottes Verstand ist. Wolff schreibt etwas mißverständlich, der göttliche Verstand sei die „Quelle des Wesens aller Dinge",[65] und er sei es, „der etwas möglich machet, als der diese Vorstellungen hervor bringet".[66] Mißverständlich ist diese Formulierung, weil man sie dahingehend verstehen könnte, als würden die Wesen in Gottes Verstand *entstehen*. Sie sind aber seit Ewigkeit in seinem Verstand. In der *Theologia naturalis I* heißt es denn auch: „*Ideae rerum Deo essentiales sunt* [...]; patet ideas rerum Deo constanter inesse".[67]

Die Frage nach dem, was Gottes Verstand innewohnt, hat noch eine andere Seite: Gott sieht nicht nur auf einmal alle einzelnen Wesen als einzelne, sondern er sieht auch auf einmal den Zusammenhang oder die Verknüpfung der einzelnen Wesen, anders gewendet, er hat eine deutliche Vorstellung einer möglichen Welt bzw. von allen möglichen Welten.

Sowohl in der *Deutschen Metaphysik* als auch in den beiden lateinischen Theologien nimmt die Betrachtung über Gottes Verstand ihren Ausgangspunkt nicht bei den einzelnen möglichen Wesen, sondern bei der Welt. In der *Deutschen Metaphysik* argumentiert Wolff regressiv, indem er von der tatsächlich existierenden Welt in den Grund ihrer Möglichkeit hinabfragt:

> In GOtt ist der Grund zu finden, warum diese Welt für der andern ihre Würcklichkeit erreichet [...]. Da nun eine Welt vollkommener ist als die andere [...]; so kan dieser Grund in nichts anderem bestehen, als daß die grössere Vollkommenheit GOtt bewogen hat die eine für der andern hervorzubringen.[68]

Das aber setzt voraus, „daß GOtt alle Welten auf einmahl sich deutlich vorstellen kan: denn sonst wäre es nicht möglich, daß er die grössere Vollkommenheit erkennen könte".[69] Diese besteht in der Zusammenstimmung des Mannigfaltigen bzw. in der Übereinstimmung der Dinge.[70]

In den beiden lateinischen Theologien geht Wolff im Kapitel über Gottes Verstand indes nicht von der wirklich existierenden Welt aus, deren Urheber Gott ist, sondern von dem Gedanken möglicher Welten, die Gott sich vorstellt. Die Formulierung in der *Theologia naturalis II* ist diesbezüglich straffer als in der *Theologia naturalis I*. Es kommt Wolff dabei darauf an, die Notwendigkeit des *simul* zu beweisen: „*Deus omnes mundos possibiles sibi simul repraesentat*".[71] Dies muß deshalb so sein, weil im entgegengesetzten Fall Gottes Vorstellungskraft nicht in einem einzigen Akt bestünde.

---

[65] Deutsche Metaphysik, 601 (§ 975).
[66] Ebd.
[67] Theologia naturalis I, 163 (§ 188).
[68] Deutsche Metaphysik, 588 (§ 951).
[69] Ebd., 588 (§ 952).
[70] Vgl. ebd.; vgl. auch 78 (§ 152); 437 (§ 702).
[71] Theologia naturalis II, 51 (§ 79).

In der *Theologia naturalis I* ist die Argumentationslage komplexer. Zwar behauptet Wolff auch hier, ähnlich wie in der *Theologia naturalis II*, daß Gott sich alle möglichen Welten vorstellt (fügt dem aber noch hinzu, daß Gott auch sich selbst erkennt). Im Beweis dieser These greift er aber nun auf eine andere im § 121 aufgestellte Behauptung zurück, gemäß der Gott sich alle möglichen Welten vorgestellt hat und die real existierende auserwählt hat. Dies letztere kann er nur aufgrund einer *ratio objectiva* getan haben, kraft welcher der Unterschied zwischen der real existierenden und allen anderen möglichen Welten, die er sich vorgestellt haben muß, erkennbar wird. Dieser besteht, wie bereits in dem oben zitierten § 957 anklingt und weiter unten erwiesen wird, in der größeren Vollkommenheit.

Die Herausführung der vollkommensten möglichen Welt ins Dasein beruht auf einer Wahl, also einer Bewegung des *Willens*, der als der vollkommenste das Bestmögliche will und ihm das Dasein verleiht. In der *Deutschen Metaphysik* schreibt Wolff:

Weil die Vollkommenheit der Welt GOtt bewogen eine für der andern zu erwehlen […], und diejenige allein, die er erwehlet hat, zur Würcklichkeit gelanget […]; so ist der Wille GOttes die Quelle der Würcklichkeit der Dinge.[72]

In dieser Schrift fügt Wolff eine bemerkenswerte Präzisierung bezüglich des in der Welt Existierenden an. Diese fußt auf der (kosmologischen) Überlegung, daß in der Welt Veränderungen stattfinden, die ihren zureichenden Grund in bestimmten Kräften haben. Die Welt ist eine Maschine, d. h. etwas Zusammengesetztes, was bedeutet, daß ihre Veränderungen „in der Art der Zusammensetzung gegründet sind".[73] Darin liegt auch, daß der gegenwärtige Zustand der Welt im vorhergehenden und der zukünftige im gegenwärtigen gegründet ist.[74] Anders gewendet: Die Vorkommnisse oder Zustände der Welt sind von einer Gesetzmäßigkeit durchherrscht, die ihnen Notwendigkeit verleiht. Wolff drückt sich diesbezüglich jedoch sehr vorsichtig aus, indem er den Ausdruck der *Gewißheit* verwendet, um den sich aufgrund von Gesetzen vollziehenden Lauf der Weltdinge zu kennzeichnen. Diese ist zu unterscheiden von einer schlechthinnigen Notwendigkeit, die nur dann auf die Begebenheiten der Welt zuträfe, wenn diese selbst an sich notwendig wäre. Die Notwendigkeit der Begebenheiten (ihre Gewißheit) steht unter der Bedingung der faktischen Existenz der Welt.

Was in dieser Welt möglich ist, das muß auch kommen, wenn es nicht schon da gewesen, oder noch da ist, und kan unmöglich aussen bleiben […]. Auf solche Weise ist es

---

[72] Deutsche Metaphysik, 610 (§ 988).
[73] Ebd., 337 (§ 557).
[74] Vgl. ebd., 338 (§ 561).

nothwendig […]. Nehmlich es ist nothwendig in Ansehung des gegenwärtigen Zusammenhanges der Dinge, aber nicht schlechterdings für sich selbst.[75]

Nun behauptet Wolff, es sei mehr als eine Welt möglich, und das heißt, daß die Welt anders sein könnte als sie ist, was so viel bedeutet als, daß eine *andere* Welt sein könnte. Die faktisch existierende Welt könnte also nicht sein; ihr Nichtsein würde keinen Widerspruch involvieren. Sie ist demnach zufällig. An diesem Punkt aber stoßen wir wieder auf die Theologie.

Die Frage, die sich nämlich hier stellt, ist die, ob denn nun eine *andere* Welt sein kann als die real existierende, da diese als die vollkommenste das *Motiv* für Gottes Wahl gewesen ist.[76] Anders gewendet: Ergibt sich nicht aufgrund der ontologischen Vollkommenheit der Welt, die ja aus der Verknüpfung von Dingen besteht, deren Wesen notwendig ist, der Schluß, daß diese real existierende Welt *notwendig* von Gott gewollt wird und demzufolge *notwendig* existiert? Darauf ist mit ‚nein‘ zu antworten: Die vollkommenste Welt ist wohl das Motiv oder die „ratio objectiva"[77] für Gottes Wahl, aber das Wählen selber erfolgt „sponte",[78] entspringt also Gottes freiem Willen, d. h. die real existierende Welt ist als existierende zufällig. Was *sponte* geschieht, ist frei von jeglichem Zwang, d. h. daß Gott sich aus sich selbst zum Wollen bestimmt.[79] Die Wahl dieser Welt wegen ihrer Vollkommenheit widerstreitet demzufolge nach Wolff nicht der Freiheit Gottes; vielmehr könnte die Freiheit ohne diese „ratio objectiva" nicht begriffen (*concipi*, nicht *intelligi*) werden, wie Wolff in der Anmerkung zum § 325 behauptet.

Denken und freies Wollen in Gott sind zwar notwendige Bedingungen für die Existenz der Welt, aber noch keine hinreichende Bedingung. Diese gründet letztlich in Gottes *Allmacht*. Wolff schreibt: „*Electio mundi in se optimi est signum naturale voluntatis absolute perfectissimae*",[80] und: „*Productio mundi omnium perfectissimi est signum naturale omnipotentiae*".[81] Die *productio* nun ist als *creatio*, als Schöpfung zu begreifen, und zwar näherhin als *creatio ex nihilo*.[82] In der lateinischen Ontologie geht Wolff ausdrücklich auf das Thema der *productio* (noch nicht *creatio*) *ex nihilo* ein: „*Ex nihilo oriri* quid dicitur, si existere incipit,

[75] Ebd., 352 (§ 575).

[76] Vgl. Theologia naturalis I, 312 (§ 312).

[77] Ebd., 97 (§ 119). Neben der *ratio objectiva* gibt es auch eine *ratio subjectiva* für Gottes Wahl. Diese besteht darin, daß Gott das will, was ihm gemäß ist (vgl. ebd. 330 f. [§ 337]). *Ratio subjectiva* und *objectiva* „simul sumta" bilden den zureichenden Grund, warum Gott etwas will (vgl. ebd., 331 [§ 339]).

[78] Vgl. ebd., 100 (§ 123).

[79] Vgl. ebd., 320 (§ 322).

[80] Ebd., 370 (§ 400).

[81] Ebd., 371 (§ 403).

[82] Vgl. diesbezüglich Robert Theis, Le problème de la création dans la métaphysique de Christian Wolff, in: Revue roumaine de philosophie 54 (2010), 87–96.

cum nihil antea ejus actu esset".[83] Wir ersehen aus dieser Definition, daß das *ex nihilo oriri* sich auf das Existieren (nicht auf das Denken bzw. Erdachte) von etwas bezieht. Diese Orientierung findet sich auch im § 690: „*Producere* seu *Facere aliquid* idem est ac eidem existentiam impertiri. *Ex nihilo producere* idem est ac existentiam impertiri ei, quod ex nihilo oriri debebat".[84] Während die Ontologie naturgemäß von einer *productio ex nihilo* spricht, ist in der *Theologia naturalis* die Rede von der *creatio ex nihilo*. Der Begriff selber der *creatio* wird aber nicht, wie man dies erwarten könnte, in diesem Rahmen definiert. Er wird vielmehr in der *Psychologia rationalis* eingeführt, und zwar im Zusammenhang der Hervorbringung der Seele. Im § 697, auf den Wolff im übrigen in den beiden Theologien verweist, lesen wir, die *creatio* sei eine *productio ex nihilo*, d. h. ohne daß etwas präexistiert.[85]

Wie wird das Thema von der *creatio* in der *Theologia naturalis* entfaltet? Wir beschränken uns auf die Darlegungen in der *Theologia naturalis I*.[86] Wolff geht in einem ersten Schritt von der These aus, daß, wenn (im allgemeinen) eine Welt hervorzubringen ist, es notwendig sei, die Elemente der materiellen Dinge hervorzubringen, weil die Welt ein zusammengesetztes Ding (*ens compositum*) ist, was die Existenz von einfachen Dingen voraussetzt. In dem Maße wie diese Elemente kontingente Dinge sind, haben sie den zureichenden Grund ihres Daseins nicht in sich selber. Insofern müssen sie und demnach auch die Welt von einem anderen Wesen erschaffen worden sein, das den zureichenden Grund seines Daseins in sich selber hat und das Gott genannt wird.[87] In einem zweiten Schritt geht Wolff dann dazu über, zu beweisen, daß Gott die Welt *ex nihilo* hervorgebracht hat, also deren Schöpfer ist. Dabei rekurriert er auf Darlegungen aus der *Cosmologia* und der lateinischen Ontologie: Die Elemente der materiellen Dinge sind einfache Substanzen. Diese aber können nicht in einfachere aufgelöst werden,[88] noch können sie aus anderem Einfachen entstehen.[89] Wenn also ein einfaches Ding existiert, existiert es entweder notwendigerweise oder nicht. Notwendigerweise existiert aber nur ein solches Wesen, das den Grund seines Daseins in seinem Wesen hat. Das nicht notwendige Einfache bedarf eines Grundes seines Daseins, der nur in einem notwendigen Ding liegen kann, das es aus Nichts ins Dasein ruft.

Die vorangegangenen Darlegungen hatten zum Ziel, die in den §§ 14 und 30 der *Deutschen Metaphysik* aufgestellte These, gemäß der das nicht notwendige Seiende einer Ursache bedarf, die es zur Wirklichkeit bringt, zu verdeutlichen.

---

[83] Ontologia, 422 (§ 540).
[84] Ebd., 522 (§ 690).
[85] Vgl. Psychologia rationalis, 621 (§ 697).
[86] Vgl. die parallelen Passagen in der Theologia naturalis II, 275 ff. (§ 309 ff.).
[87] Vgl. Theologia naturalis I, 745 (§ 758).
[88] Vgl. Cosmologia, 46 (§ 182).
[89] Vgl. Ontologia, 520 (§ 688).

Es zeigte sich, daß diese These, in der der Satz vom zureichenden Grund als einer der beiden Grundsätze der Philosophie in seiner metaphysischen Dimension nur hinreichend durch Rekurs auf die natürliche Theologie und näherhin auf die These vom Gott als *autor mundi* begründet werden kann, dem biblischen Begriff des Schöpfergottes und der Aussage von Genesis I,1 entspricht.

In einem dritten und abschließenden Punkt soll nun der Frage nach dem Verhältnis von Philosophie und geoffenbarter Theologie nachgegangen werden.

III. Philosophie und geoffenbarte Theologie

In der *Ratio praelectionum* vertritt Wolff die traditionelle These, das Studium der Philosophie habe dem der Theologie, genauso wie dem der Medizin und der Jurisprudenz, voranzugehen. Interessant indes ist die *Begründung*, die er diesbezüglich anführt: „Singulis enim lucem affundit Philosophia et fundamenta praebet".[90] Diese These ist, wie sich weiter unten zeigen wird, nicht unproblematisch, gerade was die geoffenbarte Theologie betrifft, was Wolff denn auch späterhin indirekt korrigieren wird. Wir wollen uns hier in erster Linie auf Wolffs Bemerkungen zum Verhältnis von Philosophie und dogmatischer Theologie bzw. zum Einfluß seiner Philosophie auf die *dogmatische* Theologie beschränken (und also die Fragen nach dem Einfluß auf Exegese, Moraltheologie, Kasuisitk usw. außer acht lassen).

Die dogmatische oder geoffenbarte Theologie enthält sog. „articuli puri" und „articuli mixti".[91] Die ersteren sind nur durch Offenbarung bekannt und sind naturgemäß „supra rationem".[92] Sie sind entweder *expressis verbis* in der Hl. Schrift enthalten oder können durch Überlegung („per consequentiam"[93] oder „legitime ratiocinando"[94]) aus ihr herausgelesen werden. Als Beispiele anzuführen wären etwa die Lehre von der Inkarnation, von der Jungfrauengeburt, von der Trinität. Diesbezüglich stellt sich ein hermeneutisches Problem, nämlich inwiefern die Wörter oder Begriffe (*vocabula*), die im theologischen Diskurs verwendet werden, dasselbe meinen wie das, was in der Schrift, welche die *norma normans* bildet, steht. Wolff ist der Auffassung, daß es hier auf die rechte Bedeutung ankommt:

---

[90] Ratio praelectionum, 115 (sect. II, cap. I, § 24).

[91] Vgl.ebd., 115 f. (sect. II, cap. I, § 26). Vgl. auch: De influxu Philosophiae Autoris in Facultates superiores, in: Horae subsecivae, Bd. 3, Trimestre brumale 1735, 26 (§ 9).

[92] De influxu (wie Anm. 91), 23 (§ 8).

[93] De usu (wie Anm. 1), 519 (§ 12).

[94] Ebd., 483 (§ 3).

Sive […] vocabula sint eadem, sive diversa, modo idem sit significatus, hoc est, vocabulis diversis eaedem res indigitentur, affirmatio semper eadem est. Omnis nimirum
quaestio ad identitatem rerum, non vocabulorum, quae sunt earum signa, redit.[95]

Hier wäre natürlich zurückzufragen, welche ‚dritte‘ Instanz denn über die Richtigkeit der Korrespondenz der Bedeutungen zu entscheiden in der Lage ist.

Wie stellt sich in Hinblick auf die dogmatische Theologie das Problem des Verhältnisses zur Philosophie dar? Wir wollen diesbezüglich mehrere Texte betrachten. In der *Ratio praelectionum* lesen wir: „[…] in articulis puris definitiones con-
dimus, theses argumentis probamus, conclusiones ex dictis scripturae tanquam
principiis derivamus".[96] Dies entspricht zunächst dem Programm der mathematischen Lehrart, die drei ‚Hauptstücke‘ enthält:

> 1. daß alle Wörter, dadurch die Sachen angedeutet werden, davon man etwas erweiset/
> durch deutliche und ausführliche Begriffe erkläret werden; 2. daß alle Sätze durch or-
> dentlich an einander hangende Schlüsse erwiesen werden; 3. daß kein Förder-Satz an-
> genommen wird, der nicht vorher wäre ausgemacht worden/ und solchergestalt die fol-
> genden Sätze mit dem vorhergehenden verknüpfft werden.[97]

In *De philosophia non ancillante* (1729) schreibt Wolff – Kants Diktum aus dem
Streit der Fakultäten von der Magd, die ihrer Herrin die Fackel vorträgt,[98] vorweg-
nehmend –, daß die Philosophie „dominae alias in tenebris ambulaturae facem
praefert, ne forte labatur"[99] – der Herrin, die im andern Falle in der Dunkelheit
wandeln würde, die Fackel voranträgt, damit sie nicht vielleicht hinfalle –, wobei
diese dienende Funktion eben in der Bereitstellung einer sicheren Methode besteht. In *De usu* (1735) scheint Wolff dies dann zu relativieren, wenn er schreibt,
der „nexus articulorum purorum" wohne ihnen durch sie selber inne, und zwar
aufgrund ihres göttlichen Ursprungs, so daß die „methodus scientifica eundem
non efficit, sed tantum patefacit".[100]

Diese Methode läßt sich allerdings in ihrer strengen Form nicht in der dogmatischen Theologie durchführen. Zwar soll die geoffenbarte Theologie systematisch dargestellt werden – dies, so Wolff, scheint ein Erfordernis der Zeit zu
sein[101] –, so daß deren Sätze „inter se connectae tanquam unum corpus",[102]
also ein System bilden, dennoch gilt es, zwei wichtige Einschränkungen zu beach-
ten: Die erste betrifft die Begriffe. Sie müssen immer in derselben Bedeutung ver-

---

[95] Ebd., 487 (§ 4).
[96] Ratio praelectionum, 116 (sect. II, cap. I, § 26).
[97] Ausführliche Nachricht, 61 f. (§ 25).
[98] Vgl. Immanuel Kant, Der Streit der Fakultäten. (Akad.-Ausgabe, Bd. 7, 28).
[99] De philosophia non ancillante, in: Horae subsecivae, Bd. 1, Trimestre autumnale 1729, 477
(§ 13).
[100] De usu (wie Anm. 1), 537 (§ 18).
[101] Vgl. De influxu (wie Anm. 91), 56 (§ 15).
[102] Ebd., 25 (§ 8).

wendet werden, aber sie sind nicht bis ins Letzte verstehbar, da sie, im Gegensatz zu den Nominaldefinitionen in den anderen Wissenschaften, nicht willkürlich sind. Die Auflösung in einfachste Begriffe hat zu geschehen „quantum sufficit ut intelligantur, etsi eas comprehendi impossibile sit".[103] Was die dritte Regel der Methode betrifft, also die Beweisbarkeit der „Förder-Sätze", in unserem Fall die in der Schrift enthaltenen Aussagen, so steht deren Gewißheit aufgrund von Gottes Autorität fest, und der *assensus* kommt demzufolge hier nicht aufgrund von Wissen zustande, sondern beruht auf dem Glauben.[104]

In *De influxu* (1731) verkündet Wolff freilich fast enthusiastisch, wenn „philosophia nostra" in der gesamten Theologie ihren Einfluß ausbreite: „nihil in ea amplius occurret obscuri, quod non penitus intelligatur, [...] dogmata credendorum & agendorum erunt evidentia, eorumque pulcherrimus apparebit concentus".[105]

In der *Theologia naturalis I* (1736) ist Wolff zurückhaltender. Im § 454 definiert er zunächst, was er unter „supra rationem" versteht: „*Supra rationem esse* dicitur, quod ex principiis rationis indemonstrabile".[106] Dasjenige, was „supra rationem" ist, ist ein *mysterium*.[107] Als solches ist es dann auch nicht in der vernünftigen Welt enthalten,[108] wenngleich deshalb nicht unmöglich.[109] Dies impliziert aber letztlich, daß die Glaubensgeheimnisse einer integralen Behandlung anhand der mathematischen Methode enthoben bleiben.

Mario Casula weist auf Schwierigkeiten hin, die in Wolffs Lehre auftreten, wenn geoffenbarte Wahrheiten in Satzform zum Ausdruck kommen. Seine Darlegungen laufen darauf hinaus, aufzuzeigen, daß bei Wolff „das *mysterium* in eine für die menschliche Vernunft faßbare Bedeutung aufgelöst [wird]", so daß es „sich nicht mehr um eine *veritas supra rationem* [handelt]",[110] was ihn letztlich in ein Dilemma führt:

> 1) entweder bleibt er konsequent bei seinem Rationalismus [...] und dann verschwindet jedes *mysterium*, und deshalb zugleich jede Offenbarung; 2) oder, umgekehrt, bleibt er nicht seinem Rationalismus bis zum Ende treu, und verlangt einen blinden Glauben an die *mysteria*: dann rettet er sowohl *mysteria* als Offenbarung, aber auf Kosten seines

---

103 Ebd., 24 (§ 8).
104 Vgl. De usu (wie Anm. 1), 523 (§ 14).
105 De influxu (wie Anm. 91), 53 (§ 14).
106 Theologia naturalis I, 423 (§ 454).
107 Vgl. ebd., 427 (§ 458).
108 Vgl. ebd., 423 (§ 455).
109 Vgl. ebd., 425 (§ 456).
110 Mario Casula, Die Theologia naturalis von Christian Wolff. Vernunft und Offenbarung, in: Werner Schneiders [Hg.], Christian Wolff 1679–1754. Interpretationen zu seiner Philosophie und deren Wirkung. Mit einer Bibliographie der Wolff-Literatur, Hamburg (¹1983) ²1986 (Studien zum 18. Jahrhundert, 4), 129–138, hier 136.

strengen Rationalismus, mindestens hinsichtlich der Beweisbarkeit der übernatürlichen Wahrheiten.[111]

Uns scheint, daß Wolff sich in seiner Entwicklung von einer radikaleren Forderung zu einer gemäßigteren hin bewegt, in der den geoffenbarten Geheimnissen ihr suprarationaler, aber deswegen nicht irrationaler Charakter belassen wird. Das Irenische seiner Lösung besteht darin, daß der *assensus*, obwohl er „non scientiae, sed fidei est",[112] nicht ein assensus zu Vernunftwidrigem ist, also nicht *contra rationem* ist.[113]

Wie steht es nun mit den sog. „articuli mixti"? Was ist unter diesem Begriff zu verstehen? In der *Ratio praelectionum* lesen wir, daß die dogmatische Theologie „articulos mixtos communes habet cum Theologia naturali",[114] d. h. solche Behauptungen, die nicht nur durch Offenbarung bekannt sind, sondern auch kraft der natürlichen Vernunft erkannt werden können. Zur deutlichen und gründlichen Erkenntnis solcher Artikel, so die *Ratio praelectionum*, vermag die Philosophie nicht wenig beizutragen. Wie ist dies genauer zu verstehen? Wolff spricht diesbezüglich davon, daß es zwischen dem, was er aufgrund von alleinigen Vernunftprinzipien über Gott behauptet, und dem, was die Hl. Schrift behauptet, einen „mirum […] consensum"[115] bzw. eine „concordantia"[116] gibt. Diesbezüglich stellt sich allerdings die Frage nach der *Beziehung* zwischen philosophischem und theologischem Diskurs. Die natürliche Theologie stützt sich auf Wissen, die geoffenbarte hingegen auf Glauben. Es genügt nicht, die „articuli mixti" in der natürlichen Theologie zu beweisen, „ut sciamus, quod sint veri",[117] sondern es ist auch in der geoffenbarten Theologie zu zeigen, daß sie dem Geist der Hl. Schrift gemäß sind, „ut credamus eos esse veros".[118]

Die Frage ist allerdings, ob die Bestimmungen der verwendeten Begriffe, die in der natürlichen Theologie „per arbitrariam determinationem"[119] gebildet werden, *de facto* kontextlos sind oder ob diese Begriffe nicht bereits *ex ante* so angelegt sind, daß sie mit den Bedeutungen der Hl. Schrift übereinstimmen, diese also letztlich den *Subtext* jener Begriffe bildet. In der *Theologia naturalis I* wird diese Vermutung, wie uns scheint, bestätigt. Dort schreibt Wolff: „*In Theologia naturali vocabula, quibus significantur ea, quae Deo tribuuntur, sumenda sunt in si-*

---

[111] Ebd., 136 f.

[112] De usu (wie Anm. 1), 523 (§ 14).

[113] Vgl. Theologia naturalis I, 428 (§ 461).

[114] Ratio praelectionum, 115 (sect. II, cap. I, § 26).

[115] Ebd., 163 (sect. II, cap. III, § 59).

[116] Vgl. ebd., 160 (sect. II, cap. III, § 50).

[117] De usu (wie Anm. 1), 536 (§ 17).

[118] Ebd.

[119] Theologia naturalis II, Praefatio, 14*.

gnificatu recepto".[120] Nun zeigen aber die Darlegungen in den nachfolgenden Paragraphen, daß die rezipierten Bedeutungen diejenigen sind, die sich in der Hl. Schrift befinden. *„In Theologia naturali significatus vocabulorum, quibus attributa divina & operationes in Scriptura sacra indigitantur, is retinere debet, quem in hac habent"*.[121] Die Begründung, die Wolff für diese These gibt, verdient Aufmerksamkeit:

> Etenim Theologia naturalis inservire debet convincendis atheis, dari istiusmodi ens, quale Scriptura sacra Dei nomine insignit […]. In eadem vero existentia & attributa divina una cum operationibus eiusdem demonstranda sunt […]. Quamobrem ut palam sit, non alia de Deo demonstrari in Theologia naturali, quam quae Scriptura sacra de eodem docet; necesse est vocabulis, quibus attributa divina & operationes ejusdem indigitantur, non alium tribui significatum, quam qui in Scriptura sacra ipsis tribuitur. Retinendus adeo est is, quem in Scriptura habent.[122]

Wenn so die natürliche Theologie mit der geoffenbarten in Einklang steht, so ist sie aber *methodisch* von ihr zu unterscheiden: Während die geoffenbarte Theologie in ihren Beweisgängen, wie wir bereits gesehen haben, auf die Hl. Schrift als ihre Grundlage rekurriert, hat die natürliche Theologie sich einzig und allein auf das „Licht der Vernunft" zu stützen.[123] In *De usu* grenzt Wolff beide Verfahren gegeneinander ab:

> Quodsi quis propositiones Theologiae naturali & Scripturae sacrae communes eodem modo in Theologia revelata demonstrare velit, quo in naturali demonstrantur; is Theologiam revelatam cum naturali confundit, rationi consentanea ostendens, quae Scripturae sacrae consentanea esse ostendere debebat. Aliud enim est docere, quaenam Scriptura sacra dicat; aliud vero ostendere, quaenam rationis lumine agnoscantur vera. Illud Theologi, hoc Philosophi est […]. Quemadmodum non probatur, si Philosophus per dicta Scripturae propositiones, quas demonstare debet ex principiis rationis, probare velit; ita nec probari potest, si Theologus, quae autoritate Scripturae sacrae stabilienda sunt, ex principiis rationis demonstret.[124]

Diese zwar grundsätzliche Behauptung, die das Verfahren der Theologie und das der Philosophie betrifft, bezieht sich auf Abgrenzungsfragen bezüglich der Methode; sie darf indes nicht darüber hinwegsehen lassen, daß es grundlegender in der Wolffschen Metaphysik eine *concordantia* mit der Schrift gibt, die die Vermutung begründet, daß diese den *(unausgesprochenen) Subtext dieser Philosophie bildet*, was seinerseits wiederum die Voraussetzung dafür ist, daß die natürliche Theologie (und implizit damit die ihr vorangehenden anderen metaphysischen

---

[120] Theologia naturalis I, 16 (§ 14).
[121] Ebd., 17 (§ 15).
[122] Ebd.
[123] Vgl. De usu (wie Anm. 1), 519 (§ 11).
[124] Ebd., 500 f. (§ 8).

Disziplinen) den Wahrheitsanspruch der Schrift *als* einen begründeten aufweisen kann.

Mit dieser Verflechtung einher geht dann auch die ‚apologetische' Seite der Wolffschen Metaphysik, auf die bereits oben hingewiesen worden ist. Dem Irrtum des Atheismus, Deismus, Fatalismus usw. kann naturgemäß nicht mit Glaubens*bekenntnissen* begegnet werden, sondern mit in der Vernunft gegründeten Argumenten, denen intersubjektive Verifizierung zukommen kann. Das aber kann nur die Philosophie leisten, wenigstens bis zu einem gewissen Punkt. Zum Glauben kann sie nicht zwingen.

In einem ersten Schritt wird der Ort der natürlichen Theologie im Gefüge der Wolffschen Metaphysik beschrieben. In einem zweiten Schritt wenden wir uns der systematischen Problematik der Funktion Gottes zu im Hinblick auf Möglichkeit und Wirklichkeit der Dinge. In einem dritten Schritt schließlich werden Wolffs Überlegungen zum Verhältnis zwischen Philosophie bzw. natürlicher Theologie und geoffenbarter Theologie erörtert. Der Abhandlung liegt eine doppelte Vermutung zugrunde: (1) daß die natürliche Theologie das eigentliche Regulativ der Wolffschen Metaphysik bildet; (2) daß Wolffs Metaphysik in zentralen Punkten so konzipiert ist, daß sie mit der biblischen Grundaussage vom Schöpfergott zusammenstimmt.

Dans une première étape on établit le lieu de la théologie naturelle dans le contexte de la métaphysique wolffienne. Dans un seconde étape, on étudie la problématique systématique de la fonction de Dieu eu égard à la possibilité et à l'existence effective des choses. Dans une troisième étape enfin, on se tourne vers la question du rapport entre la théologie naturelle et la théologie révélée. Une double hypothèse est à la base de cette étude (1) que la théologie naturelle constitue le principe régulateur de la métaphysique wolffienne; (2) que cette métaphysique est conçue fondamentalement de telle sorte qu'elle concorde avec l'affirmation biblique d'un Dieu créateur.

This paper begins with a description of the place of natural theology within the system of Wolff's metaphysics. Secondly, we take a look at the systematic problem of the function of God as far as the possibility and actual existence of things are concerned. Thirdly, Wolff's thoughts about the relation between philosophy (respectively natural theology) and revealed theology are discussed. This paper is based on a double assumption: (1) natural theology is the actual regulative element in Wolff's metaphysics; (2) Wolff's metaphysic is, in its fundamentals, designed to be consistent with the biblical axiom of a God of creation.

Prof. Dr. Robert Theis, Université du Luxembourg, Faculté des Lettres, Campus Walferdange, B.P. 2 ; L-7201 Walferdange, E-Mail: robert.theis@uni.lu

Luigi Cataldi Madonna

Die Vernunft als Grundlage des Glaubens

Zu Christian Wolffs kritischer Theologie*

Christian Wolff führte in der Entwicklung der kritischen Theologie[1] der deutschen Aufklärung eine entscheidende Wende herbei. Gewiß verstand Wolff sich nicht als Reformator der Theologie, aber seine Absicht einer Reform des gesamten Wissens, mit dem Ziel, es mit dem neuen wissenschaftlichen Weltbild und mit seiner Metaphysik in Einklang zu bringen, schlug sich unvermeidlich auch in der Theologie nieder. Wolffs Ansatz ist unverkennbar metaphysisch. Im *Discursus praeliminaris* bildet die Theologie einen Teil der Metaphysik, zusammen mit Ontologie, Kosmologie und Psychologie, und leitet ihre Prinzipien aus diesen drei Wissenschaften ab.[2] Der leidenschaftliche und anthropomorphe Gott der Bibel verwandelt sich in einen abstrakten Gott, der in Wolffs Metaphysik in seinen Attributen und Vollkommenheiten genau beschrieben wird.[3] Das Ziel seiner Epistemologie besteht in der Verbindung von Vernunft und Erfahrung, während das sei-

* Ich danke Axel Bühler und Norbert Hinske für ihre kritischen Bemerkungen und Leonie Schröder für die Übersetzung.

[1] ‚Kritische Theologie‘ ist ein allgemeiner Ausdruck, der keine besondere Schule oder Bewegung bezeichnet, sondern unter dem ich all diejenigen theologischen Orientierungen zusammenfasse, die für Verständnis und Interpretation der heiligen Texte auf rationale Prinzipien zurückgreifen und für die die Überzeugung gilt, daß jeder Satz, sei er heilig oder profan, immer einen Wahrheitsgehalt haben muß, weil es sonst ein leerer, sinnloser Satz wäre. Im einzelnen beziehe ich mich vor allem auf die Theologie des Übergangs, die historisch-kritische Theologie und die Neologie. Die Schlüsselfigur für all diese Richtungen war Siegmund Jakob Baumgarten – der wichtigste Vertreter der theologischen Lehre Wolffs –, der dessen Begrifflichkeit dank einer intensiven Lehr- und Fördertätigkeit in Umlauf gebracht hat. Er gilt als einer der Protagonisten der Theologie des Übergangs. Zu seinen Schülern zählte Johann Salomo Semler, der Fahnenträger der historisch-kritischen Theologie. Andere seiner Schüler waren dagegen herausragende Vertreter der Neologie. Vgl. Martin Schloemann, Siegmund Jakob Baumgarten. System und Geschichte in der Theologie des Überganges zum Neuprotestantismus, Göttingen 1974 (Forschungen zur Kirchen- und Dogmengeschichte, 26).

[2] Discursus praeliminaris, § 99.

[3] Zur Neuheit des Wolffschen Gottesbegriffs siehe Emanuel Hirsch, Geschichte der neuern evangelischen Theologie, 5 Bde., Gütersloh ²1960, Bd. 2, 67.

ner Theologie die Versöhnung von Glauben und Vernunft ist. Mit der Auffassung eines mit der Vernunft versöhnten Glaubens trägt Wolff entscheidend dazu bei, der deutschen Aufklärung eine besondere Ausprägung zu verleihen, die andere Aufklärungen nicht haben[4] und die mindestens bis zum Idealismus und seinen verschiedenen Entwicklungen den theologischen Ansatz eines Großteils der deutschen Philosophie bedingt. Aus dem Wolffschen Grundgedanken, den Glauben einer rationalistischen Sicht gemäß zu fassen, wird sehr bald ein gewaltiger Angriff nicht nur auf die orthodoxe Theologie,[5] sondern auf die gesamte Sphäre des Heiligen hervorgehen.

I. Glaube und Vernunft

Das Versöhnungsvorhaben stützt sich auf eine klare und scheinbar harmlose These: Die Glaubensinhalte können *supra rationem*, aber niemals *contra rationem* sein. In der Offenbarung kann es weder Widersprüche noch falsche Sätze geben.[6] Ob ein Satz der Offenbarung angehört, muß stets durch die Vernunft bekräftigt werden. Für diese Bestätigung sind vor allem zwei Kriterien maßgeblich: 1. Die offenbarten Wahrheiten können den natürlichen nicht widersprechen, weil Licht der Offenbarung und Licht der Vernunft beide von Gott abhängen, „beyde aus einer Quelle herfliessen".[7] 2. Das Widersprüchliche ist unmöglich, und das Unmögliche ist nicht nur nicht denkbar, sondern kann auch nicht Gegenstand des göttlichen Wirkens sein, weil seine Allmacht nicht darin besteht, das Unmögliche möglich, sondern das Mögliche wirklich zu machen.[8] Auch die Mysterien des Glaubens können den Vernunftprinzipien nicht widersprechen und sich dem Verbot der Widersprüchlichkeit nicht entziehen.[9] Zwar geht das Mysterium über die Vernunft hinaus,[10] kann ihr jedoch nicht zuwiderlaufen.

Mit Wolff werden die Vernunftprinzipien zur Grundlage der Dimension des Heiligen, über die der wahre Glaube nie hinausgehen kann und darf. Das Widersprüchliche ist nicht denkbar, und bald wird die kritische Theologie empfehlen, es aus jedwedem System der offenbarten Wahrheiten auszuschließen (sei es das der

---

[4] Vgl. Johannes Wallmann, Kirchengeschichte Deutschlands seit der Reformation, Tübingen [3]1988, 162.

[5] Die Ausdehnung der Verbalinspiration auf die ganzen Heiligen Schriften, die Überzeugung von der Einheit des Kanons, die Anerkennung der Autorität der Bibel und der grundlegenden Stellung der Glaubensanalogie sind relevante Aspekte der lutherischen Orthodoxie, die in der Aufklärung auf Kritik stoßen werden. Hierzu vgl. Hirsch, Geschichte (wie Anm. 3), Bd. 1 und 2.

[6] Theologia naturalis I, § 453.

[7] Anmerkungen zur Deutschen Metaphysik, § 363.

[8] Deutsche Metaphysik, § 1021–22.

[9] Theologia naturalis I, § 461–463.

[10] Ebd., § 458.

Mysterien, des Dogmas, der Sakramente o. a.), um die wahre Heiligkeit des göttlichen Wortes zu retten. Die auf alle heiligen Aussagen ausgedehnte Forderung nach Denkmöglichkeit wird eine tödliche Waffe im Dienst der kritischen Theologie und gegen die orthodoxe Dogmatik.

An und für sich war die Forderung, Glaube und Vernunft in Einklang zu bringen, keineswegs neu. Wolff erbte sie unmittelbar vom Thomismus, aber hier und da war sie in der ganzen christlichen Tradition aufgetaucht, und wir finden sie schon bei Paulus vor.[11] Neu war dagegen die radikal innovative Wirkung, die diese erneut vorgebrachte These auf die Entwicklung der deutschen Theologie im 18. Jahrhundert ausübte. Mehrere Gründe waren für diese Wirkung ausschlaggebend, von denen hier lediglich drei angeführt seien: Erstens geriet die orthodoxe Theologie zu Beginn des 18. Jahrhunderts in eine Konsenskrise; zweitens trat der Pietismus, der die Orthodoxie als erster angriff, immer machtvoller in Erscheinung; drittens erfuhr die besagte These eine Steigerung, als sie im Rahmen eines umfassenden Rationalisierungs- und Systematisierungsprojekts formuliert wurde, wie Wolff es konzipiert hatte.

Durch das Programm der Nichtwidersprüchlichkeit des Heiligen stellte Wolff das notwendige Begriffspotential bereit, um die Vereinfachung der protestantischen Dogmatik in Gang zu setzen, die schließlich mit der Veröffentlichung der *Fragmente* des Anonymus von Wolfenbüttel durch Gotthold Ephraim Lessing in sich zusammenzubrechen schien. Dieses Programm der Säuberung sollte das dogmatische Erbe beschränken und die ‚Heiligkeit‘ der biblischen Schriften, die noch vom Anprall der Kritik verschont geblieben waren, vor den verheerenden Folgen der historisch-kritischen Methode und des Ansehens retten, das die wissenschaftliche Erkenntnis inzwischen genoß. Als Reaktion auf diese Tendenz entwickelte sich gegen Ende des Jahrhunderts der apologetische Anspruch einer Immunisierung der Dogmen, das heißt, sie wurden jeglichen Informationsgehalts entkleidet und in einem Bereich angesiedelt, der gegen Kritik immun war und in dem der Wahrheitswert der heiligen Aussagen keine Rolle spielte. Kant verklärte die Religion in der Moral, und Schleiermacher schrieb dem Heiligen später – unter Wiederbelebung nie versiegter mystischer Anliegen – eine von der Vernunft unantastbare Dimension zu. Er verteidigte die Idee einer für jede mögliche Vermischung mit dem weltlichen Wissen unempfänglichen und nicht ernsthaft an der Wahrheitsfrage interessierten *reinen Religion*. Bei dieser Idee handelt es sich um die wichtigste Reaktion auf die kritische Theologie der Aufklärung.[12] Der Glaube wird der Vernunft abgesprochen und dem Gefühl zuerkannt. Allein durch das Ge-

---

[11] „Wir vermögen *nichts* wider die Wahrheit, sondern nur für die Wahrheit"; Zweiter Brief an die Korinther, 13,8.

[12] Hans Albert, Kritik der reinen Hermeneutik, Tübingen 1994 (Die Einheit der Gesellschaftswissenschaften, 85), 203.

fühl – das heißt durch eine innere religiöse Erfahrung, die durch keine Form von (heiligem oder profanem) Wissen vermittelt ist und sich nur auf die bloße Lektüre der Heiligen Schrift stützt – sei der Zugang zur Dimension des Heiligen möglich. Mit anderen Worten gilt für diese Strömung die Überzeugung, daß man Glauben besitzen, daß man sich von „Kindern der Welt" in „Kinder Gottes" verwandeln muß, um Gottes Wort zu verstehen. Der grundsätzliche Unterschied besteht darin, daß nur letztere zur Erfahrung der Erlösung und Bekehrung fähig sind, wobei es sich offensichtlich um eine nicht auf die Vernunft zurückführbare Erfahrung handelt.[13] Setzt man aber die Notwendigkeit der Konversion des Lesers voraus, so kommt dies der Behauptung gleich, daß nur der Gläubige die Heilige Schrift verstehen könne – ein alter Anspruch, der vor allem dank des Pietismus auch im Aufklärungszeitalter neu erhoben wird und hier die Funktion besitzt, die schädlichen Folgen der kritischen Theorie einzudämmen.[14] Auf diese Weise wurde die Verbindung zwischen Glaube und Vernunft, auf der die Wolffsche Theologie und ein Großteil der aufklärerischen Theologie beruhte, endgültig durchtrennt.

Theologen und Theologiehistoriker scheinen im Hinblick auf die radikal innovative Wirkung der Wolffschen Theologie einhelliger Meinung zu sein: „Niemand [...] hat die allgemeinen geistigen Voraussetzungen, unter denen das theologische Denken der deutschen Aufklärung steht, so stark mitgeformt wie er [d.h. Wolff]".[15] Sogar Karl Barth, der sicher keine Sympathie für den Rationalisten Wolff hegt,[16] erkennt ihm diese Funktion zu. Gerade Wolffs Auffassung der Verbindung zwischen Glaube und Vernunft, die auf einem Mißverständnis des evangelischen Wortes beruhe,[17] hat Barth zufolge die spätere Entwicklung der Kritik hervorgerufen, die gegen Ende des Jahrhunderts zu einem besorgniserregenden Verfall des religiösen Geistes führte.[18]

---

[13] In diesem Sinne verfährt die Hermeneutik von August Hermann Francke; vgl. Erhard Peschke, Studien zur Theologie August Hermann Franckes, Bd. 2, Berlin 1966. Sehr anschaulich schreibt Peschke über die von Francke geforderte religiöse Erfahrung: „es genügt nicht, theoretisch zu wissen, daß Christus der Kern der Schrift sei. Man muß diesen Kern auch suchen, essen und schmecken" (120).

[14] Vgl. beispielsweise Semlers Verärgerung über diesen unvernünftigen Anspruch in: Vorbereitung zur theologischen Hermeneutik, zu weiterer Beförderung des Fleisses angehender Gottesgelehrten, Halle 1760, Vorrede.

[15] Hirsch, Geschichte (wie Anm. 3), Bd. 2, 51. Vgl. auch Karl Aner, Die Theologie der Lessingzeit (1929), Nachdruck: Hildesheim 1964; Günter Gawlick, Christian Wolff und der Deismus, in: Werner Schneiders (Hg.), Christian Wolff 1679–1754. Interpretationen zu seiner Philosophie und deren Wirkung, Hamburg 1983 (Studien zum achtzehnten Jahrhundert, 4), 139–147; Schloemann, Siegmund Jakob Baumgarten (wie Anm. 1), 204.

[16] Karl Barth, Die protestantische Theologie im 19. Jahrhundert (1946), Hamburg 1975, Bd. 1, 131–134.

[17] Ebd., 137.

[18] Wallmann, Kirchengeschichte Deutschlands (wie Anm. 4), 184.

Sicher nahm Wolff nicht in vorderster Linie am Angriff gegen die orthodoxe Theologie teil. Vielmehr schien zwischen beiden sogar ein gewisses gegenseitiges Wohlwollen zu herrschen. Wolffs Hauptabsicht bestand darin, seine Metaphysik mit der Theologie in Einklang zu bringen und zu zeigen, daß seine Lehren „der Schrift gemäß" seien. Aber genau dieses mit seiner üblichen beharrlichen Systematik verfolgte Ziel bewirkte eine Umformung der orthodoxen Theologie und machte Wolff zum eigentlichen Theoretiker der kritischen Theologie der Aufklärung. Auf dem Weg, der zur Neologie und zum Neuprotestantismus hinführt, war Wolffs Position auch für diejenigen, die sie gerne vermieden hätten, wie die Pietisten, eine obligatorische Etappe. Denn er arbeitete das neue Begriffssystem aus und lenkte die spätere Theologiekritik auf die Schwachpunkte der Orthodoxie hin.

Es scheint, als habe das historiographische Mißtrauen gegen Wolff als Philosophen seinem Erfolg als Theologe keinen Abbruch getan. Und doch wird ihm das – einhellig anerkannte – Verdienst auch in diesem Fall stets nur unter Vorbehalten zugestanden.[19] Da Wolff keine wirkliche Theologiekritik geleistet habe – aber wir werden die Ausnahmen sehen –, sei seine Position wesentlich konservativ geblieben. Die Frage ist schlecht gestellt, weil sie eine grundsätzliche Unterscheidung voraussetzt zwischen dem, der die Waffen bereitstellt, und dem, der sie benutzt, zwischen Auftraggeber und Ausführendem. Ein zweiter Vorbehalt richtet sich auf die vermeintliche Unkenntnis der Folgen seiner Ideen.[20] Er habe also den innovativen Charakter seiner Ideen nicht durchschaut. Nun erscheint dieser Einwand bei einem Autor wie Wolff, der als Meister des Systematisierens und Schlußfolgerns gilt – und dem von seinen Gegnern ein *pruritus demonstrandi* nachgesagt wurde[21] –, nicht am Platz. Wolff wird sicher *einige* Folgen seiner Ideen aus dem Blick verloren haben, aber das Principle of Charity hindert daran, die Unkenntnis auf *alle* Folgen auszudehnen.

Außerdem dürfte die Gefahr einer Verurteilung zum Tode aufgrund von religiöser Intoleranz eine genauere Darlegung seiner Ideen und ihrer Folgerungen nicht eben befördert haben. Nicht zufällig ist die *Theologia naturalis* vorsichtiger als der entsprechende Teil in der *Deutschen Metaphysik*. Doch weist die Wolffsche Philosophie ein Merkmal auf, das seine Vorsicht besser erklärt als jeder andere Grund und das zum Erfolg seines Programms beigetragen hat, nämlich die lexikographische Absicht, die Wolff bei der Bildung und Definition der Termino-

---

[19] Sowohl Aner wie Hirsch lassen sogar das alte Hegelsche Vorurteil über seine angebliche Pedanterie wieder aufleben. Ich habe nie begriffen, wie man über einen Autor, der so vieles erneuert und für seine Ideen auch das Leben aufs Spiel gesetzt hat, ein derartiges Urteil fällen kann.

[20] Gawlick, Christian Wolff und der Deismus (wie Anm. 15), zählt sechs Punkte auf, die seines Erachtens aus Wolff einen unbewußten Reformator machen.

[21] Hätte es sich doch um einen Virus statt um einen bloßen Juckreiz gehandelt! Er hätte dem Wiederaufleben irrationalistischer Strömungen in der späteren Philosophie Einhalt gebieten können.

logie der verschiedenen Wissenschaften leitet. Er sucht die Begriffe sozusagen ‚technisch' zu definieren und bringt dabei dem Sprachgebrauch die größte Achtung entgegen, indem er sie von ihren möglichen metaphysischen Implikationen befreit und ihre allgemeine Akzeptanz erleichtert.[22] Diese Absicht geht bei Wolff mit einer Form des Methodeneklektizismus einher, der ihm nahelegt, alles Bewiesene, Erprobte in seinem System zuzulassen. Der wahre Philosoph ist für ihn derjenige, „der zu keiner Fahne schwöret, sondern alles prüfet, und dasjenige behält, was sich mit einander in der Vernunft verknüpffen, oder in ein *Systema Harmonicum* bringen lässet".[23]

II. Die Merkmale der Offenbarung

Im sechsten Kapitel der *Deutschen Metaphysik* und im dritten von Teil 1 der *Theologia naturalis*[24] liefert Wolff eine Liste der Merkmale, die es ermöglichen, eine Offenbarung zu erkennen und „von einer leeren Einbildung und einem falschen Vorgeben"[25] zu unterscheiden. Es gibt sieben Merkmale. Sie hängen nicht von den historischen Umständen der Offenbarung ab, sondern lassen sich aus den Vernunftprinzipien herleiten.[26]

Führen wir sie kurz an: 1. Die Offenbarung muß für den Menschen Notwendiges enthalten, das er nur auf dem Wege der Offenbarung und auf keine andere Weise erkennen kann. Sie leugnet die Vernunft nicht, sondern vervollkommnet sie: „quatenus ipsi suppeditat principia lumine naturali non detegenda".[27] 2. Das Offenbarte kann den göttlichen Attributen nicht widersprechen. 3. Die Offenbarung kann nichts enthalten, was den Vernunftwahrheiten widerspricht und kann 4. nichts anempfehlen, was den Menschen zu einem Verhalten bewegt, das in Widerspruch zu den Naturgesetzen und zum Wesen der Seele steht. 5. Die Offenbarung kann nichts enthalten, was durch die Vernunft erkannt werden kann. Mit an-

---

[22] Hans Werner Arndt hält es für ein spezifisches Merkmal der Wolffschen Philosophie, daß sie die Begriffe unabhängig von ihrem theoretischen Kontext definiert, um sie lexikographisch verwendbar zu machen; vgl. Arndt, Die Semiotik Christian Wolffs als Propädeutik der ars characteristica combinatoria und der ars inveniendi, in: Semiotik 1/4 (1979), 325–331, hier 328. Gewöhnlich versucht Wolff, eine neutrale Haltung gegenüber den metaphysischen Problemen einzunehmen. Beispielsweise spart er im Hinblick auf die Begriffsbildung jede Entscheidung über ihre (angeborene oder empirische) Natur aus und interessiert sich nur für ihre Funktion; vgl. Deutsche Logik, § 6. Die Aufrichtigkeit der Absicht schließt nicht aus, daß sie dennoch der Proselytenmacherei diente.

[23] Anmerkungen zur Deutschen Metaphysik, § 242. Zur Eklektik vgl. Michael Albrecht, Eklektik, Stuttgart-Bad Cannstatt 1994 (Quaestiones, 5).

[24] Deutsche Metaphysik, § 1010–1019; Theologia naturalis I, § 452–491.

[25] Deutsche Metaphysik, § 1010.

[26] Anmerkungen zur Deutschen Metaphysik, § 388.

[27] Theologia naturalis II, § 576.

deren Worten: Es gibt keine Offenbarung, wo natürliche Erklärungen möglich sind.[28] 6. Es kann keine überflüssigen Wunder geben. Es ist unnütz, Wunder einzuräumen, wenn natürliche Erklärungen möglich sind, denn Naturereignisse sind nach Wolff „viel grösser[e]" Wunder als Wunder im eigentlichen Sinn, welche den Gang der Natur stören.[29] Die Offenbarung besteht nicht nur aus Wundern, sondern ist ein gemischter Akt, der Wundertaten und natürliche Taten umfaßt.[30] 7. Die Offenbarung muß die erforderlichen Merkmale für jedes mit Verstand geschriebene Buch aufweisen und muß uns ermöglichen, den Geist seines Verfassers, das heißt den Geist Gottes, zu verstehen.[31]

Seinem Stil gemäß grenzt Wolff das Feld des Heiligen mit aller Deutlichkeit ab: Das Irrationale ist unwiderruflich daraus verbannt. Um auf echte Weise glauben zu können, muß man zunächst vernünftig denken. Es gibt auch für den Glauben keinen anderen Weg. Wolff schränkt den Bereich der Offenbarung drastisch ein[32] und verankert die übernatürliche Welt unmißverständlich in der natürlichen.

Die in der Offenbarung durch die Vernunft erkennbaren Dinge wurden nach Wolffs Ansicht nicht offenbart, sondern „beygesetzt",[33] d. h. der Offenbarung hinzugesetzt. Diese Möglichkeit wird vom fünften und sechsten Merkmal berücksichtigt. Wolff sagt nicht, wer für diese Zusätze verantwortlich war, aber es kann kein anderer sein als der menschliche Verfasser des heiligen Textes. Diese Annahme beinhaltet, daß es in der Heiligen Schrift nichtinspirierte Stellen gibt, die von den historischen Umständen der Offenbarung, nicht von ihren Merkmalen abhängen, und trägt dazu bei, deren Integrität anzugreifen. Von hier aus ist es nur ein kurzer Schritt zur Aufgabe, die hinzugefügten – nichtinspirierten und folglich profanen – Teile zu ermitteln und zu beseitigen.

Das Vorhandensein solcher Zusätze schränkt die Reichweite der verbalen Inspiration, die der Orthodoxie zur Gewähr der Identität zwischen göttlichem Wort und Heiliger Schrift diente, stark ein und zeugt von der aktiven Beteiligung des Menschen an der Abfassung der heiligen Texte. Diese Perspektive wird anschließend in der Theorie vom doppelten Urheber der Heiligen Schrift (dem Menschen und Gott) fortentwickelt. Töllner, einer der begabtesten Schüler Siegmund Jakob Baumgartens, hat diese Theorie klar formuliert:

---

[28] „Und demnach es ist klar, daß Gott nichts offenbahret, was wir durch die Vernunft erkennen können"; Deutsche Metaphysik, § 1011. „*Quod per visionem naturalem alicui innotescit, id pro divinitus revelato haberi nequit*"; Theologia naturalis I, § 487.

[29] Deutsche Metaphysik, § 1040.

[30] Theologia naturalis I, § 490.

[31] Ebd., § 491.

[32] Vgl. auch Gawlick, Christian Wolff und der Deismus (wie Anm. 15), 143.

[33] Deutsche Metaphysik, § 1012.

Die heilige Schrift hat überall einen doppelten Urheber, den Verfasser, und Gott, und zueignungsweise den heiligen Geist, welcher dieselbe den Verfassern eingegeben hat.[34]

Allerdings schwächt Wolff seine Betrachtung ab, indem er behauptet, die Heilige Schrift dürfe nicht stückchenweise, sondern müsse als Ganzes interpretiert werden, womit er sich implizit auf die *analogia fidei* bezieht.[35] Die *analogia fidei* wird mit ihm ein heuristisches Prinzip, eine Garantie des Zusammenhangs zwischen den offenbarten Wahrheiten.[36]

III. Die Wunder

Für Wolff ist das Wunder

eine übernatürliche Würckung […] Und also überschreiten die Wunder-Werke die Natur, und können durch das Wesen der Dinge und ihre Kraft nicht verständlich erkläret werden.[37]

Diese Definition entspricht dem geläufigen Gebrauch des Begriffs: Das Wunder ist ein übernatürliches Ereignis. Nur Gott hat die Macht, Wunder zu wirken. Auch die Offenbarung ist ein Wunder, das sich in der Seele[38] durch eine unmittelbare Inspiration Gottes vollzieht.[39]

Da Wolff die Welt als eine Maschine auffaßt, in der alle Dinge nach räumlich-zeitlichen Beziehungen miteinander verknüpft sind, schließt jedes Wunder eine Veränderung ein, die sich im gesamten Gang der Natur niederschlägt.[40] Als „primigenium"[41] bezeichnet Wolff dagegen das Wunder der Schöpfung, das – mit Leibniz – in Gottes Wahl der besten aller Welten besteht: *„Creatio mundi miraculum est".*[42] Genau dieses ursprüngliche Wunder konstituiert die Ordnung und den Gang der Natur.[43] Die Wunder im eigentlichen Sinn und das ursprüngliche

---

[34] Johann Gottlieb Töllner, Grundriß einer erwiesenen Hermeneutik der heiligen Schrift, Züllichau 1765, § 7. Töllner bestritt als erster die Identität zwischen göttlichem Wort und Heiliger Schrift, wie wider Willen auch Gottfried Hornig, Die Anfänge der historisch-kritischen Theologie. Johann Salomo Semlers Schriftverständnis und seine Stellung zu Luther, Göttingen 1961, 84, einräumen muß.

[35] Logica, § 976.

[36] Deutsche Logik, § 6 und 8.

[37] Deutsche Metaphysik, § 633.

[38] Ebd, § 1011; Theologia naturalis I, § 450.

[39] Anmerkungen zur Deutschen Metaphysik, § 381.

[40] Die Welt „ist ein zusammengesetztes Ding, dessen Veränderungen in der Art der Zusammensetzung gegründet sind", genau wie „eine Maschine"; Deutsche Metaphysik, § 557.

[41] *„Miraculum primigenium* dicitur, unde quid originem suam derivat in universo, a quo deinceps alia naturaliter pendent"; Theologia naturalis I, § 772.

[42] Ebd., § 768.

[43] Ebd., § 773.

Wunder sind jeweils übernatürliche Ereignisse, doch besteht ein wesentlicher Unterschied zwischen beiden Arten von Wundern. Das ursprüngliche Wunder *stellt* die natürliche Ordnung *her*, während die Wunder im eigentlichen Sinn sie *erschüttern*.

Obwohl Wolff einräumt, daß es Wunder gibt, liefert er wichtige Argumente, die deren Nutzen bestreiten. Der entscheidende Punkt seiner Argumentation ist die ontologische Überlegenheit der Schöpfung, die eine Entwertung der Wunder im eigentlichen Sinn einschließt. Als überzeugter Mechanist hält Wolff dafür, die Wunder seien dem neuen wissenschaftlichen Weltbild nicht zweckdienlich, und schlägt eine naturalistische Auffassung vor, die das Wunder an sich rettet, aber auf das ursprüngliche Wunder beschränkt. Eine grundlegende Voraussetzung seiner Argumentation ist die Annahme, daß es unnütz sei, auf Wunder zurückzugreifen, wenn ein Ereignis aufgrund der Naturgesetze erklärt werden kann. Die Naturereignisse sind Folgen des ursprünglichen Wunders und erfordern als solche eine größere göttliche Kraft als die Wunder.[44] Seine Argumente, die alle mit dem sechsten Merkmal der Offenbarung zusammenhängen, sind folgende: 1. Wunder sind überflüssig; 2. findet ein Wunder statt, so setzt dies die Notwendigkeit eines weiteren Wunders voraus, um den früheren Gang der Natur wiederherzustellen; 3. eine Welt mit weniger Wundern ist vollkommener als eine Welt mit mehr Wundern.[45]

Kommentieren wir: Der Ursprung der Welt und der mechanistischen Naturordnung aus dem Wunder beeinträchtigen die Möglichkeit weiterer Wunder, weil das, was auf natürliche Weise geschehen kann, nicht durch ein Wunder erreicht zu werden braucht.[46] Gott hat es nicht nötig, weitere Wunder zu wirken, nachdem er das ursprüngliche Wunder vollbracht hat, weil dieses absolut ausreichend ist, um seine „*Herrlichkeit*"[47] aufzuweisen. Wirksamkeit und Zweckmäßigkeit des ursprünglichen Wunders machen jedes weitere Wunder überflüssig. Das Argument, das sich auf die ontologische Überlegenheit des ursprünglichen Wunders gründet, schließt mit anderen Worten die Möglichkeit weiterer Wunder aus:

> Und daher ist es nicht möglich, daß er [d.h. Gott] durch Wunderwercke etwas ausrichtet, was natürlicher Weise geschehen kann. Der natürliche [auf dem ursprünglichen Wunder beruhende] Weg muß als der bessere dem Weg der Wunder-Wercke beständig vorgezogen werden.[48]

---

[44] Nach Wolff gilt, „daß zu Wunder-Wercken weniger göttliche Kraft erfordert wird als zu natürlichen Begebenheiten"; Deutsche Metaphysik, § 1040.

[45] Ebd., § 1039.

[46] Ebd., § 1011; Theologia naturalis I, § 489.

[47] Deutsche Metaphysik, § 1045.

[48] Ebd., § 1041.

Es gibt keinen Grund anzunehmen, daß Gott mit Wundern erreichen will, was er auf natürlichem Wege erreichen kann.[49] Wolffs Argument scheint als implizite, aber unvermeidliche Folge die Unvereinbarkeit zwischen der Anerkennung des ursprünglichen Wunders und derjenigen weiterer Wunder zu implizieren. Beide Arten von Wunder scheinen einander auszuschließen; entweder gilt die eine oder die andere Art. Wolff ist entschieden für das Wunder, das Ordnung stiftet, während er das Unordnung stiftende leugnet. Sein Argument beweist weniger die Nutzlosigkeit als die Unmöglichkeit der Wunder, wenn man das ursprüngliche Wunder einmal anerkannt hat.

Das zweite Argument setzt ebenfalls die ontologische Überlegenheit des ursprünglichen Wunders und seiner Wirkung voraus, nämlich den Mechanizismus. Wolff zieht das Beispiel der Uhr heran und vergleicht ein Wunder mit der Verschiebung eines Zeigers, die nach einer äußeren Kraft verlangt und alle späteren Zustände in Unordnung bringt. Genau wie die Uhr wird die Natur einen anderen Lauf nehmen als den im Schöpfungsakt ursprünglich von Gott geplanten. Würde diese Veränderung andauern, so würde sie Gottes Weisheit[50] und die ontologische Überlegenheit des ursprünglichen Wunders in Frage stellen. Wenn ein Wunder den natürlichen Gang in Unordnung bringt, müßte somit ein weiteres Wunder geschehen, um die mit dem ursprünglichen Wunder geschaffene frühere Ordnung wiederherzustellen.

Das dritte Argument betrifft den Charakter der Welt als Spiegel der Vollkommenheiten Gottes, einer Welt, die geschaffen wurde, um Gottes Herrlichkeit zeigen zu können. Auch die Welt ist also vollkommen, genau wie ihr Schöpfer.[51] Die Wunder sind Korrekturen von Ordnung und Gang der Natur, wie sie durch die Schöpfung verwirklicht wurden, so daß ihre Anerkennung von Unvollkommenheiten zeugen würde, die mit Gottes absoluter Vollkommenheit unvereinbar sind. Eine nach dem ursprünglichen Beschluß geordnete Welt ist ein Werk der göttlichen Weisheit, während eine Welt, in der alles durch Wunderwerke geschieht, ein Werk der Macht Gottes, aber nicht seiner Weisheit ist. Die vollkommene Welt schließt Wunder, die ihren Lauf durcheinanderbringen, aus, genau wie das neue wissenschaftliche Weltbild sie ausgeschlossen hatte.

---

[49] Ebd., § 1011.
[50] Ebd., § 1039.
[51] Ebd., § 1047.

IV. Die heilige Hermeneutik

Die Theologie der geoffenbarten Religionen ist das Ergebnis einer unablässigen Auslegung der Offenbarung und beruht daher auf der Hermeneutik, weil ihre Dogmatik nur aus dem Verständnis des göttlichen Wortes hervorgehen kann. Wolff behandelt die heilige Hermeneutik nicht in der *Theologia naturalis*, sondern stellt seine Auffassung vor allem in den beiden *Logiken* dar, weil er sich als überzeugter Naturalist befugt fühlt, den Gebrauch der Logik auch auf die Auslegung der Heiligen Schrift auszudehnen.[52] Inhalt und Funktionen der hermeneutischen Grundsätze müssen auf einer allgemeinen Ebene betrachtet werden, und dieser Aufgabe kann nur die Logik gerecht werden, nicht die Einzeldisziplinen, für die diese Grundsätze bestimmt sind. Die Herstellung einer Verwandtschaft zwischen Hermeneutik und Logik ist der letzte Schritt zur Ausarbeitung einer allgemeinen Hermeneutik, die 1742 erstmals von Chladenius,[53] einem von Wolffs Philosophie unabhängigen, aber mit ihr sympathisierenden Autor, vorgelegt wurde.

Für die Lektüre eines jeglichen Buches müssen Wolff zufolge zwei Bedingungen erfüllt sein: 1. das korrekte Verständnis des Autors, 2. das Verständnis des Inhalts.[54] Damit die erste Bedingung realisiert wird, müssen den Worten des Autors dieselben Begriffe zugeordnet werden, die er selbst mit ihnen verknüpft hat.[55] Das Verstehen zwischen zwei Personen ist eine Tätigkeit, die eine Art Kooperation zwischen Sprecher und Zuhörer erfordert. Der Sprecher muß in jedem seiner Worte etwas denken, und der Zuhörer muß bei jedem Wort „eben dasjenige" denken, was der Sprecher denkt.[56] Verstehen als *dasselbe* Denken, also: dasselbe Denken wie der Autor, verlangt vonseiten des Interpreten die Anstrengung, sich in den Autor einzufühlen. Und dies setzt eine Reihe von – je nach Fall mehr oder weniger komplexen – kognitiven Untersuchungen voraus und müßte am Ende dazu führen, einer Rede oder einem Text den Sinn zu *entnehmen*. Die Akkomodation, das heißt das *Hineinlegen* eines anderen Sinnes als des vom Autor beabsichtigten in eine Rede oder einen Text, wird dagegen als Todsünde angesehen.[57]

---

[52] Logica, § 968. Zu Wolffs Hermeneutik siehe Luigi Cataldi Madonna, Die unzeitgemäße Hermeneutik Christian Wolffs, in: Axel Bühler (Hg.), Unzeitgemäße Hermeneutik. Verstehen und Interpretation im Denken der Aufklärung, Frankfurt 1994, 12–25.

[53] Johann Martin Chladenius, Einleitung zur richtigen Auslegung vernünftiger Reden und Schriften, Leipzig 1742. Ein Jahr später publizierte auch Joachim Ehrenfried Pfeiffer seine Elementa hermeneuticae universalis, Jena 1743.

[54] Deutsche Logik, Kap. 11, § 1.

[55] Ebd., Kap. 11, § 6.

[56] Ebd., Kap. 2, § 2.

[57] Zum Akkomodations-Begriff vgl. Alexander Gottlieb Baumgarten, Acroasis logica in Christianum L. B. de Wolff, Halle 1761, Nachdruck: Hildesheim, New York ([1]1973) [2]1983 (GW, Abt. III,

Das heilige Verstehen vollzieht sich ganz genauso wie das profane. So nennt Wolff in der *Theologiae naturalis* erneut ein Kriterium, das er bereits in der *Logica latina* formuliert hatte: *„singulis verbis singulae respondere debent notiones, ex intentione Dei [...] iis jungendae"*.[58] Um die Heilige Schrift zu verstehen, müssen die von Gott gemeinten Begriffe mit den Wörtern der Heiligen Schrift verbunden werden. Also bestimmen die von Gott gemeinten Begriffe die Bedeutung der heiligen Wörter, die genau wie die profanen Wörter Zeichen sind, um unsere Gedanken zu vermitteln bzw. die Gedanken eines anderen zu erkennen.[59] Wolffs Ansatz ist unverkennbar kognitiver Art und verliert die notwendigen Erfordernisse für die Wahrheit eines Satzes nie aus dem Blick, auch nicht, wenn es ein heiliger Satz ist. Wenn den Ausdrücken keine Begriffe entsprechen, so sind es Laute „sine mente", und es wäre gotteslästerlich, derlei Fälle in der Offenbarung einzuräumen.[60] Die Methoden zur Untersuchung der heiligen Texte sind dieselben wie diejenigen, die auf jedes mit Verstand geschriebene Buch angewendet werden, wie das siebte Merkmal der Offenbarung festlegt.

Der Intentionalismus ist ein gemeinsamer Zug der Hermeneutik im 18. Jahrhundert und wird auch vom Pietismus geteilt, für den der mystische wie der buchstäbliche Sinn beide „ab ipso Spiritu S. intentus" herrühren.[61] Aber der Schein darf nicht täuschen: Zwischen beiden Intentionalismen besteht ein radikaler Unterschied. Nach Ansicht der Pietisten setzen sich die kommunikativen Absichten des Autors nicht, wie für Wolff, aus den Gegenständen der Verstandestätigkeit zusammen (Begriffen, Sätzen und Argumenten), sondern aus Affekten. Die biblischen Autoren wollten mit ihren Worten Affekte ausdrücken, und deshalb ist die Kenntnis dieser Affekte für die Kenntnis ihrer Absichten unabdingbar. Nicht der Geist des Autors, sondern die Gefühle verbinden sich mit seinen Worten und bestimmen deren Bedeutung. *Dasselbe Denken* des Wolffschen Lesers verwandelt sich in *dasselbe Fühlen* des pietistischen Lesers. Die Affektenlehre erlangte mit Francke große Bedeutung und fand mit Johann Jakob Rambach ihre kanonische Formulierung.[62]

Wolffs Intentionalismus beruht dagegen auf einer strikt erkenntnistheoretischen Grundlage, auf dem überzeugten Vertrauen in die Wirksamkeit der wissenschaftlichen Methode, und schließt den Rückgriff auf Emotionen und Gefühle

---

Bd. 5), § 463; Georg Friedrich Meier, Versuch einer allgemeinen Auslegungskunst (1757), hg. von Axel Bühler und Luigi Cataldi Madonna, Hamburg 1996 (Philosophische Bibliothek, 482), § 122.

[58] Logica, § 968.

[59] Deutsche Logik, § 1.

[60] Theologia naturalis I, § 493.

[61] August Hermann Francke, Manuductio ad lectionem Scripturae Sacrae, Halle 1693, 66–67.

[62] Rambach war Schüler Franckes und mit dem erbittertsten Gegner Wolffs, Joachim Lange, verschwägert.

aus. Wolff stellt diesbezüglich lapidar fest: „Gott hat keine Affekten".[63] Gott Affekte zuzuschreiben, bedeutet, ein anthropomorphes Bild von ihm zu geben.[64] Im Gegensatz dazu ist der pietistische Intentionalismus sentimentalischer Art und mißtraut der Theoretisierung und der Anwendung eines Regelkanons für die Interpretation. Seine Grundlage ist die religiöse Erfahrung, die der einfache Gläubige – verwandelt jedoch in einen Sohn Gottes – ohne Lehrvermittlungen beim Lesen der Bibel macht und die in der subjektiven Anwendung der geistlichen Affekte und somit der biblischen Wahrheit ihre Verwirklichung findet.

Freilich schließt Wolff die Möglichkeit einer einfachen, ‚nicht gelehrten' Lektüre der Heiligen Schrift nicht aus, aber er schließt aus, daß das Verstehen nur in einem Zustand der Gnade möglich sei. Seines Erachtens vollzieht sich die Lektüre des einfachen Menschen nach denselben kognitiven Vorgängen wie die Lektüre des Gelehrten, nur daß jene unbewußt und nicht in eine Theorie gefaßt sind. Diese Situation ist im Lichte der Wolffschen Unterscheidung zwischen natürlicher und künstlicher Logik zu bewerten.[65] Auch der einfache Mensch kann die heiligen Texte sehr wohl verstehen, weil er über eine natürliche Hermeneutik verfügt, die sich auf angeborene Verfahren stützt und solche, die durch Gewohnheit erlernt wurden. Die Möglichkeit dieser natürlichen Hermeneutik bildet die Voraussetzung für das Zustandekommen der Kommunikation.

Bezeichnenderweise erwähnt Wolff den mystischen Sinn nicht einmal im Bereich der Theologie. Offensichtlich hielt er ihn für ebenso überflüssig wie die Wunder. Vielleicht ließ die Tatsache, daß dem mystischen Sinn im Pietismus große Bedeutung zukam, ihm ratsam erscheinen, nicht eindeutig Stellung dazu zu beziehen, und bewog ihn zum Schweigen. Jedenfalls war die Frage, ob es einen mystischen Sinn gibt oder nicht, im 18. Jahrhundert ein kontroverses Thema und wurde zu einer Scheidelinie zwischen Pietismus und Aufklärung. Johann Lorenz Schmidt und Semler gingen mit ihrer Kritik so weit, daß sie seine Existenz abstritten,[66] während der Pietismus ihn in den Mittelpunkt seiner Hermeneutik rückte.[67] Für Wolff gibt es nur einen Sinn, und dies ist der wörtliche Sinn, d. h. der vom Autor gemeinte Sinn. Im übrigen hätte die Anerkennung eines mystischen Sinnes

---

[63] Deutsche Metaphysik, § 1070; Theologia naturalis I, § 1103.

[64] Anmerkungen zur deutschen Metaphysik, § 418.

[65] Logica, Prolegomena.

[66] Johann Lorenz Schmidt, Die göttlichen Schriften vor den Zeiten des Messie Jesus, Wertheim 1735, Vorrede, 24 f. Semler zufolge ist der mystische Sinn nicht nur unangemessen und unnütz, sondern wer auf ihn Bezug nimmt, reduziert die Kenntnis der christlichen Lehre auf Scharfsinn und Wahn des Interpreten; Johann Salomo Semler, Vorrede zu: Siegmund Jakob Baumgarten, Unterricht von der Auslegung der heiligen Schrift (1742), Halle [4]1759.

[67] „Id vero notandum est (IV) recte sic quidam & ex vero sensum Scripturae S. distingui in *Sensum Litterae, Litteralem* & *Mysticum* s. *Spiritualem*"; August Hermann Francke, Praelectiones hermeneuticae, Halle 1717, 22.

die von Wolff verfolgte Verbindung von Glaube und Vernunft geschwächt. Doch obwohl der mystische Sinn dank der Angriffe der kritischen Theologie lange Zeit ad acta gelegt worden war, trat er gegen Ende des Jahrhunderts wieder in den Vordergrund der philosophischen und theologischen Debatte, wie die drei Universitätsvorlesungen Fichtes über den Unterschied zwischen Geist und Buchstabe (1794) und die ein Jahr später verfaßten drei Briefe Fichtes zum selben Thema bezeugen.[68]

Die Überzeugung, daß die Offenbarung keine leeren Begriffe enthalten könne,[69] schließt die Fähigkeit ein, zwischen Mysterien und leeren Begriffen zu unterscheiden, so daß das eine nicht für das andere ausgegeben werden kann.[70] Das Erkennbare ist verständlich, wenn wir uns vorstellen können, wie es stattfindet oder stattfinden wird, während es unverständlich ist, wenn wir uns dies nicht vorstellen können.[71] Die Unverständlichkeit schließt aber die Erkennbarkeit als Erkenntnis der Möglichkeit eines Dinges nicht aus. Wolff zufolge gilt es, zwischen der Erkenntnis der Möglichkeit von etwas und der Erkenntnis der Weise, in der es möglich ist, das heißt zwischen dem ‚quod sit‘ und dem ‚cur sit‘, zu unterscheiden. Er liefert dafür ein Beispiel: Jeder weiß, daß die Uhr möglich ist und versteht, sie zu lesen, aber keiner, der der Mechanik nicht kundig ist, weiß, wie die Uhr möglich ist. Also wird er sagen, daß er nicht versteht, wie sie gebaut werden kann. Wenden wir diese Unterscheidung auf die Mysterien an, so können wir sagen, daß diese erkennbar sind – das heißt, wir erkennen ihre Möglichkeit –, aber daß sie unverständlich sind, weil wir nicht wissen, auf welche Weise sie stattfinden.

Es besteht allerdings eine gewisse theoretische Spannung zwischen der Behauptung, die Mysterien seien erkennbar, aber unverständlich, dem Satz, leere Worte könnten kein Verstehensgegenstand sein, und den Aussagen, auch Wörter, denen kein klarer Begriff entspreche, seien erkennbar, und Widerspruchsbegriffe könnten verstanden werden. Beispielsweise verstünden wir, so Wolff, wenn jemand von „eisern Gold" spricht.[72] Das Verständnis solcher Aussagen beruht seines Erachtens auf der Möglichkeit, zwischen dem Begriff des „Tones", also des Lautes, und dem Begriff der Dinge, die damit bezeichnet werden, zu unterschei-

---

[68] Johann Gottlieb Fichte, Gesamtausgabe der Bayerischen Akademie der Wissenschaften, hg. von Reinhard Lauth u. a., Stuttgart-Bad Cannstatt 1962 ff., Bd. 2/3, 315–342, und Bd. 1/6, 333–361.

[69] „Nulli adeo in revelatione divina extare possunt termini inanes"; Theologia naturalis I, § 493. Leer ist der Begriff, dem keine Vorstellung entspricht und der eine „notio deceptrix", das heißt eine Scheinidee, bezeichnet; Logica, § 38.

[70] Deutsche Logik, Kap. 2, § 12.

[71] Theologia naturalis I, § 170–171.

[72] Deutsche Logik, Kap. 2, § 6.

den.[73] Sicher bezieht sich das Verstehen der Wörter, denen kein Begriff entspricht, nur auf ihre akustisch-phonetische Komponente, nicht auf ihre Bedeutung. Jedenfalls sind die Bereiche der leeren Begriffe, der Widerspruchsbegriffe und der Mysterien nicht klar voneinander abgegrenzt. Aber vielleicht konnte und sollte es aus Wolffs rationalisierender Perspektive nicht anders sein.

Wolff kann als Theoretiker der kritischen Theologie der Aufklärung gelten. Seine Theologie zielt auf die Versöhnung von Glaube und Vernunft und beruht auf der Überzeugung, daß die Offenbarungsinhalte ‚supra rationem' sein können, aber niemals ‚contra rationem'. Das Verbot der Widersprüchlichkeit der Glaubenswahrheiten führte später – vor allem dank der Neologie – zu einer Vereinfachung des dogmatischen Erbes. Nicht die gesamte Heilige Schrift sei inspiriert, sondern es gebe Stellen, die von den historischen Umständen der Abfassung abhingen. Diese These wurde bald in der von Töllner vertretenen Theorie vom doppelten Urheber (dem Menschen und Gott) fortentwickelt. Wolff leugnet Wirksamkeit und Zweckmäßigkeit der Wunder im engeren Sinn und begründet dies durch das Argument der ontologischen Überlegenheit des ursprünglichen Wunders, d. h. der Schöpfung, und durch die mechanizistische Annahme. Wolffs Auffassung des Verstehens ist kognitiver Art; es stützt sich auf die Achtung der Methode und schließt die Möglichkeit aus, für das Verständnis des göttlichen Wortes auf die Affekte zu rekurrieren, wie es dagegen die sentimentalistische Hermeneutik des Pietismus tut.

Wolff can be considered as the theoretician of the critical theology of the Enlightenment. His theology is aimed at the reconciliation of reason and faith and he believes that the contents of the revelation can be supra rationem, but never contra rationem. The prohibition of any inconsistency in the truths of faith will later give rise to a simplification of the dogmatic patrimony – particularly thanks to Neology. The Holy Scriptures are not all inspired, there are some passages that depend on the historical occasions of the compiling: This thesis is going to ripen into Töllner's theory of the double author (divine and human). Wolff denies the efficacy and functionality of miracles. His arguments are based on the ontological superiority of the original miracle – the creation – and on the mechanical hypothesis. In Wolff's opinion the understanding has a cognitive character, is based on method and eliminates the affections in order to understand the divine word – in contrast to the sentimentalist hermeneutics of pietism..

Luigi Cataldi Madonna, Località Piano, I-67025 Ofena, E-Mail: luigicataldimadonna@tin.it

---

[73] Ebd., Kap. 2, § 9.

Francesco Valerio Tommasi

Wolff und die Analogie

Von den mannigfachen Modi des Seienden zwischen Ontologie und Theologie

In der Philosophiegeschichte kennt die Frage nach der Analogie eine sehr lange und komplizierte Geschichte. Sie wurde in vielen verschiedenen Bereichen und mit derart unterschiedlichen Bedeutungen erörtert, daß es bereits Schwierigkeiten bereitet, einen allgemeinen Sinn des Wortes oder eine kurze Fassung der damit verbundenen Probleme anzugeben.[1] Jedoch können zwei der wichtigsten und sich in jeder Epoche immer wieder wiederholenden Fragen, die mit der Analogie verbunden sind, einerseits im Rahmen der Ontologie, andererseits im Rahmen der Theologie aufgefunden werden. Ganz allgemein gefaßt, handelt es sich in dem ersten Bereich um das Problem der mannigfachen Bedeutungen des Seins, während im zweiten Bereich die Anwendbarkeit sprachlicher Prädikate auf Gott in Frage gestellt wird. Die Analogie kann sogar als Schlüsselfrage aufgefaßt werden, um die gegenseitigen Beziehungen der beiden Wissenszweige bei verschiedenen Autoren zu analysieren. Es ist kein Zufall, daß sich ein erneutes Interesse an der Analogie im Kontext der Frage nach der sogenannten ‚Ontotheologie' formiert hat.[2]

In der Tat bringt der Begriff vom Seienden die Ambiguität mit sich, einerseits ganz leer und zwar ohne Intensionen oder Determinationen gedacht werden zu müssen, um von allem – als *ens commune* – ausgesagt werden zu können (er ist keine Kategorie, weil eine Kategorie unmittelbar etwas ausschließt: *omnis determinatio est negatio*); in diesem Sinne ist der Begriff vom Seienden daseinsfrei und univok. Andererseits muß dieser Begriff, um eine Prädikation überhaupt erst zu ermöglichen, alle Prädikate bereits enthalten und als *omnitudo realitatis* gedacht werden (denn es ist unmöglich zu urteilen, ohne daß alle möglichen Termini

---

[1] Vgl. Wolfgang Kluxen, Art. ‚Analogie', in: Joachim Ritter (Hg.), Historisches Wörterbuch der Philosophie, Bd. 1, Basel, Stuttgart 1971, 214–227.

[2] Vgl. (um nur einen einzigen rezenten bedeutenden Text zu zitieren): Jean-François Courtine, Inventio analogiae, Paris 2005.

Aufklärung 23 · © Felix Meiner Verlag 2011 · ISSN 0178-7128

als Vorbedingung existieren); in diesem zweiten Sinne ist der Begriff vom Seienden das *ens realissimum*, das auch die Existenz im höchsten Grad enthält. Auch die lediglich angedeuteten Anspielungen auf Ausdrücke von Spinoza oder Kant können schon ahnen lassen, wie sich die Frage der Analogie mit der hier beschriebenen Ambiguität zwischen dem 17. und 18. Jahrhundert in einer entscheidenden Weise radikalisiert. Die Wolffsche Systematisierung der Philosophie als ,Enzyklopädie' der damaligen deutschen Universitäten, als Synthesis zwischen scholastischen und neuzeitlichen Tendenzen, als Verbreitung einiger Leibnizscher Grundthesen und als Brücke zur Kantischen Wende – um nur einige der allgemeinen Gründe der Wichtigkeit Wolffs in seiner Epoche zu erwähnen – kann keine mindere Rolle in Bezug auf diese Frage gespielt haben.

In diesem Beitrag werde ich also die These verteidigen, daß trotz der allgemeinen Abwesenheit oder mindestens der sparsamen Benutzung des Wortes ,Analogie' in den Wolffschen Schriften die angedeutete Ambiguität und so auch die metaphysische Rolle der Frage in seinem Werk ans Licht gebracht werden kann.[3] Im Gegensatz zu dem, was auf den ersten Blick und üblicherweise auch in der Forschung gemeint wird (und das nicht grundlos), vertritt Wolff meiner Meinung nach eine theoretische Einstellung bezüglich der Seinsfrage, die noch ,analogisch' bestimmt werden kann. Zwar wurde in der Forschung sehr oft die These wiederholt, bei Wolff habe man es mit einem Denker zu tun, der einen entscheidenden Schritt in Richtung eines leeren, daseinsfreien und deshalb univoken Seinsbegriffs gemacht hat.[4] Die Kommentatoren stützen sich normalerweise auf die allzu berühmte These, das *ens* sei „etwas Mögliches", das die Existenz lediglich als ein „*complementum possibilitatis*" enthalten könne.[5] Der Begriff vom Seienden wird tatsächlich aus dem Widerspruchsprinzip – aus dem Begriff der Unmöglichkeit – direkt hergeleitet; und er sei deswegen so breit gefaßt, damit

---

[3] Das Wort ,Analogie' taucht nur in wenigen Wortindices der Wolffschen Werke auf. Es wird auch nicht im Werk Dagmar von Willes (Lessico filosofico della Frühaufklärung. Christian Thomasius, Christian Wolff, Johann Georg Walch, Rom 1991) in Betracht gezogen, das paradigmatische Wörter der Epoche analysiert. Ein gutes Spektrum der Verwendung des Wortes bei Wolff ist bei Marta Fattori (Hg.), Lessico filosofico dei secoli XVII e XVIII, Bd. 1.2, Firenze 1994, 745–1757 zu finden.

[4] Vgl. Étienne Gilson, L'être et l'essence, Paris 1948, 169 f.; Elisabeth-Maria Rompe, Die Trennung von Ontologie und Metaphysik. Der Ablösungsprozeß und seine Motivierung bei Benedictus Pereirus und anderen Denkern des 16. und 17. Jahrhunderts, Bonn 1968, 339 f.; Jean-François Courtine, Suarez et le système de la métaphysique, Paris 1990, 254–258 und 438–442; Ludger Honnefelder, Scientia transcendens. Die formale Bestimmung der Seiendheit und Realität in der Metaphysik des Mittelalters und der Neuzeit (Duns Scotus, Suàrez, Wolff, Kant, Peirce), 295 f. und bes. 380 f.; Anton Bissinger, Die Struktur der Gotteserkenntnis. Studien zur Philosophie Christian Wolffs, Bonn 1970, 152.

[5] Ontologia, 115 (§ 134): *Ens* dicitur, quod existere potuit, consequenter cui existentia non repugnat. – Ebd., 143 (§ 174): *Existentiam* definio per complementum possibilitatis.

er sowohl die empirischen und kontingenten Dinge wie auch die logischen Begriffe als auch Gott als notwendiges Seiendes umfassen könne. Aber genau im Kontext der Beziehungen zwischen solchen ‚modalen' Begriffen – Möglichkeit, Unmöglichkeit, Wirklichkeit, Existenz, Kontingenz, Notwendigkeit – lassen sich einige theoretische Probleme auffinden, die eine einfache und grobe univoke Idee des Begriffs vom Seienden bei Wolff unhaltbar machen. Der Tradition zufolge werden die Schwierigkeiten vor allem im Rahmen der Theologie und in ihren Beziehungen zur Ontologie als erster Philosophie aufgefunden. Ich werde hier also eine ‚analogische' Seinsauffassung – oder eine implizit zur Analogie neigende Seinsauffassung – in einigen Thesen der Ontologie und der Theologie Wolffs aufspüren, in denen die modalen Begriffe eine wichtige Rolle spielen.

Zunächst werde ich eine kurze Auflistung der wichtigsten Passagen geben, in denen das Wort ‚Analogie' in den Werken Wolffs auftaucht. Danach wird die Aufmerksamkeit auf die Mehrdeutigkeit des Seinsbegriffs und so auf die traditionelle Bedeutung der Frage nach der Analogie in ihrem metaphysischen Sinn gelenkt, auch wenn das Wort von Wolff in diesem Rahmen nicht ausdrücklich benutzt wird. Insbesondere im Kontext der Gottesbeweise kann die oben erwähnte traditionelle Zweideutigkeit als implizit anwesend aufgespürt werden: Einerseits versucht Wolff, die existentielle Bedeutung des Seienden aus der logischen Bedeutung unmittelbar herzuleiten; eine existentielle Bedeutung des Seienden scheint aber – wie vor allem ein knapper Vergleich mit Kant zeigen wird – eine notwendige Vorbedingung dieser logischen Bedeutung zu sein. Zum Schluß werde ich das Thema des *modi analogum* behandeln, in dem der Rekurs auf die Analogie in Bezug auf das unendliche Seiende von Wolff ausdrücklich eingeführt wird. Dies wird mir ermöglichen, die allgemeine These einer impliziten Anwesenheit der Frage nach der Analogie im Rahmen der Wolffschen Ontologie und Theologie argumentativ zu stützen. Vor dem beschriebenen Hintergrund wird es möglich sein, zu zeigen, daß das Verhältnis zwischen kontigenter und notwendiger Existenz auch als ein Fall eines *modi analogum* beschrieben werden kann. Mit Rekurs auf die Analogie soll also das Verhältnis der Termini innerhalb eines der wichtigsten, wenn nicht sogar des wichtigsten Begriffspaares im Wolffschen Denken erhellt werden, desjenigen Paares nämlich, das nach Wolff die Totalität des Seins aufteilt und die Beziehung zwischen Mensch und Gott ausdrückt.

I. Die Analogie in den Werken Wolffs

Zunächst muß beachtet werden, daß man überraschenderweise einige der relevanteren Verwendungen des Wortes ‚Analogie' in Bereichen findet, die fern der theoretischen Bedeutung der Ontologie und der rationalen Spekulation über den Gott der natürlichen Theologie stehen. In den Wortindices der Werke Wolffs wird die

Analogie z. B. in dem Band der rationalen Psychologie erwähnt: In diesem Fall
hat man es mit einer Verwendung zu tun, die der allgemeinen Bedeutung von
‚Ähnlichkeit' zu entsprechen scheint. Aber die Tatsache, daß Wolff eben das
Wort in einen Index einfügt, läßt an eine eher technische Bedeutung von Entsprechung denken. Die Wichtigkeit dieser Passage wurde in der Tat schon in der Literatur erwähnt, weil Wolff eine Parallele zwischen der Kraft der Seele (*vis animae*) und derjenigen Kraft zieht, die den Leib bewegt (*vis motrix corporis*).[6]

Eine weitere Verwendung im Rahmen der Psychologie, diesmal der empirischen, ist diejenige des Ausdrucks *analogum rationis*. Es handelt sich auch in diesem Fall um eine technische Verwendungsweise, bei der aber die Analogie der
allgemeinen Bedeutung von Ähnlichkeit sehr nahe steht:

> Expectatio casuum similium est id, quod analogum rationis dici solet.[7]

Und auch in der rationalen Theologie:

> Bruta habent analoga rationis[8]

Es ist bekannt, daß dieser Ausdruck eine sehr breite und wichtige Verwendung
in der Ästhetik von Baumgarten finden wird. Aber nicht nur die ‚Analogie der Vernunft', sondern auch die ‚Analogie des Glaubens' (*analogia fidei*) läßt sich bei
Wolff finden. Damit nähert man sich bereits theologischen Themen, und zwar
– wie der Name erahnen läßt – Themengebieten der offenbarten Theologie. In
der Tat wird die *analogia fidei* innerhalb der Hermeneutik behandelt, die sich ihrerseits in der dritten Abteilung der praktischen Logik befindet, welche den Titel
trägt: *De usu logicae in libris conscribendis, dijudicandis et legendis*. Innerhalb
dieser Abteilung werden der Hermeneutik zwei Kapitel gewidmet: das eine ist als
De legendis libris historicis et dogmaticis, das andere als *De interpretanda Scriptura Sacra* betitelt.[9] Als „Glaubensanalogie" taucht das Wort im § 976 auf und
wird dort als Kriterium behandelt, um einander widersprechende Texte der Schrift
in Einklang zu bringen (*scripturam sacram juxta analogiam fidei interpretari de-*

---

[6] Psychologia rationalis, 55 (§ 77). Vgl. dazu Robert J. Richards, Christian Wolff's Prolegomena to Empirical and Rational Psychology: Translation and Commentary, in: Proceedings of the
American Philosophical Society 124/3 (30 June, 1980), 227–239.

[7] Psychologia empirica, 383 (§ 506).

[8] Psychologia rationalis, 678 (§ 765).

[9] Vgl. Logica, 641–706 (§ 902–998). Zur Wolffschen Hermeneutik vgl. Luigi Cataldi Madonna, Die Unzeitgemäße Hermeneutik Christian Wolffs, in: Axel Bühler (Hg.), Unzeitgemäße
Hermeneutik. Verstehen und Interpretation im Denken der Aufklärung, Frankfurt am Main 1994,
26–42, und Marianne Schröter, „Von Erklärung einer mit Verstande geschriebenen, und insonderheit der Heiligen Schrift". Wolffs Hermeneutik – Aspekte ihrer Wirkungsgeschichte, in: Jürgen
Stolzenberg, Oliver-Pierre Rudolph (Hg.), Christian Wolff und die europäische Aufklärung. Akten
des 1. Internationalen Christian-Wolff-Kongresses, Halle (Saale), 4.–8. April 2004, Teil 3, Hildesheim u. a. 2007 (GW, Abt. III, Bd. 103), 97–110.

beamus). Die *analogia fidei* hat im allgemeinen eine sehr wichtige Stellung in der Tradition der Hermeneutik, vor allem in der protestantischen. Eine Begründung dazu findet sich in *Röm.* 12,6, wo Paulus meint, Prophetien sollten eben nach der ‚Analogie des Glaubens' beurteilt werden. Nach Wolff sollen diejenigen Stellen als Referenzprinzip gelten, deren Sinn mit aller Evidenz klar ist – dies seien die *dicta classica* und die *sedes doctrinarum*.[10] Jene Bibelstelle (*Gen.* 6,6), an der es heißt, daß es Gott gereut habe, den Mensch geschaffen zu haben, sei also nur eine menschliche Darstellung, weil Gott von Ewigkeit her alles kenne. Es handelt sich also bei Wolff eher um ein Vernunftprinzip, das die Hermeneutik leiten muß. Die Analogie zur Auslegung der Bibel ist keine nur textimmanente, sondern vielmehr eine vernünftige: Es ist eben kein Zufall, daß diese Abteilung auf dem Unterschied von historischen und dogmatischen Büchern aufgebaut wird. Diese Vorgehensweise ist bereits ein Indiz, daß Wolff gemäß einer sehr klassischen und noch scholastischen Einstellung eine gewisse Analogie, Entsprechung oder Teilhabe zwischen Vernunft und Glaube voraussetzt. Trotz der prinzipiellen Aussage, die *analogia fidei* wirke nach einem textimmanenten Prinzip, ist im genannten Beispiel die Vernunft das entscheidende Mittel, um die Widersprüche der Bibel zu verstehen.[11]

II. Die Zweideutigkeit der Existenz in den Gottesbeweisen

Die Stellen aber, wo auch bei Wolff die Spannung gesehen werden kann, die ich behandeln will – und zwar die metaphysische Bedeutung der Analogie – finden sich vor allem dort, wo die Gottesfrage thematisiert wird. Es ist wahrscheinlich kein Zufall, daß die Art und Weise, mit der Wolff am häufigsten den philosophischen Begriff von Gott an sich und im Unterschied zum Begriff des Geschöpfes beschreibt, oder die Art und Weise, wie er das Verfahren charakterisiert, durch das er zu einem philosophischen Begriff von Gott gelangt, sich auf ein Begriffspaar stützt, das zugleich auch eines der ersten und wichtigsten Begriffspaare ist, in die Wolff den Begriff von Seiendem überhaupt aufteilt. Es handelt sich um die Zweiteilung des Seienden in kontingentes und notwendiges. In der Tat liest man in der Ontologie, daß die Totalität des Seienden nach dieser Dichotomie organisiert ist:

---

[10] Logica, 699–701 (§ 976).

[11] Zur Beziehung von Glaube und Vernunft bei Wolff vgl. Mario Casula, Die Theologia naturalis von Christian Wolff: Vernunft und Offenbarung, in: Werner Schneiders (Hg.), Christian Wolff 1679–1754. Interpretationen zu seiner Philosophie und deren Wirkung, Hamburg 1983, 129–138, und Günter Gawlick, Christian Wolff und der Deismus, in: ebd., 139–147.

Quoniam quodlibet vel est, vel non est (§. 53) ; omne ens vel ens necessarium est, vel necessarium ens non est. Quamobrem cum ens contingens sit, quod necessarium non est (§. 310) ; *ens omne vel est ens necessarium, vel contingens.*[12]

Eine ähnliche Idee ist auch im theologischen Kontext zu finden, und zwar im zweiten Teil der *Theologia naturalis:*

> Ens omne vel necessarium est, vel contingens (§. 311 *Ontol.*), adeoque existentia omnis vel necessaria, vel non necessaria sive contingens (§. 309, 310 *Ontol.*); praeter existentiam necessariam & contingentem alia concipi nequit.[13]

Da es sich eben um eine Zweiteilung handelt, könnte man sich schon jetzt fragen, ob das nicht genug sei, um von einem impliziten mehrdeutigen Begriff des Seienden zu sprechen und um sich einer analogischen Fassung des Seienden anzunähern. Der Unterschied zwischen kontingentem und notwendigem Seienden ist aber auf die Theorie der disjunktiven Transzendentalien des Duns Scotus zurückzuführen, der als der erste explizite oder grundlegendste Verteidiger der These der Univozität des Seienden gilt. Eine Spur dieser Tradition ist in der dritten Sektion der Wolffschen Ontologie zu finden.[14] In der Tat besitzt das Seiende, sowohl als notwendiges wie auch als kontingentes gefaßt, dieselbe, d. h. eine univoke Definition. Es handelt sich um eben jene schon erwähnte Bestimmung: Der Bereich des Seienden stimmt mit demjenigen des Möglichen überein. Das Seiende ist also ein leerer Begriff, der an sich keine Prädikate besitzt. Deswegen kann er von allem ausgesagt werden. Er scheint eine erste allgemeine Kategorie zu sein, ein *genus generalissimum.*

Jener „leere" und „daseinsfreie" Seinsbegriff scheint selbst jedoch an einigen Stellen in Wolffs Werk in dem Begriff des *ens perfectissimum* gegründet zu sein, das alle Realitäten enthält, nämlich in dem Begriff von Gott, so wie er unmittelbar aus seiner *notio* gewonnen wird. Es kann also nützlich sein, mit Bezug auf unsere Frage jene Kapitel der Gottesfrage zu analysieren, die üblicherweise den Grundstein einer jeden natürlichen Theologie bilden, nämlich die Gottesbeweise. Wie bekannt, ist die *Theologia naturalis* von Wolff zweigeteilt. Jeder Teil beginnt mit einem Gottesbeweis, der eine *a posteriori* und der andere *ex notione entis perfectissimi et naturae animae.* Ohne eine ausführliche Beschreibung dieser Beweise geben zu wollen, sei doch die Aufmerksamkeit auf eine gewisse Zirkularität in der Argumentation gelenkt, die genau auf das Problem der Ambiguität einer analogen Seinsauffassung zurückzuführen ist und die bei Wolff vor allem um die ‚modalen' Begriffe herum aufgespürt werden kann. In beiden Teilen der natürlichen Theo-

---

[12] Ontologia, 245 (§ 311).

[13] Theologia naturalis, II, 14 (§ 20).

[14] Aufgrund der Idee einer *scientia transcendens* als Idee einer allgemeinen auf einem univoken Begriff vom Seienden basierten Ontologie hat Honnefelder eine direkte Kontinuitätslinie zwischen Scotus und Wolff beschrieben: vgl. Ludger Honnefelder, Scientia transcendens (wie Anm. 4).

logie spielt der Unterschied zwischen notwendigem und kontingentem Seienden eine entscheidende Rolle. Der Gottesbeweis im ersten Band der natürlichen Theologie gründet auf dem Prinzip des zureichenden Grundes: Aufgrund der sicheren Existenz von mindestens einer Substanz, nämlich der Seele, schließt man auf ein notwendiges Seiendes.

> *Existit ens necessarium.* Anima humana existit (§. 21 *Psychol. empir.*), seu nos existimus (§. 14 *Psychol. empir.*). Quoniam nihil est sine ratione sufficiente, cur potius sit, quam non sit (§. 70 *Ontol.*) ; ratio sufficiens detur necesse est, cur anima nostra existat, seu cur nos existamus. Haec adeo ratio aut in nobismetipsis continetur, aut in ente quodam alio a nobis diverso (§. 53 *Ontol.*). Quod si ponas nos rationem existentiae habere in ente, quod denuo rationem existentiae suae in alio habet; non pervenietur ad rationem sufficientem, nisi tandem in ente aliquo subsistas, quod existentiae suae rationem sufficientem in seipso habet. Aut igitur nosmetipsi sumus ens necessarium, aut datur ens necessarium aliud a nobis diversum (§. 309 *Ontol.*), consequenter ens necessarium existit.[15]

Im Rahmen der existentialen Bedeutung vom Sein muß man ein notwendiges Seiendes voraussetzten, um das kontingente Seiende zu erklären. Der Grund der Existenz des notwendigen Seienden ist so auch in seiner Essenz unmittelbar enthalten. Nachdem Wolff bewiesen hat, daß das *ens necessarium* auch *a se* ist, schließt er folgendes:

> *Ens a se rationem existentiae in essentia sua habet.* Etenim ens a se independens est ab omni ente alio (§. 30), consequenter & existentiae suae rationem in alio non habet (§. 851 *Ontol.*). Habet igitur eandem in se (§. 70 *Ontol.*). Quamobrem cum in essentia contineatur ratio sufficiens, cur quid eidem vel actu insit, vel inesse possit (§. 168 *Ontol.*); ratio existentiae entis a se in essentia ipsius contineri debet.[16]

Schon im ersten Band der *Theologia naturalis* findet man also ein Verfahren, das demjenigen sehr nahe steht, das man im § 21 des zweiten Bandes findet. Dort wird bewiesen werden, daß Gott notwendig existiere, weil die Existenz eine der *realitates compossibiles* sei, die einem Seienden zusammen innewohnen können, und die deswegen dem notwendigen Seienden im höchsten Grad zugeschrieben werden muß.

> Deus enim continet omnes realitates compossibiles in gradu absolute summo (§. 15). Est vero idem possibilis (§. 19). Quamobrem cum possibile existere possit (§. 133 *Ontol.*); existentia eidem inesse potest, consequenter cum sit realitas (§. 20) & realitates compossibiles sint, quae enti una inesse possunt (§. 1), in realitatum compossibilium numero est. Jam porro existentia necessaria est gradus absolute summi (§. 20). Deo igitur competit existentia necessaria, seu, quod perinde est, Deus necessario existit.[17]

---

[15] Theologia naturalis, I, 25 f. (§ 24).

[16] Theologia naturalis, I, 29 (§ 31). Vgl. II, 17 (§ 27).

[17] Theologia naturalis, II, 15 (§ 21).

Gemäß diesem Verfahren kann Wolff folgendes schließen:

> Deus ideo existit, quia possibilis.[18]

Gott existiert, weil er möglich ist. Wie bereits betont, läßt sich kaum eine Seinsauffassung denken, die so stark Existenz und Möglichkeit zusammenfaßt. Die Erschaffung eines univoken Seinsbegriffs führt zur Annahme eines solchen Gottesbeweises, der im Allgemeinen übereinstimmt oder mindestens sehr nah zu all denjenigen steht, die in der Tradition ‚ontologische‘ genannt worden sind. Der Schluß von der Möglichkeit auf die Existenz wird im Falle Gottes tatsächlich vollzogen: Dies ermöglicht die implizite Idee, daß eine Kontinuität zwischen dem Seienden als Kategorie und Prädikat einerseits und dem Seienden als etwas Existentem andererseits gesetzt werden kann.

Doch Wolffs Gedanke scheint komplexer. In der Tat ist dieses Verfahren *a priori* im Wolffschen Gottesbeweis nicht ganz und gar unabhängig von Argumenten, die von Elementen *a posteriori* abhängen. Tatsächlich begreift Wolff die Existenz als ein Prädikat, eine Realität, die Gott im höchsten Grad zugeschrieben werden muß: d. h. in der Form der notwendigen Existenz. An einigen Stellen betont er jedoch, daß, um die Existenz selbst – sowohl die kontingente als auch die notwendige – als Realität annehmen zu können, einige Ergebnisse gebraucht werden, die aus einem Verfahren *a posteriori* hergeleitet werden müssen. Es handelt sich einerseits um die Existenz der Seele als Modell:

> Enimvero cum constare nequeat, quale sit ens perfectissimum, nisi quatenus ex realitatibus, quae insunt animae, colligas attributa divina, DEO nimirum illimitatas tribuendo, quae in ipsa limitatae deprehenduntur, et per modum actus, quae per modum facultatum insunt; rectius dici poterat, existentiam DEI hoc pacto ex contemplatione animae demonstrari.[19]

Andererseits handelt es sich um die Annahme der kontingenten und der notwendigen Existenz als Realitäten:

> *Existentia necessaria et contingens realitas est, illaque gradus absolute summi.* Etenim ens necessarium existit (§. 24 *part. I. Theol. nat.*). Quoniam itaque realitas est, quicquid enti vere inest, non vero tantummodo per confusas perceptiones inesse videtur (§. 5); quin existentia necessaria realitas quaedam sit dubitari nequit. *Quod erat primum.* Successiva in mundo sunt contingentia (§. 80 *Cosmol.*). Quamobrem cum contingens sit, quod necessarium non est (§. 294 *Ontol.*), adeoque entis contingentis existentia non sit absolute necessaria (§. 309 *Ontol.*); existentia quoque non necessaria sive contingens realitas est (§. 5). *Quod erat secundum.*[20]

---

[18] Theologia naturalis, II, 17 (§ 28).
[19] Theologia naturalis, II, Praefatio, 12*, Z. 7–14.
[20] Theologia naturalis, II, 13 f. (§ 20).

Abgesehen von der Frage der Kohärenz des Wolffschen Denkens oder dessen Entwicklung, auch im Bezug auf die Quellen oder auf die früheren Schriften, wo eher ein Verfahren *a posteriori* anwesend ist; und auch abgesehen von der Frage, welchem Beweis Wolff eine wichtigere Bedeutung zugeschrieben hat, ist das Schwanken der Stellungnahmen von Wolff für die hier vertretene These sehr bedeutend und aufschlußreich.[21] Der Kern dieses Schwankens kann in der Tat genau in der zweifachen Bedeutung der Existenz festgestellt werden. Sie wird einerseits als bloßes Prädikat aufgefaßt, dies erfolgt jedoch andererseits nicht ganz. Es handelt sich um jene Zweideutigkeit, die anfangs erörtert worden und als konstitutiv für die metaphysische Bedeutung der Analogiefrage beschrieben worden ist.

In der Tat bräuchte der auf der Existenz als Realität basierende Gottesbeweis an sich keine effektive oder wirkliche Existenz vorauszusetzen: Statt dessen ist dies eher das Ziel des Beweises, der sich auf bloße logische Prädikate stützt. Aber um die Existenz als Realität oder als Prädikat denken zu können, braucht man tatsächlich irgendeine effektive Existenz im Voraus. Kann man ansonsten die Idee einer Existenz überhaupt bilden? Und da es nicht um eine unbedeutende zufällige Realität geht, sondern um die Existenz überhaupt, soll die Frage eher wie folgt lauten: Kann man überhaupt ein Prädikat bilden, ohne daß etwas existiert? Ist das Mögliche ohne die Existenz überhaupt möglich? Diese Probleme – die meiner Meinung nach sozusagen ‚unterhalb‘ der Wolffschen Behandlung agieren – treten in Kants frühen Schriften sehr klar hervor. Auch in diesem Fall sehen wir von der Frage ab, inwieweit Kant von Wolff in diesen Schriften buchstäblich abhängig ist oder inwieweit sich schon eine autonome Entwicklung im Denken Kants zeigt.[22] Vor dem Hintergrund der Wolffschen Stellungnahmen wird bei Kant noch deutlicher, wie der Schluß von der Möglichkeit auf die Existenz auch schon eine Existenz analoger Art voraussetzt. In der *Nova dilucidatio* liest man den folgenden ‚Beweis‘ des Daseins Gottes:

[21] Über diese Frage hat die Forschung viel debattiert; vgl. u. a.: Mariano Campo, Cristiano Wolff e il razionalismo precritico, Mailand 1939, 649 f.; Jean École, Les preuves wolffiennes de l'existence de Dieu, in: Archives de Philosophie 42 (1979), 381–396; Anton Bissinger, Das ontologische Argument bei Christian Wolff, in: Analecta Anselmiana (1975), 243–247. Es ist kein Zufall, daß seine schwierige Erörterung des Beweises *a priori* auch einen sehr kontroversen Rekurs auf Thomas widerspiegelt, indem Wolff meint, daß nach dem mittelalterlichen Meister das Dasein Gottes zwar nicht *a priori* erkennbar sei, jedoch aus seiner *notio* erkannt werden könne; vgl. dazu Mario Casula, Die Beziehungen Wolff – Thomas – Carbo in der Metaphysica latina. Zur Quellengeschichte der Thomas-Rezeption bei Christian Wolff, in: Studia Leibnitiana 11 (1979), 98–123, insbes. 120; Francesco Valerio Tommasi, Ludovicus Carbo. Vermittler zwischen Thomas von Aquin und Christian Wolff, in: Archivio di filosofia 71 (2003), 311–332, insbes. 327–332.

[22] Vgl. vor allem Robert Theis, Gott. Untersuchung zur Entwicklung des theologischen Diskurses in Kants Schriften zur theoretischen Philosophie bis hin zum Erscheinen der Kritik der reinen Vernunft, Stuttgart-Bad Cannstatt 1994. Vgl. auch Sophie Grapotte, La conception kantienne de la réalité, Hildesheim u. a. 1994, 21–24 und 41–45.

Cum possibilitas nonnisi notionum quarundam iunctarum non repugnantia absolvatur adeoque possibilitatis notio collatione resultet; in omni vero collatione quae sint conferenda, suppetant necesse sit, neque ubi nihil omnino datur, collationi et, quae huic respondet, possibilitatis notioni locus sit: sequitur quod nihil tanquam possibile concipi possit, nisi, quicquid est in omni possibili notione reale, exsistat, et quidem (quoniam, si ab hoc discesseris, nihil omnino possibile, h. e. nonnisi impossibile foret) exsistet absolute necessario. Porro omnimoda haec realitas in ente unico adunata sit necesse est.[23]

Und dieselbe Argumentation findet sich auch in der bekannten Schrift über den einzig möglichen Beweisgrund zu einer Demonstration des Daseins Gottes, wo Kant die berühmte These einführt, Existenz sei kein Prädikat:

In einem Existirenden wird nichts mehr gesetzt als in einem blos Möglichen (denn alsdann ist die Rede von den Prädicaten desselben), allein durch etwas Existirendes wird mehr gesetzt als durch ein blos Mögliches, denn dieses geht auch auf absolute Position der Sache selbst.[24]

In diesem Werk bleibt der Beweisgrund substantiell unverändert:

Alle Möglichkeit setzt etwas Wirkliches voraus, worin und wodurch alles Denkliche gegeben ist. Demnach ist eine gewisse Wirklichkeit, deren Aufhebung selbst alle innere Möglichkeit überhaupt aufheben würde. Dasjenige aber, dessen Aufhebung oder Verneinung alle Möglichkeit vertilgt, ist schlechterdings nothwendig. Demnach existirt etwas absolut nothwendiger Weise.[25]

Wenn man Wolff aus der Perspektive dieser kantischen Texte betrachtet, wird es also noch klarer, wie die Spannung zwischen zwei verschiedenen Seinsbedeutungen (Existenz einerseits und *realitas* oder Prädikat andererseits) wirkt. Es ist also kein Zufall, daß das *ens realissimum* in der *Kritik der reinen Vernunft* zu einem bloßen Ideal wird. Nach der kritischen Wende können die zwei Bedeutungen nicht mehr zusammengehalten werden. Existenz, Möglichkeit und Notwendigkeit werden zu schlichten transzendentalen Kategorien der Modalität.[26]

III. Notwendige-kontingente Existenz: ein modi analogum

Vor dem Hintergrund dieser Perspektive kann man nun auch jene Stelle besser verstehen, an der Wolff vielleicht in ausdrücklichster Weise Nähe zu der traditionellen Idee einer Prädikation gemäß der Analogie im Rahmen der Seinsfrage auf-

---

[23] Immanuel Kant, Nova Dilucidatio (Akad.-Ausgabe, Bd. 1), 395.

[24] Immanuel Kant, Der einzig möglich Beweisgrund (Akad.-Ausgabe, Bd. 2), 75.

[25] Ebd., 83.

[26] Vgl. dazu u. a. Hans Poser, Mögliche Erkenntnis der Möglichkeit. Die Transformation der Modalkategorien der Wolffschen Schule in Kants kritischer Philosophie, in: Grazer Philosophische Studien 20 (1983), 129–147.

weist. Es ist äußerst bedeutend, daß die Analogie an einer solchen Stelle in eine direkte Verbindung zu der Frage der Modalität gebracht wird. Es handelt sich um die Betrachtung des sogenannten *modi analogum.* Sofort nach der Unterteilung des Seins in notwendiges und kontingentes Sein behandelt Wolff in der *Ontologia* das Begriffspaar Unendliches und Endliches. In diesem Rahmen führt Wolff die These ein, daß ein unendliches Wesen keinen *modus* haben kann

Enti infinito nulli insunt modi.[27]

Dies wird verständlich, da Wolff die Modi ausdrücklich als Akzidentien definiert hat:

Quod essentialibus non repugnat, per essentialia tamen minime determinatur, *Modus* a nobis dicitur. Scholastici *Accidens* appellant idque *praedicabile.*[28]

Ein unendliches Wesen kann also nur „etwas Analoges" zum Modus besitzen. Das *modi analogum* wird dabei folgendermaßen definiert:

Modi analogum est, cujus oppositum enti infinito absolute non repugnat, quod tamen rationem sufficientem in eodem non agnoscit, cur actu unquam insit.[29]

Das Analogon eines Modus ist etwas, dessen Gegenteil nicht absolut unaussagbar vom unendlichen Seiendem ist. Als Beispiel eines *modi analogum* wird die Erschaffung der Welt angeführt. Sie sei nichts an sich Notwendiges.

Decretum de mundo condendo est analogum quoddam modi.[30]

Daß die Welt erschaffen wurde, ist im Willen Gottes verankert. Deswegen handelt es sich um einen Fall nur hypothetischer Notwendigkeit. Tatsächlich ist jedes *modi analogum* nur hypothetisch notwendig:

Modi analoga non absolute, sed tantum modo hypothetice necessaria sunt.[31]

Es muß aber beachtet werden, daß das kontingente Seiende auch als hypothetisch notwendig von Wolff definiert wird.

Ens contingens nonnisi contingenter existit et, dum existere incipit, existentia eius non- nisi hypothetice necessaria est [...] *existentia entis contingentis contingens est* [...].[32]

In der Tat ist das kontingente Seiende im notwendigen Seienden verankert. Der *a posteriori*-Gottesbeweis postuliert genau das. Wenn aber im Fall der hypothetischen Notwendigkeit des *modi analogum* eben ausdrücklich von Analogie ge-

---

[27] Ontologia, 628 (§ 840).
[28] Ontologia, 123 (§ 148). Vgl. auch: „*Attributa et modi sunt accidentia*" (580 [§779]).
[29] Ontologia, 629 (§ 842).
[30] Ebd. (§ 842 nota).
[31] Ebd. (§ 843).
[32] Ebd., 248 f. (§ 316).

sprochen wird, kann man auch in diesem anderen Fall der hypothetischen Notwendigkeit – derjenigen der kontingenten Existenz – legitim von einem analogen Verhältnis zum notwendigen Seienden sprechen. Die kontingente Existenz wird in der Tat von Wolff ausdrücklich als ein Modus betrachtet.

> Idem etiam hoc modo ostenditur: existentiae entis contingentis ratio sufficiens in essentia ejus non continetur (§. 310), consequenter per essentialia existentia ejus minime determinatur (§. 116). Cum adeo in modorum numero sit (§. 148), modi autem contingenter insint (§. 312); existentia enti contingenti nonnisi contingenter inest, consequenter ens contingens contingenter nonnisi existit (§. 278 *Log*.). Existentia entis contingentis nonnisi modus ejus est *per modo demonstrata*. Modi vero, dum actu sunt, nonnisi hypothetice necessarii sunt (§. 306). Quamobrem existentia entis contingentis, dum nempe ipsum existere incipit, nonnisi hypothetice necessaria est.[33]

Der Begriff der kontingenten Existenz als eines Modus kann also nicht dem notwendigen Seienden zugeschrieben werden. Sie kann von ihm nur in der Weise eines *modi analogum* ausgesagt werden. Was ist die Erschaffung der Welt – um das Wolffsche Beispiel des *modi analogum* aufzugreifen –, wenn nicht die kontingente Existenz aus dem Gesichtspunkt der notwendigen betrachtet?

Die Zirkularität, gemäß der die Existenz einerseits als bloßes Prädikat aufgefaßt und von der Möglichkeit hergeleitet werden kann, andererseits aber als Bedingung der Möglichkeit selbst vorausgesetzt werden soll, wird wieder durch eine in diesem Fall ausdrückliche analogische Auffassung geleitet, für welche die Idee der Modi maßgeblich ist. Der Begriff der kontingenten Existenz ist lediglich ein Analogon des Begriffs der notwendigen Existenz. Bei Wolff scheint also die Analogielehre zwar gemildert, nicht aber gänzlich abwesend oder verschwunden zu sein.[34]

In diesem Beitrag wird die These verteidigt, daß trotz der allgemeinen Abwesenheit oder mindestens der sparsamen Benutzung des Wortes ‚Analogie‘ in den Wolffschen Schriften die metaphysische Rolle dieser Frage in seinem Werk ans Licht gebracht werden kann. Im Gegensatz zu dem, was oft in der Forschung gemeint wird, vertritt Wolff eine theoretische Einstellung bezüglich der Seinsfrage, die noch ‚analogisch‘ bestimmt werden kann. Insbesondere im Kontext der Gottesbeweise kann eine traditionelle Zweideutigkeit als implizit anwesend aufgespürt werden: Einerseits versucht Wolff, die existentielle Bedeutung des Seienden aus der logischen Bedeutung unmittelbar herzuleiten; eine existentielle Bedeutung des Seienden scheint aber – was vor allem ein knapper Vergleich mit Kant enthüllt

---

[33] Ontologia, 249 (§ 316)

[34] Auch ein Kommentator wie Bissinger, der sehr klar meinte: „Der Analogia entis, die in der Schulmetaphysik, auf welche Weise auch immer, einen festen Platz hatte, ist damit [im Denken Wolffs] der Boden entzogen", hat zugeben müssen, daß der Seinsbegriff von Wolff „univok auf Gott und die Geschöpfe angewandt werden kann", aber „nicht in seiner ganzen Entfaltung: hinsichtlich der Modi sind Gott und die Kreaturen verschieden" (Anton Bissinger, Die Struktur der Gotteserkenntnis [wie Anm. 4], 181).

– eine notwendige Vorbedingung dieser logischen Bedeutung zu sein. Vor dem beschriebenen Hintergrund wird es möglich sein, zu zeigen, daß das Verhältnis zwischen kontingenter und notwendiger Existenz auch als ein Fall eines modi analogum beschrieben werden kann.

This contribution argues that, despite the general absence or at least very rare use of the word analogy in Wolff's writings, the metaphysical role of this question in his work can be brought to light. In opposition to the generally proposed interpretations, Wolff's theoretical position regarding the question of being can still be classified as „analogical". Especially in the context of the proofs for God's existence, the implicit presence of a traditional ambiguity can be traced: Wolff attempts to deduce the existential meaning of being directly from its logical meaning; but an existential meaning of being already seems to be a necessary prerequisite for this logical meaning – which will be mainly revealed via a concise comparison with Kant. Against this background it will be possible to identify the relation between contingent and necessary existence as an instance of modi analogum as well.

Francesco Valerio Tommasi, Via Adolfo Ravà 30, I-00142 Roma, E-Mail: fv.tommasi@gmail.com

Matteo Favaretti Camposampiero

Der psychotheologische Weg

Wolffs Rechtfertigung der Gotteserkenntnis*

„ignorata mente humana Dei cognitionem haberi non posse"
Ratio praelectionum, sect. II, cap. 3, § 16

„Theologia naturalis agit de Deo, quem non videmus":[1] Gottes Unsichtbarkeit gilt für Wolff als Ausgangspunkt jeder theologischen Untersuchung. Da Gott wesentlich unsichtbar ist, muß man seine Existenz beweisen und seine Eigenschaften ableiten.[2] Aber daraus, daß man so verfahren muß, folgt nicht, daß man so verfahren kann: Ein Zwangsweg ist nicht unbedingt ein gangbarer Weg. Man darf also erwarten, daß der natürliche Theologe die Möglichkeit seiner Disziplin begründet und ihre Erkenntnismethoden rechtfertigt: Wie ist eine Wissenschaft vom Göttlichen möglich, die sich auf keine Offenbarung gründet?

Mindestens seit Kant hat sich die Meinung verbreitet, Wolff habe diese Frage unzureichend oder gar nicht beantwortet: Vom epistemologischen Standpunkt aus betrachtet, sei also seine natürliche Theologie schwankend bzw. ganz ungerechtfertigt. Und dieser Mangel an Begründung des theologischen Diskurses sei die Folge einer tieferen Lücke: Da Wolff sich die epistemologischen Fragen nicht gestellt habe, habe er keine eigentliche Erkenntnistheorie erarbeitet. Laut Charles Corr:

> In natural theology this deficiency is manifested in two principal ways: the absence of the traditional scholastic confrontation with the problem of whether it is possible for finite human beings to obtain any knowledge of an infinite God; and, secondly, the failure to offer a theory of analogy or some other account of the way in which predication applies to the divine essence.[3]

* Herzlich danke ich Frau Prof. Dr. Emanuela Scribano für ihre Bemerkungen zum Manuskript.
[1] Theologia naturalis I, § 4. Gottes Unsichtbarkeit wird dann bewiesen: ebd., §§ 88–89.
[2] Ebd., § 4, § 9 Anm.
[3] Charles A. Corr, The Existence of God, Natural Theology and Christian Wolff, in: International Journal for Philosophy of Religion 4/2 (1973), 105–118, hier 116–117. Dieselbe Meinung vertrat Anton Bissinger, Die Struktur der Gotteserkenntnis. Studien zur Philosophie Christian

Unmittelbar nach diesen peremptorischen Aussagen mildert Corr sein Urteil jedoch ab, indem er zugesteht, daß Wolff nicht völlig stillschweigend über die erwähnten Fragen hinwegging. Corr deutet zwei Verteidigungsstrategien an:

> It may be said in defense that for Wolff the possibility of human knowledge of the divine
> is subsumed in the more general question of the possibility of philosophy itself, and that
> he does speak in one or two places of symbolic knowledge or predication *per eminen-
> tiam*.[4]

Nun scheint die erste Strategie in der Tat nicht vielversprechend zu sein: Die
Schwierigkeiten, die sich der Gotteserkenntnis entgegenstellen, sind so spezifisch, daß die Annahme naiv wäre, sie würden sich einfach dadurch lösen lassen,
daß man sie unter der allgemeinen Frage nach der Möglichkeit der Philosophie
überhaupt subsumieren würde (außerdem müßte Wolff, um diese Frage beantworten zu können, eine Erkenntnistheorie haben, was Corr gerade geleugnet hat). Dagegen bietet die zweite Strategie Hinweise, die trotz ihrer Ungenauigkeit und Vag-
heit nicht zu vernachlässigen sind: Tatsächlich bilden die Lehren der symbolischen Erkenntnis sowie der Zuschreibung „per eminentiam" einen wichtigen
Teil der Wolffschen theologischen Epistemologie – und Wolff spricht davon
nicht nur „an einer oder zwei Stellen", sondern in Dutzenden von Paragraphen
sowohl seiner deutschen als auch seiner lateinischen Werke. Aber trotzdem führen
uns die erwähnten Lehren allein noch nicht zum Kern des Problems. Im folgenden
werde ich versuchen, zu zeigen, daß das Projekt der Wolffschen natürlichen Theologie auf einem grundlegenden Erkenntnisverfahren beruht, dessen Struktur und
Voraussetzungen einer Klärung wert wären. Darin liegt Wolffs Antwort auf die
theologisch-epistemologische Frage – eine Antwort, welche sich in die traditionelle, sowohl scholastische als auch neuzeitliche Debatte über die Möglichkeit
der Vorstellung und Erkenntnis des Unendlichen durch das Endliche mit vollem
Recht einfügt.

I. Vom endlichen Geist zum unendlichen Geist

Wolffs Weg ist in seinen Grundlinien relativ einfach: Wenn wir die endlichen
Vollkommenheiten, die sich in den Geschöpfen finden lassen, bis zum höchsten
Grad erheben, d.h. wenn wir sie als uneingeschränkt denken, bekommen wir die
Begriffe der uneingeschränkten Vollkommenheiten, die Gott zukommen, wo-
durch wir im Stande sind, die göttlichen Eigenschaften zu erkennen.
    In Wolffs Schriften taucht dieser Gedanke zum ersten Mal – soweit ich weiß –
in einer akademischen Dissertation über den göttlichen Verstand auf, die 1717 an

---

Wolffs, Bonn 1970 (Abhandlungen zur Philosophie, Psychologie und Pädagogik, 63), 55, 57, 125,
207.
    [4] Corr, Existence of God (wie Anm. 3), 117.

der Universität Halle verteidigt wurde. In dieser Schrift, deren Bedeutung bisher vernachlässigt wurde, beschreibt Wolff ein Verfahren, um den Begriff vom göttlichen Verstand durch die Betrachtung der Natur zu veranschaulichen.[5] Dies setzt offensichtlich voraus, daß wir solchen Begriff haben oder haben können: Es soll also die Art und Weise erläutert werden, wie wir im Stande sind, ihn zu bilden. Eine generelle Antwort wird im ersten Paragraphen gegeben: „Equidem ad notiones perfectionum divinarum pervenimus, dum mentis nostrae perfectiones intuemur, easque a limitationibus liberamus, ut infinitatem, seu gradum summum consequantur".[6]

Was die Gotteserkenntnis schwierig macht, ist laut Wolff die Tatsache, daß wir keine anschauende Erkenntnis vom Göttlichen haben: Folglich müssen wir von den Geschöpfen ausgehen, die allein wir anschauend erkennen, um zu Gott aufzusteigen. Wollen wir nun die Vollkommenheiten Gottes erkennen, dann geht der aussichtsreichste Weg dahin von den Vollkommenheiten unserer Seele aus, zu denen allein wir einen sozusagen unmittelbaren Zugang haben: Wolff sagt nämlich, daß wir diese Vollkommenheiten „anschauen", und indem wir sie von allen Schranken „befreien", können wir sie als unendlich denken und damit die Begriffe der göttlichen Vollkommenheiten erreichen.

Das in der Dissertation von 1717 ausgearbeitete Verfahren der Beseitigung aller Schranken ist kein provisorischer Ausweg: Wolff wird sich noch zwanzig Jahre später in der lateinischen Theologie darauf verlassen. Dazwischen läßt es sich leicht in der *Deutschen Metaphysik* ausfindig machen, innerhalb einer These über die Herkunft des Begriffs von Gott. Um zu erklären, „Woher wir einen Begrif von GOtt und seinen Eigenschaften haben", behauptet Wolff, „dürfen wir nur die Einschränckungen unseres Wesens und unserer Eigenschaften weglassen",[7] um solche Begriffe zu bekommen. Danach taucht dieselbe These am gleichen systematischen Standort in der *Theologia naturalis* auf, wo erklärt wird,

Quomodo ad notiones perfectionum divinarum perveniatur. Si notiones distinctas eorum, quae animae nostrae per essentiam et naturam ejus insunt, a limitationibus liberemus; notiones habemus perfectionum divinarum, seu attributorum Dei.[8]

Laut Wolff ist dieses Verfahren durch das gerechtfertigt, was er von Gott schon bewiesen hat: Da sich in Gott der Grund der Wirklichkeit dieser Welt befinden muß, darf man Gott die vollständige Vorstellung aller möglichen Welten zuschrei-

---

[5] Specimen physicae ad theologiam naturalem adplicatae, sistens notionem intellectus divini per opera naturae illustratam, Halae Magd. 1717. Siehe dazu Matteo Favaretti Camposampiero, Conoscenza simbolica. Pensiero e linguaggio in Christian Wolff e nella prima età moderna, Hildesheim 2009 (GW, Abt. III, Bd. 119), 332–352.

[6] Specimen physicae (wie Anm. 5), § 1.

[7] Deutsche Metaphysik, § 1076.

[8] Theologia naturalis I, § 1095.

ben und das göttliche Wesen mit dieser vorstellenden Kraft gleichsetzen.[9] Ferner wissen wir, daß eine beschränkte Vorstellungskraft das Wesen der menschlichen Seele bildet.[10] Es gibt also eine Ähnlichkeit zwischen dem Wesen Gottes und dem Wesen unserer Seele: Was das eine von dem anderen unterscheidet, ist lediglich das Vorkommen von Schranken in unserer Seele, die in Gott nicht vorhanden sind.[11] Weil nun „die Seele […] sich selbst erkennet, und also einen Begrif von sich selbst hat; so haben wir eben dadurch zugleich einen Begrif von GOtt", und zwar indem wir die Einschränkungen der Seele weglassen.[12] Die Anwendung des Verfahrens der Schrankenbeseitigung wird also durch die wesentliche Ähnlichkeit zwischen Gott und unserer Seele gerechtfertigt: „Etenim inter Deum atque animam datur similitudo quaedam essentialis, quantam admittit differentia inter ens infinitum atque finitum".[13]

Allerdings kann diese Rechtfertigung den Verdacht auf Zirkularität erwecken. Die Möglichkeit, die göttlichen Vollkommenheiten aus den menschlichen zu erkennen, wird auf die erwähnte wesentliche Ähnlichkeit begründet, die aus der Zuschreibung einer vorstellenden Kraft zu Gott abgeleitet wurde. Nun scheint diese Zuschreibung wiederum ein Ergebnis jenes Verfahrens zu sein, welches durch sie letztendlich gerechtfertigt werden sollte. Denn wir haben keine anschauende Erkenntnis der göttlichen Vorstellungskraft: Wir kennen sie nicht „qualis in se est, sed ejus notionem form[a]mus duce idea vis repraesentativae universi nobis inexistentis".[14] Wenn es so ist, dann wird unser Verfahren durch einen Gottesbegriff gerechtfertigt, der durch das Verfahren selbst gewonnen wurde.[15]

Anders gesagt, spielt die wesentliche Ähnlichkeit Gottes mit der Seele in der Wolffschen Theologie die Rolle einer unbeweisbaren Annahme, weil wir, um die-

---

[9] Deutsche Metaphysik, § 1067; Theologia naturalis I, §§ 1093–1094.

[10] Deutsche Metaphysik, § 755; Psychologia rationalis, § 66.

[11] Doch genügt dieser Unterschied Wolff, um zu behaupten, die Kraft der Seele sei von der göttlichen „prorsus diversa" (Theologia naturalis I, § 1094 Anm.).

[12] Deutsche Metaphysik, § 1076. Vgl. Ausführliche Nachricht, Kap. 7, § 110: „Ich habe aber auch gewiesen, wie man zu diesen deutlichen Begriffen der Eigenschafften GOttes gelanget, nemlich vermittelst der Aehnlichkeit zwischen GOtt und dem Wesen der Seele, jedoch daß jederzeit der Unterschied in acht genommen wird, der sich zwischen einem endlichen und unendlichen Wesen befindet, damit sie von allen Einschränkungen befreyet werden, die wir bey der Creatur antreffen". Indem wir diese „deutlichen Begriffe" gewinnen, „erhalten alle Nahmen derselben [d.h. der Eigenschaften Gottes] ihre abgemessene Bedeutung, dadurch sie uns verständlich werden" (ebd.).

[13] Theologia naturalis I, § 1095. Siehe die Bemerkungen von Jean École, La métaphysique de Christian Wolff, Bd. 1, Hildesheim u. a. 1990 (GW, Abt. III, Bd. 12/1), 414–415.

[14] Theologia naturalis I, § 1094 Anm.

[15] Als Versuch, diesen Zirkel zu vermeiden, läßt sich der Unterschied zwischen der deutschen und der lateinischen Beschreibung des Verfahrens erklären. Der Deutschen Metaphysik (§ 1076) zufolge erreicht man durch das Verfahren den Begriff selbst von Gott, wohingegen das lateinische Werk nur die „notiones attributorum divinorum" erwähnt (Theologia naturalis I, § 1095): So scheint der Gottesbegriff unabhängig von jenem Verfahren gewonnen zu sein.

se Gottähnlichkeit zu beweisen, einen Begriff von Gott brauchen, aber wir können ihn nicht anders bilden als durch Berücksichtigung der Bestimmungen unserer Seele, also indem wir schon eine gewisse Ähnlichkeit voraussetzen. Denn durch diese Ähnlichkeit allein wird Gott für uns schon im irdischen Leben einigermaßen erkennbar, wo unser Anschauungsvermögen auf die Gegenstände der Sinne und der Einbildungskraft beschränkt ist. Es ist also offenbar, schreibt Wolff, daß die Gotteserkenntnis „qualis iam in nos cadit, nobis esse possibilem propter animae cum Deo similitudinem essentialem [...]. Sane si ista similitudine destitueremur, nec cognitionis Numinis capaces essemus".[16]

Dies erklärt ferner, warum der Rekurs auf die Vollkommenheiten der Seele auch dann unentbehrlich ist, wenn der Beweis der Existenz und Eigenschaften Gottes von der Betrachtung der Außenwelt ausgeht, wie es in der *Deutschen Metaphysik* und der *Pars prior* der *Theologia naturalis* der Fall ist, wo als Leitbegriff (*notio directrix*) angenommen wird, man solle Gott solche Prädikate zuschreiben, aus denen der Grund der Wirklichkeit dieser Welt verstanden werden kann.[17] Wolff sagte anfänglich, da habe man die Leiter, auf welcher man zu Gott hinaufsteigen kann.[18] Aber nach fast tausend Paragraphen erfahren wir, daß diese Leiter ohne den Grundsatz der Ähnlichkeit Gottes mit der Seele im Leeren schweben würde: Alle Beweise wurden auf kosmologische Vordersätze gegründet – versichert Wolff –, aber „si a rebus materialibus ad Deum argumentari volueris, notiones attributorum habere debes: neque enim eae abstrahi possunt a rebus, unde fit argumentatio, cum iisdem non insint".[19] Also müssen diese Begriffe durch das oben beschriebene Verfahren der Schrankenbeseitigung gebildet werden. Die Dinge der Außenwelt haben keine Eigenschaft, die uns ermöglicht, die Washeit Gottes zu erkennen: Allein durch das Bewußtsein unserer vorstellenden Kraft sowie der von ihr abhängigen Vermögen gewinnen wir einen Begriff der göttlichen Realität. Um eine natürliche Theologie aufzubauen, reicht die Kosmologie allein nicht aus, vielmehr ist es nötig, die von der Psychologie gewonnenen Kenntnisse zu gebrauchen. Und die Legitimität solchen Gebrauchs ist durch den Grundsatz der wesentlichen Ähnlichkeit gewährleistet. Wäre Gott eine radikal andere Entität als unsere Seele, dann würde das natürlich-theologische Projekt über die bloße Feststellung nicht hinausgehen, daß ein notwendiges Wesen existiert, welches ohne Gesicht bzw. anonym bliebe.

---

[16] Theologia naturalis I, § 1095 Anm. Über Wolffs Ähnlichkeitsbegriff siehe Hans Poser, Die Bedeutung des Begriffs ‚Ähnlichkeit' in der Metaphysik Christian Wolffs, in: Studia Leibnitiana 11/1 (1979), 62–81.

[17] Theologia naturalis I, § 115, § 137 Anm.

[18] Ebd., § 115 Anm.

[19] Ebd., § 1095 Anm.

Die theologische Lehre der Eigenschaften Gottes wird von Wolff als eine Art Psychologie des göttlichen Geistes aufgefaßt, die durch Infinitisierung der endlichen Eigenschaften des menschlichen Geistes aufgebaut wird. Und zuerst wird das Wesen des Geistes infinitisiert, d.h. jene vorstellende Kraft, die Gott im höchsten Grad besitzt. Wolff fordert den Leser auf, die Thesen der *Psychologia rationalis* mit denen der *Theologia naturalis* zu vergleichen, denn durch solchen Vergleich kann sowohl die wesentliche Ähnlichkeit zwischen Gott und der Seele als auch der Unterschied des Unendlichen vom Endlichen abgeschätzt werden. Stellen wir die Psychologie der Theologie gegenüber, so verstehen wir, daß „animae inesse, quae Deo insunt, infinito ad finitudinem depresso, et Deo inesse, quae animae insunt, finito ad infinitudinem elevato".[20]

II. Theologische Heuristik

Im zweiten Teil der *Theologia naturalis* wird Gottes Dasein aus dem Begriff des Vollkommensten bewiesen: Deshalb spricht man üblicherweise vom ‚a-priori-Beweis', bemerkt Wolff, aber sachgemäßer würde man sagen, daß die Existenz Gottes „ex contemplatione animae demonstrari".[21] Dieser Beweis sei also ebenso aposteriorisch wie der Beweis *ex contemplatione mundi:*[22] Die Existenz Gottes aus dem Begriff des Vollkommensten zu beweisen „idem est ac eandem ex contemplatione animae nostrae derivare".[23] In welchem Sinn heißt es „dasselbe"? Man bemerke erstens, daß der Begriff des Vollkommensten aus dem Begriff unserer Seele „per arbitrariam determinationem" gebildet wird.[24] Zweitens, daß nach der Existenz auch die göttlichen Eigenschaften deduziert werden, und diese Deduktion geht wiederum von der Betrachtung der Seele aus.[25] Drittens und am wichtigsten, daß die Betrachtung der Seele unentbehrlich ist, um von der Existenz des *ens perfectissimum* auf die Existenz Gottes zu schließen.

Um dem Begriff des vollkommensten Dinges einen kognitiven Gehalt zu gewährleisten, so daß es als der Gott der Offenbarung identifizierbar ist,[26] sollen wir

---

[20] Ebd., § 1092 Anm.

[21] Theologia naturalis II, Praefatio, 12*.

[22] Laut Mariano Campo, Cristiano Wolff e il razionalismo precritico, Milano 1939. Nachdruck: Hildesheim u. a. 1980 (GW, Abt. III, Bd. 9), 658, hat Wolff darin recht. Im Gegensatz dazu behauptet École, Métaphysique (wie Anm. 13), 330, der Beweis sei a priori, was auch immer Wolff sage.

[23] Theologia naturalis II, Praefatio, 13*.

[24] Ebd., 14*.

[25] Ebd.

[26] Nur indem die göttlichen Eigenschaften aus den Realitäten unserer Seele entnommen werden, kann man beweisen, daß das Wesen, dessen Existenz bewiesen wurde, die Eigenschaften des bi-

unbedingt auf unsere Vollkommenheiten Bezug nehmen, weil allein wir von diesen direkte Erfahrung haben. Wolff drückt diesen Punkt aus, indem er schreibt, daß man, auch wenn man die notwendige Existenz des Vollkommensten schon bewiesen hat, nicht wissen kann,

> quale sit ens perfectissimum, nisi quatenus ex realitatibus, quae insunt animae, colligas attributa divina, Deo nimirum illimitatas tribuendo, quae in ipsa limitatae deprehenduntur, et per modum actus, quae per modum facultatum insunt.[27]

Dies ist wieder das Zuschreibungsverfahren, dem wir schon im *Specimen physicae* begegnet sind, mit dem Zusatz einer Regel, die die Anwendung des Verfahrens im Fall eines bloßen Vermögens korrigiert.[28] So die Vorrede. Alles wird dann in zwei Paragraphen wiederholt:

> § 70. Realitates, quae insunt animae nostrae, Deo tribuendae in gradu absolute summo.
> § 78. Quae animae insunt per modum facultatum, ea Deo non possunt tribui nisi per modum actus.

Die Funktion beider Sätze wird in Übereinstimmung mit der Vorrede erklärt:

> Et quamvis hic ex notione entis perfectissimi deducamus, quae Deo tribui possunt; eorum tamen notiones per ea, quae creaturis insunt, consequi et per principia ista rectificare debemus, ne quid ipsis inhaereat, quod Deo perfectissimo enti repugnet.[29]

Beide Sätze zeigen uns, erstens, was wir Gott zuschreiben dürfen (d. h. die *realitates* unserer Seele), und, zweitens, wie die Begriffe, die wir aus unserer Seele gewonnen haben, modifiziert werden sollen, bevor sie auf Gott angewandt werden dürfen (Erhebung der *realitates* zum höchsten Grad, Ersetzung jedes Vermögens durch den entsprechenden Akt). Kurz gesagt, beide Sätze dienen dazu, „ut citra errorem detegantur attributa divina".[30] Es handelt sich also um heuristische Prinzipien, die als solche der Erfindungskunst zugehören sollten.[31] Ferner kommt diesen Prinzipien eine hermeneutische Funktion zu: Laut Wolff, „iis non modo usi sunt philosophi, qui recte de Deo senserunt, verum etiam ipsi Theologi, quatenus

---

blischen Gottes besitzt: Vgl. Theologia naturalis II, Praefatio, 12*; Ausführliche Nachricht, Kap. 7, § 108.

[27] Theologia naturalis II, Praefatio, 12*.

[28] Ferner behauptet Wolff, durch dieses Verfahren – d. h. durch Zuschreibung der „realitates, quae animae nostrae insunt, ab omni limitatione liberatas" und „per modum actus" zu Gott – sei die Deduktion der Eigenschaften Gottes viel leichter als die in der *Theologiae naturalis pars prior* aus der Kontingenz der Welt ausgeführte Deduktion: Theologia naturalis II, Praefatio, 15*.

[29] Theologia naturalis II, § 78 Anm.

[30] Ebd.

[31] Die in den §§ 70 und 78 formulierten Sätze „principia heuristica sunt, quibus in arte inveniendi speciali locus esse poterat" (ebd., § 78 Anm.).

verba Scripturae, quibus attributa divina indigitantur, Numini summo convenien-
te modo explicarunt".[32]

Offensichtlich tritt die hermeneutische Funktion als Korollar des heuristischen
Nutzens auf, da die Bibelauslegung sowie die Auslegung eines jeden beliebigen
Textes darin besteht, daß man die Wörter mit den vom Textautor – Gott im Fall der
Bibel – gemeinten Begriffen verknüpft.[33] Die exegetische Tätigkeit läßt sich also
auf die Erfindungstätigkeit zurückführen: Unsere heuristischen Prinzipien zeigen
uns, wie die den heiligen Wörtern entsprechenden Begriffe herauszufinden sind,
damit wir den Text der Offenbarung verstehen. – Nun ist aber die Rolle jener Prinzipien in der Deduktion der göttlichen Eigenschaften näher zu bestimmen und zu
rechtfertigen.

Erstens ist die Anwendung beider Prinzipien (insbesondere des im § 70 formulierten „principium generale heuristicum", wie es auch genannt wird)[34] unter der
allgemeinsten Regel der Wolffschen Erfindungskunst, d. h. unter dem Prinzip der
Reduktion des Unbekannten aufs Bekannte subsumiert.[35] Denn „ex notione entis
perfectissimi nihil deducere licet, nisi ex notione animae constet, quaenam enti
perfectissimo tribuenda"; aber hierdurch „vi principii reductionis, quod in Arte
inveniendi maximi momenti est, demonstratio attributorum divinorum ex notione
entis perfectissimi reducitur ad demonstrationem ex contemplatione animae".[36]
Um z. B. festzustellen, ob und inwiefern alle drei Tätigkeiten des Verstandes
Gott zuzuschreiben sind, betrachten wir die Tätigkeiten des menschlichen Verstandes und prüfen, welche einen Mangel im erkennenden Subjekt notwendig implizieren (so die Schlüsse, die nur „per eminentiam" zuschreibbar sind), und welche dagegen bis zum höchsten Grad erhoben und Gott zugeschrieben werden können (so die simplex apprehensio und das Urteil).

Zweitens sind die theologischen Beweise, die ein heuristisches Prinzip als Vor-
dersatz annehmen, um a posteriori aus der Betrachtung der Seele zu verfahren,
vom logisch-methodologischen Standpunkt analytisch, wohingegen die a priori
aus dem Begriff des Vollkommensten abgeleiteten Beweise synthetisch sind[37] –

---

[32] Ebd.

[33] Vgl. Logica, § 968.

[34] Theologia naturalis II, § 115 Anm.

[35] Vgl. Psychologia empirica, § 472: „*Principium reductionis* appello artificium, quo objectum
aliquod, de quo quid quaeritur, reduco ad aliud notionem quandam communem habens, ut ea, quae
de hoc nobis innotuere, vi notionis communis ad illud quoque applicari possint".

[36] Theologia naturalis II, § 131 Anm.

[37] Vgl. ebd., § 108 Anm., § 132 Anm., § 155, § 156 Anm., § 157 Anm. In manchen Fällen liefert
Wolff sowohl einen synthetischen als auch einen analytischen Beweis: Siehe z. B. ebd., § 155. In
anderen Fällen meint Wolff, Gottes Besitz einer bestimmten Eigenschaft könne noch nicht aus
Gottes inneren Bestimmungen a priori abgeleitet werden, so daß der analytische Weg allein gangbar
ist: Vgl. ebd., § 157 Anm.

wobei ‚analytisch' und ‚synthetisch' im Cartesischen Sinn zu verstehen sind.[38] Das Verfahren durch Entfernung aller Schranken ist also ein analytisches Verfahren: Es ist der Weg, den jeder begehen muß, der die Wahrheit „propria meditatione" entdecken will.[39] Der Gebrauch analytischer Beweise in einem systematischen Traktat wird ferner durch pädagogische Bemerkungen begründet: Der Rekurs auf heuristische Prinzipien bietet eine Art Abkürzung, um von der Anschauung unserer eigenen Seele direkt zur Erkenntnis Gottes zu schreiten, wodurch die Evidenz verstärkt wird.[40]

III. Grade des Beschränkten und Möglichkeit des Uneingeschränkten

Drittens erscheint das erste heuristische Prinzip als die Konklusion einer Schlussfolgerung, deren Prämissen teils psychologische, teils theologische Sätze sind:

— Gott sind alle kompossiblen Realitäten im absolut höchsten Grad zuzuschreiben.[41]
— Gott ist ein einfaches Wesen.[42]
— Folglich sind auch alle mit der Einfachheit kompossiblen Realitäten Gott zuzuschreiben, aber im absolut höchsten Grad.[43]
— Die Realitäten der Seele sind mit der Einfachheit kompossibel.[44]
— Folglich sind die Realitäten unserer Seele im absolut höchsten Grad Gott zuzuschreiben.[45]

---

[38] Sicherlich hat Wolff die Stelle der *Secundae responsiones* vor Augen: Vgl. René Descartes, Œuvres, hg. von Charles Adam und Paul Tannery, Paris 1897 ff., Nouvelle présentation 1982–1991, Bd. 7, 155–157. Zum Unterschied zwischen analytischen und synthetischen Darstellungsmethoden siehe Wolff, Logica, § 885. Vgl. Hans-Jürgen Engfer, Philosophie als Analysis. Studien zur Entwicklung philosophischer Analysiskonzeptionen unter dem Einfluß mathematischer Methodenmodelle im 17. und frühen 18. Jahrhundert, Stuttgart-Bad Cannstatt 1982 (Forschungen und Materialien zur deutschen Aufklärung, Abt. II, Bd. 1), 227–231.

[39] Theologia naturalis II, § 108 Anm.

[40] „Accedit quod demonstrationes analyticae plurimum adjumenti afferant ad assensum confirmandum, qui per demonstrationes syntheticas extorquetur" (ebd.; vgl. aber ebd., § 156 Anm.). Daß durch synthetische Beweise die Zustimmung erzwungen wird, war schon ein Cartesisches Thema: Vgl. noch einmal die Secundae responsiones, in: Descartes, Œuvres (wie Anm. 38), Bd. 7, 156.

[41] Theologia naturalis II, § 15.

[42] Ebd., § 35. Die Einfachheit ist sowohl aus der notwendigen Existenz als auch aus der *aseitas* ableitbar.

[43] Ebd., § 70.

[44] Ebd., § 69.

[45] Ebd., § 70.

Also wird die Anwendung des Prinzips durch den schon gewonnenen gemeinsamen Nenner von Gott und menschlicher Seele begründet: Sowohl Gott als auch die Seele sind einfache Wesen. Aber dann ist der Schluß für jede Art von einfachen Wesen iterierbar: Folglich wird man auch jene Realitäten Gott zuschreiben müssen, die den tierischen Seelen und sogar den Elementen der Körper innewohnen. Darauf antwortet Wolff, er gestehe all dieses gern zu, denn es folge daraus keine Absurdität:

> Cum animabus brutorum competant facultates, quas in anima nostra inferiores dicimus, propterea quod a superioribus nonnisi gradu differunt, et majori defectui obnoxiae sunt; si facultates animabus brutorum inexistentes ab omni limitatione liberentur, eaedem prodeunt realitates illimitatae, quae emergunt, si idem circa facultates animae nostrae superiores moliaris.[46]

Die Möglichkeit, Gottes Eigenschaften aus der Betrachtung der Seele abzuleiten, setzt also eine gradualistische und gewissermaßen univozistische Auffassung des Erkenntnisvermögens voraus.[47] Sowohl die Sinne und die Einbildungskraft von Tieren und Menschen, als auch der Verstand von Menschen und Engeln[48] sind nichts anderes als verschiedene Grade desselben mentalen Vermögens – Grade, die den unterschiedlichen, die Vorstellungskraft jeder einzelnen Substanz affizierenden Schranken entsprechen. Diese Stufung schließt nach Wolff auch einen maximalen Grad ein, der sich mit der uneingeschränkt vorstellenden Kraft Gottes deckt. Das Verfahren der Schrankenbeseitigung zu rechtfertigen, heißt letzten Endes soviel, wie die Möglichkeit dieses höchsten, absolut unbeschränkten Grades von Realitäten zu beweisen, die wir lediglich in ihren beschränkten Graden erfahren. Und tatsächlich wird eine solche Rechtfertigung von Wolff versucht, in einer Anmerkung, die einige seiner bedeutendsten Stellungnahmen über die Weisen der menschlichen Erkenntnis Gottes enthält.

Wir erkennen Gott aus den Geschöpfen, behauptet Wolff, „non quatenus illimitatum continetur in limitato […]; sed quatenus limitatum habet limites, quos cum variari posse intelligimus, non necessarios esse cognoscimus, ac inde porro colligimus, quod abesse possint".[49] Der Übergang vom Endlichen zum Un-

---

[46] Ebd., § 70 Anm. Was die Elemente der materiellen Sachen betrifft, sind Wolffs Ausführungen etwas komplizierter, aber im Grunde genommen nicht anders. Entweder sind die Elemente wie Leibniz' Monaden, dann haben sie auch eine (ganz dunkel) vorstellende Kraft, die als uneingeschränkt gedacht werden kann; oder die Kraft der Elemente ist ganz anderer Natur, aber dann kann Gott sie eminent besitzen.

[47] Emblematisch dafür ist Theologia naturalis II, § 121.

[48] Die Möglichkeit der Engel wird durch die Betrachtung der „diversi gradus intellectus finiti possibiles" bestätigt (Theologia naturalis II, § 119 Anm.). Über die philosophische Verteidigung der Möglichkeit der Engel vgl. Psychologia rationalis, § 657 Anm.

[49] Theologia naturalis II, § 104 Anm.

endlichen wird also durch eine Schlußfolgerung vollgzogen, die wir so auslegen können:

— Indem wir die Geschöpfe (insbesondere unsere Seele) betrachten, finden wir, daß sie beschränkt sind.
— Wir „verstehen" die Veränderlichkeit dieser Schranken: Denn laut Wolff wissen wir a priori, daß Schranken in sich veränderlich sind,[50] und dazu stellen wir empirisch fest, daß die Schranken der Geschöpfe sich tatsächlich ändern.[51]
— Dann schließen wir, daß solche Schranken kontingent sind: Denn laut Wolff hat Notwendigkeit Unveränderlichkeit zur Folge, so daß, was veränderlich ist, nicht notwendig sein kann.[52]
— Die Nicht-Notwendigkeit der Schranken hat ihrerseits die Möglichkeit eines vollständigen Fehlens von Schranken zur Folge.

Aus der Kenntnis der Schranken der Geschöpfe wird die Möglichkeit des Uneingeschränkten geschlossen, und damit wird die Anwendung jenes heuristischen Prinzips gerechtfertigt, das die Infinitisierung der geschöpflichen Realitäten vorschreibt.

Was in den Geschöpfen als beschränkt vorkommt, ist nämlich der Grad ihrer Vollkommenheiten: Indem wir die Geschöpfe erkennen, erreichen wir also die Erkenntnis unterschiedlich beschränkter Vollkommenheiten. Und durch die gerade skizzierte modale Folgerung wissen wir, daß, insofern Schranken kontingent sind, es uneingeschränkte Vollkommenheiten geben kann.

Wenn wir nun auf den Kontext dieser Aussagen achten, taucht endlich die epistemologisch entscheidende Frage auf: Kann es eine endliche Vorstellung des Unendlichen geben? Die Frage wird im Kontext einer Kritik an Malebranche gestellt, und zwar nicht zufällig: Unter allen frühneuzeitlichen Philosophen war Malebranche wahrscheinlich derjenige, der diese Frage am entschiedensten negativ beantwortet hatte, indem er sich dem cartesisch-nativistischen Modell für die Gotteserkenntnis entgegensetzte, das seinerseits nach scotistischen Anregungen und wider die thomistische Lehre ausgearbeitet worden war.[53] Und zwar wird Wolff dazu durch einen Einwand veranlaßt, den er gegen Malebranches Lehre der *vision en Dieu* vorbringt.

---

[50] Vgl. Deutsche Metaphysik, § 111: „[…] die Schrancken müssen veränderlich seyn", weil jedes beschränkte Ding als anders beschränkt gedacht werden kann.
[51] Z.B. die Schranken des Erkenntnisvermögens: Vgl. Theologia naturalis II, § 108, § 109, § 119.
[52] Vgl. Ontologia, §§ 293–296.
[53] Siehe Emanuela Scribano, Angeli e beati. Modelli di conoscenza da Tommaso a Spinoza, Roma, Bari 2006 (Biblioteca di Cultura Moderna, 1187).

IV. Wolff gegen Malebranche

Nachdem er Gott die Erkenntnis aller möglichen Dinge zugeschrieben hat, charakterisiert Wolff diese Erkenntnis als intuitiv, und durch Hinweis auf Thomas von Aquin erklärt er den Grundunterschied zwischen der göttlichen und der menschlichen Intuition. Gott erkennt alle anderen Sachen (alles, was von ihm unterschieden ist) nicht in ihnen, sondern in sich selbst durch sein eigenes Wesen: Er erkennt sie, insofern er, der sich selbst am deutlichsten erkennt, die uneingeschränkten, seinem Wesen innewohnenden Realitäten anschaut, und er folglich auch alle ihre möglichen Einschränkungen sowie alle möglichen Kombinationen dieser beschränkten Realitäten „in seipso et per seipsum" sieht.[54] Diese Erkenntnisart des In-sich-selbst-Sehens gehört ausschließlich zu Gott: Zwar haben wir auch eine intuitive Erkenntnis (z. B. von den Sachen, die wir sinnlich wahrnehmen), aber unsere Intuition ist immer sozusagen äußerlich, nicht innerlich wie Gottes Anschauung. Auch wenn wir uns abwesende Gegenstände vorstellen, sehen wir sie „extra nos", weil wir sie nicht „in nobis continemus, quemadmodum illimitatum omne limitatum in se continet".[55] Sowohl für uns als auch für Gott besteht die intuitive Erkenntnis in der unmittelbaren Erkenntnis der Ideen der Dinge: aber „rerum ideae non insunt nobis eodem modo, quo insunt Deo". Mit weiterem Hinweis auf Thomas schließt Wolff, daß „nos licet Deo simus similes secundum intellectum, non tamen similes esse quoad modum intelligendi".[56]

Da wir nun die Dinge „extra nos" sehen und da die Ideen aller Dinge in Gott sind, könnte es nicht sein, daß wir auch alles in Gott sehen? Warum annehmen, der menschliche Geist habe in sich die Ideen der äußeren Dinge, anstatt sich zu Malebranches Anschauung in Gott zu bekennen? Diese Hypothese wird von Wolff aufgrund seiner Charakterisierung der göttlichen Erkenntnis ausgeschlossen: Die Gott zukommende Anschauungsart – d. h. die Anschauung des Beschränkten im Uneingeschränkten – „non quadrat nisi in Deum, utpote intellectum supponens infinitum et illimitatum".[57] Nur ein Verstand ohne Schranken kann die beschränkten Realitäten als aus der unterschiedlichen Einschränkung uneingeschränkter Realitäten resultierend erkennen und kann wiederum die endlichen Dinge als aus der unterschiedlichen Kombination jener beschränkten Realitäten resultierend erkennen.

Diese Betrachtungen führen Wolff dazu, sich die Frage der Gotteserkenntnis zu stellen: Von der Frage, wie wir die Außenwelt erkennen, geht er unmittelbar zur Frage über, wie wir Gott erkennen. Offenbar sind diese Fragen miteinander ver-

---

[54] Theologia naturalis II, § 102 Anm.
[55] Ebd.
[56] Ebd.
[57] Ebd., § 104 Anm.

bunden. Die Lehre der Anschauung *in Gott* entspricht dem Augustinischen Partizipationsmodell, demgemäß wir die anderen Dinge erkennen, indem wir am ungeschaffenen Licht partizipieren: Sie beruht somit auf der Behauptung, die geschaffene Seele habe eine Anschauung *von Gott*.[58] Nach Malebranche sollte der intuitive Kontakt der Seele mit Gott unsere Erkenntnis sowohl der Außenwelt als auch des Göttlichen erklären. Wie die Anschauung in Gott, so lehnt Wolff auch die Anschauung von Gott ab – und immer aufgrund der Verschiedenheit zwischen unserer und Gottes Erkenntnisart.

Während Gott das Beschränkte im Uneingeschränkten (d. h. in Gott selbst) erkennt, „Nos potius illimitatum cognoscimus ex limitato".[59] Dies schließt erstens gegen Malebranche aus, daß wir das Uneingeschränkte durch direkte Anschauung ins Uneingeschränkte selbst erkennen. Aber die Behauptung einer Erkenntnis *aus* dem Beschränkten soll auch eine andere Hypothese verwerfen, der zufolge wir das Uneingeschränkte *im* Beschränkten erkennen würden:

> Nos potius illimitatum cognoscimus ex limitato, Deum nempe, qui prorsus illimitatus est, ex creaturis, veluti animabus nostris, non quatenus illimitatum continetur in limitato, ut omne limitatum in illo videre daretur actu mentis reflexo; sed quatenus limitatum habet limites [...].[60]

Während die göttliche Erkenntnis ontologisch als auf eine Enthaltensbeziehung begründete Erkenntnis verstanden werden kann („illimitatum omne limitatum in se continet"),[61] kann die menschliche Gotteserkenntnis nicht einfach durch Umkehrung der Beziehung erklärt werden: Das Beschränkte kann nicht das Uneingeschränkte enthalten. Würde unsere beschränkte Seele das Uneingeschränkte in sich enthalten, so könnte sie auch jedes andere beschränkte Wesen dadurch erkennen, daß sie das in ihr enthaltene Uneingeschränkte anschauen würde. Wolffs Einwand gegen die Erkenntnis des Uneingeschränkten *in* dem Beschränkten lautet also, daß sie eine paradoxe *mise en abîme* von Enthaltendem und Enthaltenem zur Folge hätte. Das Argument wird verständlicher, wenn wir die Phrase ‚etwas enthalten' als ‚die Idee von etwas enthalten' auslegen. Das Uneingeschränkte enthält die Idee jedes beschränkten Wesens (der Lehre Thomas' gemäß): Würde also unsere Seele die Idee des Uneingeschränkten in sich enthalten, so würde sie damit auch die Ideen aller beschränkten Dinge enthalten, weil die Enthaltensbeziehung offenbar transitiv ist. In die Ausstattung unserer Seele wäre dann die Anschauung aller Dinge virtuell einbezogen: Wir müßten nur über unsere Seele reflektieren (d. h. einen „actus mentis reflexus" durchführen), um jedes Beschränkte zu sehen.

---

[58] Siehe Emanuela Scribano, Malebranche: visione di Dio e visione in Dio, in: Rivista di storia della filosofia 51/3 (1996), 519–554.

[59] Theologia naturalis II, § 104 Anm.

[60] Ebd.

[61] Ebd., § 102 Anm.

Anders gesagt: Wenn wir Gott auf diese Weise erkennen würden, dann würden wir auch jedes beliebige Ding auf dieselbe Weise – d. h. als enthalten in dem, was in uns enthalten ist – erkennen. Unsere Erkenntnis Gottes wäre zugleich Erkenntnis der Welt durch eine Art ganz privater Anschauung in Gott, die nicht in der Einigung der Seele mit dem Gott außer ihr, sondern in ihrer Reflexion über die in ihr enthaltene Gottesidee bestehen würde.

Offensichtlich beruht Wolffs Argument auf einer stillschweigenden Prämisse und zwar auf jener exemplaristischen Auffassung des Verhältnisses zwischen Schöpfer und Geschöpfen, für die Wolff sich auf die Autorität Thomas' berufen kann: Das Wesen Gottes enthält die Ideen aller Dinge. Nur damit kann er behaupten, die These der Erkenntnis Gottes *in* dem Beschränkten, bzw. in der Seele, impliziere eine These über die Erkenntnis der Außenwelt. Die Folgen jener theologischen These, wenn sie mit der exemplaristischen Prämisse gekoppelt wird, entsprechen also denen der Malebrancheschen Anschauung in Gott. In beiden Fällen wird die Erkenntnis der Außenwelt durch die Erkenntnis Gottes vermittelt: Die Seele erkennt die Welt, indem sie den allenthaltenden Gott erkennt.[62]

V. Intellektion ohne Intuition: Wolff und Descartes

Was Wolff an diesen Thesen stört, ist wahrscheinlich die Voraussetzung, es gebe irgendeine Intuition des Uneingeschränkten entweder durch direkten Kontakt mit Gott oder durch Reflexion über die in uns enthaltene Gottesidee. Denn Wolff leugnet, daß der Mensch in diesem Leben eine intuitive Erkenntnis Gottes hat, und gegen jede Anschauung in Gott behauptet er, daß die Gotteserkenntnis durch die Erkenntnis der Geschöpfe vermittelt ist, und nicht umgekehrt. Genau in diesem Sinn erkennen wir das Uneingeschränkte *aus* dem Beschränkten. Gott ist kein Objekt unserer Intuition, weil er wesentlich unsichtbar und unwahrnehmbar ist:

> Deum intuitive non cognoscimus, cum rerum a nobis diversarum cognitio intuitiva ad sensus restringatur et imaginandi facultatem, quae a sensu pendet. Deus igitur invisibilis intuitive a nobis pro praesente cognoscendi modo cognosci nequit. Cognosci ideo debet per creaturas, quatenus ex iis, quae ipsi[s] insunt, colligimus, quae Deo inesse debent [...].[63]

Der *viator* kann also nur eine nicht-intuitive Erkenntnis Gottes haben. Nun erscheint diese These mehrdeutig, wenn der Sinn von ‚intuitiv' und ‚nicht-intuitiv' nicht präzisiert wird. Erstaunlicherweise wird unsere Gotteserkenntnis in der lateinischen Theologie nie positiv charakterisiert: Man erfährt nur, sie sei keine In-

---

[62] Vgl. z. B. Nicolas Malebranche, Recherche de la vérité, Bd. 1, hg. von Geneviève Rodis-Lewis, Paris 1962 (Œuvres complètes, 1), 441–443.

[63] Theologia naturalis I, § 1095 Anm.

tuition. Im letzten Zitat finden wir allerdings einige Anhaltspunkte. Da die Bestimmungen Gottes aus den Bestimmungen der Geschöpfe *eruiert* werden („colligimus"), muß es sich um eine Schlußfolgerung handeln: Gotteserkenntnis ist also nicht-intuitiv im Sinne von ‚diskursiv', gemäß der alten Unterscheidung zwischen *nous* und *dianoia* bzw. zwischen *intuitus* und *discursus* (dieselbe, die in Wolffs Unterscheidung zwischen intuitiven und diskursiven Urteilen überdauert).

Die Beschränkung der intuitiven Erkenntnis auf den Bereich des Sinnlichen weist noch auf eine andere Unterscheidung hin, nämlich auf das scotistische Begriffspaar intuitiv/abstraktiv. Ist die Gotteserkenntnis nicht-intuitiv im Sinne von ‚abstraktiv', so wird Gott nicht in sich selbst, sondern durch einen Begriff erkannt. Tatsächlich hatte Wolff in der *Ratio praelectionum* seine theologische Lehre so zusammengefaßt: Nach dem Beweis der „similitudinem genericam" zwischen Gott und dem Geist (*mens*), „ulterius monstro, quomodo fieri possit, ut homo ad cognitionem divinam perveniat, quodque homo viator gaudeat tantum cognitione Dei abstractiva, non intuitiva: ubi simul evincitur, cognitionis intuitivae prae abstractiva praestantia".[64] Auch die in der *Deutschen Metaphysik* gelieferte Definition der intuitiven bzw. anschauenden Erkenntnis verrät eine scotistische Prägung: ‚Anschauend erkennen' bedeutet nämlich ‚sich die Sachen selbst vorstellen'.[65] Ferner behauptet Wolff, wie gesehen, daß wir *Begriffe* vom Göttlichen haben: Durch Weglassen der Einschränkungen „bekommen wir Begriffe von dem Wesen und Eigenschaften GOttes".[66]

Im lateinischen Werk finden wir eine andere Definition der intuitiven Erkenntnis. Eine Sache intuitiv zu erkennen, bedeutet hier, sich der Idee bewußt zu werden, die man von der Sache hat: ‚Intuitiv' heißt die Erkenntnis, „quae ipso idearum intuitu absolvitur".[67] Im Grunde genommen sind aber beide Definitionen gleichbedeutend, insofern die Idee nach Wolff nichts anderes als die „objektive", d. h. in Bezug auf das vorgestellte Objekt betrachtete Vorstellung ist:[68] Die Idee einer Sache zu haben, heißt soviel, wie sich die Sache selbst vorzustellen. Wenn also Wolff uns in der *Theologia naturalis* die intuitive Gotteserkenntnis abspricht, meint er, daß die menschliche Gotteserkenntnis nicht darin bestehen kann, daß man die

---

[64] Ratio praelectionum, sect. II, cap. 3, § 56.

[65] Deutsche Metaphysik, § 316.

[66] Ebd., § 1076.

[67] Psychologia empirica, § 286. Diese Definition wird auch auf die göttliche intuitive Erkenntnis angewendet: Vgl. Theologia naturalis I, § 207, § 269, § 276.

[68] Psychologia empirica, § 48 und Anm. Über den Terminus ‚objektiv' vgl. Sonia Carboncini, Transzendentale Wahrheit und Traum. Christian Wolffs Antwort auf die Herausforderung durch den Cartesianischen Zweifel, Stuttgart-Bad Cannstatt 1991 (Forschungen und Materialien zur deutschen Aufklärung, Abt. II, Bd. 5), 82–84.

Gottesidee betrachtet bzw. sich Gott selbst vorstellt. Von Gott und seinen Eigenschaften haben wir zwar Begriffe (*notiones*), aber keine Ideen.[69]

Die Unterscheidung zwischen Gottesbegriff und Gottesidee stellt sich besonders dort heraus, wo Wolff die Unbegreiflichkeit Gottes behauptet. Wir wissen, daß Gottes Verstand die adäquate Vorstellung aller möglichen ist: Diesen Begriff haben wir deshalb bilden können, weil wir, insofern wir uns unserer mentalen Tätigkeiten bewußt sind, eine Idee unseres Verstandes haben, woraus sich ein allgemeiner Begriff vom Verstand abstrahieren läßt. Unser Verstand ist aber endlich, deswegen ist die Idee, die wir haben, lediglich die Idee einer nicht-adäquaten Vorstellung. Folglich „Finitus adeo intellectus non habet ideam istiusmodi possibilium repraesentationis, qualis in Deo datur, consequenter modum, quo Deus sibi possibilia repraesentat, sibi clare repraesentare nequit".[70] Da kein endlicher Geist die Idee eines unendlichen Verstandes haben kann, ist dieser jenem unbegreiflich – wegen der Definition von ‚unbegreiflich'.[71] Zwar gibt es eine Idee des göttlichen Verstandes (sonst wäre er ein Nicht-Seiendes), aber weder haben wir sie, noch können wir sie haben.[72] Es ist vergeblich, zu versuchen, den göttlichen Verstand zu begreifen, „adeoque frustraneus est conatus formandi ideam intellectus divini, quemadmodum proprii intellectus idea in nobis existit".[73] Was wir haben, ist „tantummodo ideam […] ejus, quod [intellectus divinus] non sit, et ideas particulares illarum determinationum, quae ad intellectum divinum requiruntur".[74] Diese ‚ideae particulares' gewährleisten die Verständlichkeit des göttlichen Verstandes trotz seiner Unbegreiflichkeit: Sie sind „sufficientes ad hoc, ut intelligatur quid sit intellectus divinus, etsi non sufficiant ad id, ut eundem penitus comprehendamus".[75]

Obwohl die Unterscheidung zwischen *intelligere* und *comprehendere* offenbar von Descartes herstammt,[76] entspricht die Wolffsche Auffassung der Cartesischen nicht genau. Von Wolffs Standpunkt aus betrachtet, ist die Cartesische Gotteserkenntnis, die im Besitz einer klaren und deutlichen Idee von Gott besteht, so intuitiv wie Malebranches Anschauung des außerseelischen Gottes – also eine Art

---

[69] Während die Idee eine *res singularis* vorstellt, ist die *notio* eine allgemeine Vorstellung, d. h. die Vorstellung allein solcher Bestimmungen, die mehreren individuellen Sachen gemein sind: Vgl. Psychologia empirica, §§ 48–49. Die begriffliche Erkenntnis setzt also die Abstraktion voraus: Gott ist kein Ding, das wir unmittelbar als Individuum wahrnehmen könnten.

[70] Theologia naturalis I, § 172.

[71] „*Incomprehensibile* dicitur cognoscibile, si modum, quo est vel fieri potest, nobis minime repraesentare valeamus" (Theologia naturalis I, § 170). Diesen ‚modus' sich vorstellen, bedeutet „ejus [sc. modi] sibi quandam formare ideam" (ebd., § 170 Anm.).

[72] Ebd., § 172 Anm.

[73] Ebd., § 174 Anm.

[74] Ebd., § 172 Anm.

[75] Ebd.; vgl. ebd., § 174 Anm.

[76] Vgl. Descartes, Principia philosophiae, I, 19, in: ders., Œuvres (wie Anm. 38), Bd. 8.1, 12.

Erkenntnis, die von Wolff nicht eingeräumt wird. Wolffs Ablehnung der Hypothese, wir würden das Uneingeschränkte als im Beschränkten enthalten erkennen, scheint damit gegen die Cartesische Gottesidee gerichtet zu sein. Die Behauptung, die menschliche Erkenntnis gehe *von* dem Beschränkten *aus*, opponiert nicht nur gegen Malebranches Anschauung, sondern auch gegen Descartes' Intuition:[77] Abgelehnt wird das (im Wolffschen Sinn) intuitionistische Paradigma überhaupt, zusammen mit der von Descartes und Malebranche geteilten Annahme, die Erkenntnis des Unendlichen gehe der Erkenntnis des Endlichen voran.

VI. Wolff, der Leibnizianer

Aus dieser Perspektive kann Wolffs Stellung eher konservativ erscheinen: Fast eine Rückkehr zu Thomas gegen die rationale Theologie der Neuzeit. Zwar versucht Wolff absichtlich durch seine wiederholten Hinweise auf Thomas, diesen Eindruck zu erwecken. Aber ausgerechnet Wolffs Bestehen auf der thomistischen Orthodoxie seiner Thesen sollte Verdacht erregen. Hinsichtlich seines Vertrauens in Gottes Erkennbarkeit steht Wolff mehr auf der Seite Descartes' als Thomas': Er meint, er habe durch den Beweis der göttlichen Eigenschaften „einen ausführlichen Begriff" von Gott gegeben,[78] und er verzichtet nicht darauf, Gott zu definieren und Gottes Essenz zu charakterisieren. Offenbar ist dieser Anspruch überhaupt nicht thomistisch, zumal Gott nicht als ‚Sein' (gemäß der von Exodus 3,14 herstammenden Tradition), sondern als ‚Vorstellen' definiert wird, was einer dezidiert neuzeitlichen, in der Leibnizschen Lehre vom göttlichen Verstand kulminierenden Tendenz entspricht.[79]

Wolffs Berufung auf Thomas scheint in gewisser Hinsicht ein strategischer Zug zu sein, um die fundamental Leibnizsche Prägung der Wolffschen theologischen Epistemologie zu schmälern oder zu verschleiern.[80] Denn Leibniz folgend stellt Wolff der intuitiven Erkenntnis die symbolische entgegen,[81] obwohl einige

[77] Zum intuitiven Charakter der Cartesischen Gotteserkenntnis siehe Laurence Devillairs, Descartes et la connaissance de Dieu, Paris 2004 (Histoire de la Philosophie), 103–132.

[78] Vgl. Ausführliche Nachricht, Kap. 7, § 112: Die Darstellung dieses Begriffs ist zwanzig Zeilen lang. Ausführlich ist ein Begriff, „wenn die Merckmale, so man angiebt, zureichen, die Sache jederzeit zu erkennen, und von allen andern zu unterscheiden" (Deutsche Logik, Kap. 1, § 15).

[79] Über die scholastischen Vorläufer siehe Aza Goudriaan, Philosophische Gotteserkenntnis bei Suárez und Descartes, Leiden 1999 (Brill's Studies in Intellectual History, 98), 108–115.

[80] Eine ähnliche Strategie hatte Wolff schon in seinen Streitschriften gebraucht: Vgl. bes. Monitum ad commentationem luculentam (1724), § 14, § 18, und Écoles Einleitung zum Nachdruck des Werkes, in: Opuscula metaphysica, Hildesheim 1983 (GW, Abt. II, Bd. 9), XL-XLIV.

[81] Leibniz selbst hatte den Cartesischen Besitz der Gottesidee bestritten: Da wir komplexe Begriffe nur symbolisch denken, „non sufficit nos cogitare de Ente perfectissimo, ut asseramus nos ejus ideam habere" (Meditationes de cognitione, veritate, et ideis, in: Gottfried Wilhelm Leibniz,

Aspekte der älteren Lehren, welche die nicht-intuitive Erkenntnis als diskursiv bzw. abstraktiv charakterisierten, von ihm beibehalten werden. Ist unsere Gotteserkenntnis nicht intuitiv, so muß sie symbolisch sein: Gott wird durch Wörter oder andere Zeichen erkannt, ohne daß die Idee Gottes angeschaut wird. In der *Theologia naturalis* wird diese Konklusion nicht explizit gezogen, aber sie ist in der *Deutschen Metaphysik* ausdrücklich dargelegt, als eine These über die „Beschaffenheit der Erkäntniß GOttes".[82]

Das Verfahren der Schrankenbeseitigung, wodurch wir die Begriffe der Eigenschaften Gottes aus der Erkenntnis unserer Seele gewinnen, „gehet deswegen an, weil wir eine figürliche Erkäntniß haben".[83] In der Tat besteht der Übergang vom Endlichen zum Unendlichen in einer Operation durch sprachliche Ausdrücke:[84]

> Denn wir dürfen nur die Wörter oder Zeichen weglassen, dadurch die Einschränckungen angedeutet werden, und anders davor in die Stelle setzen, dadurch die Befreyung von allen Schrancken bedeutet wird; so stellen nach dem die Wörter oder andere Zeichen das Uneingeschränckte in GOtt vor.[85]

Da wir keine Intuition des Uneingeschränkten haben, können wir es uns nur durch die Sprache vorstellen. Dann wird diese symbolische Erkenntnis einem Reduktionsverfahren auf die intuitive Erkenntnis untergezogen. Durch die Betrachtung der Naturwerke, die als Spiegel der göttlichen Vollkommenheiten gelten, können wir die Begriffe solcher unendlichen Vollkommenheiten trotz deren Unendlichkeit klarer und deutlicher machen.[86] Indem wir über die räumlich-zeitliche Weite des Kosmos nachsinnen und bedenken, daß diese nur eine unter den unendlichen möglichen Welten ist, die Gott erkennt, werden wir uns darüber klar, wie begrenzt der Umfang unserer Weltvorstellung ist, und demgegenüber können wir „die Grösse des göttlichen Verstandes uns einiger massen vorstellen und begreiflich machen" – die Größe, „die an sich unbegreiflich ist".[87]

Sämtliche Schriften und Briefe, Berlin 1923 ff., Reihe VI, Bd. 4a, 589). Zwar haben wir eine Idee von Gott, aber sie tritt nicht als Komponente eines mentalen Intuitionsaktes auf.

[82] Deutsche Metaphysik, § 1079: „[…] daß wir in dieser Welt keine anschauende, sondern nur eine figürliche Erkäntniß GOttes haben. Was aber anschauendes dabey anzutreffen, gehöret unserer Seele zu, dergestalt, daß wir jetzund GOtt nur sehen durch unsere Seele, und die Welt als wie in einem Spiegel". Vgl. Favaretti Camposampiero, Conoscenza simbolica (wie Anm. 5), 331–355.

[83] Deutsche Metaphysik, § 1078.

[84] Das hatte Bissinger eher erstaunt bemerkt: Vgl. ders., Struktur (wie Anm. 3), 218.

[85] Deutsche Metaphysik, § 1078.

[86] Vgl. Specimen physicae (wie Anm. 5), § 3: „[…] opera naturae perfectiones divinas, quarum intuitiva cognitione destituimur, tanquam in speculo repraesentatas exhibent: si eadem rimemur, fieri sane potest, ut notiones notarum […] distinctae quodammodo evadant, sicque aliquid infinitatis, qua animos nostros perplexos reddunt comprehendamus". Siehe auch Ratio praelectionum, sect. II, cap. 5, § 38, wo auf das *Specimen* hingewiesen wird.

[87] Deutsche Metaphysik, § 957. Später wird die ‚Begreiflichkeit‘ durch ‚Verständlichkeit‘ gemäß der Cartesischen Terminologie ersetzt. Vgl. Ausführliche Nachricht, Kap. 7, § 110 („Und unerachtet

Man geht also von der intuitiven Erkenntnis seiner Seele aus, woraus eine symbolische Erkenntnis von Gott und seinen Eigenschaften entnommen wird; dann versucht man, dieser Erkenntnis durch die Betrachtung der Außenwelt einen intuitiven Inhalt wieder einzuflößen, damit sie wirksam für die Praxis wird. (Nach Wolff steht die Ausführung der letzten Phase dieses Erkenntnisprozesses einer dazu bestimmten, eng mit der Teleologie verbundenen Disziplin, d. h. der sogenannten *theologia naturalis experimentalis* zu.)[88] Wolff hat sich also des Leibnizschen Paares ‚intuitiv vs. symbolisch' bedient, um zu erklären, wie das Verfahren der Schrankenbeseitigung auf der psychologischen Ebene konkret funktioniert. Aber schon die Idee eines solchen Verfahrens kam von Leibniz her – was wir nun untersuchen wollen.

VII. Vom unendlichen Geist zum endlichen Geist

Die direkte Quelle des seit 1717 von Wolff beschriebenen Verfahrens ist wahrscheinlich Leibniz' *Theodizee*, deren Rolle für die Entwicklung der Wolffschen Philosophie mir noch teilweise unterschätzt scheint. Im Vorwort dieses Werkes schreibt Leibniz, daß, um Gott zu lieben, „il suffit d'en envisager les perfections, ce qui est aisé, parce que nous trouvons en nous leur idées. Les perfections de Dieu sont celles de nos ames, mais il les possede sans bornes".[89] Und in einem Anhang kritisiert Leibniz die Meinung William Kings, daß „nous n'avons point d'idée de Dieu, de l'esprit, de la substance": Was die Gottesidee betrifft, erwidert er, daß „l'idée de Dieu est dans la nostre par la suppression des limites de nos perfections, comme l'etendue prise absolument est comprise dans l'idée d'un globe".[90] Trotz ihrer Kürze suggeriert diese Passage zumindest drei relevante Thesen:

– Es ist nicht wahr, daß wir keine Idee von Gott haben.

---

wir den höchsten Grad nicht völlig begreiffen können; so gebe ich doch Mittel an die Hand, wie man ihn verständlich machen kan"); und Theologia naturalis I, § 177 („quodammodo intelligibilem").

[88] Vgl. Cosmologia, § 53 Anm., § 76 Anm.; Theologia naturalis I, § 177 Anm., § 786 und die Vorrede der *Deutschen Teleologie*.

[89] Gottfried Wilhelm Leibniz, Essais de Théodicée, in: ders., Die philosophischen Schriften, hg. von Carl Immanuel Gerhardt, Bd. 6, Berlin 1885, Nachdruck: Hildesheim 1978, 27.

[90] Leibniz, Remarques sur le Livre de l'origine du mal, § 4, in: ders., Philosophische Schriften, Bd. 6 (wie Anm. 89), 403. Siehe ders., Monadologie, § 30, über die *actes réflexifs:* „[…] en pensant à nous, nous pensons à l'Etre, à la substance, au simple ou au composé, à l'immateriel et à Dieu même, en concevant que ce qui est borné en nous, est en luy sans bornes" (ebd., 612). Ferner die Monadologie, § 41: „Dieu est absolument parfait, la *perfection* n'étant autre chose que la grandeur de la réalité positive prise precisement, en mettant à part les limites ou bornes dans les choses qui en ont" (ebd., 613).

– Die Gottesidee ist in der Idee von uns selbst enthalten, in dem Sinn, daß die erste sich aus der zweiten ergibt, nachdem die Grenzen unserer Vollkommenheiten beseitigt worden sind.

– Das Verhältnis von der Gottesidee zu der Idee von uns selbst ist mit dem Verhältnis vergleichbar, das zwischen der Idee der absoluten Ausdehnung und der Idee einer geometrischen Figur besteht: Es ist das Verhältnis von etwas Uneingeschränktem zu dem, was durch Beschränkung dieses Uneingeschränkten entsteht.

Die zweite These führt eine eigentümliche Enthaltensbeziehung zwischen Uneingeschränktem und Beschränktem ein; und der in der dritten These angeführte geometrische Vergleich dient dazu, diese Beziehung zu erklären. Die geometrischen Figuren entstehen, indem die geometrische Ausdehnung verschieden beschränkt wird, so daß wir eine bestimmte Figur als den durch eine bestimmte Anzahl Linien oder Flächen beschränkten Raum definieren könnten. Die Idee der Ausdehnung ist also „comprise" – nach Leibniz' Wort – in der Idee jeder geometrischen Figur: Anders gesagt, ist die erste ein Merkmal der zweiten. Allerdings ist diese logische bzw. intensionale Enthaltensbeziehung von der Beziehung zu unterscheiden, die – wie gesehen – von Wolff abgelehnt wird: So wie eine Kugel die uneingeschränkte Ausdehnung nicht enthält, sind die uneingeschränkten Vollkommenheiten Gottes in unseren beschränkten Vollkommenheiten nicht enthalten. Aber die Idee einer beschränkten Vollkommenheit enthält in ihrer Intension die Idee der entsprechenden uneingeschränkten Vollkommenheit; weil die erste durch die bloße Einschränkung der zweiten entsteht.

Es ist kein Zufall, daß auch Wolff sich eines geometrischen Vergleichs bedient, um die Entstehung der beschränkten aus den göttlichen Vollkommenheiten zu erklären. Wolff entlehnt von Leibniz die Ansicht, daß der göttliche Verstand die Idee aller möglichen endlichen Dinge enthält und daß diese Ideen letztlich aus den göttlichen Eigenschaften durch ein kombinatorisches Verfahren entstehen. Im Versuch, eine solche Entstehung weniger rätselhaft zu machen, unterteilt Wolff die *possibilia* in drei Klassen: die *possibilia primitiva prima* (d.h. die uneingeschränkten Realitäten, worin Gottes Essenz und Eigenschaften bestehen), die *possibilia primitiva secunda* (d.h. dieselben, doch in allen möglichen Weisen beschränkten Realitäten), und die *possibilia derivativa* (d.h. die durch nicht-widersprüchliche Kombinationen der *possibilia primitiva secunda* entstandenen Essenzen der endlichen Dinge). Aber wie soll der Einschränkungsprozeß der *prima possibilia* konzipiert werden? Wolff vergleicht diese ersten Möglichen mit geraden Linien:[91] So wie die geometrischen Figuren durch verschiedene Kombinationen

---

[91] Wolff betont, dies gelte nur als „exemplo aut, si mavis, simili" (Theologia naturalis II, § 88 Anm.).

von geraden Segmenten, die aus der Abgrenzung gerader unendlicher Linien entstehen, gebildet werden, so ist es denkbar, daß die *possibilia derivativa* durch Kombination der *possibilia primitiva secunda*, die aus der Einführung von Schranken in den ersten Möglichen entstehen, gebildet sind.[92] Gott erkennt seine uneingeschränkten Realitäten sowie all ihre möglichen Einschränkungen: Aus dieser göttlichen Tätigkeit, wodurch Gott seine Vollkommenheiten als beschränkt (d. h. als von niedrigem Grad) denkt, entstehen die Ideen, die als Merkmale in die Begriffe aller endlichen Dinge eintreten.[93]

Ein metaphysisches Fundament für das Verfahren der Schrankenbeseitigung bietet sich also in der Auffassung des göttlichen Verstandes als „omnium possibilium [...] distincta ac simultanea repraesentatio"[94] dar: Wir können aus den beschränkten Vollkommenheiten des Endlichen zu den Vollkommenheiten Gottes aufsteigen, weil die Ideen der endlichen Dinge durch Einschränkung endlicher Vollkommenheiten in Gott entstehen. Unsere Erkenntnis von Gott verfolgt sozusagen auf dem umgekehrten Weg die göttliche Erkenntnis vom Endlichen zurück:

> Deus suiipsius conscius est, atque adeo ideae ac notiones rerum finitarum in ipso nascuntur limitatione realitatum, quae ipsi insunt. Anima humana suiipsius, adeoque realitatum limitatarum sibi conscia est, ac ideo notiones realitatum Deo inexistentium in nobis nascuntur limitum remotione, et quatenus cognoscimus realitates limitatas, quae insunt entibus aliis limitatis, remotione quoque limitum ipsis inhaerentium. Quemadmodum itaque Deum ens summe perfectum non dedecet, quod illimitata sua perfectione contineat omnes rerum finitarum determinationes intrinsecas; ita nec Deo quid indignum moliri censeri debet, qui removendo limites a realitatibus, enti cuicunque inexistentibus, realitatum Deo inexistentium notiones sibi comparat.[95]

Es gibt eine genaue Entsprechung zwischen der Bewegung unserer Erkenntnis, die durch Schrankenbeseitigung vom Endlichen zum Unendlichen übergeht, und dem göttlichen Denken, welches das Endliche aus dem Unendlichen durch fortschreitende Einschränkung entnimmt. Diese Ansicht ist klar in der Aussage ausgedrückt, es sei nicht erstaunlich, daß, da der Begriff des niedrigen Erkenntnisvermögens durch Einschränkung der göttlichen Intellektion der einzelnen Dinge entsteht, der Begriff des göttlichen Verstandes auf die entgegengesetzte Weise („contraria ratione") resultiert, d. h. indem das menschliche sowie tierische niedrige Erkenntnisvermögen von allen Schranken befreit wird.[96]

Auf dieser univozistischen Auffassung des Verhältnisses zwischen den göttlichen Realitäten und den Essenzen der endlichen Dinge beruht Wolffs Hoffnung, es werde jemals möglich sein, „ut tandem creaturarum ideae ex Dei attributis tan-

---

[92] Vgl. ebd., § 85 Anm., § 88 Anm., § 91 Anm., § 94 Anm., § 95 Anm., § 96 Anm.
[93] Ebd., § 121.
[94] Ebd., § 115.
[95] Ebd., § 121 Anm.
[96] Ebd., § 172 Anm.

quam primis possibilibus a priori deducantur".[97] Die Erkennbarkeit Gottes aus der
Betrachtung der Seele war also eine wichtige Voraussetzung des rationalistischen
Traums: Aus der so gewonnenen Gotteserkenntnis wäre die apriorische Erkenntnis aller Dinge prinzipiell entnehmbar – die Wolff für die „perfectam cognitionem, quae ad divinam propius accedit",[98] hält.

VIII. Die Unterordnung der via eminentiae

Da die Leibnizsche Quelle außer Acht blieb, stellte Anton Bissinger Wolffs Verfahren der Schrankenbeseitigung der scholastischen (besonders protestantischen)
via negationis gegenüber.[99] Dagegen wurde das heuristische Prinzip für die Zuschreibung der höchsten Vollkommenheiten sowohl von Bissinger als auch von
Campo der *via eminentiae* gegenübergestellt.[100] Offensichtlich sind diese zwei
Vorschläge nicht zusammen haltbar, sonst würde es sich hier um zwei verschiedene Verfahren handeln, was unserer Interpretation nach nicht der Fall ist: Die
Erhebung der Vollkommenheiten zum höchsten Grad besteht ganz und gar in
der Entfernung aller Schranken. Aber gegen den Versuch, den Wolffschen Weg
auf die scholastischen Wege zurückzuführen, steht vor allem die Tatsache, daß
die Anwendung des Wolffschen Verfahrens weder eine negative noch eine *emi-
nentialem*, sondern eher eine formale Prädikation erbringt.[101] Wolffs heuristischer
Weg deckt sich weder mit der Negation[102] noch mit der *eminentia*. Diese spielt
noch eine Rolle, die aber der formalen Prädikation ganz untergeordnet ist.

Zwar wurde das Vokabular der *eminentia* von Leibniz selbst noch benutzt, indem er Gottes Besitz der in den „substances derivatives" enthaltenen Vollkommenheiten als eminenten Besitz charakterisierte.[103] Aber, wie gesehen, ist die
eminente Vollkommenheit nichts anderes als die unbegrenzte Vollkommenheit:
Die Begrenzung allein unterscheidet die Vollkommenheiten der Geschöpfe von

---

[97] Ebd.

[98] Ebd., Praefatio, 16*.

[99] Bissinger, Struktur (wie Anm. 3), 218–219.

[100] Ebd., 219; Campo, Razionalismo precritico (wie Anm. 22), 653, 659. Von Erkenntnis „par
éminence" spricht auch Jean-Paul Paccioni, Existibilis: science de simple intelligence et science de
vision, Wolff face à Leibniz, in: Paul Rateau (Hg.), L'idée de théodicée de Leibniz à Kant: héritage,
transformation, critiques, Stuttgart 2009 (Studia Leibnitiana, Sonderheft 36), 113–126, hier 126.

[101] Schon Suárez hatte im Gegensatz zu Thomas die absoluten Vollkommenheiten Gott formal
zugeschrieben: Vgl. Goudriaan, Philosophische Gotteserkenntnis (wie Anm. 79), 143–148.

[102] Der Beweis ,negativer' Eigenschaften (Unveränderlichkeit, Unkörperlichkeit usw.) geht von
Gottes Nominaldefinition aus, ohne Rekurs auf das heuristische Prinzip.

[103] Vgl. Leibniz, Principes de la nature et de la grâce, § 9, in: ders., Philosophische Schriften,
Bd. 6 (wie Anm. 89), 602: „Cette substance simple primitive doit renfermer eminemment les perfections, contenues dans les substances derivatives qui en sont les effects".

denen des Schöpfers, und folglich nur dem Grad nach. Kein Wunder also, daß Wolff beschließt, sich des Eminenz-Vokabulars nur bei der Resemantisierung und Beschränkung des Anwendungsbereichs zu bedienen. Der Rekurs auf eminente Prädikate wird nämlich als Korrektiv gegen die unterschiedslose und mißbräuchliche Verwendung des heuristischen Zuschreibungsprinzips hingestellt: Wolff meint, er solle lehren, „Quaenam Deo per eminentiam tribuantur [...], ne principio illo heuristico investigandi notiones eorum, quae Deo tribui debent, abutamur et ejus abusu in Anthropomorphitarum et Anthropomorphistarum errores incidamus".[104] Es handelt sich also darum, die Ähnlichkeit zwischen Gott und Seele nicht über ihre Grenzen hinaus auszudehnen, damit dem Schöpfer nicht zugeschrieben wird, was dem Geschöpf allein zukommt.

Wolffs Ontologie stellt dem Gebrauch eminenter Prädikate zwei Bedingungen:[105] Bezeichnet ‚a' irgendein Ding und ‚P' irgendeine Eigenschaft, so sollen wir sagen, a sei *per eminentiam* P, wenn und nur wenn 1) a im eigentlichen Sinn nicht P ist, und 2) es eine Eigenschaft Q gibt, von welcher gilt: a ist im eigentlichen Sinn Q und Q ersetzt bzw. ist stellvertretend für P. Diese Art Prädikation wird also im Fall von Eigenschaften verwendet, die Gott nicht im eigentlichen Sinn („proprie") zuschreibbar sind – denn sie sind unvereinbar mit Gottes Essenz – und die allerdings durch andere Eigenschaften, die Gott im eigentlichen Sinn besitzt, ersetzt werden können.[106] So darf in eminentem Sinn gesagt werden, daß Gott alles sieht, insofern sein Verstand auch die Funktion des Sehvermögens erfüllt, indem er Gott alles, was in dieser Welt vorkommt, wahrnehmen läßt.[107] Hingegen darf das Auge als körperliches Organ nur in metaphorischem, aber nicht in eminentem Sinn Gott zugeschrieben werden.[108] Weitere menschliche Eigenschaften, wie z.B. die Fähigkeit zu vergessen, sind in keinem Sinn von Gott prädizierbar, weil sie völlig von unserer Unvollkommenheit abhängen: Wird diese beseitigt, so bleibt doch keine Vollkommenheit, die zugeschrieben werden könnte.[109]

---

[104] Theologia naturalis I, § 1096 Anm.

[105] Vgl. Ontologia, § 845: „*Per eminentiam esse* dicitur ens, quod proprie loquendo non est, ubi tamen quid habet in se, quod vicem ejus supplet, quod proprie eidem tribui repugnat". Solche Repugnanz kommt aus Unvollkommenheit: Denn „quae enim Deo per eminentiam tribuuntur, ea ipsi non repugnant simpliciter, sed tantummodo quatenus quid imperfectionis admixtum habent" (Theologia naturalis I, § 1100 Anm.).

[106] Wie École bemerkt (vgl. ders., Métaphysique [wie Anm. 13], 411, 419), stammt die Charakterisierung der *eminentia* als Stellvertretung aus Descartes, Secundae responsiones, in: ders., Œuvres (wie Anm. 38), Bd. 7, 161.

[107] Vgl. Theologia naturalis I, § 1097.

[108] Vgl. ebd., § 1097 Anm.

[109] Vgl. ebd., § 1100 Anm.

Die Klausel ‚per eminentiam' erlaubt, vom unendlichen Wesen „tanquam de finito" zu sprechen, weil sie auf der zwischen beiden Bestimmungen bestehenden ‚analogia' beruht.[110] Sie ist also eine Art uneigentlicher Rede, worauf man in solchen Fällen angewiesen ist, wo die buchstäbliche Anwendung des heuristischen Prinzips die Grenzen der Ähnlichkeit zwischen Gott und Seele überschreiten würde. Aber Wolffs Weg zur Gotteserkenntnis durch der Psychologie entnommene Begriffe gründet sich auf die Voraussetzung einer wesentlichen Ähnlichkeit und nicht einer Analogie. Die Ansicht, man könne Gott durch Weglassen der Schranken des endlichen Geistes positiv erkennen, hat nur dann einen Sinn, wenn sie vor dem Hintergrund typisch neuzeitlicher Motive verstanden wird – vor allem der Tendenz, das Beschränkte und das Uneingeschränkte univok (d.h. mit denselben Begriffen) zu erfassen, sowie der Überzeugung, das Unendliche (wenn auch inadäquat) konzeptualisieren zu können.

IX. Crusius gegen die Psychotheologie

Wolff bemüht sich, die These der wesentlichen Ähnlichkeit dadurch auszubalancieren, daß er die Heterogenität und folglich die Inkommensurabilität von Endlichem und Unendlichem behauptet: Durch Summierung endlicher Größen ist keine unendliche Größe erreichbar.[111] Wenn etwas Endliches unendlich gemacht wird, bleibt seine Gattung (*genus*) nicht mehr dieselbe, so daß „elevatione eorum, quae animabus insunt, ad infinitudinem prodeat substantia simplex, quae anima esse nequit".[112] Aber obwohl Gott keine Seele ist, ist er immerhin, so wie die Seele, ein Geist, und „differentia inter spiritum perfectissimum et animam humanam qua spiritus est, alia intercedere nequit, quam quod illius intellectus et voluntas limitibus prorsus destituantur, hominis vero intellectus et voluntas determinatos admittant limites".[113] Eben deswegen hatte Wolff in der *Ratio praelectionum* sogar von einer ‚similitudo generica' zwischen Gott und unserem Geist gesprochen, die darin bestehe, daß die Vollkommenheiten beider unter dieselben „notiones […] generales" fallen würden.[114] Später hatte die *Ausführliche Nachricht* die ent-

---

[110] Ontologia, § 848 Anm. Vgl. ebd., § 844 Anm.: „De infinito enim cogitamus quasi de ente finito, notiones tamen finito competentes purgamus ab iis, quae enti infinito repugnant. Destituimur enim vocabulis, quibus ea significatu proprio exprimere licet, quae per analogiam quandam enti infinito tribuuntur".

[111] Theologia naturalis I, § 175. Vgl. ebd., § 176: „[…] intellectus limitatus quicunque illimitato heterogeneus est".

[112] Ebd., § 1092 Anm.

[113] Ebd., § 136.

[114] „Monstro deinde similitudinem genericam Dei et mentis per notiones perfectionum communium generales, quae additis differentiis specificis abeunt in perfectiones Dei et mentis nostrae"

scheidende Rolle der Lehre vom „Geist überhaupt" im Beweis der Eigenschaften Gottes hervorgehoben.[115] In dieser Auffassung Gottes als Geist wurzelt Wolffs systematische Anwendung psychologischer Thesen bei der Behandlung theologischer Fragen. Auch darin liegt das Neue des Wolffschen Projekts. In ihrem Kern stellt Wolffs natürliche Gotteslehre keine Physikotheologie, sondern vielmehr eine Psychotheologie dar.

Die Voraussetzungen und Implikationen des Wolffschen Weges werden durch die Kontrastierung mit den entsprechenden Aussagen Crusius' beleuchtet. Diese bieten eine Art Kontrapunkt zu den Annahmen der Theologie Wolffs. Crusius lehnt jede wesentliche Ähnlichkeit zwischen Gott und Geschöpf ab, indem er behauptet, das Unendliche sei vom Endlichen dem Wesen und nicht nur dem Grade nach unterschieden.[116] Gott ist nicht nur vollkommener als die Geschöpfe: Die göttlichen Vollkommenheiten sind qualitativ und wesentlich anders als die Vollkommenheiten des Endlichen, sonst könnte ein jedes Geschöpf „eine kleine Gottheit seyn".[117] Und wegen der Endlichkeit ihres Verstandes können die Geschöpfe

> nicht einmal den unendlichen Grad einer göttlichen Vollkommenheit mit einem gantz positiven Begriffe hinausdenken, sondern müssen an den Begriff, den sie sich davon machen, endlich nur die Verneinung aller Schranken überhaupt verknüpfen.[118]

Ohne die Annahme der wesentlichen Ähnlichkeit war die Möglichkeit einer positiven begrifflichen Erkenntnis Gottes ausgeschlossen. Mit Crusius bot das Weglassen der Schranken wieder nichts mehr als eine *via negationis*.

Gegen die verbreitete Meinung, Wolff habe die Möglichkeit einer natürlichen Theologie nicht gerechtfertigt, wird hier ausgeführt, daß Wolffs Weg zur Gotteserkenntnis auf einem konsequenten heuristischen Verfahren beruht, das in der Erwerbung der Begriffe von Gott und seinen Eigenschaften durch die Infinitisierung der menschlichen Vollkommenheiten besteht. Voraussetzung dieses Projekts ist die Auffassung Gottes als Geist, d. h. die univozistische Annahme einer wesentlichen Ähnlichkeit zwischen Gott und der endlichen Seele. Wolffs psychotheologisches Verfahren, dessen Quelle bei Leibniz zu finden ist, wird sowohl

---

(Ratio praelectionum, sect. II, cap. 3, § 56). Dagegen hat Wolff später geleugnet, man könne sich „aliquod genus" ausdenken, „sub quo Deus et entia finita tanquam species collocentur" (Theologia naturalis I, § 141 Anm.). Doch scheint der Begriff ‚Geist' ein Gattungsbegriff zu sein: Vgl. Ratio praelectionum, sect. II, cap. 3, § 21; Psychologia rationalis, §§ 643 ff.

[115] Vgl. Ausführliche Nachricht, Kap. 7, § 105.

[116] Vgl. Christian August Crusius, Entwurf der nothwendigen Vernunft-Wahrheiten, Leipzig 1745, Nachdruck in: Die philosophischen Hauptwerke, hg. von Giorgio Tonelli, Bd. 2, Hildesheim 1964, § 140.

[117] Ebd., § 241. Deutlich wird hier auf Leibniz' Monadologie, § 83, angespielt: „[...] chaque esprit étant comme une petite divinité dans son departement" (Philosophische Schriften, Bd. 6 [wie Anm. 89], 621).

[118] Crusius, Entwurf (wie Anm. 116), § 241.

den ‚intuitionistischen' Theologien von Descartes und Malebranche als auch den scholastischen Wegen gegenübergestellt.

In contrast to the prevalent view that Wolff did not justify the possibility of natural theology, this paper argues that his approach to the knowledge of God is based on a consistent heuristic procedure. This procedure consists in obtaining concepts of God's essence and attributes by thinking of our own mind's perfections – and freeing them from human limitations. Such a project is only possible if God is regarded as a spirit which means that God essentially (and to some extent univocally) resembles the finite soul. Wolff's psycho-theological method, whose source can be traced back to Leibniz, should be compared to the 'intuitionistic' theologies of both Descartes and Malebranche, as well as to the classical scholastic viae.

Dr. Matteo Favaretti Camposampiero, Università Ca' Foscari Venezia, Dipartimento di Filosofia e Beni Culturali, Dorsoduro 3484/D, I-30123 Venezia, E-Mail: matteo.favaretti@unive.it

MANUELA MEI

Notio intellectus divini quomodo prodeat[1]

Eine Untersuchung über die gnoseologische Bedeutung
unserer Gotteserkenntnis

Das Hauptverdienst der Wolffschen Philosophie ist ihr Beitrag zu jener – bereits
von Descartes[2] eingeleiteten – Unterteilung der Pneumatologie des 17. Jahrhunderts in zwei eigenständige, jedoch in gewisser Hinsicht eng miteinander verbun-
dene Disziplinen: die Psychologie und die Theologie.[3] Bekanntermaßen faßte
man diese beiden Bestandteile der Metaphysik im 17. Jahrhundert für gewöhnlich
unter dem Begriff der sogenannten *Pneumatologie* oder *Pneumatik* zusammen
oder definierte sie, so im *Grossen vollständigen Universal Lexicon aller Wissenschafften und Künste* von Johann Heinrich Zedler, als „derjenige Theil der Metaphysic, oder Hauptwissenschaft, welcher von dem Wesen u. wesentlichen Würc-
kungen der Geister handelt".[4]

---

[1] Vgl. unten Anm. 26.

[2] Vgl. Jean François Courtine, Suárez et le système de la métaphysique, Paris 1990.

[3] Wolffs Interesse an theologischen Problemstellungen wird gleich zu Beginn seiner Laufbahn
als Philosoph deutlich; man denke zum Beispiel an den 1707 in den *Acta Eruditorum* veröffentlichten Artikel mit dem Titel *Methodus demonstrandi veritatem Religionis Christianae* (in: Meletemata, Sect. 1, N. 2, 5–7) oder an die Ausführungen in dem Kapitel in der Erstausgabe der
Vernünfftigen Gedancken von den Kräfften des menschlichen Verstandes von 1713, das sich vollständig der Deutung der Heiligen Schriften widmet (Deutsche Logik, 228–231, hier 151) oder an
das Kap. 6 des *Discursus praeliminaris* (182–232, bes. 206 f.) über das Thema der Freiheit zu
philosophieren. Außerdem besitzt Wolff bereits mit jungen Jahren eine tiefgreifende Kenntnis der
Heiligen Schrift. Vgl. James Collins, God in modern Philosophy, London 1960, 133 ff.; Jean École,
Wolff, in: Yvon Belaval und Dominique Bourel (Hg.), Le siècle des Lumières et la Bible, Paris 1986,
805–822. Zum Einfluß der Theologie Wolffs auf die Theologen des 18. Jahrhunderts siehe Emanuel
Hirsch, Geschichte der neuern evangelischen Theologie, Bd. 2: Die Stellung der Wolffischen Philosophie, Gütersloh 1951, 87–91; Lewis White Beck, Early German Philosophy. Kant and his
Predecessors, Cambridge 1969, 274 ff.; Gerald Robertson Cragg, The Church and the Age of Reason
1648–1789, Harmondsworth 1972, 45, 248.

[4] Johann Heinrich Zedler, Grosses vollständiges Universal Lexicon aller Wissenschafften und
Künste, 64 Bde., Halle, Leipzig, 1732–1750, Nachdruck: Graz ²1993–1998, Bd. 28, 901.

Aufklärung 23 · © Felix Meiner Verlag 2011 · ISSN 0178-7128

Erst mit Wolff „spricht man fast gar nicht mehr von *Pneumatik*".[5] Und obwohl er in seiner *Ratio praelectionum*,[6] ebenso wie im *Discursus praeliminaris*,[7] mehr als einmal auf die Bedeutung Pneumatologie – oder Pneumatik – zurückgreift, verwendet der *Praeceptor Germaniae* in seiner späten Schaffensphase nun anstelle des Begriffs *Pneumatologie* den Begriff *Psychologie* für die Bezeichnung sowohl der empirischen als auch der rationalen Lehre von der menschlichen Seele, und er definiert die Lehre von Gott (als „ens perfectissimum"[8] und, wie wir sehen werden, von Seinen Eigenschaften) als *Theologie*.

Lassen wir die komplexe und umfangreiche Frage nach der *Entwicklung* der Wolffschen Gedanken in bezug auf die Theologie[9] und auch die Problematik der Abgrenzung der Natürlichen Theologie von der Metaphysik[10] beiseite und konzentrieren wir uns auf die enge Wechselbeziehung zwischen der Psychologie und der Wolffschen Theologie. Diese Wechselbeziehung brachte Wolff dazu, als Fundament der *Theologia naturalis*, also der „scientia eorum, quæ per Deum possibilia sunt",[11] die *Psychologie* anzusehen, das heißt, die „scientia eorum, quæ per animam humanam possibilia sunt".[12]

Im Zusammenhang mit der Wolffschen *Theologia naturalis* schreibt bereits Johann Gottfried Eichhorn in seiner 1814 in Göttingen veröffentlichten *Litterärgeschichte* Wolff das Verdienst zu, die Lehre von Gott in eine wissenschaftliche Form gebracht zu haben – im Unterschied zu der schwierigen Lage, in der sich die theologischen Studien im lutherisch geprägten Deutschland des 17. Jahrhun-

---

[5] Pietro Kobau, Essere qualcosa. Ontologia e psicologia in Wolff, Torino 2004, 54.

[6] Ratio praelectionum, 141.

[7] Discursus praeliminaris, 86.

[8] Theologia naturalis, Bd. 1, 53.

[9] Was Wolffs Studien über Gott betrifft, so wurden bereits einige Unterschiede zwischen der – sozusagen – *jugendlichen* und der *reiferen* Phase seiner Theologie untersucht. Wie Tore Frängsmyr feststellt, kritisiert Wolff z. B. in seiner *Ratio praelectionum* von 1718 (153–158) einen physisch-theologischen oder auch teleologischen Theologie-Ansatz; in den *Vernünfftigen Gedancken von den Absichten der natürlichen Dinge* aus dem Jahre 1723 wechselt er die Perspektive und definiert die Welt als „ein Spiegel der unendlichen Erkäntnis GOttes" (Deutsche Teleologie, 16); in der *Commentatio de differentia nexus rerum* von 1723 insistiert Wolff auf der Notwendigkeit des Gottesbeweises und der Schöpfung der Welt als einer freien Handlung Gottes (deutsch: Kleine Schriften, Bd. 4/2, 3–198). Siehe Tore Frängsmyr, Christian Wolff's Mathematical Method and its Impact on the Eighteenth Century, in: Journal of the History of Ideas 35/4 (1975), 653–668, hier 664–666.

[10] Zur Abgrenzung der Natürlichen Theologie von der Metaphysik siehe Max Wundt, Die deutsche Schulphilosophie im Zeitalter der Aufklärung, Tübingen 1945, Nachdruck: Hildesheim 1964; Konrad Feiereis, Die Umprägung der Natürlichen Theologie in Religionsphilosophie. Ein Beitrag zur deutschen Geistesgeschichte des 18. Jahrhunderts, Leipzig 1965, 25; Anton Bissinger, Die Struktur der Gotteserkenntnis. Studien zur Philosophie Christian Wolffs, Bonn 1970.

[11] Theologia naturalis, Bd. 1, 1.

[12] Psychologia rationalis, 1. Siehe auch Psychologia empirica, 1.

derts befanden.[13] Diese *wissenschaftliche Form*, die für die Wolffsche Theologie so typisch ist, basiert auf der Voraussetzung, daß das Erreichen einer gut begründeten Kenntnis der offenbarten Wahrheit möglich ist, da diese nie *contra rationem* sei, sondern, wenn überhaupt, *supra rationem*. Die Vorgehensweise ist dabei die gleiche, die auch in der Geometrie Anwendung findet.[14] Ausgehend von dieser Vermutung nimmt sich Wolff vor – im Gegensatz zu den hallensischen Pietisten, für die „die Vernunft das Haupt vor der Gnade beugen muß"[15] –, das Potential der menschlichen Vernunft so weit wie möglich auszureizen, und läßt erst danach den Gedanken an das Geschenk der Gnade zu:

> Mihi semper salutare visum fuit, si in Philosophia summo cum studio & quanta fieri potest accuratione tradantur ea, quæ beneficio rationis cognoscere licet, atque deinceps in Theologia notentur defectus, quibus philosophia laborat, ostendaturque, quomodo iisdem Theologia medeatur.[16]

Wie Wolff ohne Umschweife in diesem Absatz seiner *Oratio de sinarum philosophia practica* darlegt, die zu den Feindseligkeiten der Pietisten gegenüber Wolff führt,[17] so ist zwar einerseits die Inanspruchnahme der Theologie, um die Fehler der Erkenntnismöglichkeiten des Menschen zu meistern, unvermeidlich, auf der anderen Seite jedoch müssen die Fähigkeiten unserer Vernunft so weit wie möglich ausgenutzt werden – genau wie damals von Konfuzius, der sich darauf beschränkt hatte, die menschliche Natur ohne Rückgriff auf die Offenbarung zu untersuchen.[18] So ist es möglich, die Natürliche Theologie als eine „Verlängerung der Offenbarungstheologie" betrachten zu können.[19]

---

[13] „Mitten im dreyßigjährigen Krieg suchte Calixt, ein wahrer theologischer Universalgelehrter, die theologischen Studien wieder auf den frühern Weg der Philologie und Geschichte zurück zu bringen […]. So standen in der evangelischen Kirche drey Schulen neben einander: Wittenbergische Polemiker, Helmstädtische Eklectiker und Hallische Ascetiker: jeder fehlten mehr oder weniger ächte theologische Gelehrsamkeit, die Frucht der theologischen Hülfswissenschaften (von 1640 bis 1700)" (Johann Gottfried Eichhorn, Litterärgeschichte der drey letzten Jahrhunderte, Bd. 2, Göttingen 1814, 1061). Und weiter: „Nun kam die Wolfische Philosophie in Blüthe und zu Einfluß auf die Wissenschaften; seitdem sie auch mit der Theologie in Verbindung gesetzt wurde, nahm die Glaubenslehre wieder eine wissenschaftliche Gestalt an" (ebd., 1079). Vgl. dazu Giuseppe D'Alessandro, L'illuminismo dimenticato. Johann Gottfried Eichhorn (1752–1827) e il suo tempo, Napoli 2000.

[14] Ratio praelectionum, 163. Siehe auch Deutsche Logik, 229 f.

[15] Federica De Felice, Wolff e Spinoza. Ricostruzione storico-critica dell'interpretazione wolfiana della filosofia di Spinoza, Roma 2008, 82.

[16] Christian Wolff, Oratio de sinarum philosophia practica, in: Meletemata, Sect. 3, N. 4, 25–126, hier 56.

[17] Christian Wolff, Oratio de sinarum philosophia practica, Rede über die praktische Philosophie der Chinesen, hg. von Michael Albrecht, Hamburg 1986, Einleitung, IX-CVI, hier L.

[18] Zum Einfluß der chinesischen Philosophie auf die Philosophie Wolffs: Frängsmyr, Christian Wolff's Mathematical Method (wie Anm. 9), 654.

Nach dem Streit über den Atheismus, der aufgrund der Wolffschen Emphase in bezug auf die menschliche Vernunft und die Erkenntnisfähigkeit des Menschen ausgebrochen war, gab Wolff zwischen 1736 und 1738 die zwei Bände der *Theologia naturalis* in Druck. Während er im ersten Band die Existenz und die Attribute Gottes *a posteriori* beweisen will, versucht er im zweiten Teil des Werks die Existenz und die Eigenschaften Gottes ausgehend vom Begriff des *ens perfectissimum* zu beweisen, um die falschen Behauptungen von Atheisten, Deisten, Fatalisten, Naturalisten und Spinozisten zu entkräften.[20]

Wie Wolff in der *pars prior* der *Theologia naturalis* sagt: In der Natürlichen Theologie „nihil enim tradimus, nisi distincte explicatum & sufficienter demonstratum".[21] Ausgehend von dieser Bedingung will Wolff innerhalb seines Gottesbeweises vor allem folgende Fragen klären:

1. Wer ist Gott, d. h. Aufstellung einer nominalen Definition Gottes[22]
2. Welches sind seine Eigenschaften?[23]

Diejenige Eigenschaft Gottes, auf die Wolff sich hauptsächlich konzentriert, ist der Verstand Gottes. Wolff läßt aber die Frage nach der Möglichkeit des Verstandes Gottes[24] außen vor und versucht in der *Theologia naturalis* zunächst zu klären, welche Vorgehensweisen es sind, die den göttlichen Verstand auszeichnen und vom menschlichen Verstand abgrenzen.

Nach Wolff können wir die Natur der göttlichen Seele nur ausgehend von einer Analyse der menschlichen Seele kennen; mit den Worten von Jean École: „Nous ne pouvons connaître la nature de l'être très parfait qu'à partir de celle de notre âme".[25] Diese Thematik wird im Absatz 121 der *Theologia naturalis* (*pars posterior*) erörtert, wo es heißt: „*Notio intellectus divini prodit, si intellectum humanum, vel ejus facultatem cognoscitivam inferiorem, aut facultatem cognoscitivam,*

---

[19] Else Walravens, La Bible chez les libres-penseurs en Allemagne, in: Yvon Belaval, Dominique Bourel (Hg.), Le siècle des Lumières et la Bible, Paris 1986, 579–597, hier 585.

[20] Die *pars prior* wird betitelt: Theologia naturalis methodo scientifica pertractata. Pars Prior, integrum Systema complectens, qua existentia et attributa Dei a posteriori demonstrantur. Die *pars posterior:* Theologia naturalis methodo scientifica pertractata. Pars posterior, qua existentia et attributa Dei ex notione entis perfectissimi et natura animæ demonstrantur, et Atheismi, Deismi, Fatalismi, Naturalismi, Spinosismi aliorumque de Deo errorum fundamenta subvertuntur.

[21] Theologia naturalis, Bd. 1, Praefatio, 17*.

[22] Ebd., Bd. 1, 5. Vgl. Jan Rohls, Theologie und Metaphysik. Der ontologische Gottesbeweis und seine Kritiker, Gütersloh 1987, 256 ff.

[23] Theologia naturalis, Bd. 1, 6. Siehe auch Deutsche Metaphysik, 584.

[24] Es sollte hier klargestellt werden, daß Wolff in der *Theologia naturalis* die Notwendigkeit beweist, die Existenz des göttlichen Verstandes eher noch als die Möglichkeit dieser Existenz einzuräumen, anders als er dies zuvor in der *Psychologia empirica* (199) angekündigt hatte.

[25] Jean École, De la démonstration „a priori" de l'existence et des attributs de Dieu, et des erreurs sur Dieu, ou la „Theologia naturalis, pars II" de Christian Wolff, in: Giornale di Metafisica 32/1–2 (1977), 85–109, hier 87; ebd. 32/3 (1977), 237–272, hier 270 ff.

quæ animantibus brutis competit, ab omni prorsus limitatione liberes".[26] In diesem Absatz der *Theologia naturalis* präzisiert Wolff (wie bereits im *Specimen physicae*,[27] in der *Deutschen Metaphysik*,[28] in der *Psychologia empirica*[29]), daß der Begriff des göttlichen Verstandes sich dann offenbart, wenn man jede Einschränkung des menschlichen Verstandes, der niederen Vermögen und der den Tieren zugehörigen Vermögen aufhebt. Der daraus folgende Gottesbegriff ist das Ergebnis eines Prozesses der – wenn man will – *Reinigung* der erkenntnisspezifischen Einschränkungen und Fehler des Menschen. Anders ausgedrückt, besagter Begriff steht in engem Zusammenhang mit jenem Prozeß der Introspektion, den der Mensch erreicht, wenn er über sich und seine Seele reflektiert.

Der Rückgriff auf die Psychologie ist der unwiderlegbare Beweis der zentralen Bedeutung des psychologischen Wissens für die Ausbildung eines theologischen Wissens, wie Wolff selbst bereits in seinem *Discursus praeliminaris*[30] darlegt. Darum möchten wir durch die Verwendung der lateinischen Psychologie Wolffs folgendes klären: a) Wie erlangen wir Kenntnis vom Verstand Gottes, und vor allem b) welchen Wert hat unser Wissen von Gott in Anbetracht der Tatsache, daß es sich lediglich um eine symbolische und nicht um eine anschauende Kenntnis handelt? Zur Behandlung dieser Problematik ist es unserer Meinung nach angemessen, der Analyse der Natur der göttlichen Seele, wie sie in der *Theologia naturalis* angegangen wird, eine umfassendere Untersuchung der Natur der menschlichen Seele vorauszuschicken, wie ihr in der *Psychologia empirica* aus dem Jahre 1732 und in der *Psychologia rationalis* von 1734 nachgegangen wird. So wird es uns möglich sein, die Unterscheidung zwischen den erkenntnisspezifischen Vorgehensweisen und Zielvorstellungen des Menschen und jenen des *ens perfectissimum* zu klären. Genauer gesagt, möchten wir versuchen, folgende Fragen zu beantworten: 1) Was ist die menschliche Seele und wie funktionieren ihre Erkenntnisvermögen, und da vor allem Sinn und Vorstellungskraft und Erinnerung, also genau die Vermögen des unteren Teils der Seele; 2) worin besteht die *vis reprae-*

---

[26] Theologia naturalis, Bd. 2, 99.

[27] Specimen physicae ad theologiam naturalem adplicatae (1717). Es handelt sich um die Abhandlung, die Wolff seinem Schüler Siegmund Ferdinand Weismüller als Diskussionsthema vorgelegt hatte; darin heißt es: „Equidem ad notiones perfectionum divinarum pervenimus, dum mentis nostrae perfectiones intuemur, easque a limitationibus liberamus, ut infinitatem, seu gradum summum consequantur" (deutsch: Kleine Schriften, Bd. 1, 519–560, hier 520).

[28] „so dürfen wir nur die Einschränkungen unseres Wesens und unserer Eigenschaften weglassen, so bekommen wir Begriffe von dem Wesen und Eigenschaften GOttes" (Deutsche Metaphysik, 665).

[29] „*Psychologia empirica inservit Theologiæ naturali eique principia tradit. In Theologia enim naturali agimus de Deo, ejusque adeo attributis* (§. 57. *Disc. prælim.*). *Ostendemus autem in Theologia naturali, nos ad notiones attributorum divinorum pervenire, quatenus notiones eorum, quæ menti humanæ insunt, ab imperfectionibus seu limitationibus liberamus*" (Psychologia empirica, 5).

[30] „Notiones attributorum divinorum formamus, dum notiones eorum, quæ animæ convenient a limitibus liberamus" (Discursus praeliminaris, 104).

sentativa Gottes und wie können wir diesen Begriff erreichen; 3) welchen Wert hat unsere Kenntnis von Gott und Seinen Eigenschaften?

Wir wollen zeigen, daß die Theologie nicht in Gefahr steht, ein reines Wortspiel zu sein, trotz der Tatsache, daß wir von Gott nur eine symbolische und keine intuitive Kenntnis besitzen können. Mit Hilfe der Ausarbeitung einer spezifischen Typik geistiger Darstellungen, die unter dem Namen *figurae hieroglyphycae* firmieren, können wir jene gnoseologischen Schwierigkeiten eindämmen, welche – wie bereits öfter verfochten wurde[31] – die Natürliche Theologie Wolffs scheinbar negativ kennzeichnen.

I. Die pars inferior animae der menschlichen Seele

Wolff definiert den Begriff ‚Seele‘ in seinen beiden Psychologien unterschiedlich. Diese zweifache Definition des Begriffs ‚Seele‘ entspricht dabei einmal der empirischen, einmal der rationalistischen Methodologie. In der *Psychologia empirica* legt Wolff die Seele, mit einem klaren Hinweis auf das *Cogito* von Descartes, als dasjenige Ding aus, das sich seiner und anderer Dinge außer ihm bewußt ist. Deswegen kann die *Psychologia empirica* als eine ‚Bewußtseinspsychologie‘ betrachtet werden. In der *Psychologia rationalis* betrachtet Wolff die Seele unter Verwendung des Begriffs ‚vis repraesentativa animae‘. Es handelt sich um einen Begriff, mittels dessen alles, was in der Seele geschieht, begründet werden kann.[32] Aber Wolff schloß aus, daß das Wesen der Seele in ihrem Bewußtsein besteht. Die Seele wird durch Begriffe, die aus der Tradition stammen, erklärt: Sie ist ein einfaches *ens*, ohne Gestalt, ohne Ausdehnung[33] und so weiter. Aber wie Wolff selbst im Vorwort der *Psychologia empirica* präzisiert, wird diese Analyse der Seele aus einer neuen Perspektive betrieben. Zum ersten Mal – so Wolff – versucht man, alles, was in der Seele geschieht, aus dem Wesen der Seele zu beweisen,[34] und das Wesen der Seele besteht nicht in ihrem Bewußtsein, sondern in ihrer vorstellenden Kraft.

Obwohl Wolff in der *Psychologia rationalis* eine Analyse des Wesens und der Natur der Seele vornimmt, sind seine Hinweise auf physische und physiologische Komponenten in der Definition der ‚vis repraesentativa animae‘ gesteigert. In

---

[31] Matteo Favaretti Camposampiero, Conoscenza simbolica. Pensiero e linguaggio in Christian Wolff e nella prima età moderna, Hildesheim u. a. 2009 (GW, Abt. III, Bd. 119), 338. Vgl. auch Bissinger, Die Struktur der Gotteserkenntnis (wie Anm. 10), 218.

[32] Psychologia rationalis, 449 f.

[33] Ontologia, 512–513.

[34] „Novum est, fateor, hoc ausum: nemo enim hactenus philosophorum ex essentia rationem a priori reddere conatus est, cur istiusmodi potius insint facultates, quam aliae, & cur anima has potius in modificationibus suis sequatur leges, quam alias" [Psychologia rationalis, Praefatio, (1)].

§ 529 der *Psychologia rationalis* ist zu lesen: „*Ex vi repraesentativa universi situ corporis organici in universo materialiter, mutationibus organorum sensoriorum formaliter limitata ratio reddi potest omnium eorum, quae de anima observantur*".[35] Diese Definition bezieht sich auf zwei Aspekte: 1) Mit dem Begriff ‚vis repraesentativa animae‘ kann man allen Veränderungen, die in der Seele geschehen, eine rationalistische Erklärung geben; 2) die Vorstellungskraft der Seele ist beschränkt *materialiter* durch die Lage des Leibes und *formaliter* durch die Veränderungen, die in unseren Sinnesorganen vorkommen. Deswegen wird diese Kraft auch als „modificabilis" betrachtet: „perceptiones [...] singulares in modorum numero sunt (§. 151. *Ontol.*), consequenter quatenus istæ variantur vis animæ modificatur (§. 704. *Ontol.*), & quatenus possibiles, vis eadem modificabilis (§. 764. *Ontol.*)".[36]

Den Kern der Theorie der Vermögen bildet der Begriff ‚vis repraesentativa animae‘. Aber Wolff unterschied ihn von dem des ‚Vermögens‘ der Seele.[37] Er hat sich mit diesen Begriffen bereits in der *Ontologie* befaßt. Seine Definition des Begriffs ‚Vermögen‘ in der *Ontologie* lautet: „Potentia activa vocatur etiam *Facultas*".[38] In der *Psychologia empirica* benutzt Wolff eine ähnliche Definition und behauptet: „Potentiae activae animae *Facultates* ipsius appellantur".[39] Aber in bezug auf die Analyse dieses Begriffs präzisiert Wolff auch, daß der Begriff ‚Vermögen‘ von dem der ‚Kraft‘ klar unterschieden werden muß.[40]

Der Unterschied zwischen den beiden Begriffen besteht darin, daß das Vermögen allein nicht eine Tat hervorbringen kann: „*Ex sola potentia activa nulla sequitur actio*".[41] Deswegen hat Wolff bereits in der *Deutschen Metaphysik* festgestellt: „das Vermögen ist nur eine Möglichkeit etwas zu thun; hingegen da die Kraft eine Quelle der Veränderungen ist".[42] Natürlich kann man nach Wolffs Meinung nicht von der Ebene des *Möglichen* auf die Ebene des *Wirklichen* schlie-

---

[35] Psychologia rationalis, 449.

[36] Ebd., 60.

[37] Vgl. Raffaele Ciafardone, Kraft und Vermögen bei Christian Wolff und Johann Nicolaus Tetens mit Beziehung auf Kant, in: Jürgen Stolzenberg, Oliver-Pierre Rudolph (Hg.), Christian Wolff und die europäische Aufklärung. Akten des 1. Internationalen Christian-Wolff-Kongresses, Halle (Saale), 4.–8. April 2004, Teil 2, Hildesheim u. a. 2007 (GW, Abt. III, Bd. 102), 405–414.

[38] Ontologia, 538.

[39] Psychologia empirica, 20.

[40] „*Vis & facultas animae a se invicem differunt*" (Psychologia rationalis, 54; siehe auch Deutsche Metaphysik, 61 f.). Hinsichtlich des Begriffs ‚Kraft‘ in der *Ontologie* behauptet Wolff: „Quod in se continet rationem sufficientem actualitatis actionis *Vim* appellamus" (Ontologia, 542), und: „*vis consistat in continuo agendi conatu*" (ebd., 543).

[41] Ebd., 540.

[42] Deutsche Metaphysik, 61.

ßen.[43] Eine Tat setzt voraus, daß etwas in dem tätigen Subjekt die Tat verursacht haben muß – „quod actum actionis determinet".[44] Anders gesagt: Es ist notwendig, daß dasjenige, das in sich den Grund der Aktion darstellt, in dem Subjekt enthalten ist.[45] Unter einem psychologischen Gesichtspunkt ist die Kraft als eine ständige Anstrengung der Vorstellung zu betrachten. Sie ist das „primum" unseres psychischen Lebens,[46] und die verschiedenen Arten, in denen diese Kraft sich üben kann, entsprechen den verschiedenen Vermögen der Seele.

Auf Grund des aristotelischen Unterschieds teilt Wolff die Vermögen der Seele in der *Psychologia empirica* und in der *Psychologia rationalis* zwischen Vermögen des „pars inferior animae" und des „pars superior animae". In dem zuerst genannten, unteren Teil befinden sich: a) *sensus* oder *facultas sentiendi*,[47] b) *imaginatio: facultas imaginandi*[48] oder *facultas fingendi*,[49] c) *memoria*[50]: *memoria sensitiva*[51] oder *memoria intellectualis*.[52] In dem oberen Teil der Seele: a) *attentio*[53] und *reflexio*[54], b) *acumen*[55], c) *intellectus*[56], d) *ratio*[57].

---

[43] „*Quod possibile est, id non ideo existit [...] A posse ad esse non valet consequentia*, seu, quod perinde est, *a possibilitate ad existentiam non valet consequentia*" (Ontologia, 141).

[44] Ebd., 540.

[45] „*In agente admittendum aliquid, quod rationem sufficientem actualitatis actionis in se continet*" (ebd., 542).

[46] „Etenim haec vis primum est, quod de anima concipitur, & unde pendent cetera, quae eidem insunt. Essentia igitur animae in eodem consistit" (Psychologia rationalis, 45).

[47] „*Facultas sentiendi* sive *Sensus* est facultas percipiendi objecta externa mutationem organis sensoriis qua talibus inducentia, convenienter mutationi in organo factæ" (Psychologia empirica, 38).

[48] „Facultas producendi perceptiones rerum sensibilium absentium *Facultas imaginandi* seu *Imaginatio* appellatur" (ebd., 54).

[49] „Facultas phantasmatum divisione ac compositione producendi phantasma rei sensu nunquam perceptæ dicitur *Facultas fingendi*" (ebd., 97).

[50] „Facultatem ideas reproductas (consequenter & res per eas repræsentatas) recognoscendi *Memoriam* dicimus. Quoniam itaque ideas reproductas recognoscere valemus (*not. §. 173*); memoriam habemus" (ebd., 123).

[51] „*Memoria sensitiva*, est facultas ideas reproductas & res per eas repræsentatas confuse recognoscendi [...] Memoria sensitiva dici etiam potest *animalis*" (Psychologia rationalis, 223).

[52] „*Intellectualis memoria* est facultas ideas reproductas distincte recognoscendi" (ebd., 223).

[53] „Facultas efficiendi, ut in perceptione composita partialis una majorem claritatem ceteris habeat, dicitur *Attentio*" (Psychologia empirica, 168).

[54] „Attentionis successiva directio ad ea, quæ in re percepta insunt, dicitur *Reflexio*" (ebd.,187).

[55] „Facultas in uno multa distinguendi dicitur *Acumen*" (ebd., 241).

[56] „Facultas res distincte repræsentandi dicitur *Intellectus*" (ebd., 197).

[57] „*Ratio* est facultas nexum veritatum universalium intuendi seu perspiciendi" (ebd., 372).

1. Die Schlüsselstellung der *facultas sentiendi*

In der *Psychologia empirica* definiert Wolff diejenigen Ideen, die aus der Emp-
findung stammen, als *sensuales*.[58] Für die Bildung unserer *ideae sensuales* ist es
aber nicht ausreichend, daß ein wahrnehmbares Objekt eine Veränderung unserer
Sinne hervorruft. Was dagegen unentbehrlich ist, ist die Bewegung, die von den
Sinnesorganen bis zum Gehirn reicht.[59] Nur in dieser Weise kann der Eindruck des
wahrnehmbaren Objekts – d. h. die empirische Information – auf der geistigen
Ebene als *idea sensualis* verarbeitet werden. Diese Verarbeitung durch den
Geist wird gerade dank der Wahrnehmung ermöglicht, die als Tat unseres Geistes
verstanden wird „quo objectum quodcunque sibi repræsentat".[60]

Es sind zwei Bewegungen, die jedesmal, wenn wir etwas mit unseren Sinnen
wahrnehmen,[61] vor sich gehen: eine Bewegung, die vom wahrnehmbaren Ding
zum Sinnesorgan geht – und die ‚specie impressa' genannt wird – und eine Bewegung, die sich vom Sinnesorgan bis zum Gehirn fortsetzt – die sogenannte ‚idea
materialis'. Der Prozeß der Zergliederung und der Zusammensetzung, dem unsere ‚ideae sensuales' entspringen, stellt eine erste Ebene der Synthese unserer Erkenntnis dar. Wenn wir uns ein wahrnehmbares Objekt, das eine Veränderung unserer Sinne bestimmt, vorstellen, so stellen wir uns nach Wolff ein „unicum objectum" vor.[62]

Unser Gehirn ist so strukturiert, daß, wenn es etwas wahrnimmt, seine Nervenfasern nicht dauerhaft in Bewegung gebracht werden können, wie dies der Fall der
cogitatio perpetua von Descartes ist;[63] auch nicht gleichzeitig, wie im Falle Gottes,[64] sondern nur nacheinander:

> Nempe finitudo realis animæ consistit in impossibilitate omnes perceptiones simul ha-
> bendi, quæ in tota serie, quæ per omnem vitam in eadem locum habent, continentur […]

---

[58] „*Ideæ sensuales* appello, quæ vi sensationis in anima existunt, seu, quæ in anima actu insunt,
quod jam ista in organo sensorio mutatio accidit. Dici etiam potest, quod sint eæ, quæ a sensu in
anima producuntur" (ebd., 56). Wolff führt in diesem Zusammenhang aus, daß alle Dinge, die eine
Veränderung unserer Sinnesorgane hervorrufen und die mittels der entsprechenden *ideae sensuales*
dargestellt werden, „nobis *praesentia* sunt" (Psychologia rationalis, 63). Die Gegenwärtigkeit, d. h.
die jetzige Existenz der Dinge und der Ereignisse, ist eine Eigenschaft der Sinneserkenntnis, die sie
von jeder anderen Form der Erkenntnis unterscheidet.
[59] Psychologia rationalis, 85–88.
[60] Psychologia empirica, 17.
[61] Psychologia rationalis, 88.
[62] Psychologia empirica, 28.
[63] Vgl. Christian Wolff, Sämtliche Rezensionen in den Acta Eruditorum (1705–1731), hg. von
Hubert A. Laeven und Lucy J. M. Laeven-Aretz, 5 Bde., Hildesheim u. a. 2001 (GW, Abt. II,
Bd. 38.1–5), Bd. 1, 423. Siehe Antoine Maubec, Principes physiques de la Raison et des Passions
des Hommes, Paris 1709, Kap. 3, 6 ff.
[64] Vgl. Theologia naturalis, Bd. 1, 1056.

Ideo anima finita est & limites recipit, quia perceptionum immediatarum series successiva est, & mediatæ diversis involutionum gradibus in immediatis continentur.[65]

Die aufeinanderfolgende und nicht kontinuierliche oder gleichzeitige Bewegung der Nervenfasern in unserem Gehirn könnte – in physiologischer Hinsicht
– als eine Widerlegung der These von Descartes und folglich als ein Beweis für die
Tatsache gesehen werden, daß das Wesen des Menschen nicht in seinem Bewußtsein liegen kann.

Von der Definition des Begriffs *Empfindung* her wird ersichtlich, daß dieses
Vermögen nicht eine passive Rolle in unserer Erkenntnis spielt, sondern eine aktive. Dementsprechend hat Wolff in der *Deutschen Metaphysik* die Empfindungen
als Gedanken der Seele betrachtet.[66] Jedesmal, wenn wir eine Empfindung haben,
geschehen in unserem Leib Veränderungen. Doch dies wäre noch nicht ausreichend, um über eine Empfindung sprechen zu können. Das wichtigste ist, daß
wir uns dieser Veränderungen bewußt sind.[67] Auch wenn die Empfindungen
von physischen Faktoren abhängen, setzen sie immer das Bewußtsein voraus. Anders ausgedrückt: Unter physiologischen Gesichtspunkten sind die Empfindungen aus der Bewegung der Lebensgeister zusammengesetzt; als Veränderungen
der Seele werden sie als das Bewußtsein der leiblichen Veränderungen erklärt.
Die Empfindungen sind nicht nur die Veränderungen, die in unserer Seele geschehen, sondern „die Veränderungen der Seele, deren sie sich bewust ist".[68] Die Empfindungen sind von der Seele hervorgebracht, auch wenn die Veränderungen, die
sie verursachen, auf einer physiologischen Ebene vor sich gehen.[69] Wenn wir uns
nicht auf den Begriff ‚vis repraesentativa animae' beziehen würden, wäre es sehr
schwierig für uns, den Empfindungen eine aktive Rolle zuzuschreiben.

Die Bestätigung der Schlüsselstellung der Empfindung für unsere Erkenntnis
besteht darin, daß jede Veränderung der Seele von Empfindungen ausgehend ih-

[65] Psychologia rationalis, 214 f.

[66] „Vielleicht werden sich einige wundern, daß ich die Empfindungen unter die Gedancken der
Seele rechne; denn sie werden meinen, daß die Empfindungen für den Leib gehören. Wir sagen ja,
das Auge siehet, das Ohr höret, die Nase riechet, die Zunge schmecket, der Leib hat ein Gefühle.
Allein, es ist aus dem vorhergehenden zu sehen, daß bey einer jeden Empfindung so wohl eine
Veränderung in unserem Leibe geschiehet, als auch daß wir uns derer Dinge, die diese Veränderung
veranlassen, bewust sind" (Deutsche Metaphysik, 123).

[67] Siehe Hubert Schleichert, Der Begriff des Bewußtseins. Eine Bedeutungsanalyse, Frankfurt
am Main 1992, 50.

[68] Deutsche Metaphysik, 108.

[69] „Die Empfindungen haben wegen der Harmonie mit dem Leibe ihren Grund im Leibe, und also
dem Ansehen nach ausser der Seele. Derowegen werden sie unter die Leidenschaften gerechnet.
Unterdessen da sie in der That von der Seele hervorgebracht, und nur mit dem Leibe in eine
Harmonie gesetzet worden; so sind es Thaten der Seele, und erweiset sich demnach die Seele als ein
thätiges Wesen, indem sie empfindet" (Deutsche Metaphysik, 507 f.).

ren Anfang nimmt – „*Omnes mutationes animae a sensatione originem ducunt*".[70]
Wenn Wolff behauptet, daß unsere Wahrnehmungen von den Empfindungen her-
kommen – „originem ducunt" –, so bedeutet dies, daß die Veränderungen der Seele nur *ausgehend von* den Empfindungen möglich sind. Die ‚vis repraesentativa
animae' gibt uns die Möglichkeit, das epistemologische Vorgehen unserer Seele
zu erklären. Ohne die Empfindungen würde der Kraft der Seele dagegen nur eine
passive Rolle zugesprochen werden.

Auf der einen Seite haben wir die Kraft der Seele, auf der anderen Seite haben
wir die Vermögen der Seele. Den Übergang zwischen beiden Seiten stellt die
Empfindung her. Anders gesagt: Um sich etwas vorzustellen, ist es notwendig,
daß die Seele eine Kraft und verschiedene Vermögen hat. Ebenso ist es aber notwendig, daß der Seele das Material unserer Erkenntnis von den Empfindungen zur
Verfügung gestellt wird. Das bedeutet, daß die Seele ohne die Empfindung – das
heißt das Vermögen, das sich an der ersten Stelle der oben genannten Unterteilun-
gen befindet – in einem passiven Zustand bleiben würde. Somit ordnet Wolff
sämtliche Vermögen der Seele – sowohl des unteren Teiles als auch des oberen
Teiles der Seele – der Empfindung unter. Nichts kann eingebildet, erinnert, gedacht und so weiter werden, ohne das Eingreifen der Ideen, die aus der Empfindung stammen.[71] Dank der Vermittlung der Empfindung kann unser psychisches
Leben überhaupt erst seinen Anfang nehmen. Um einen Ausdruck von Paccioni
zu benutzen, ist die Seele als ‚vis repraesentativa animae' intrinsisch abhängig von
der *facultas sentiendi*.[72]

Es scheint daher so, daß für Wolff unsere Erkenntnis von den Veränderungen
ausgeht, welche die gegenwärtig wahrnehmbaren Objekte auf unsere Sinne aus-
üben.[73] Den nachfolgenden geistigen Verarbeitungen der Teilideen entsprechen
auf der Ebene der Sinne die Bestimmungen der wahrnehmbaren Objekte. Auf-

---

[70] Psychologia rationalis, 43.

[71] „*anima igitur vi eadem nunc sentit, nunc imaginatur, nunc meminit, nunc reminiscitur, nunc
attendit, nunc reflectit, nunc notiones format, nunc judicat, nunc ratiocinatur, nunc appetit, nunc
aversatur, nunc libere vult, nunc non vult*" (Psychologia rationalis, 40).

[72] „[…] l'âme comme force représentative universelle est intrinsèquement dépendante de la
facultas sentiendi" (Jean-Paul Paccioni, Cet Esprit de Profondeur. Christian Wolff, l'ontologie et la
métaphysique, Paris 2006, 96).

[73] „Wenn wir nun alles überlegen, was bisher weitläufig ausgeführet worden; so werden wir
finden, daß nicht allein alle Einbildungen, sondern auch die allgemeinen Begriffe von den Empfindungen ihren Ursprung nehmen (§. 809. 832.). Da nun die Empfindungen zu der anschauenden
Erkäntniß gehören (§ 316.); so nimmet alles unser Nachdencken von der anschauenden Erkäntniß
ihren Anfang. Ehe wir demnach auf eine Sache zu dencken gebracht werden, müssen wir einen
Grund davon in unsern Empfindungen finden: und dieses findet man auch in allen geometrischen
Beweisen, da man jederzeit aus dem Anschauen der Figuren etwas annimmet, welches zum Anfange
der Gedancken dienet" (Deutsche Metaphysik, 525). Siehe auch: Ratio prælectionum, sect. I, cap. 2,
34.

grund der Zusammensetzung dieser Bestimmungen erarbeitet das wahrnehmende Subjekt die *ideae sensuales*, die den wahrgenommenen Objekten ähnlich sind. Mit anderen Worten: Ohne die Sinneswahrnehmungen wäre uns jede Erkenntnis der äußeren Wirklichkeit vorenthalten, und es wäre uns unmöglich, einen – auch elementaren – Erkenntnismechanismus in Gang zu setzen.

2. Die doppelte Funktion der *facultas imaginandi*

Während die *ideae sensuales* uns die Möglichkeit eröffnen, aktuell gegenwärtige Gegenstände vorzustellen, zeichnen die von den *facultas imaginandi* hervorgebrachten Ideen – das heißt die sogenannten *phantasmata*[74] – dafür verantwortlich, daß die Objekte, die wir bereits wahrgenommen haben, uns wieder in den Sinn kommen können. Deswegen hat Wolff in der *Psychologia empirica* präzisiert, daß die „*Reproductio idearum objectorum sensibilium*" der *facultas imaginandi* zusteht.[75]

Wolff schreibt der Einbildungskraft zwei verschiedene Funktionen zu. Dementsprechend bezieht er sich auf zwei Vermögen – die sogenannte *facultas imaginandi* und die sogenannte *facultas fingendi* –, um die geistigen Vorstellungen unter einem malerischen und einem symbolischen Gesichtspunkt auszulegen, das heißt die Ideen einerseits als *Kopie*, andererseits als *Zeichen* der Dinge zu interpretieren. Durch die *facultas imaginandi* können wir die Ideen der Gegenstände, die wir bereits wahrgenommen haben, wieder erzeugen; aber wir können auch solche Ideen, die durch die *facultas imaginandi* wieder erzeugt wurden, dank der *facultas fingendi* zusammensetzen und zerlegen. Es scheint einsichtig, daß die Rolle der Einbildungskraft in unserer Erkenntnis, unter Wolffschen Gesichtpunkten betrachtet, nicht nur wiedererzeugend, sondern auch schöpferisch zu nennen ist. Schließlich haben wir nicht nur die Möglichkeit, eine Idee dank der *facultas imaginandi* wieder in unseren Sinn kommen zu lassen, sondern wir können durch die Zusammensetzung von Ideen – entsprechend den bereits wahrgenommenen Gegenständen – auch eine neue Idee bilden. Die Ergebnisse dieser Zusammensetzungen der Ideen stellen unterschiedliche Arten von Ideen dar – wie z. B. die *figurae hieroglyphicae* –, denen verschiedene Funktionen zukommen.

---

[74] „Ideam ab imaginatione productam *Phantasma* dicimus" (Psychologia empirica, 55). Vgl. Gabriele Dürbeck, Einbildungskraft und Aufklärung. Perspektiven der Philosophie, Anthropologie und Ästhetik um 1750, Tübingen 1998; Pietro Pimpinella, Imaginatio, phantasia e facultas fingendi in Chr. Wolff e A. G. Baumgarten, in: Marta Fattori, Massimo Luigi Bianchi (Hg.), Phantasia/Imaginatio. V Colloquio Internazionale del Lessico Intellettuale Europeo (Roma, 9–11 gennaio 1986), Roma 1988, 382 ff.

[75] Psychologia empirica, 53.

Die *figurae hieroglyphicae* stellen eine besondere Art von Ideen dar: 1) Wie alle Zeichen verweisen sie auf etwas anderes, jenseits ihrer selbst, 2) sie sind durch den Satz des Widerspruches hervorgebracht.[76] Wolff führt an dieser Stelle ein Symbol für die Gerechtigkeit als Beispiel an, indem er Bezug nimmt auf die von alters her bekannte Darstellung der Gerechtigkeit im Abbild einer Frau, die in der einen Hand eine Waage und in der anderen ein Schwert hält und deren Augen durch eine Binde verschlossen sind.[77] In diesem Fall stellen die verbundenen Augen das Zeichen der Unparteilichkeit der Gerechtigkeit dar, das Schwert steht als Zeichen für Gewalt, welche gegen nachweislich Schuldige eingesetzt werden kann. Die Waage ist ein Zeichen für das rechte Urteil, das jedem vor Gericht Verdächtigten zusteht. Damit haben wir drei Ideen benutzt, entsprechend der drei Gegenstände, die wir bereits einmal wahrgenommen haben. Dadurch haben wir eine neue Idee gebildet, der man eine symbolische Funktion zuschreiben kann.

Aufgrund des Satzes des zureichenden Grundes – siehe unten Abschnitt III – ist eine Willkürlichkeit in der Wahl der Zeichen ausgeschlossen. Folgerichtig benötigen wir eine Interaktion zwischen der Einbildungskraft und den Vermögen des oberen Teiles der Seele, um eine *figura hieroglyphica* zu bilden. Der wichtigste Aspekt dabei ist, daß wir dank der *facultas fingendi* symbolisieren können. In diesem Fall beschränken sich die Vermögen des oberen Teiles der Seele darauf, das, was die *facultas fingendi* hervorbringt, zu ordnen.

Ein kurzes Fazit.

1. Nach Wolff hat die menschliche Seele eine Kraft, ohne die kein Akt und keine Veränderung geschehen können. Diese Kraft wird ‚vis repraesentativa animae' genannt.

2. Die ‚vis repraesentativa animae' ist *materialiter* durch die Lage des Leibes und *formaliter* durch die Veränderungen, die in unseren Sinnesorganen vorkommen, beschränkt.

3. Diese Kraft wird als ‚modificabilis' betrachtet.

4. Die Seele verfügt auch über verschiedene Vermögen, die den unterschiedlichen Produkten der Seele entsprechen.

5. Die Ideen, die den Sinnen entstammen, werden bezeichnet als *ideae sensuales*.

6. Der Grund unserer Erkenntnis ist die ‚vis repraesentativa animae'. Jede Erkenntnis beginnt jedoch in den Empfindungen.

---

[76] Vgl. Luigi Cataldi Madonna, Immaginazione e arte geroglifica nella psicologia cognitiva di Christian Wolff, in: Ferdinando Luigi Marcolungo (Hg.), Christian Wolff tra psicologia empirica e psicologia razionale. Atti del seminario internazionale di studi, Verona, 13–14 maggio 2005, Hildesheim u. a. 2007 (GW, Abt. III, Bd. 106), 113–130.

[77] Psychologia empirica, 110.

7. Die Empfindung ist nicht nur ein passives Vermögen. Generell spielen alle Vermögen der Seele eine funktionelle Rolle für unsere Erkenntnis.

8. Durch die Einbildungskraft sind wir in der Lage, nicht nur eine Kopie, sondern auch eine Zusammensetzung unserer Ideen zu erlangen.

II. Die vorstellende Kraft Gottes

Das Wesen der menschlichen Seele wird in der *Psychologia rationalis* in all seiner Beschränktheit präsentiert, vor allem, wenn wir es mit dem Wesen der göttlichen Seele vergleichen, das „in vi repraesentativa omnium mundorum possibilium distincta prorsus & simultanea"[78] besteht. Wie man bereits in der *Deutschen Metaphysik* liest, besteht das Wesen Gottes in der Vorstellung von all dem, was möglich ist, als Ganzem und Einmaligem;[79] genauer gesagt ist Gott das Wesen, das gleichzeitig alle möglichen Welten repräsentiert.

Sowohl das Wesen des Menschen als auch das Wesen des *ens perfectissimum* werden also als Vorstellungskraft aufgefaßt; nicht zufällig spricht Wolff in der *Deutschen Metaphysik* ausdrücklich von einer Ähnlichkeit zwischen diesen beiden Wesen.[80] Trotz ihrer Ähnlichkeit ist jedoch der Abstand, der die Vorstellungskraft des Menschen von der Vorstellungskraft Gottes trennt, offensichtlich. Im Gegensatz zum Menschen ist Gott

1) ohne Vermögen und erkennt jedes Ding gleichzeitig,

2) sich aller gegenwärtigen, vergangenen und zukünftigen Dinge bewußt,

3) ohne Sinn, Vorstellung und Gedächtnis, die Ihm ausschließlich *per eminentiam* angehören.

Verweilen wir einen Augenblick bei diesen Punkten und erfassen wir die Hauptunterschiede zwischen der Seele des Menschen und Gottes.

1. Um zu verstehen, worin die Vorstellungskraft der göttlichen Seele besteht, stellt Wolff in der *Theologia naturalis* (pars posterior) fest, daß alles, was der menschlichen Seele *per modum facultatum* zugeordnet ist, Gott nur *per modum actus* zugeordnet werden kann. Unter Bezugnahme auf § 29 der *Psychologia empirica* und auf § 716 der *Ontologia*, auf die wir vor kurzem hingewiesen haben, bekräftigt Wolff:

---

[78] Theologia naturalis, Bd. 1, 1056. Während die Vorstellungskraft der menschlichen Seele die Quelle dessen ist, was in seiner Seele geschieht – obwohl diese materiell und formell beschränkt ist –, sieht Wolff im Falle Gottes Seinen Verstand als „die Quelle des Wesens aller Dinge" (Deutsche Metaphysik, 601).

[79] Deutsche Metaphysik, 661 f.

[80] Ebd., 660; siehe auch: ebd., 469.

Quæ animæ insunt per modum facultatum, ea Deo non possunt tribui nisi per modum actus. Etenim facultates animæ sunt potentiæ activæ (§. 29. *Psych. emp.*), consequenter cum sint nudæ agenda possibilitates (§. 716. *Ontol.*), animæ diversæ tribuuntur facultates, quatenus possible est, ut diversæ eidem inexistant actiones, consequenter mutationes intrinseci status diversae in eodem actu contingant (§. 713. *Ontol.*).[81]

Als Erklärung für seine Theorie stellt Wolff gleich darauf fest, daß die Seele Gottes nicht ‚per modum facultatum' verfährt, sondern ‚per modum actus', da das *ens perfectissimum*:

a) unendlich,
b) unveränderlich ist.

In bezug auf a) bekräftigt Wolff in seiner *Theologia naturalis*, daß Gott als *ens perfectissimum* unendlich ist,[82] und wie in allen unendlichen Wesen „omnia simul insunt, quæ eidem actu inesse possunt".[83] Deswegen kann, im Unterschied zum Menschen, nichts von Gott erfaßt werden, was sich nicht „actu" befindet. In bezug auf b) vertritt Wolff die Ansicht, daß Gott aufgrund seiner Perfektion auch unveränderlich ist, das heißt „in Deo nulla datur statuum successio";[84] daraus folgt, daß in Ihm keine Folge von Zuständen möglich ist. Die Tatsache, daß Gott ein unendliches Wesen ist, bildet also die ontologische Voraussetzung, ohne die das Verständnis dessen, worin Seine Vorstellungskraft besteht, nicht möglich wäre.[85] Nach Wolff hat der Mensch aufgrund der Tatsache, daß er ein endliches Wesen ist und seine Vorstellungskraft sowohl formell als auch materiell *veränderbar* und *begrenzt* ist, eine veränderliche Ansicht der Welt. Gott dagegen kann nur eine unveränderliche Ansicht der Welt haben, denn er ist unendlich: „*Idea mundi in anima nostra mutabilis; in Deo prorsus immutabilis*".[86] Im Falle Gottes ist also nicht nur Seine Vorstellungskraft grenzenlos, sondern vor allem bedarf er keinerlei Vermögen, denn Er kennt jedes Ding *simul*:

Intellectus divinus actus est, non facultas. Deus enim omnia cognoscit simul (§. 160.), adeoque nulla ipsi possibilis est cognitio, quæ non actu in eodem detur. Quoniam itaque

---

[81] Theologia naturalis, Bd. 2, 49.

[82] „Quoniam Deus ens perfectissimum (§. 14.), ens autem perfectissimum infinitum est (§. 10.); *Deus est infinitus*" (ebd., Bd. 2, 13).

[83] Ebd., 49. Siehe auch Ontologia, 627 f.

[84] Theologia naturalis, Bd. 2, 50; siehe auch ebd., 28 f.

[85] Theologia naturalis, Bd. 1, 160 f.

[86] Ebd., 160. Wie Wolff gleich darauf genauer darlegt, basiert der Unterschied zwischen dem Wissen des Menschen und dem Wissen Gottes somit auf der ontologischen Unterscheidung zwischen endlichem und unendlichem Wesen: „Patet itaque differentiam inter ideam mundi in Deo & ideam ejusdem in nobis esse tantam, quantam requirit differentia inter ens infinitum reale ac finitum (§. 837. 838. *Ontol.*)" (ebd., 160).

facultas est potentia activa (§. 716 *Ontol.*), atque adeo non nisi agenda possibilitatem denotat (§ *cit.*); in Deo nulla datur facultas cognoscendi.[87]

2. Die Simultanität, die die Erkenntnis Gottes über diese Welt auszeichnet, erstreckt sich auf jede andere mögliche Welt; das heißt, Gott hat eine simultane Erkenntnis nicht nur von dieser Welt, sondern auch von allen anderen möglichen Welten: *„In Deo continuo existit idea non modo hujus, qui existit, mundi, sed ceterorum quoque omnium possibilium"*.[88] Wolff erkennt in diesem Fall eine Ähnlichkeit von Gott und Mensch. So haben beide eine andauernde Vorstellung der Welt. Wie es in der *Psychologia rationalis* heißt, hat der Mensch eine andauernde Erkenntnis der bestehenden Welt, wenn er schläft und wenn er wacht: *„Existit in anima idea hujus universi seu mundi adspectabilis, quæ easdem prorsus subit mutationes, quas mundus adspectabilis subit"*.[89] Besagte Erkenntnis ist zwar kontinuierlich, im Falle des Menschen jedoch auch: a) *veränderbar*, da „idea universi eadem easdem in anima nostra subit mutationes, quas mundus adspectabilis subit",[90] b) *begrenzt*, da „integram ideam universi simul intueri nequit".[91]

Nachdem er die Unterschiede zwischen der menschlichen und der göttlichen Seele analysiert hat, versucht Wolff darzulegen, wie Gott gleichzeitig nicht nur diese Welt, sondern auch alle anderen möglichen Welten erkennen kann. Um diese Frage beantworten zu können, legt er vorher folgendes dar:

c) Gott wacht immer,
d) Gott schafft Seine Ansicht des Universums auf einmal,
e) Gott hat eine anschauende Erkenntnis.

In bezug auf c) bekräftigt Wolff, daß, während der Mensch zwischen Schlafen und Wachen abwechselt und seine Seele also abwechselnd verschiedene Zustände erlebt, Gott immer wacht, wie bereits auch in den Heiligen Schriften bestätigt wird:[92]

Deus nunquam dormit, sed semper vigilat. Etenim Deus continuo non modo hunc mundum possibilem, sed & ceteros omnes sibi repræsentat (§. 181.) & quidem prorsus distincte, nihil confuse (§. 156.), nedum adeo obscure (§. 32. 38. *Psych. empir.*). Est igitur continuo in statu perceptionum distinctarum (§. 45. *Psych. empir.*), nunquam vero in statu obscurarum (§. 47. *Psych. empir.*), & per ipsam notionem mundi intelligitur,

---

[87] Ebd., 148.
[88] Ebd., 159.
[89] Psychologia rationalis, 160.
[90] Theologia naturalis, Bd. 1, 160.
[91] Ebd.
[92] Ebd., 191.

quod perceptiones sint ordinatæ (§. 48. *Cosmol.* & §. 249. *Psych. rat.*). Deus igitur nunquam dormit, sed semper vigilat (§. 14. 15. *Psychol. rational.*).[93]

Mit anderen Worten: Gott ist sich Seiner Selbst und der Dinge, die er repräsentiert, stets bewußt. Er besitzt also immer eine deutliche Wahrnehmung Seiner Selbst und der Dinge, die außerhalb von ihm sind,[94] unabhängig, ob diese gegenwärtig, vergangen oder zukünftig sind. Wie jedoch wird eine so beschaffene Vorstellung produziert? Die simultane Erkenntnis dieser Welt, wie auch aller anderen möglichen Welten, wird von Gott auf einmal produziert, wie bereits die Heiligen Schriften bestätigen.[95]

d) Um eine Erklärung der Theorie zu bieten, nach der das göttliche Erkenntnisvermögen Seine Ansicht des Universums mit einer einzigen Tat hervorbringt, geht Wolff indirekt vor,[96] das heißt:

i)   Wenn Gott nicht die Ansicht dieser Welt – wie auch die aller möglichen Welten – auf einmal erzeugen würde, würden in Ihm eine Reihe einzelner Ansichten einander nachfolgen; auf diese Weise wäre die Nachfolge jeder einzelnen von ihnen von dem Wandel der anderen abhängig.

ii) Wenn Gott die Ansicht aller möglichen Welten nicht gleichzeitig, sondern jeweils nacheinander bilden würde, wäre Sein Erkenntnisvermögen nicht unendlich.

iii) Doch dies ist augenscheinlich widersinnig.

Ausgehend von der Voraussetzung, daß Gott nicht nicht unendlich sein kann, stellt Wolff fest, daß, während die Ansicht Gottes über die Welt auf einmal gebildet wird und Gott – aufgrund dieser Idee – sich nicht nur aller einfachen Substanzen, sondern auch der Reihe ihrer Veränderungen bewußt ist, die Ansicht des Menschen über die Welt in engem Zusammenhang mit den Änderungen steht, die auf sinnlicher Ebene geschehen.[97] Aus diesem Grund bekräftigt Wolff, daß in Gott eine *intelligibilis*-Ansicht der Welt besteht, nämlich „hic mundus, qualis

---

[93] Ebd., 161 f.

[94] Ebd., 163.

[95] Ebd., 196.

[96] „Ponamus Deum sibi primum possibilia singula repræsentare, quatenus absolute spectantur, deinde singula componere singulis, ut appareat, quomodo mutationes in uno contingentes pendeant a mutationibus aliorum, atque ita tandem dependentiæ huic convenienter ideas partiales in ordinem redigere, ut prodeat idea totius alicujus mundi, quæ exhibet certum possibilium numerum tanquam in systema quoddam redactorum. Facile patet, eodem modo formari ideas mundorum ceterorum possibilium, nec formari posse unam, nisi post alteram. Non igitur omnia Deo insunt simul, quæ vi intellectus ipsius fieri posse concipiuntur. Quamobrem intellectus Dei infinitus non est (§. 838. *Ontol.*), quod utique, absurdum (§. 167.)" (Theologia naturalis, Bd. 1, 175).

[97] Ebd., 179.

revera est",[98] die Ansicht über die Welt im Menschen ist *sensibilis*, das heißt, die Ansicht der Welt, „qualis nobis apparet".[99]

Lassen wir die Frage der Differenz zwischen der intelligiblen und der sinnlichen Welt beiseite.[100] Was uns an dieser Stelle interessiert, ist: e) Gott kennt jedes Ding *intuitive*. Auch in diesem Fall greift Wolff erneut auf die Psychologie zurück und legt folgendes dar:

> Deus enim omnia cognoscit simul (§. 160.) atque prorsus distincte (§. 156.), eorundemque sibi adeo conscius est (§. 11. *Pyschol. rat.*). Quamobrem, cum rem intuitive cognoscamus, quatenus ideæ ejus, quam habemus, nobis conscii sumus (§. 286. *Psychol. empir.*); patet Deum omnia intuitive cognoscere.[101]

Da Gott die Welt gleichzeitig und deutlich erkennt, erkennt er *intuitive* jede universelle Wahrheit, genauer gesagt, „*nexum veritatum omnium universalium intuitive cognoscit*".[102] An dieser Stelle wird die Unterscheidung zwischen Gott und Mensch klarer, denn während Gott die Verbindung aller universellen Wahrheiten erkennt, kann der Mensch nur mit Mühe eine deutliche Erkenntnis der bestehenden Welt erlangen: „nos autem intuitivam istius mundi cognitionem distinctam minime habeamus".[103]

3. An dieser Stelle wird klar, daß sich das Erkenntnisvermögen des Menschen von dem Gottes unterscheidet, und zwar sowohl in der Art der Erkenntnis als auch in bezug auf das erkannte Objekt:

> Facultas cognoscitiva limitatur in anima quoad objectum, quod non extenditur ad omne possibile, quoad modum, quod non sit distincta prorsus, nec simultanea. Hæ igitur limitationes singulæ ab intellectu divino absunt, & quia intellectus divinus ab iisdem liber est, ideo facultas ejus cognoscitiva non distinguitur in partem inferiorem ac superiorem, seu sensum cum imaginatione & intellectum, quemadmodum in homine (§.157.).[104]

Hier erklärt Wolff ganz deutlich, daß der Mensch in bezug auf das Objekt seiner Untersuchung, das nicht auf jedes Mögliche ausgeweitet werden kann, und in bezug auf die Art und Weise der Erkenntnis beschränkt ist, denn seine Erkenntnis ist weder gleichzeitig noch deutlich.[105] Um zu verstehen, in welcher Weise Gott er-

---

[98] Ebd., 176.

[99] Ebd.

[100] Vgl. Sonia Carboncini, Transzendentale Wahrheit und Traum. Christian Wolffs Antwort auf die Herausforderung durch den Cartesianischen Zweifel, Stuttgart-Bad Cannstatt 1991.

[101] Theologia naturalis, Bd. 1, 181.

[102] Ebd., 250.

[103] Ebd.

[104] Ebd., 149.

[105] Zu den verschiedenen Abgrenzungsstufen der Wahrnehmung im 18. Jahrhundert siehe Michael Oberhausen, Dunkle Vorstellungen als Thema von Kants Anthropologie und A. G. Baumgartens Psychologie, in: Aufklärung 14 (2002), 123–146.

kennt, müssen wir das *ens perfectissimum* von allen menschlichen Erkenntnisbeschränkungen befreien. In Gott gibt es keine Unterscheidung zwischen einem unteren und einem oberen Teil der Seele, das heißt:

f) Gott wacht immer, da er körperlos ist;
g) in Gott gibt es keine Vermögen des Sinnes, der Einbildungskraft und der Er-
    innerung.

In bezug auf f) erklärt Wolff, daß es unmöglich sei, daß alle Dinge, die es auf der
Welt gibt, deutlich durch physikalische Veränderungen dargestellt werden: „fieri
non posse, ut omnia, quæ sunt in mundo materiali, distincte per motus in corpore
repræsententur, quod tamen requiritur, siquidem ideæ materiales, quæ immateria-
libus respondent, consentire debent".[106] Wenn also Gott nur eine simultane und
deutliche Erkenntnis aller Dinge besitzen kann, folgt daraus, daß die Erkenntnis-
vorgänge Gottes nicht den Mechanismen unterstehen, welche die sinnliche Erkenntnis regeln, d. h., wie wir in Kap. I, § 1 gesehen haben, dem Strom der materiellen und sinnlichen Ideen, welche durch die Veränderungen bestimmt werden, die sich auf sinnlicher Ebene ereignen. Die göttliche Erkenntnis muß unabhängig von Faktoren physiologischen Charakters sein. Deswegen gibt es in Gott
keine Sinnesorgane – allgemeiner gesagt, Gott hat keinen Körper – und auch keine
Vermögen, die diesen Sinnesorganen unterstellt sind, also keine Vermögen, die
Teil der sogenannten *pars inferior animae* sind: nämlich Sinn, Vorstellungskraft
und Erinnerung.

Bezüglich g) erklärt Wolff, daß die sinnlichen Gedanken „defectu laborant"[107]
und daß im allgemeinen der Sinn „necessario defectum cognitionis involvit";[108]
dieses Vermögen der Seele kann Gott nicht zugeordnet werden aufgrund der Tatsache, daß durch die Sinne eine verworrene und nur in einigen Fällen deutliche
Wahrnehmung möglich ist.[109] Aus diesem Grund kann man, nach Wolff, Gott
den Sinn – und allgemeiner die Vermögen der *pars inferior animae*[110] – ausschließlich *per eminentiam*[111] zuordnen. Im Fall Gottes deutet zum Beispiel

---

[106] Theologia naturalis, Bd. 1, 140.
[107] Ebd., Bd. 2, 145.
[108] Ebd., Bd. 2, 147.
[109] Psychologia rationalis, 100 f.
[110] Theologia naturalis, Bd. 2, 155.
[111] „*Per eminentiam esse* dicitur ens, quod proprie loquendo non est, ubi tamen quid habet in se,
quod vicem ejus supplet, quod proprie eidem tribui repugnat" (Ontologia, 630). Vgl. Charles A.
Corr, The Existence of God, Natural Theology, and Christian Wolff, in: International Journal for
Philosophy of Religion 4/2 (1973), 105–118, hier 117; Jean École, De la démonstration (wie
Anm. 25), 99 ff., 270 ff.; Jean École, De la démonstration „a posteriori" de l'existence et des

das Gefühl *per eminentiam* auf den Akt des göttlichen Verständnisses, durch den
Er jedes gegenwärtige Ding als gegenwärtig erkennt,[112] wenn auch, im Unterschied zum Menschen, immer auf deutliche Art und Weise. Der Mensch dagegen
erkennt, mit Hilfe des Sinnes, die wahrnehmbaren Dinge als gegenwärtig, wenn
auch mit einer gewissen Verworrenheit. Dies ist davon abhängig, daß die Vorstellungskraft des Menschen, wie wir gesehen haben, *materialiter* und *formaliter* beschränkt ist. In diesem Zusammenhang liest man in der *Theologia naturalis*:

> Etenim mutatio in organo, per quam mechanice explicari potest actus quilibet sensa-
> tionis, non est ratio sufficiens ejusdem in ipsa anima [...] sed mutatio in organo tantum-
> modo fundamentum limitationis continet [...]. In Deo ente prorsus illimitato (§. 16.)
> nulla re opus est, per quam limitatio determinetur, consequenter nihil quoque in eodem
> datur, quod organo sensorio respondet.[113]

Die Veränderung, die in bezug auf den Menschen auf sinnlicher Ebene geschieht, stellt somit das Fundament für die Einschränkung der menschlichen Erkenntnisfähigkeit dar. Gott jedoch ist *perfectissimum* und *impassibilis*;[114] Er ist
frei von Einschränkungen und Zustandsveränderungen auf sinnlicher Ebene,[115]
weshalb man Gott nur metaphorisch Sinnesorgane zugestehen kann, wie dies
auch die Heiligen Schriften besagen.[116]

In diesem Zusammenhang bekräftigt Wolff, daß eine ganz besondere Darstellung Gottes mit Hilfe von hieroglyphischen Figuren möglich ist.[117] Doch wie kann
Gott als Metapher abgebildet werden? Und was ist, genauer gesagt, die gnoseologische Bedeutung der hieroglyphischen Figuren, mit denen diese Darstellungen
möglich sind?

III. Die epistemologische Bedeutung der hieroglyphischen Figuren

Wolff beharrt in der *Theologia naturalis* wiederholt auf der Tatsache, daß Gott als
Bild weder gesehen und versinnbildlicht noch durch ein Kunstwerk dargestellt
werden kann.[118] Von Gott kann man nicht eine anschauende Erkenntnis haben,[119]
doch können wir eine Darstellung bilden, die mit Hilfe von hieroglyphischen Fi-

---

attributs de Dieu, ou la „Theologia naturalis, pars I" de Christian Wolff, in: Giornale di Metafisica
28/4 (1973), 363–388, hier 378; ebd. 28/5–6 (1973), 537–560, hier 552.

[112] Theologia naturalis, Bd. 2, 145.
[113] Ebd., 149 f.
[114] Ebd., 46 ff.
[115] Ebd., 147.
[116] Ebd., 83. Siehe auch ebd., Bd. 1, 83 ff.
[117] Ebd., Bd. 2, 148 ff.
[118] Ebd., Bd. 1, 89 f.
[119] Ebd., Bd. 1, 1057.

guren auf ihn verweist,[120] das heißt durch Zusammensetzen und Zerlegen von Zeichen. Wolff zufolge zeigt ein Zeichen an, daß ein Wesen präsent ist oder daß es präsent sein wird oder daß es präsent war.[121] Es gibt *natürliche* und *künstliche* Zeichen. Was die *natürlichen* Zeichen angeht, so ist eines das Zeichen für das andere,[122] wenn die Dinge von Natur aus nebeneinander oder nacheinander bestehen. Bei den *künstlichen* Zeichen dagegen handelt es sich um willkürliche Zeichen, aufgrund derer wir für gewöhnlich nach Belieben zwei Dinge an einem Ort vereinen, die ansonsten nicht zusammen bestehen könnten; wir machen das eine Ding zum Zeichen des anderen.[123] Eine besondere Art von Zeichen sind die hieroglyphischen Figuren, die uns das Erreichen einer – wenn auch partiellen und beschränkten – Darstellung Gottes ermöglichen. Durch die Klärung dieses Aspekts erläutert Wolff vor allem seine Meinung, daß wir von Gott nur eine symbolische, nicht aber eine anschauende Erkenntnis haben können, denn unsere anschauende Erkenntnis ist auf den Sinn und die Vorstellungskraft beschränkt und macht uns daher die Erkenntnis eines unsichtbaren Wesens wie Gott unmöglich.[124]

Doch trotz unserer Einschränkungen haben wir die Möglichkeit, unsere Erkenntnisfähigkeit vollständig auszuschöpfen und zu versuchen, eine besondere Darstellung Gottes zu erarbeiten. Obwohl ein wesentlicher Unterschied zwischen

---

[120] Ebd., Bd. 1, 91. Außer Comenius und Feuerlin – siehe: Favaretti Camposampiero, Conoscenza simbolica (wie Anm. 31), 326–331 – hat wahrscheinlich das Buch von Robert Greene *The Principles of the Philosophy of the Expansive and Contractive Forces* (1727) einen Einfluß auf die Wolffsche Theorie der *figurae hieroglyphicae* ausgeübt. In diesem Buch, das Wolff 1729 in *Acta Eruditorum* rezensiert hat, spricht der Urheber über die Bedeutung, die die *Hieroglyphices* unter einem moralischen Gesichtspunkt haben können. Beispielsweise kann der Buchstabe „alfa" auch Gott vorstellen, weil er im griechischen Alphabet allen anderen Buchstaben vorangestellt ist. Außerdem möchte ich darauf hinweisen, daß Robert Greene die Möglichkeit eines mathematischen, genauer psychometrischen Studiums der Seele bereits vor Wolff berücksichtigte. Wolff übernahm diesen Ansatz fünf Jahre später in seiner *Psychologia empirica*. Vgl. Manuela Mei, L'intuizione di una psychometria. Wolff e Greene a confronto (im Druck).

[121] „*Signum* dicitur ens, ex quo alterius præsentia, vel adventus, vel præteritio colligitur" (Ontologia, 688). „Ein Zeichen ist ein Ding, daraus ich entweder die Gegenwart, oder die Ankunft eines andern Dinges erkennen kan, das ist, daraus ich erkenne, daß entweder etwas würcklich an einem Orte vorhanden ist, oder daselbst gewesen, oder auch etwas daselbst entstehen werde" (Deutsche Metaphysik, 160).

[122] „*Si qua per rerum naturam vel coëxistunt, vel se invicem sequuntur, eorum unum alterius signum est*" (Ontologia, 689); „Wenn also zwey Dinge beständig mit einander zugleich sind, oder eines beständig auf das andere erfolget; so ist allezeit eines ein Zeichen des andern" (Deutsche Metaphysik, 161).

[123] „Wir pflegen auch nach Gefallen zwey Dinge mit einander an einen Ort zu bringen, die sonst für sich nicht würden zusammen kommen, und machen das eine zum Zeichen des andern" (ebd.).

[124] „Deum intuitive non cognoscimus, cum rerum a nobis diversarum cognitio intuitiva ad sensus restringatur & imaginandi facultatem, quae a sensu pendet" (Theologia naturalis, Bd. 1, 1058).

einem *ens infinitum* und einem *ens finitum* besteht, so gibt es doch eine Ähnlichkeit zwischen der göttlichen und der menschlichen Seele.[125] In diesem Zusammenhang liest man in der *Deutschen Metaphysik:*

> Es ist demnach klar, daß wir in dieser Welt keine anschauende, sondern nur eine figür-
> liche Erkäntniß GOttes haben (§. 1078.). Was aber anschauendes dabei anzutreffen,
> gehöret unserer Seele zu (§. 1076.), dergestalt, daß wir jetzund GOtt nur sehen
> durch unsere Seele (§. 1076.).[126]

Aber wie können wir „Gott sehen durch unsere Seele"? Von welcher Art ist diese Schau? Die Antwort auf die Frage überläßt Wolff der *Theologia naturalis.*

Wir sagen hier vor allem, daß die Wolffsche Reflexion über die hieroglyphischen Figuren als Mittel für die der geistigen Wirklichkeit angemessene Darstellung – unter religiösem Gesichtspunkt – Bezug nimmt auf die traditionelle Nutzung der Symbole. Hierbei kritisiert Wolff zuallererst die Versuche der Ungläu-
bigen, Gott als Bild darzustellen, also als leeres Bild, ohne Verbindung mit dem
Wirklichen, da diese Bilder nur zur Götzenanbetung führen: „*Gentiles verum
Deum in idola convertunt*".[127] Wolff will eine Deutung der Bilder als Nachahmun-
gen Gottes vermeiden; aus diesem Grund versucht er sich an der Ausarbeitung
eines Bildes, das Gott bedeuten soll und das in der Lage ist, ihn – mittels der *facultas imaginandi* – nicht als Bild-Kopie darzustellen, sondern in Form eines Zei-
chens und dank des Rückgriffs auf die *facultas fingendi*. Dies ist zum Beispiel
dann möglich, wenn einem Bild eine hieroglyphische Bedeutung zugeordnet
wird; zum Beispiel bei der Darstellung der Trinität als Dreieck oder der Ewigkeit
als Kreis, des Heiligen Geistes als Taube.[128]

Ein Bild hat, laut Wolff, eine hieroglyphische Bedeutung, wenn es sich *vi principii rationis sufficientis* zusammensetzt; dies geschieht nur in einem Fall, nämlich „*per similitudinem partium constitutivarum cum determinationibus rei*".[129]
Die Ähnlichkeit enthält den ausreichenden Grund für die Zusammensetzung
des *phantasma*; deswegen entsteht das *phantasma* dank des Satzes vom zureichenden Grund.[130] Wir betonen an dieser Stelle, daß der Ausdruck *Ähnlichkeit*
in der Wolffschen Philosophie eine doppelte Konnotation hat. Einerseits bezieht

---

[125] Ebd., 1052 f. In Bezug auf den Begriff *Ähnlichkeit* siehe Hans Poser, Die Bedeutung des
Begriffes „Ähnlichkeit" in der Metaphysik Christian Wolffs, in: Studia Leibnitiana 11 (1979), 62–
81.

[126] Deutsche Metaphysik, 667.

[127] Theologia naturalis, Bd. 2, 648.

[128] Ebd., Bd. 1, 67.

[129] „*Si phantasma quoddam ita componitur, ut per similitudinem partium constitutivarum cum
determinationibus rei cuidam intrinsecis hæ ex istis colligi possint; phantasma significatum hiero-
glyphicum habet ac vi principii rationis sufficientis componitur*" (ebd., 105).

[130] „Similitudo igitur ita continet rationem sufficientem compositionis (§. 56. *Ontol.*), consequenter phantasma vi principii rationis sufficientis componitur" (ebd., 105).

sich die Ähnlichkeit auf das Verhältnis Kopie–Prototyp, auf der anderen Seite impliziert sie die Nutzung der *Scharfsinnigkeit*.[131] Die erste Konnotation steht hauptsächlich im Zusammenhang mit den sinnlichen Vermögen; die zweite mit der *facultas fingendi*. Die Bedeutung, auf die Wolff im Zusammenhang mit den hieroglyphischen Figuren Bezug nimmt, ist die letztgenannte. Während der, welcher bar jeder *Scharfsinnigkeit* ist, nur die *augenscheinlichen* Ähnlichkeiten erkenne, gelinge es, so Wolff, dem, der über *Scharfsinnigkeit* verfügt, die latenten Ähnlichkeiten zu erfassen,[132] wie zum Beispiel dem Künstler, Dichter, Redner.[133]

Hieroglyphische Figuren sind keine Kopien, sondern Exemplifikationen der Zweckmäßigkeit der *Scharfsinnigkeit*; genauer gesagt, sind sie keine reproduzierten Wahrnehmungen, sondern Bilder, die durch Zutun der *facultas imaginandi* und der *facultas fingendi* geformt werden. Das Dreieck beispielsweise ähnelt nicht *per se* Gott, aber seine Ähnlichkeit erfordert die Benutzung der *Scharfsinnigkeit* und ermöglicht uns, von dem einen (einer geometrischen Figur) auf das andere (Gott) zu schließen.

Mit Hilfe der hieroglyphischen Figuren sind wir in der Lage, die Aspekte, die eine gewisse Ähnlichkeit mit dem Sichtbaren aufweisen, zu erfassen und das Unsichtbare darzustellen. Wichtig ist, die Tatsache hervorzuheben, daß die Ähnlichkeit nicht *per se* ausreichend ist, um einer hieroglyphischen Figur Bedeutung zuzuerkennen; unabdingbar ist, daß diese Bedeutung auf der Grundlage eines *Wieder*-Erkennens von Seiten des wahrnehmenden Subjekts erkannt wird und daß diese Beziehung wahrgenommen wird. Mit anderen Worten: Wolff will anscheinend sagen, daß einer hieroglyphischen Figur nur ausgehend von der *Wahrnehmung* einer Ähnlichkeit eine bestimmte Bedeutung zuerkannt werden kann.

Die Erkenntnis der Bedeutung einer hieroglyphischen Figur ist anscheinend abhängig von dem *Wieder*-Erkennen einer oder mehrerer vorangegangener Wahrnehmungen und somit von einem ausschließlich psychologischen Vorgang. Das heißt jedoch, um ein Ähnlichkeitsverhältnis zwischen den Merkmalen des Begriffs *Gott* und den Zeichen des entsprechenden hieroglyphischen *phantasma* festzulegen, muß man bereits eine nominale Erkenntnis von Gott als *ens perfectissimum* haben. Nur dann liefert die Erinnerung an die Einsichten über die nominale Definition Gottes – mit Hilfe der *memoria intellectualis* – eine symbolische Darstellung. Dies ist also ein Fall, in dem die Vorstellungskraft dem Intellekt und der Vernunft zu Hilfe kommt.[134]

[131] Siehe Joachim Krueger, Christian Wolff und die Ästhetik, Berlin 1980, 45 ff.
[132] Psychologia rationalis, 125.
[133] Deutsche Metaphysik, 532 f.
[134] Anmerkungen zur Deutschen Metaphysik, 56 f.

Abschlußbetrachtungen

Die von Wolff in den lateinischen Psychologien in bezug auf die Art und Weise der Funktion der Vermögens der *pars inferior animae* verfolgte Analyse ist grundlegend für das Verständnis der zentralen Rolle der Psychologie für die Gründung einer Natürlichen Theologie. Vor allem sind wir erst nachdem wir die Vorgehensweise der Vermögen des unteren Teils der Seele untersucht haben, in der Lage, die gnoseologische und ontologische Überlegenheit des *ens perfectissimum* zu verstehen, das im übrigen jener Vermögen bar ist. An zweiter Stelle gelingt es uns durch die Unterstützung der *facultas fingendi*, dank der *Scharfsinnigkeit*, die Ähnlichkeit zwischen Merkmalen des *ens perfectissimum* und einer hieroglyphischen Figur zu *sehen*, welche auf Ihn verweist, das heißt, von einem sichtbaren Bild auf ein unsichtbares und perfektes Wesen wie Gott zu schließen. Nach der Säuberung des Konzepts Gott von allen menschlichen Erkenntniseinschränkungen, die im Zusammenhang mit dem Gebrauch der Fähigkeiten der *pars inferior animae* stehen, erhalten wir die Darstellung von Gott, ausgehend von einem psychologischen Prozeß – nämlich der Wahrnehmung einer Ähnlichkeit –, welcher seinerseits auf einem ontologischen Fundament gründet – dem Satz vom zureichenden Grund –, das uns in der Bildung der hieroglyphischen Figur leitet, welche auf Ihn verweist, z. B. das Dreieck. Diese Vorgehensweise ermöglicht es uns, die Schlüsselstellung des psychologischen Wissens für die Gründung einer Natürlichen Theologie zu verstehen und den Sinn des Wolffschen Ausdrucks zu erkennen, demzufolge wir „GOtt nur sehen durch unsere Seele."[135]

Die Analyse der Funktionsweise der Vermögen der pars inferior animae *in der lateinischen Psychologie Wolffs bildet die Voraussetzung für das Verständnis der gnoseologischen und ontologischen Überlegenheit des* ens perfectissimum. *Erst nach der Reinigung des Begriffs ‚Gott' von den menschlichen Erkenntnisbeschränkungen – innerhalb eines psychologischen Vorgangs –, die durch die Vermögen des unteren Teils der Seele bedingt sind, ist es – innerhalb der Theologie – möglich, ein sichtbares Bild von Gott zu gewinnen, und zwar durch die sogenannten hieroglyphischen Figuren. Es handelt sich um symbolische Repräsentationen, dank deren man von einer Figur, zum Beispiel einem Dreieck, auf ein absolut perfektes und unsichtbares Wesen wie Gott schließen kann. Natürlich können wir von Gott keine anschauende, sondern nur eine symbolische Erkenntnis erlangen; die hieroglyphischen Figuren bilden jedoch zweifellos das fruchtbarste Moment unserer Darstellung von Gott und seinen Eigenschaften und ermöglichen uns eine sichtbare Darstellung, die Ihm in gewisser Weise ähnlich ist, dank der Mitwirkung der Erkenntnisfähigkeiten unserer Seele und vor allem jener der* pars inferior animae, *die Gott aufgrund seiner Vollkommenheit nicht besitzen kann.*

---

[135] Deutsche Metaphysik, 667.

Wolff's Latin psychology analyses the operating mode of the faculties of the pars inferior animae – *which is the premise for an understanding of the epistemological and ontological superiority of the* ens perfectissimum. *The word God has to be purified from the limitations of human cognition (which are conditioned by the faculties of the lower part of the soul) in a psychological process. Only then it is possible – within Theology itself – to attain a visible image of God through the so-called hieroglyphic figures. These symbolic representations allow the deduction of an absolutely perfect and invisible being – such as God – from a geometric shape, i.e. the triangle. Of course we cannot deduce a contemplative knowledge of God, but a symbolic one. However, the hieroglyphic figures are undoubtedly the most fertile momentum of our representation of God and its features, allowing, in a sense, a visible representation that resembles God – thanks to the contribution of our souls faculties of knowledge, and above all due to those of the* pars inferior animae, *which God himself cannot possess because of his perfection.*

Manuela Mei, Via Monte Romanella 11, I-67051 Avezzano (AQ), E-Mail: manu.mei@libero.it

Werner Euler

Über das Verhältnis des Natürlichen und Übernatürlichen und seine Konsequenzen für die Begründung göttlicher Wunder in der Metaphysik Christian Wolffs

I. Das Natürliche und das Übernatürliche

Natur schlechthin oder die „*gantze Natur*", gleichbedeutend mit der „*gantz[en] Natur der Dinge*", wird in Wolffs Metaphysik über die Kraft und das Wesen von Körpern bestimmt.[1] Es wird eine mundane Universalkraft angenommen und vorausgesetzt, die als „bewegende Kraft" der Ursprung aller Veränderungen in der Welt ist. Diese globale Gesamtkraft resultiert aus der Summe aller Kräfte derjenigen Körper, die zusammengesetzt die Welt ausmachen (§ 629). Die Kraft ist in jedem Fall den Körpern eigen, und sie ist eine *tätige* Kraft, durch die ein Körper zu einem tätigen Ding wird. Das ist die *Natur* des Körpers. Deshalb ist die Natur als wirkende Kraft (als dem Wesen eines Dinges eigen) definiert (§ 628).

Demzufolge heißen Vorgänge auf zweierlei Art *natürlich:* sofern sie aus der inneren Natur, d. h. Kraft und Wesen der Körper selbst folgen, oder sofern sie in der ganzen Natur (in Kraft und Wesen der Welt) ihren allgemeinen Grund haben (§ 630).[2] Aus diesen Bestimmungen und ihren Implikationen wird dann in § 631 der *Deutschen Metaphysik* darauf geschlossen, daß Naturwissenschaft möglich ist. Das folgt daraus, daß sich die Erklärung natürlicher Ereignisse auf den Satz des zureichenden Grundes (s. § 30) (und mittelbar auch auf das Wider-

---

[1] Systematisch betrachtet, muß aber auch die Natur der Seele mit berücksichtigt werden, denn das Übernatürliche bzw. das Wunder betrifft auch seelische Phänomene. Diesem Aspekt bin ich in meiner Untersuchung nicht nachgegangen; vgl. dazu die Deutsche Metaphysik, 470 (§ 758); vgl. auch Psychologia rationalis, 48–54 (§§ 70–75). Siehe dazu Jean École, La métaphysique de Christian Wolff, 2 Bde., Hildesheim u. a. 1990 (GW, Abt. III, Bd. 12), Bd. 1, 255. – Die nachfolgend in den Text ohne Zusatz des Titels als Zitatnachweis eingefügten Paragraphen-Nummern beziehen sich auf Wolffs *Deutsche Metaphysik*.

[2] Vgl. Cosmologia, 396 (§ 509): „*Naturale* in genere dicitur, cujus ratio essentia & natura entis continetur. In mundo autem adspectabili materiali *Naturale* appellatur, cujus ratio in essentia & natura corporum continetur".

Aufklärung 23 · © Felix Meiner Verlag 2011 · ISSN 0178-7128

spruchsprinzip) stützt und daß laut § 77 (auf den § 631 verweist) eine Sache eben dadurch begriffen oder verständlich erklärt wird, daß sie „einen Grund hat, warum sie ist".[3] Das Begreifen einer Sache aber soll bedeuten, daß man erkennt, „wie sie seyn kann" (d. h. wie sie möglich ist) (§ 77). Es soll aber hier nicht bloß begriffen, sondern zugleich „deutlich" begriffen werden (§ 631). Genau genommen ist dasjenige an einem Ding, das erkannt werden muß, damit es möglich ist, sein „Wesen". Denn das Wesen ist so definiert, daß es der Grund und das Erste von allem anderen ist, was einem Ding (an Bestimmungen) zukommt. Es ist „das erste, was sich von einem Dinge gedencken lässet" (§ 34).

Aus der Erkenntnis des Wesens ergibt sich also die Kenntnis des Grundes, und das Wesen erkennen, bedeutet verstehen, „wodurch es in seiner Art determiniret wird" (§ 33). Dieser Grund kann nach dem Prinzip des Widerspruchs (§ 10) nur ein einziger unbedingter sein, der die Unterscheidung von allen übrigen spezifischen Qualitäten voraussetzt (§ 32). Die Grundbestimmungen kommen deswegen einem Ding mit Notwendigkeit zu (§ 32). Auch das Ding, dem bestimmte Qualitäten notwendig zukommen, ist seiner Bestimmung und seinem Dasein nach von beiden Prinzipien, d. h. dem des zureichenden Grundes und dem des Widerspruchs, abhängig. Etwas (ein Ding) ist *notwendig*, sofern das, was ihm entgegengesetzt wird, „etwas Widersprechendes in sich enthält" (§ 36). Das Gegenteil des Notwendigen ist unmöglich. Das Notwendige ist auch nur auf ein und dieselbe Art, d. h. durch einen ausgezeichneten (zureichenden) Grund, determinierbar und kann nur auf ein und dieselbe Art sein (§ 36). Nun ist das Wesen eines Dinges aber seine Möglichkeit (§ 35). Die Möglichkeit ist die Voraussetzung dafür, daß sich an ihm überhaupt etwas denken läßt (§ 35). Wenn man weiß, auf welche Art und Weise ein Ding möglich ist, versteht man sein Wesen; und dieses Wissen hängt vom Verstehen ab, „wie es in seiner Art determiniret wird" (§ 35). Zum Wesensbegriff gehören aber schließlich auch die Bestimmungen der Notwendigkeit, Ewigkeit, Unveränderlichkeit (§§ 38–42). Wenn dem Wesen aber wie durch ein Wunder etwas Fremdartiges beigefügt wird, dann scheint damit ein Verstoß gegen die Unveränderlichkeitsbestimmung einherzugehen (vgl. § 43).

Durch einfache Negation der Bestimmungen des Natürlichen folgt in § 632, daß dasjenige *übernatürlich* heißt, welches weder im Wesen noch in der Kraft von Körpern bzw. der Welt, also auch nicht im Ganzen der Natur, seinen Grund hat.[4] Diese negative Bestimmung – ist positiv gewendet – das Wunder.[5]

[3] Deutsche Metaphysik, 37 (§ 77).

[4] Damit ist jedoch noch nicht ausgemacht, ob das Verhältnis des Natürlichen zum Übernatürlichen kontradiktorisch sei (so École, La métaphysique [wie Anm. 1], 251: „Naturel et surnaturel s'opposent donc contradictoirement"). Vielmehr wird sich zeigen, daß die Möglichkeit von Wundern nach Wolff gerade nicht auf dem Prinzip des Widerspruchs beruht.

[5] Vgl. Cosmologia, 396 (§ 510): „*Supernaturale* est, cujus ratio sufficiens in essentia & natura entis non continetur. Respectu autem corporum in hoc mundo adspectabili & ipsius mundi *Super-*

Übernatürlich wäre nach Wolffs Beispiel die vernünftige Rede eines nicht dazu abgerichteten Esels. Seine Rede wäre übernatürlich, sofern sie einerseits durch ihren logischen und grammatischen Aufbau zu verstehen ist, andererseits aber nicht verständlich erklärt werden kann. Da sie ihren Grund also nicht im Wesen und der Kraft der Natur haben kann, so scheint andererseits kein Zweifel daran zu bestehen, daß sie ihn in der spezifischen Natur dieses Tieres (in seinem Wesen und seiner Kraft) haben muß (§ 632). Dieses Beispiel kann nur vorläufig zur Erläuterung dienen, denn eigentlich ist es ein bloß ausgedachtes Naturwunder, und als solches gehörte es eigentlich zur Kategorie der unechten Wunderwerke, d. h. nach Wolffschen Begriffen in das Reich der Erdichtung und des Aberglaubens.

Schließlich ist zu erwähnen, daß Wolff außer den natürlichen und den übernatürlichen Dingen noch eine dritte Klasse von wirklichen Dingen kennt, und zwar die künstlichen. Kunstwerke sind weder natürlich noch übernatürlich determiniert, aber sie haben anders als z. B. Wunderzeichen eine begriffliche Bedeutung. Die Besonderheit von Kunstwerken besteht darin, daß sie ihren Grund in der Kunst haben und sich auf einen Künstler und dessen Absichten zurückbeziehen lassen. Das Kunstwerk hat nur ein Wesen, aber keine Kraft. Durch das Wesen ist es einerseits noch mit der Natur verbunden, insofern es „aus einer Materie auf gewisse Art zusammen gesetzt" ist (§ 643), andererseits aber auch nicht mehr, weil die „Art der Zusammensetzung" zwar das „Wesen eines Cörpers" ausmacht (§ 643, vgl. § 606), aber in seiner Art durch das Tun des Künstlers bestimmt wird. Sofern das Kunstwerk auch Veränderungen unterliegt, beruhen diese auf der Kraft der Natur, die sich in der Materie des Kunstwerks (dem Naturstoff) äußert, wenngleich sie keine Ingredienz des Kunstschaffenden sein kann.

Es gibt aber auch einen Zusammenhang zwischen menschlichem Kunstwerk und einer übernatürlichen Wirkung. Denn der durch Kunstwerke bewirkte Nutzen wird letztlich nicht von Künstlerhand in das Produkt hineingelegt, sondern beruht auf einer Absicht Gottes, welche die menschlichen Absichten lenkt und die für uns verborgen bleibt (§ 1031).

II. Natur und Wunder

Um den Unterschied zwischen natürlichen und übernatürlichen Dingen verständlich zu machen, stützt sich Wolff auf den Begriff des Wunders (vgl. § 643), dem er zugleich eine eigene Bestimmung beilegt. Die Bestimmung des Wunderwerkes wird umgekehrt aus dem Wesen des Natürlichen in Abgrenzung vom Übernatürlichen entwickelt. Ist es aber innerhalb von Wolffs Metaphysik-Konzeption über-

---

naturale appellatur, cujus ratio sufficiens in essentia & natura corporum non continetur. Dicitur etiam *Miraculum*".

haupt zwingend oder auch zulässig, von der Wunderwirkung als einer Art der Naturbegründung Gebrauch zu machen?

Wunder stehen auch bei Wolff im Zusammenhang mit dem Erkenntnisweg der Offenbarung. Unmittelbare Offenbarung ist *eine Möglichkeit*, den göttlichen Willen zu erkennen. Soll sie eine wahre Erkenntnis sein (Erkenntnis, die zufällig wahr ist, d. h. auch anders sein kann, § 1014), so muß es untrügliche Kriterien ihrer Richtigkeit geben (§ 1010). Solche Kriterien betreffen den Erkenntnisweg und die Sache, um die es geht. Die Offenbarung, die auf übernatürlichem Wege geschehen muß, ist ein „Wunder-Werck an der Seele" (§ 1011, vgl. § 758), sofern sie nicht natürlicherweise geschieht und nicht durch Vernunfterkenntnis einsehbar ist. Göttliche Offenbarung läßt den Widerspruch gegen den Lauf der Natur zu (§ 1014). Die Offenbarung muß aber mit den Handlungen der Menschen insoweit übereinstimmen, als diesen nicht die Verbindlichkeit auferlegt werden kann, den Naturgesetzen zuwider zu laufen (§ 1015). Es gilt dabei die Regel, daß Gott nicht überflüssige Wunder verrichtet, d. h. den natürlichen Weg nach Möglichkeit vorzieht (§ 1018).

Ein Wunderwerk bestimmt Wolff in Anlehnung an eine alte Sprachregelung als eine „übernatürliche Würkung" (§ 633).[6] Als Beispiel dient der oben bereits zitierte vernünftig redende wilde Esel (§ 632). Aus diesem Begriff folge, daß solche Dinge die Grenze der Natur überschreiten und also durch das Wesen und die Kraft der Dinge nicht verständlich erklärt werden können (§ 633).

Die aufgenommene Bestimmung wird aber von der gewöhnlichen Meinung und von der mangelhaften Naturkunde mancher Philosophen abgehoben, nach denen das Wunderwerk eine „ungewöhnliche Begebenheit der Natur" sei (§ 634). Exemplarisch dafür stehen Spinoza, Locke und Clarke.[7] Diese Denker würden

---

[6] In der *Cosmologia* wird das Wunder über die Veränderung der Körperwelt bestimmt: „[…] *miraculum erit omnis corporum mutatio, quae per modum, quo partes ipsorum inter se junguntur earumque qualitates atque regulas motus explicari nequeunt*" (398 f. [§ 514]). § 517 zeigt, daß das Wunder dem Wesen des Körpers nicht widerspricht (ebd., 401). Auf die detaillierten Gedankenschritte in der Entwicklung und Begründung des Wunderbegriffs, die in logischer Strenge in der lateinischen Fassung der Wolffschen Kosmologie zum Beweis der Existenz von Wundern in der Natur dargelegt werden, kann ich an dieser Stelle nicht näher eingehen, vgl. aber Cosmologia, 398–418 (§§ 514–534), 444–447 (§§ 572–576). Sie müßten aber im Zuge einer genaueren Prüfung der Wunderproblematik bei Wolff unbedingt berücksichtigt werden.

[7] Wolff bezieht sich auf § 12 der zweiten Erwiderung Clarkes im Briefwechsel mit Leibniz. Clarke reagiert damit auf einen Passus im vorangegangenen zweiten Brief von Leibniz (§ 12), wo dieser die der Behauptung, daß Gott von Zeit zu Zeit die natürlichen Dinge durch Wunder korrigieren müsse, inhärenten Schwierigkeiten aufzeigt, die damit verbunden sind, daß zwischen natürlichen und übernatürlichen Einwirkungen unterschieden werden müsse. Clarke sagt nun dazu: In Wahrheit unterscheide sich *natürlich* und *übernatürlich* „in Bezug auf Gott durch gar nichts, es sind lediglich Unterscheidungen in unserer Vorstellung von den Dingen […]". Siehe Samuel Clarke, Der Briefwechsel mit G. W. Leibniz von 1715/1716. A collection of papers which passed between the

sich selbst betrügen, indem sie ein gewöhnliches Urteil als eine hinreichende Erklärung gelten ließen. Ihr Urteil folgt aus dem täuschenden Schluß, eine ungewöhnliche Begebenheit, die man sich nicht aus Gewohnheit erklären könne, verstoße gegen die Naturordnung und überschreite somit die Natur, also beruhe sie auf einem Wunder. Aber ein solches Urteil bestätige nur, daß auch diejenigen, die solchen Vorurteilen anhingen, „keinen anderen Begrif von dem Wunder-Wercke haben, als, es sey eine übernatürliche Würkung, die keine natürliche Ursache hat" (§ 635). Die gewöhnliche Erklärung eines Wunders als ungewöhnliche Naturbegebenheit ist also nach Wolffs Einschätzung unzureichend.

Was Locke betrifft, so hat er in seinem *Discourse of Miracles*, die Quelle, auf die sich Wolff bezieht,[8] das Wunder rein subjektiv und passiv bestimmt, indem er es als etwas Unbegreifbares allein auf das Gefühl des Beobachters stützt:

> A miracle then I take to be a sensible operation, which, being above the comprehension of the spectator, and in his opinion contrary to the established course of nature, is taken by him to be divine.[9]

Da Wunder die Kräfte der Natur und die Kausalgesetze übersteigen, sind sie nach Locke gesetzeswidrig und übersteigen auch die Kräfte der menschlichen Erkenntnis. Sie sollen aber die göttliche Offenbarung indirekt beglaubigen, indem sie als Zeichen der übernatürlichen Kraft Gottes gelesen werden können.[10] Menschliche Wesen verfügen über keinerlei Vermögen, das Wesen göttlicher Wunder einzusehen und das Vorliegen eines Wunders in einem konkreten Fall zu erkennen, geschweige denn, aus eigener Kraft selbst Wunder zu vollbringen:

> I doubt whether any man, learned or unlearned, can in most cases be able to say of any particular operation, that can fall under his senses, that it is certainly a miracle. Before he can come to that certainty, he must know that no created being has a power to perform it.[11]

late learned Mr. Leibniz and Dr. Clarke in the years 1715/1716 relating to the principles of natural philosophy and religion. Übersetzt und mit einer Einführung, Erläuterungen und einem Anhang hg. von Ed Dillian, Hamburg 1990 (Philosophische Bibliothek, 423), 25; vgl. 20 (Leibniz, zweiter Brief, § 12).

  [8] Cosmologia, 399 (§ 514 Anm.).

  [9] John Locke, A Discourse of Miracles, in: The Works of John Locke. A new edition, corrected. In Ten Volumes. Bd. 9, London 1823, Nachdruck: Aalen 1963, 256–265.

  [10] Ebd., 257–263. „Supernatural operations attesting such a revelation may with reason be taken to be miracles, as carrying the marks of a superior and over-ruling power, as long as no revelation accompanied with marks of a greater power appears against it" (ebd., 262). In seinem *Essay concerning Human Understanding* (IV, Kap. XVI, § 13) ordnet Locke die Wunder den übernatürlichen Ereignissen zu, die den Absichten Gottes, der die Macht hat, den Lauf der Natur zu ändern, angemessen sind. Wunder dienen, sofern sie hinreichend geprüft sind, sogar der Bestätigung anderer Wahrheiten (John Locke, An Essay concerning Human Understanding. Edited with a foreword by Peter H. Nidditch, Oxford 1975, 667).

  [11] Locke, Discourse of Miracles (wie Anm. 9), 264.

Ein Wunder bleibt also bei Locke auf der einen Seite eine übernatürliche, aus der höchsten Kraft Gottes entspringende Handlung, auf die sich die göttliche Botschaft gründet, auf der anderen Seite ist es ein rein subjektives, auf der Ungewißheit des menschlichen Erkennens, d. h. seiner Sinnlichkeit, beruhendes Erlebnis. Diese Subjektivität des Wunders ist auch Resultat der Spinozanischen Betrachtungsweise, die der Wolffschen dadurch näher steht, daß sie auf festen rationalen Prinzipien beruht. Um diese Differenz und zugleich die begriffliche Problematik deutlicher zu machen, stelle ich im folgenden Exkurs die Konzeption Spinozas und die dagegen erhobenen kritischen Einwände Wolffs ausführlicher dar.

Erster Exkurs: *Spinozas Wunderkritik und Wolffs Kritik daran*

In seinem *Tractatus Theologico-Politicus* (1670) widmet Spinoza der Untersuchung der Wunderproblematik ein ganzes Kapitel.[12] Seine Betrachtung geht von der gewöhnlichen Volksmeinung aus, nach der sich das göttliche Wirken in der Natur als etwas Ungewohntes offenbare, das der gewohnten Anschauung der Natur zuwiderlaufe.[13] Nach dieser Vorstellung würden alle diejenigen, die Wunder durch natürliche Ursachen zu erklären verlangten, Gottes Dasein leugnen. Unter dem Präjudiz, daß es zwei unterschiedliche Mächte gibt, nämlich Gott und Natur, würde das „Volk" alle außergewöhnlichen Werke der Natur Wunder oder Gotteswerke nennen.[14]

Spinozas Analyse des Wunderbegriffs verfolgt vier Ziele: Zuerst will er zeigen, daß die Natur eine festgefügte unveränderliche Ordnung aufweist, so daß es in ihr keine naturwidrigen Ereignisse geben kann. Auf diese Voraussetzung wird sich sein Wunderbegriff stützen. In einem zweiten Schritt soll dargelegt werden, daß Wunder nicht dazu hinreichen, Wesen und Dasein Gottes zu beweisen; daß diese vielmehr aus der festen Ordnung und Gesetzmäßigkeit der Natur selbst begriffen werden müssen. Drittens soll gezeigt werden, daß die Heilige Schrift unter den Willensakten Gottes selbst nichts anderes verstehe als die Ordnung der Natur; und viertens folgt eine Exegese der Wunder in der Bibel. Ich beschränke mich hier auf Spinozas Ausführungen zum ersten und zweiten Teilziel seines Wunder-Kapitels.

---

[12] Vgl. Spinoza, Tractatus Theologico-Politicus/Theologisch-Politischer Traktat, hg. von Günter Gawlick und Friedrich Niewöhner, Caput VI. De miraculis, in: Spinoza. Opera / Werke. Lateinisch und Deutsch, Bd. 1, Darmstadt 1979, 188–227. Ich zitiere Spinozas Schrift unter Verwendung der Sigle TTP. Wolff nennt und zitiert diese Quelle in der Cosmologia, 399 (§ 514 Anm.).

[13] TTP, 188 f.

[14] Ebd.

Die Ordnung der Natur folgt in Umrissen den im ersten Teil der *Ethica* gegebenen Definitionen und Lehrsätzen. Die Kernaussage, auf die es hier ankommt, entnimmt Spinoza aber dem vierten Kapitel seines TTP, das vom göttlichen Gesetz handelt.[15] Sie lautet, alles was Gott wolle oder bestimme, schließe ewige Notwendigkeit und Wahrheit in sich.[16] Weiterhin stützt sich Spinoza auf seinen Beweis dafür, daß Gottes Verstand und Wille, sein Erkennen und Wollen ein und dasselbe seien.[17] Ihre Übereinstimmung folgt daraus, daß die notwendig wahren göttlichen Beschlüsse gleichbedeutend mit den allgemeinen Naturgesetzen sind und aus der Notwendigkeit und Vollkommenheit von Gottes Natur folgen. Unter diesen Voraussetzungen, die Wolff sicher nicht bereit ist zu teilen, ist es dann ganz konsequent, wenn Spinoza auf die absurden Folgen der Annahme, in der Natur könne etwas geschehen, was ihren Gesetzen zuwiderlaufe, hinweist. Denn dasjenige, was der Natur zuwiderliefe, würde zugleich Gottes Natur negieren: „wenn jemand behaupten wollte, Gott tue etwas entgegen den Naturgesetzen, so müsste er zugleich auch behaupten, Gott tue etwas seiner eignen Natur entgegen, was höchst widersinnig ist".[18] Darüber hinaus müßte man auf eine Ohnmacht Gottes schließen, der zufolge er der Natur derart unwirksame Gesetze verordnet habe, „daß er ihr oft von neuem zu Hilfe kommen muß, wenn er sie erhalten und die Dinge seinem Wunsch gemäß geschehen lassen will".[19] Die Annahme eines der Natur Widerstreitenden würde den ersten Begriffen von der Natur widerssprechen: „Wir müßten es also entweder als widersinnig zurückweisen oder [...] an den ersten Begriffen und folglich auch an Gott und allem Wissen überhaupt zweifeln".[20]

Die Naturordnung ist prädeterminiert und gilt universell, und daher geschieht auch in der Natur nichts, „was ihren allgemeinen Gesetzen widerstreitet, aber ebenso wenig etwas, das mit ihnen nicht übereinstimmt oder nicht aus ihnen folgt".[21] Unter diesen Voraussetzungen ist es für Spinoza völlig klar, „daß das Wort Wunder nur mit Beziehung auf die menschlichen Angelegenheiten verstanden werden kann und nichts anderes bedeutet als ein Werk, dessen natürliche Ursache wir nicht nach dem Beispiel eines anderen gewohnten Dinges erklären können [...]".[22] Spinoza schließt sich damit offenbar nicht der Auffassung an, ein Wunder sei das Unerklärliche. Es erscheint ihm vielmehr als das Ungewohnte, und er läßt sich von dem Wunderglauben in der Volksmeinung leiten, für die Ver-

[15] Vgl. ebd., 132–159.
[16] Ebd., 192 f.; vgl. ebd., 144 f.
[17] Vgl. ebd., 144 f.
[18] Ebd., 192 f.
[19] Ebd., 194 f.
[20] Ebd., 198 f.
[21] Ebd., 192 f.
[22] Ebd., 194 f.

stehen auf Gewohnheit und Ausbleiben von Verwunderung beruhe, welche Meinung dann zur geltenden Norm für das Wunder erhoben worden sei.[23]

Spinozas Reflexion über das Unerklärliche, ob es nun eine natürliche Ursache habe oder nicht, zeigt, daß aus Wundern, weil Erkenntnis von ihnen unmöglich ist, keine Erkenntnis des Wesens und Daseins Gottes möglich ist.[24] Insofern das Wunder als Argument für den Beweis des Daseins Gottes benutzt wird, ist es gleichbedeutend mit Unwissenheit.[25] Aus der klaren und deutlichen Erkenntnis der natürlichen Dinge hingegen ist Gott besser zu erkennen.[26] Spinoza schließt also, „daß wir durch Wunder Gott, sein Dasein und seine Vorsehung nicht erkennen können, sondern daß wir dies alles viel besser aus der festen und unveränderlichen Ordnung der Natur folgern".[27] Dabei erkennt Spinoza keinen Unterschied zwischen einem übernatürlichen und einem widernatürlichen Werk an. Ein widernatürliches Wunder wäre ebenso unsinnig wie ein übernatürliches. Ein Wunder müßte stets innerhalb der Natur stattfinden, auch wenn es einer übernatürlichen Wirkung gleichkommt. D. h. es müßte die Ordnung der Natur durchbrechen: „es wäre also entgegen der Natur und ihren Gesetzen, und der Glaube daran würde uns folglich an allem zweifeln machen und dem Atheismus in die Arme führen".[28] Gibt es eine gegenüber der dargelegten Spinozanischen Betrachtungsweise alternative Erklärung, die Wolff seinen Lesern anzubieten hat? Es ist überraschend, daß er sich zunächst unter Berufung auf die Theologen, die auch nur den Begriff von Wunderwerken kennen, der sie als *übernatürliche Wirkungen* kennzeichnet, der gewöhnlichen Vorstellung anzuschließen scheint. Denn auch die Theologen wüßten sich das Übernatürliche nicht anders zu erklären als durch die (negative) Bestimmung, daß es aus dem Wesen, der Kraft und der Ordnung der Natur nicht folgen könne (§ 636). Deshalb sieht Wolff keine „Ursache", „warum wir von der einmahl so wohl gesetzten Bedeutung des Wortes abweichen" sollten (§ 636). Die Wortbedeutung ist aber hier die *übernatürliche Wirkung*, und diese Bedeutung ist enger gefaßt als eine *ungewöhnliche Begebenheit der Natur*, denn zufolge der letzteren müßten auch Begebenheiten wie „Mißgeburten, die Cometen und neue Sterne" zu den Wunderwerken gezählt werden (§ 636). Das aber wäre für

---

[23] Ebd., 194 f.–196 f.

[24] Ebd., 198 f.

[25] Vgl. Spinozas Brief an Heinrich Oldenburg, 1675/76 (Brief Nr. 75), in: Baruch de Spinoza, Briefwechsel. Übersetzung und Anmerkungen von Carl Gebhardt. Dritte Auflage, hg., mit Einleitung, Anhang und erweiterter Bibliographie von Manfred Walter, Hamburg 1986 (Sämtliche Werke in sieben Bänden und einem Ergänzungsband. In Verbindung mit Otto Baensch und Artur Buchenau hg. und mit Einleitungen, Anmerkungen und Registern versehen von Carl Gebhardt, Bd. 6 [Philosophische Bibliothek, 96a]), 281.

[26] TTP, 200 f.

[27] Ebd., 200–203.

[28] Ebd., 202 f.

den Physiker absurd. Die Bestimmung des Wunders als eine *ungewöhnliche Be-gebenheit der Natur* ist also abzulehnen. Trotzdem läßt sich Wolffs eigene, im An-schluß an seine Spinoza-Kritik erzielte Erklärung ungewöhnlicher Naturbege-benheiten gewinnbringend für die Wunderbegründung ausschöpfen, denn die Re-gelwidrigkeit ist ein Merkmal, das auch Wundern zukommt.

III. Ungewöhnliche und naturwidrige Begebenheiten im Naturverlauf

Unter ungewöhnlichen Begebenheiten der Natur versteht Wolff Unvollkommen-heiten, die als „Ausnahmen von der Regel" erscheinen (§ 711). Die Ursache dafür sei, daß verschiedene allgemeine Regeln in solchen bestimmten Fällen (z. B. von „Mißgeburten") miteinander „streiten", derart, daß die Regeln zur Aufrechterhal-tung der Weltordnung auch den Grund für das Außerordentliche und Abweichen-de enthalten. So enthalten beispielsweise die Regeln der Optik, nach denen sich die Sehfunktionen des menschlichen Auges richten, auch den Grund für das Auf-treten optischer Täuschungen (§ 711). Zu den allgemeinen Regeln, auf die sich die Vollkommenheit der Natur gründet, gehören u. a. das Kontinuitätsprinzip („daß die Natur keinen Sprung thut") und das Sparsamkeitsprinzip („daß die Na-tur den kürtzern Weg dem weiteren vorziehet, und also keine Umwege leidet") (§ 709; vgl. § 1049). Dergleichen Regeln waren zum Teil seit Aristoteles bekannt und in Gebrauch, insbesondere sind sie in der Metaphysik und Naturphilosophie von Leibniz anzutreffen, auf den Wolff in diesem Zusammenhang auch verweist (§ 709). Die allgemeinen Regeln, die aus dem allgemeinen Grund der Welt folgen, insofern sie im Grund der Vollkommenheit ihren Ursprung haben (vgl. § 707), sind Gesetze, die Gott der Natur „vorgeschrieben" hat und die deshalb auch Na-turgesetze heißen (vgl. § 1008).

Da sich Vollkommenheit bei Wolff als „Uebereinstimmung des mannigfalti-gen" definiert (§ 713), gibt es Grade unterschiedlicher Vollkommenheit. Je voll-kommener eine Welt ist, desto weniger Ausnahmen von der Regel (außerordent-liche Begebenheiten) weist sie auf (§ 716) und desto vollkommener ist die Ord-nung der Natur als Inbegriff aller Regeln, nach denen sich die Natur verändert (§ 718). Vollkommenheit erwächst genaugenommen aber erst aus der Zusam-menstimmung aller Naturregeln unter Einschließung der Ausnahmen (d. h. des Außerordentlichen) (§ 719). Sie besteht darin – wie Wolff sich auch ausdrückt –, „daß die besonderen Gründe", die ein veränderliches Ding in der Welt hat, „sich immerfort in einerley allgemeine Gründe auflösen lassen" (§ 701). Einen Verstoß gegen das Widerspruchsprinzip sieht Wolff darin offensichtlich nicht. Er kann den Anschein eines Widerspruchs vermeiden, indem er von einer Diskre-panz von Ordnung und Vollkommenheit ausgeht (§ 720). Ordnung (als Konfor-mität von Naturregeln) ist demnach kein hinreichendes Kriterium für Vollkommenheit. Ein echter Mangel an Vollkommenheit läßt sich erst da konstatieren, wo die Regeln der Ordnung von der „Haupt-Absicht" eines Dinges abweichen, bzw. wo die Absicht (der Zweck) Regeln zuläßt oder vorschreibt, „die nicht mit den allgemeinen Regeln der Vollkommenheit cörperlicher Dinge zusammen stimmen" (§ 720). „[…] Unvollkommenheit entsteht aus dem Streite der Regeln, wodurch eine Ausnahme ohne genugsamen Grund geschiehet" (§ 721). Also nicht der bloße Widerstreit der Regeln als solcher, sondern die Grundlosigkeit der Ausnahmeregel, d. h. ihre prinzipielle Unvereinbarkeit (als besonderer Regel) mit den allgemeinen Regeln der Vollkommenheit als dem Hauptgrund der Welt, machen das Unvollkommene aus (obwohl laut § 710 die Unvollkommenheit unvermeidlich aus dem Widerstreit der Vollkommenheitsregeln bzw. der Ausnahme von der Regel resultiert!). Der Grund einer Vollkommenheit ist der besondere Zweck einer Sache; da dieser verschieden sein kann, so streiten auch die (besonderen) Regeln gegeneinander, die zur Erreichung des Zwecks notwendig sind. Ein solcher Gegensatz oder Widerstreit darf nicht mit dem logischen Widerspruch verwechselt werden.[29] Indem nämlich eine von vielen einander widerstreitenden Regeln „so zu reden die andern vertreiben und das Feld behaupten will", „entsteht die Ausnahme von der Regel" (§ 165). Wolffs Beispiele legen den Schluß nahe, daß der Widerstreit zwischen besonderen Regeln durch Handlungen entschieden wird (vgl. §§ 164–165). Welche Regel in diesem Widerstreit als Ausnahme zu gelten hat, entscheidet sich von Fall zu Fall je nach praktischer Notwendigkeit unter dem Gesichtspunkt der größten Vollkommenheit (vgl. §§ 166–167).

Aus diesen Bestimmungen ergibt sich das, was Wolff den „Lauf der Natur" nennt (§ 724). Er besteht in der Ereignisfolge, die dem Wesen der Dinge und den Bewegungsgesetzen der Körper in der Welt adäquat ist. Alles, was darin seinen Grund hat, ist natürlich, d. h. es hat seinen Grund im „Lauf der Natur" (§ 725). Umgekehrt ist alles dem Naturlauf „zuwider", was darin nicht seinen Grund hat, „sondern dessen entgegen gesetztes vielmehr darinnen gegründet ist" (§ 725). Daraus folgt nun im letzten Paragraphen des vierten Metaphysik-Kapitels der wichtige Schluß, daß „die Wunder-Wercke dem Laufe der Natur zuwider" sind und „also den Lauf der Natur" „verrücken" (§ 726).

Wunder als erkennbar naturwidrige (nicht bloß ungewohnte) Begebenheiten in der Natur sind also nach Wolffs Ausführungen in der Metaphysik nur denkbar, wenn das den Naturregeln Widerstreitende zugelassen wird. Die Zulässigkeit

---

[29] Der Widerstreit ist auch nicht gleichbedeutend mit dem konträren Gegensatz von Prädikaten im Unterschied zur Kontradiktion, die Konrad Cramer in seiner präzisen Analyse der Wolffschen Kritik am Prinzip des Spinozismus mit Bezug auf § 28 der Wolffschen *Ontologia* (16 f.) begriffsanalytisch herausgearbeitet hat. Vgl. Konrad Cramer, Über einige formale Elemente in Christian Wolffs Spinoza-Kritik, in: Jürgen Stolzenberg, Oliver-Pierre Rudolph (Hg.), Christian Wolff und die europäische Aufklärung. Akten des 1. Internationalen Christian-Wolff-Kongresses, Halle (Saale), 4.–8. April 2004, Teil 1, Hildesheim u. a. 2007 (GW, Abt. III, Bd. 101), 275–298, hier 280–287.

von Ausnahmeregeln wiederum verdankt sich der Einsicht, daß die Welt nicht unter allen Umständen vollkommen sein muß. Damit wird freilich in der Konsequenz die universelle Gültigkeit des Widerspruchsprinzips eingeschränkt. Gleiches kann aber nicht auch vom Prinzip des zureichenden Grundes gesagt werden. Denn der *Satz des zureichenden Grundes*[30] ist allgemeiner als das Widerspruchsprinzip, weil er auch Gründe umfaßt, die außerhalb des Geltungsbereichs des Widerspruchsverbots liegen (Wundergründe).[31] Er gilt universell. Nur das, was unmöglich ist, d. h. was aus Nichts wird, ist grundlos. Das Gegenteil des Unmöglichen aber ist einerseits das Notwendige, sofern es keinen Widerspruch enthält, und andererseits das an sich Mögliche, insofern es den Widerspruch einschließt. Das Teleologieprinzip der Vollkommenheit wird, sofern es den Widerspruch erlaubt, durch den zureichenden Grund mit abgedeckt. Daß Wolff nun darin kein grundlegendes metaphysisches Problem sieht, liegt daran, daß das Vollkommenheitspostulat an die teleologische Weltsicht und an die Absichtlichkeit göttlicher Ratschlüsse gebunden wird, ein Moment, das Spinozas Einheit von Gott und Natur fehlt.

IV. Wunderwirkung als Veränderung des Weltgeschehens

Um den Begriff des Wunderwerks unter Zugrundelegung seiner Bestimmung gemäß § 633 (als übernatürliche Wirkung) präziser zu fassen, will ihn Wolff durch ein „Gleichnis" erläutern. Er vergleicht den Weltlauf nach der von Leibniz bekannten Manier mit den mechanischen Abläufen in einer Uhr (d. h. in einem Kunstwerk). Dabei entspricht den natürlichen Begebenheiten die Bewegung, die aus der Art der Zusammensetzung der Uhrenräder und mit Hilfe der bewegenden Kraft erzeugt wird (§ 637). Das Wunderwerk ist die durch die Hand des Uhrmachers und somit durch äußere Einwirkung bewerkstelligte Veränderung im Gang (z. B. als Beschleunigung). Wegen dieser Manipulation kann man dann nicht mehr sagen, die Bewegung erfolge aus der Zusammensetzung der Teile und der bewegenden Kraft der Uhr (§ 637). Auf gleiche Weise wie in der Uhr denke man sich nun eine Änderung im Naturablauf durch Wunderwerke (§ 638).
  Die Bedeutung einer solchen Änderung ist, wie § 639 klar macht, von großer Tragweite. Denn da Wolffs Weltbegriff einen determinierten kontinuierlichen

---

[30] Zum Begriff des *Grundes* und zur Formulierung des *Satzes vom zureichenden Grund* vgl. die *Deutsche Metaphysik*, §§ 29–30.
  [31] Zur ontologischen Bedeutung des *zureichenden Grundes* und des *Satzes vom zureichenden Grunde* für die Metaphysik Christian Wolffs vgl. die überzeugende Einschätzung von Violetta L. Waibel, Die Systemkonzeption bei Wolff und Lambert, in: Stolzenberg, Rudolph (Hg.), Christian Wolff und die europäische Aufklärung (wie Anm. 29), Teil 2 (GW, Abt. III, Bd. 102), 51–70, hier 57–59.

kausalen Zusammenhang aller Begebenheiten unterstellt,[32] würde die geringste
äußere Beeinflussung dieses Nexus zugleich den gesamten Weltlauf verändern,
die Welt wäre eine andere als sie (ursprünglich) ist. Damit also die ursprüngliche
Absicht erreicht wird, müßten ständig Korrekturen im Weltlauf durch wiederholte
Wunder vorgenommen werden. Die Korrektur wäre notwendig, weil eine einma-
lige Änderung eine bleibende Veränderung im Gesamtlauf bewirken und damit
die ursprüngliche Ordnung negieren würde:

> Da nun ein Wunder-Werck eine Begebenheit in der Welt ändert (§. 638.); so muß da-
> durch die gantze künftige Welt geändert werden, wenn nicht durch ein neues Wunder-
> Werck die dadurch eingerissene Unordnung wieder gehoben und alles in den Stand ge-
> setzet wird, wie es würde gewesen seyn, wenn das Wunder-Werck nicht geschehen
> wäre (§ 639).

Daraus werde klar, „wie die Unordnung, welche durch ein Wunder-Werck in der
Natur angerichtet worden, nicht anders als durch ein neues Wunder-Werck wieder
kan gehoben werden" (§ 639). Was aber damit keineswegs beantwortet sei, sei die
Frage, ob durch die wundersame Veränderung der Naturordnung auch eine „Ver-
besserung" des Naturlaufes eintrete.

   In seinen *Anmerkungen zur Deutschen Metaphysik* erläutert Wolff den Kontext
des *Metaphysik*-Paragraphen 639 in der Weise, daß er Einwände gegen seine Behauptung, daß Wunderwerke Veränderungen im Weltzusammenhang nach sich
ziehen, zerstreut. Er legt dabei die kausale Verknüpfung der Dinge nach Grund
und Folge in der Zeitreihe aus der *Deutschen Metaphysik* zugrunde.[33] Wird nun
ein Wunderwerk, das nicht aus dem natürlichen Weltzusammenhang hervorgeht,
als Initialglied so in die Reihe eingefügt, daß seine Folgeglieder wieder eine natürliche Ordnung bilden, so ist klar, daß die Folgeglieder ihre Bestimmung ändern
und damit auch der Gesamtzustand der Welt eine andere Gestalt annimmt als der
des natürlichen Laufs ohne Wundereinwirkung.[34] Die auf das Wunder erfolgende
Veränderung geschieht „natürlicher Weise" und betrifft „*Structur* und Bewegung"
der Körper in der Welt, d. h. Weltkörper werden aus ihrer Stelle „verrückt" und
ihre Bewegung wird entgegen den natürlichen Bewegungsgesetzen geändert.[35]
Die Verrückung geschieht aber nur unter der Voraussetzung, daß Gott nicht
durch ein neues Wunder die vorher bewirkte Veränderung wieder korrigiert

---

[32] Vgl. Cosmologia, 44 (§ 48): „Series entium finitorum tam simultaneorum, quam successivorum inter se connexorum dicitur *Mundus*, sive etiam *Universum*". Vgl. Deutsche Metaphysik,
§§ 549 ff.

[33] Vgl. Deutsche Metaphysik, §§ 543–547.

[34] Anmerkungen zur Deutschen Metaphysik, 403 f. (§ 236). Vgl. Cosmologia, 412 (§ 530): „*Si
effectus naturaliter existere deberet, qui per miraculum existit, alius existere deberet mundus*". Zum
Problem der Restitution der Naturordnung durch ein zweites Wunder vgl. École, La métaphysique
(wie Anm. 1), 252–254.

[35] Anmerkungen zur Deutschen Metaphysik, 405.

und in den ursprünglichen Zustand zurückversetzt. Um dies aber ausschließen zu können, müßte bedacht werden, daß eine zweite Wunderwirkung die vorhergehende nur dadurch rückgängig machen könnte, daß sie sich negatorisch (auf bestimmende Weise negativ) zu dieser wie auch zu der von ihr initiierten natürlichen Reihe verhalten müßte. Eine solche Überlegung findet sich bei Wolff nicht.

Nun betont Wolff an dieser Stelle, daß es sich bei dieser Betrachtung der Sache nur um den Status der Möglichkeit handle, nicht um das wirkliche Geschehen. Möglich ist etwas, wenn es keinen Widerspruch enthält; allein das Mögliche betrifft das Wesen einer Sache. Denn, so Wolffs Begründung, ob Gott in seiner Weisheit tatsächlich den Ratschluß gefaßt habe, den Naturlauf durch Wunderwerke „unterweilen zu unterbrechen, damit die natürliche Begebenheiten nach diesem anders kommen, als sie sonst würden kommen seyn", das lasse sich durch Vernunft nicht einsehen.[36] Es folge daraus aber auf keinen Fall eine Verkleinerung Gottes oder eine Einschränkung der Religion. Er habe diesen Gesichtspunkt der Weltveränderung nur angeführt, um zu zeigen, „daß Gott nicht ohne Noth Wunder-Wercke thut, und wir nicht dergleichen zu erdichten[37] geneigt seyn".[38] Durch das Eintreten von Wundern erfahren wir, daß der Naturlauf nicht schlechthin notwendig ist.[39] Die ausdrücklich behauptete Unerklärlichkeit der wirklichen Veränderung bleibt nicht ohne Auswirkung auf den Wunderbegriff selbst. Sie legt für uns den Schluß nahe, daß Wolffs Begriff des Wunders nicht die intendierte Präzision besitzt und damit Gegenstand des bloß subjektiven Fürwahrhaltens wird, das Wolff seinen Gegnern zum Vorwurf machte und das er überwinden wollte.

Der Gesichtspunkt, daß eine Veränderung des Weltgeschehens nur unter der Bedingung eines äußeren (außerweltlichen) Eingriffs eintreten kann, verlangt nach der Existenz eines übernatürlichen, von der Welt unterschiedenen Wesens (eines göttlichen Weltarchitekten) als Ursache und Vollzieher der Wunderwirkung. Das Wunder ist also eine Form von Gegenkausalität, welche die Naturkausalität beherrscht (§ 640). Die Notwendigkeit einer Instanz außerhalb der Welt wird dadurch begründet, daß es an einem solchen Wesen nichts gibt, was den zureichenden Grund seiner Existenz in der Welt habe. Unter dieser Voraussetzung ist es nicht mit der Welt verknüpft, bildet nicht mit ihr eine Einheit, sondern ist von ihr unterschieden (§ 641). Diese Differenz wird indirekt dadurch erwiesen, daß die Welt kein selbständiges Wesen ist (§ 939), denn dadurch ist es notwendig, daß

---

[36] Ebd., 406.
[37] „Erdichten" ist hier im Sinne von *erfinden* zu verstehen, d. h. im Sinne einer wissenschaftlichen Hypothesenbildung. Vgl. dazu die aufschlußreiche Erklärung hinsichtlich Wolffs Idee der „Erfindungskunst" von Waibel, Die Systemkonzeption bei Wolff und Lambert (wie Anm. 31), 62–64.
[38] Anmerkungen zur Deutschen Metaphysik, 407.
[39] Ebd. (Zur Deutschen Metaphysik, § 640).

sie den Grund ihrer Existenz in etwas anderem hat (§ 937). Alle diejenigen Philosophen, die nicht von einer solchen Dualität von Gott und Welt ausgehen, können, wie Wolff nun behaupten kann, keinen wahren Begriff von einem Wunder
haben (§ 642). Dieser Vorwurf betrifft an erster Stelle selbstverständlich wieder
Spinoza, der Wunder „nur für ungewöhnliche natürliche Begebenheiten" halte
(§ 642). Er trifft aber nur insofern, als Spinozas *Ethica ordine geometrico demonstrata* als Grundlegung einer streng monistisch und deterministisch ausgerichteten Philosophie gelesen wird; das scheint bei Wolff der Fall zu sein, denn er ordnet
ihn den „Atheisten" zu, „die nur die Natur zugeben" (§ 642). Diese Annahme nötige Spinoza dazu, den Wunderbegriff à la Locke und Clarke anzunehmen.

Die Wolffsche Lesart in Bezug auf Spinoza bedarf aber dringend der Korrektur.[40] Denn Spinoza ist nicht nur ein Verfechter der Natur, sondern auch der Freiheit. Hinter dem Titel *Deus sive Natura* verbirgt sich auch die Wesensunterschei-
dung zwischen Ausdehnung und Denken, so daß der Unterschied zwischen der
Welt und einem außerweltlichen Wesen wohl gedacht werden kann. Aber die besondere Bedeutung des Freiheitsbegriffs bei Spinoza erlaubt es nicht, Gott als ein
mit Absicht denkendes und handelndes Wesen zu begreifen, und deshalb hat
Wolffs Wunderbegriff in Spinozas Substanzmonismus letzten Endes keinen adäquaten Platz.

Zweiter Exkurs: *Leibniz, Wunder und Kontingenz*

Wolffs Wunderkritik kann sich in weiten Teilen auf eine Argumentation stützen,
die sich der Sache nach bei Leibniz vorfindet. In § 7 seines *Discours de Métaphysique* behauptet Leibniz, daß Wunder ebenso der gottgewollten Ordnung konform
seien wie die natürlichen Begebenheiten, die nur deshalb natürlich genannt würden, weil sie gewissen untergeordneten Maximen der Natur genügten.[41] Um dies
plausibel zu machen, wird zwischen einem allgemeinen und einem besonderen
Willen Gottes unterschieden. Der allgemeine Wille ist zuständig für die vollkommenste Weltordnung nach allgemeinen Gesetzen. Diese Gesetze, die den Gesamt-
ablauf des Universums regeln, erlauben keine Ausnahme. Hingegen zielen die besonderen Willenshandlungen darauf ab, Ausnahmen von den untergeordneten
Gesetzen im Naturablauf zu bilden. Gottes allgemeinem Willen gemäß kann
das (zufällige) Eintreten menschlicher Übel nur zugelassen werden, wenn dies
im Gesamtverlauf eine Erhöhung der Vollkommenheit verspricht.[42] Die allgemei-

---

[40] Zur Prinzipienkritik Wolffs an Spinozas Ethik vgl. Cramer, Wolffs Spinoza-Kritik (wie
Anm. 29). Vgl. Theologia naturalis, Bd. 1, 672–730 (§§ 671–716).

[41] Gottfried Wilhelm Leibniz, Philosophische Schriften, Bd. 1, hg. und übersetzt von Hans Heinz
Holz, Darmstadt 1985, 70 f.

[42] Ebd., 72 f.

ne Weltordnung mit ihren Gesetzen enthält den Grund für den Wundereingriff in die Gesetze der Naturordnung im Kleinen. Damit meint Leibniz die Konsequenz im System von Malebranche, daß Gott permanent mit Wundern in die Weltordnung eingreifen müsse, vermeiden zu können.[43]

Um den durch seine Substanzmetaphysik gefährdeten Begriff menschlicher Freiheit und den Unterschied zwischen notwendigen und kontingenten Wahrheiten zu verteidigen, unterscheidet Leibniz zwischen der Sicherheit zukünftiger zufälliger Ereignisse, die durch Gottes Vorhersehung verbürgt ist, und der Notwendigkeit, die aus dem Begriff einer Sache folgt. Es gibt demnach zwei Arten der Verbindung von Folgegliedern in der Verkettung der Wesen: die unbedingt notwendige, die dem Prinzip des Widerspruchs genügen muß, und die dem Zufall nach notwendige, d. h. die Verbindung mit einer Notwendigkeit *„ex hypothesi"*.[44] In der kontingenten Folge ist ein Gegensatz ohne Widerspruch möglich. Er gründet sich auf die freie Entschließung Gottes, die darauf zielt, immer das Vollkommenste zu tun. Was demnach weniger vollkommen ist, ist nicht notwendig widersprechend, und was sich auf die freie Entscheidung Gottes gründet, ist zufällig, aber gewiß, denn sie ändert nicht die Möglichkeit der Dinge. An sich ist auch das weniger Vollkommene möglich. Aber unter dem Gesichtspunkt der gewollten Vollkommenheit kann es aufgrund seiner Unvollkommenheit nicht wirklich eintreten.[45] Während notwendige Wahrheiten sich auf das Prinzip des Widerspruchs, d. h. auf die Möglichkeit oder Unmöglichkeit der Wesenheiten gründen, beruhen die Gewißheiten auf dem Prinzip der Kontingenz und der Existenz der Dinge, d. h. auf dem, was unter vielen paritätisch möglichen Dingen das beste ist.[46] Wunder geschehen nach Leibniz in der Welt nur, insofern diese im Status der reinen Möglichkeit betrachtet wird.[47]

---

[43] Vgl. Leibniz, Essais de Théodicée sur la bonté de Dieu, la liberté de l'homme et l'origine du mal/Die Theodizee von der Güte Gottes, der Freiheit des Menschen und dem Ursprung des Übels, §§ 207–208, in: Gottfried Wilhelm Leibniz, Philosophische Schriften, Bd. 2, Erste Hälfte, hg. und übersetzt von Herbert Herring, Darmstadt 1985, 570–573. Vgl. Theodizee I, § 61, ebd., 298 f.

[44] Leibniz, Metaphysische Abhandlung, § 13, Philosophische Schriften, Bd. 1 (wie Anm. 41), 86 f., 90 f. Die hypothetische Notwendigkeit schafft für Leibniz den Freiraum dafür, daß Gott in der natürlichen Weltordnung etwas ändern kann, was mit der großen Weltordnung dann insofern konform ist, als diese Kontingenz enthält: „Da also alles von Anfang an geordnet ist, so bewirkt jene hypothetische Notwendigkeit, über die alle Welt einig ist, allein, daß nach der Voraussicht Gottes oder nach seinem Entschluß nichts mehr geändert werden kann, und daß doch die Ereignisse an sich zufällig bleiben" (Leibniz, Theodizee I, 285 [§ 53]). Der Freiheitsspielraum ist jedoch nicht bloß eine Bedingung für die Wundereingriffe Gottes in die Natur, sondern er ermöglicht auch dem Menschen, in seinem „Mikrokosmos" „wie ein kleiner Gott" Wunder zu vollbringen (vgl. Leibniz, Theodizee II, 458 f. [§ 147]).

[45] Leibniz, Metaphysische Abhandlung, 90 f.

[46] Leibniz, Metaphysische Abhandlung, 92 f.

[47] Leibniz, Theodizee I, 284–287 (§ 54).

Leibniz beantwortet auch die Frage, wie genau die Möglichkeit gedacht wird, daß Gott durch Wundereinwirkung, d. h. durch Außerordentliches und Übernatürliches natürliche Geschehnisse beeinflussen kann. Die Antwort ergibt sich aus der oben dargelegten Erklärung der Gründe der Vereinbarkeit von Wundern mit den universellen Gesetzen der allgemeinen Weltordnung. Wunder transzendieren nur die untergeordneten Maximen der Natur und sind allein in dieser Hinsicht übernatürlich. Es scheint, als ob Leibniz an dieser Stelle sagen möchte, daß nur aus der Sicht der kleinen menschlichen Welt das Wunder als eine außerordentliche Wirkung erscheint, daß es an sich aber oder aus der Sicht der großen Welt Gottes nichts Außerordentliches sein kann.[48] Die Vernunft des geschaffenen Geistes ist ihrer Natur nach bloß nicht vermögend, übernatürliche Geschehnisse vorauszusehen, weil ihr die allgemeine Weltordnung verborgen bleibt.[49] Die Unerklärbarkeit der Wunder aus der Sicht der menschlichen Vernunft macht geradezu ihre Wesensbestimmung aus.[50] Ganz im Sinne Christian Wolffs verteidigt Leibniz seine Behauptung, daß Gott durch Wundereingriffe „die körperliche Weltmaschine nachbessern würde"[51] (weil sie sonst zum Stillstand käme),[52] mit der wichtigen Feststellung, „daß nicht Gewöhnlichkeit oder Ungewöhnlichkeit das ist, was das richtigerweise oder im eigentlichen Sinne so genannte Wunder ausmacht, sondern daß es die Kräfte der Geschöpfe übersteigt".[53]

Damit bewegt sich schon Leibniz am Rande der Auffassung, nach der Wunder bloß auf subjektivem Fürwahrhalten beruhen und eigentlich kein wahres Fundament haben. Mit dieser Auffassung wurde er durch Samuel Clarke konfrontiert, der in seiner vierten Erwiderung (§ 43) Wunder als dasjenige bezeichnete, was das Volk als außergewöhnliche Wirkung der Natur auffasse.[54] Leibniz durchschaut sofort die Tragweite der Clarkeschen Wunderbetrachtung, benennt deren fatale Konsequenz, ohne sich an dieser Stelle zu einer klaren Entscheidung durchzuringen:

---

[48] Leibniz, Metaphysische Abhandlung, 102 f. (§ 16).

[49] Leibniz, Metaphysische Abhandlung, 102–105 (§ 16).

[50] „Le caractère des miracles, pris dans le sens plus rigoureux, est qu'on ne les saurait expliquer par les natures des choses créées" (Leibniz, Theodizee II, 570 [§ 207]).

[51] Leibniz' fünfter Brief an Clarke, § 107 (Clarke, Briefwechsel mit Leibniz [wie Anm. 7], 99).

[52] Vgl. Leibniz, Monadologie, § 47 (Philosophische Schriften, Bd. 1, 459, 461).

[53] Leibniz' fünfter Brief, § 107 (Clarke, Briefwechsel mit Leibniz [wie Anm. 7], 99); Clarke hatte in seiner vierten Entgegnung (§ 43) zwar behauptet, der Begriff des Wunders schließe Ungewöhnlichkeit notwendig ein, zugleich aber bestritten, „daß alles Ungewöhnliche deshalb ein Wunder ist". Tatsächlich könnte es nur „regelwidrige und seltenere Wirkung gewöhnlicher Ursachen […], wie es Verfinsterungen sind, Mißgeburten, der Wahnsinn der Menschen und unzählige andere Dinge" betreffen, „die das Volk Wunder nennt" (ebd., 59 f.).

[54] Ebd., 59 f.

Wenn das Wunder sich von dem, was natürlich ist, nur dem Anschein nach und aus unserer Sicht unterscheidet, so daß wir nur das Wunder nennen, was wir selten beobachten, so gibt es keinerlei wirklichen inneren Unterschied zwischen dem Wunder und dem Natürlichen; und letztlich ist dann alles gleichermaßen natürlich, oder alles ist gleichermaßen wunderbar. Ob die Theologen bereit sein werden, das erstere anzunehmen, und die Philosophen das letztere?[55]

Leibniz läßt die Frage offen, aber wir können sie an seiner Stelle auf der Grundlage seines philosophisch durchdachten Wunderbegriffs mit hoher Wahrscheinlichkeit beantworten: Nur unter Preisgabe seines Systems der prästabilierten Harmonie würde Leibniz einer Position zustimmen können, nach der alles natürliche Geschehen wunderbar wäre. Aber auch die Position, nach der alles bloß natürlich erklärt werden sollte, wäre aus seiner Sicht verwerflich, bedeutete dies doch für ihn ein Bekenntnis zum Spinozismus.

Trotzdem entgeht Leibniz der subjektivistischen Konsequenz des Wunderbegriffs ebenso wenig wie Wolff. Denn die Verschiebung der Ursache der Wunderwirkung in die große Weltordnung, deren Rationalität durch den menschlichen Verstand nicht einholbar ist, erhebt das Wunder zu einem Phänomen, das zwar in einer möglichen Welt denkbar ist, dessen objektive Wirklichkeit in der Natur aber prinzipiell nicht nachgewiesen werden kann.

Wolff konnte von Leibniz (obwohl er sich nicht explizit auf ihn berief) die Idee aufnehmen, daß die Übernatürlichkeit und Naturwidrigkeit als Wunderbestimmung nicht der gottgewollten Ordnung der Welt widersprechen muß. Seine Argumentationsstrategie weicht jedoch partiell von derjenigen seines großen Vorbildes ab. Denn während Leibniz sich auf seine Monadenlehre sowie auf die Idee der prästabilierten Harmonie stützen kann und vom Kontingenzargument an zentraler Stelle Gebrauch macht, rekurriert Wolff in seiner Begründung auf das Vollkommenheitspostulat und führt statt der Kontingenz den realen Widerstreit in Konkurrenz zum logischen Prinzip des Widerspruchs ein.[56]

V. Das Problem der Kontinuität

Macht die Natur unter der Voraussetzung, daß Wunder ihrem gesetzmäßigen Verlauf zuwider sind, „Sprünge"?

Zu den wesentlichen Bestimmungen der Natur und des Natürlichen gehören laut den §§ 686–688 der *Deutschen Metaphysik* die stetigen Veränderungen der Körper bzw. ihrer Bewegung. Diese Annahme hat damit zu tun, daß Wolff

---

[55] Leibniz' fünfter Brief, 100 (§ 110).

[56] Wenngleich auch Wolff vom Kontingenz-Argument Gebrauch macht: siehe z. B. Cosmologia, 411 (§ 529): „*Natura rerum ab absoluta necessitate libera*", vgl. auch ebd., 409 (§ 527).

von einer unendlichen realen Teilung der Materie ausgeht (vgl. § 684), die eine „Zusetzung", „Hinwegnehmung" oder „Versetzung" der Teile ermöglicht (§ 686), so daß die Bewegung durch Mitteilung von Teil zu Teil geschieht. Demzufolge ereignen sich alle Veränderungen der Körper sukzessive in bestimmten, sehr kleinen Graden. Das Nacheinander ist eine wahrnehmbare kausale Folge. Das ist Wolffs Auslegung der schon von Aristoteles vertretenen Regel, nach der die Natur keine Sprünge macht. Sie ist die Wesensbestimmung einer „natürliche[n] Begebenheit" (§§ 686–687).

Von dieser Bestimmung wird durch unmittelbare Negation der Begriff des Wunders als einer nicht natürlichen Begebenheit, die nicht als Aufeinanderfolge, sondern „auf einmahl und in einem Augenblicke" geschieht, abgeleitet (§ 688). D.h. es gibt nach Wolff Dinge, die in ein und demselben Moment anfangen und aufhören, oder anders ausgedrückt, die Ursache und Wirkung von sich selbst sind. Sie entziehen sich vollständig sowohl dem Raum-Zeit-Kontinuum als auch der kausalen Ordnung der Aufeinanderfolge. Wolff nennt sie hier „einfache Dinge" (§ 688). Eine „plötzliche Begebenheit" in der Natur kann leicht mit einem „Sprung" verwechselt werden, läßt sich aber nach Wolff auf natürliche Weise erklären. Die Beispiele, die er dafür wählt, beruhen auf der Verdichtung vieler kleiner zerstreuter Materieteile oder Bewegungen, die in sehr kurzer Zeit „zusammen schiessen" (§ 691, 429). Ein Sprung kann daher auch nicht „plötzlich", d.h. in sehr kurzer Zeit stattfinden, denn er zielt „nicht eigentlich auf die Zeit, sondern auf den Zusammenhang der Dinge" (§ 689). Der Sprung besteht sozusagen in der Auslassung eines Zwischengliedes in der Kausalkette. Die Leerstelle in der Kausalität der natürlichen Ordnung ist der Platz des Wunders. Das Problem aber besteht darin, daß Wunder in der Natur auch eine begrenzte Dauer und vor allem eine natürliche Folgewirkung beanspruchen müssen, um in der Welt überhaupt Wirklichkeit erlangen zu können. Sie können also nicht als ganz und gar außerhalb der Natur stehend begriffen werden! Denn wenn sie den Naturlauf verändern können sollen, müssen sie bestimmte Glieder in der Ereigniskette ersetzen. In der natürlichen Kausalkette muß es aber dann, wenn Wunder innerhalb dieser Ordnung gelten sollen, jeweils ein Glied geben, das natürlich und übernatürlich zugleich ist, und das ist nur so denkbar, daß die gesamte Ordnung der Natur notwendig und frei zugleich ist.

Aus Wolffs Weltbegriff und dem darauf gegründeten „Lauf der Natur" (§ 724) folgt, daß alles Natürliche dem Lauf der Natur gemäß ist. Alles Widernatürliche – d.h. dasjenige, „was keinen Grund in dem Wesen der Dinge, oder in den Gesetzen der Bewegung hat, sondern dessen entgegen gesetztes vielmehr darinnen gegründet ist" – ist auch dem Lauf der Natur zuwider (§ 725). Aus diesen Gründen faßt § 726 zusammen: Wunder sind erstens dem Lauf der Natur zuwider, und sie „verrücken" zweitens den Lauf der Natur. Mit anderen Worten: Wunder unterbrechen die Kontinuität des Weltlaufs, und sie stellen sie in neuer Ordnung wieder her.

Nach welchen Kriterien richtet sich aber der Wundereingriff in die natürliche Ordnung der Weltbegebenheiten, um ihn genau an einer bestimmten Raum-Zeit-Stelle (vgl. § 548) eintreten zu lassen?

Die Erklärungen, die Wolff zur Beantwortung dieser Frage bereit hält, sind wenig überzeugend; strenggenommen entziehen sie dem Begriff des Wunders den Grund und die Berechtigung. Ausgehend von der in den §§ 630 und 633 getroffenen Unterscheidung zwischen dem Natürlichen und dem Übernatürlichen, schließt Wolff, daß Wunder nur Werke der Macht, aber nicht der Weisheit Gottes seien, und weil die Weisheit einen höheren göttlichen Vollkommenheitsgrad besitzt als die Macht, ist die Welt umso höher zu achten, je weniger Wunder sich in ihr ereignen. Bei dieser deutlichen Relativierung der Bedeutung von Wundern in der Natur, der zufolge natürliche Begebenheiten nicht durch Wunder erklärt werden sollten, beruft sich Wolff auf Augustinus.[57] Weil Gott aber über Willen und Verstand verfügt und seine Handlungen somit Macht (als die Kraft, das Mögliche wirklich zu machen, § 1020) und Weisheit (die Kenntnis der „Wissenschaft" von der adäquaten Ordnung von Absichten und Mitteln, § 1036) beweisen, muß er alles einsehen und stets das Beste verlangen, d. h. er „muß auch alles so thun, daß nichts daran kan ausgesetzt werden" (§ 1039). Wird daraus aber einsichtig, „daß zu Wunder-Wercken weniger göttliche Kraft erfordert wird als zu natürlichen Begebenheiten", weil zu den ersteren nur Macht und Erkenntnis erforderlich seien, für die letzteren aber Allwissenheit, Weisheit und Macht (§ 1040)? „Allwissenheit" nennt Wolff eine vollendete Erkenntnis, über die hinaus kein Wissen mehr möglich ist. Dazu gehört nach § 972 erstens die Erkenntnis alles Möglichen (aller Dinge in allen vorstellbaren Weltzusammenhängen, vgl. § 953), zweitens das vollständige Begreifen davon, „wie jedes von dem, was möglich ist, seine Würcklichkeit erreichen kann" (indem Gott jede einzelne innere Verknüpfung in der Welt *anschauend* erkennt, vgl. §§ 963–964), und drittens das Vorherwissen von allem, „was künftig ist" (indem Gott den Grund des künftig an allen Stellen der zeitlichen Ordnung Folgenden deutlich erkennt, § 968). Nun soll zwar erklärtermaßen das Vorherwissen Gottes keine Änderung in der Welt herbeiführen (§§ 969–970), es läßt sich aber nicht bestreiten, daß eine Wunderwirkung, die den Weltlauf verändern können soll, vom Vorherwissen des künftigen Verlaufs als Folge dieser Wirkung abhängig ist. Denn andernfalls wäre die Wundertat eine unüberlegte Tat und beruhte auf Zufall. Das jedoch widerspricht sowohl der Natur Gottes, die alles durch Absichten einrichtet, als auch der Struktur der Welt, die Gottes Absichten gemäß sein muß. Ebenso notwendig ist die anschauende Erkenntnis aller denkbaren Dinge sowie der Gesamtheit aller möglichen

---

[57] Deutsche Metaphysik, § 1039; vgl. ebd., § 1040. Vgl. Augustinus: De Genesi ad litteram liber imperfectus, Buch XII, Kap. 18, § 40 (Sancti Aurelii Augustini Opera Omnia, Tomus Tertius, Paris 1836, Spalte 494).

Weltverläufe als Bedingung der Verwirklichung eines konkreten, durch Wunder-einwirkung veränderten Laufs der Natur. Es müssen also alle drei Momente der „Allwissenheit" erfüllt sein, um Wunder so verwirklichen (in die Tat umsetzen) zu können, daß sie den Lauf der Natur, wie gefordert wird, zwar insgesamt verändern können, aber ohne daß die Veränderung der Naturordnung widerspricht. Damit entfällt aber das Argument des geringeren Kraftaufwandes für göttliche Wunder gegenüber natürlichen Begebenheiten, das in § 1040 einschlägig ist.

Es gibt aber noch ein weiteres Argument zur Stützung der Behauptung von den Wunderwerken Gottes, nämlich ein teleologisches. § 1041 führt dazu aus: Da Gott über die höchste Vernunft verfügt und deshalb alle Verknüpfungen der Dinge dem Raum und der Zeit nach begreift (§ 974), handelt er (in Analogie zum Men-schen) nie ohne Absicht (§ 911). Er kann also zufolge § 1036 in seinen Handlun-gen nie auf die „Weisheit" (als „Wissenschaft" von der adäquaten Verknüpfung von Absichten und Mitteln) verzichten (§ 1036). Demzufolge ist es für ihn un-möglich, diejenigen Ziele durch Wunderwerke erreichen zu wollen, die auch schon auf natürlichem Wege eintreten können (denn sonst käme es ja zu einer di-rekten Konfrontation und Kollision verschiedener göttlicher Absichten: Gott würde durch seine Wunder-Absicht der eigenen Natur-Absicht zuwider handeln). Der natürliche Weg ist (als der zuerst eingerichtete) somit der bessere (§ 1040), und er ist immer dem der Wunderwerke vorzuziehen (§ 985). Wunderwerke kom-men deshalb auch erst dann ins Spiel, wenn (aus der Sicht der göttlichen Vernunft) Gottes Absicht auf natürliche Weise nicht erreicht werden kann. Das muß aber wiederum nicht als eine Schwäche Gottes ausgelegt werden. Im Gegenteil erwei-sen sich die Wunder als ein Spezialwerkzeug Gottes, mit dem er die Vollkommen-heit der Welt über den Stand der Natur hinaus, die dem Vollkommenheitsstreben objektive Grenzen setzt, noch erhöhen kann. Insofern Gottes Wunderwerke nicht nur ein Machtmittel, sondern auch Ausdruck seiner Weisheit sind (§ 914), benutzt er sie als Mittel zur Erreichung seiner Absichten,[58] und zwar derart, daß er sie mit den natürlichen Absichten verknüpft. Die Wunderwerke werden damit „zugleich mit in den Zusammenhang der Dinge gebracht" (§ 1042). Diese (teleologische) Bedeutung des Wunders erlaubt es Wolff, ein Kriterium zur Unterscheidung zwi-schen wahren und unechten („erdichteten", d. h. hypothetischen) Wunderwerken aufzustellen und anzuwenden. Wird ein Naturereignis als Wunderwerk ausgege-ben, von dem sich nachweisen läßt, daß für die zu bezweckende Absicht das Mittel der Natur hinreichend ist, so kann es sich nicht um ein echtes Wunderwerk Gottes handeln; es ist entweder bloß die Wiederholung eines bereits früher geschehenen wirklichen Wunders oder ein vermeintliches Wunder („Erdichtung") oder ein wahrer natürlicher Vorgang (§ 1043). Von hier aus leiten nun die Untersuchungen der Metaphysik zur teleologischen Begründung des Daseins Gottes (§§ 1044 ff.)

---

[58] Vgl. Deutsche Metaphysik, §§ 1032 ff., 1047.

über. Die Teleologie begründet ein Verständnis der Natur, die voll ist von göttlichen Absichten (§ 1027), als die die natürlichen Begebenheiten und Vollkommenheiten interpretiert werden müssen, die Gott in der Welt zu erhalten sucht (§ 1026).[59] Die göttlichen Absichten sind notwendige Folgerungen aus dem Wesen der Dinge, die Gott vorausschauend wußte und wollte (§§ 1028–1029). Wenn Gott aber nach Absichten handelt, so unterliegen auch die Wunderwerke seinen Absichten, und Wunder sind überhaupt in die Zweckordnung der Natur integriert. In der sogenannten *Deutschen Teleologie* (erschienen 1723) werden besondere (seltene) Naturereignisse wie der Regenbogen, die ihre natürlichen Ursachen haben, dem ordentlichen Lauf der Natur folgen und Gottes Vollkommenheit gemäß sind, als „Zeichen" gedeutet, in denen sich Gottes Wille ausdrückt.[60] Derartige Wunderzeichen sind aber überholt und haben für Wolff nur noch historische Bedeutung.[61] Natürliche Begebenheiten als außernatürlich aufzufassen, ist eine „Erdichtung" und gehört zum Aberglauben der Menschen.[62] Obwohl ungewöhnliche Begebenheiten in bestimmter Hinsicht außernatürlich sind und natürlicherweise nicht erklärt werden können, stehen sie zwischen dem Natürlichen und dem Übernatürlichen, zwischen dem Lauf der Natur und den Wundern:

> Das aussernatürliche hat keinen eigentlichen Begriff, sondern wird nur als etwas mittlers zwischen dem natürlichen und übernatürlichen angesehen, nemlich als etwas, so durch kein Wunder-Werck geschiehet und doch auch vor sich natürlicher Weise nach dem Lauff der Natur nicht erfolgen würde, wenn nicht GOtt oder ein Geist mit Hand anlegte.[63]

In Wahrheit aber lassen sich nach Wolffs Überzeugung alle solche Wunderzeichen mit der Zeit in natürliche Erklärungen transformieren oder übersetzen. Da sie keine inhaltliche Bedeutung haben, können sie auch nicht auf besonderen Absichten Gottes beruhen.[64] Ungewöhnliche Begebenheiten sind nur vorläufig außernatürlich, solange sie eben mit natürlichen Mitteln nicht erklärt werden können.

Mit der teleologischen Argumentation ändert sich zugleich auch die Funktion des Wunders innerhalb der Wolffschen Metaphysik. Wunder sind nicht dazu da, den Naturlauf einfach nur zu unterbrechen und in eine andere Richtung zu lenken, sondern die Naturordnung insgesamt begründungslogisch zu verlassen. Sie dienen dazu, gewissermaßen eine zweite (künstliche) Natur zu schaffen, die, weil

---

[59] Vgl. Werner Euler, Die Teleologie als Probierstein der Wahrheit im Verhältnis zur Metaphysik und Physik Christian Wolffs, in: Stolzenberg, Rudolph (Hg.), Christian Wolff und die europäische Aufklärung (wie Anm. 29), Teil 4 (GW, Abt. III, Bd. 104), 83–100.

[60] Deutsche Teleologie, 312–318 (§ 173) und 341–347 (§ 181), hier 313.

[61] Vgl. ebd., 318, 343 f.

[62] Vgl. ebd., 342 f.

[63] Ebd., 343 (§ 181).

[64] Vgl. ebd., 344. Vgl. Deutsche Physik, 251–253 (§ 169), 465–467 (§ 333).

sie willensabhängig ist, den Menschen veranlaßt, die Grundnatur durch seine Absichten und sein naturunabhängiges (freies) Handeln zu beeinflussen. Wunder haben demnach die Funktion, Naturkausalität und Handlungsfreiheit miteinander zu verbinden und in Einklang zu bringen. Sie ersetzen in dieser Funktion die Leibnizsche prästabilierte Harmonie als Verbindungsmittel der Reiche der Natur und der Gnade. Eigentlich sind es auch nicht die Wunder, sondern die freien Handlungen (deren Werke bloß Wunder genannt werden), die mit der notwendigen Ordnung der Natur kompatibel sein müssen. Diese Sichtweise rückt die Wolffsche Wunderkonzeption dicht an die Kantische Sichtweise des Teleologieproblems und an Kants Versuch der Vermittlung von Natur und Freiheit heran.

Es hat sich gezeigt, daß der systematische Aufbau der Wolffschen Metaphysik darauf abzielt, über der Ordnung des Natürlichen eine zweite (übernatürliche) Weltordnung zu konzipieren, die alles Naturwidrige in einen Mittel-Zweck-Zusammenhang rational einbindet. Wunder sind deshalb rational begründete absichtsvolle Handlungen Gottes, die innerhalb seiner Natur ohne Widerspruch vereinbar sind mit der Ordnung und dem Lauf der Welt. Sie sind streng kausal nach Absichtsbegriffen determiniert, beruhen also auf keinerlei Zufall. Daß sie dem menschlichen Verstand als ungewohnt, unerklärlich oder willkürlich erscheinen, hat seinen Grund in der Natur dieses Verstandes, der nicht der anschauende göttliche ist. Das jedoch macht den Wolffschen Wunderbegriff zugleich fragwürdig. Was der menschlichen Erkenntnis als Wunder erscheint, ist Ausfluß ihrer subjektiven, beschränkten Betrachtungsweise. Dem Betrachter erscheint das Wunder als eine Begebenheit, die naturwidrig ist, obwohl sie in Wahrheit (aus der göttlichen Ratio) nicht dem Lauf der Natur widerspricht. Wolffs Bemühen um einen rational geklärten Wunderbegriff endet unter dieser Perspektive in einem Stück Lockeanismus, das er gerade überwunden zu haben glaubte.

Man könnte in der rationalen Aufarbeitung des Wunderbegriffs eine bloße Rechtfertigung der Wunderwirkung Gottes und einen Rückschritt gegenüber Spinoza sehen. Der eigentliche Fortschritt liegt in der philosophischen Einsicht in die Sachproblematik des Verhältnisses und der Vereinbarkeit von Handlungsfreiheit und Naturkausalität in konsequenter Fortsetzung und Variation des Leibnizschen Vermittlungsversuchs zwischen den Prinzipien der Natur und der Gnade. Sicher hat Wolff diese Sachproblematik nicht gelöst. Es war daher Kant vorbehalten, auf Wolffs Spuren einen neuen, und zwar erkenntniskritischen Versuch zur Überwindung des Grabens zwischen Natürlichem und Übernatürlichem, zwischen Natur und Freiheit zu unternehmen.

In der Deutschen Metaphysik unternimmt Wolff den Versuch einer kosmologischen Begründung des Unterschiedes zwischen dem Natürlichen und dem Übernatürlichen. Damit soll die widerspruchsfreie Geltung göttlicher Wunder gerechtfertigt werden. In diesem Beitrag wird gezeigt, daß nach Wolff die Vereinbarkeit der Determination des Laufs der Natur und ihrer Kontinuität mit der naturwidrigen Wundereinwirkung aufgrund der Annahme eines realen Widerstreits der Naturprinzipien gedacht werden kann. Wolff erläutert diesen Zusammenhang in kritischer Auseinandersetzung mit der Wunderkritik von Locke, Clarke und Spinoza. Dabei kann er sich auf Vorüberlegungen von Leibniz stützen. Die Differenz zu Spinoza auf der einen Seite und die Anbindung an Leibniz auf der anderen werden in separaten Exkursen dargestellt. Die Bedeutung und Funktion der Wolffschen Wunderkonzeption wird darin gesehen, daß Wunder Ausdruck göttlicher und menschlicher Handlungsfreiheit sind, die mit der notwendigen, auf festen Grundsätzen beruhenden Determination der Natur vereinbar sein muß, weil sie in der Natur verwirklicht werden soll.

In his German Metaphysics, *Wolff attempts to give a cosmological explanation for the difference between the natural and the supernatural. By this investigation, he intends to justify the validity of divine miracles without contradiction. My contribution will demonstrate that the compatibility of the determination and the continuity of the course of nature with the unnatural effects of miracles can be understood, according to Wolff, because of the acceptance of a real opposition between the principles of nature. Wolff explains this context along with a critical discussion of the critiques of miracles by Locke, Clarke, and Spinoza, based on leibnizian preliminaries. The discord to Spinoza on the one hand and the agreement with Leibniz on the other will be demonstrated in separate excurses. The significance and the function of the Wolffian conception of miracles consist in their interpretation as expressions (signs) of divine and human freedom of action. Since this kind of freedom should be realized in nature, it demands compatibility with the necessary determination of nature based on solid principles.*

Dr. Werner Euler, Rostockerweg 6, D-35039 Marburg, E-Mail: euler@staff.uni-marburg.de

FERDINANDO LUIGI MARCOLUNGO

Christian Wolff und der physiko-theologische Beweis

Die Worte, mit denen Kant den physiko-theologischen Beweis in die transzendentale Dialektik einführt, verraten zwischen den Zeilen ein Gewirr von Problemen,
das nicht leicht zu entflechten ist: Der Bezug auf den Finalismus der Natur verweist einerseits auf die große pietistische Tradition, andererseits aber auf die Wei-
terentwicklung unseres Wissens, und zwar ausgehend von dem regulativen Ideal
des *Ens realissimum*, das eine Art Leitfaden ist, der unsere Kenntnisse zu einer
Einheit zusammenführen kann:

> Dieser Beweis verdient, jederzeit mit Achtung genannt zu werden. Er ist der älteste,
> klarste und der gemeinen Menschenvernunft am meisten angemessene. Er belebt
> das Studium der Natur, so wie er selbst von diesem sein Dasein hat und dadurch immer
> neue Kraft bekommt. Er bringt Zwecke und Absichten dahin, wo sie unsere Beobach-
> tung nicht von selbst entdeckt hätte, und erweitert unsere Naturkenntnisse durch den
> Leitfaden einer besonderen Einheit, deren Prinzip außer der Natur ist. Diese Kenntnisse
> wirken aber wieder auf ihre Ursache, nämlich die veranlassende Idee, zurück und ver-
> mehren den Glauben an einen höchsten Urheber bis zu einer unwiderstehlichen Über-
> zeugung.[1]

Was die Beweisführung zugunsten der Existenz Gottes betrifft, stellt der physiko-theologische Beweis sicherlich während der gesamten Aufklärung einen privilegierten Zugang zur Interpretation der Texte von Wolff dar. Auch bei Kant
scheint der Finalismus der Natur schon seit den vorkritischen Schriften weitgehend präsent zu sein, besonders aber in der Schrift von 1763 mit dem Titel *Der
einzig mögliche Beweisgrund zu einer Demonstration des Daseins Gottes*,[2] und
zwar in der „zweiten Abtheilung". In der *Kritik der Urteilskraft* führt Kant
dann den gesamten Werdegang seines Denkens zu einem Abschluß. Was wir
hier betonen wollen, ist der jeweilige Verweis auf spezifische Unterscheidungen
innerhalb der philosophischen Tradition, wie zum Beispiel der bei Leibniz stets
präsenten Unterscheidung zwischen der *nothwendigen* und *zufälligen Ordnung*

---

[1] Kritik der reinen Vernunft, Akad.-Ausgabe, Bd. 3, 415, Z. 23 – 32.
[2] Akad.-Ausgabe, Bd. 2, 93 – 154.

der Natur.[3] Diese Bezugspunkte bleiben weiterhin bestehen, auch wenn Kant einen eigenen kritischen Standpunkt bezüglich einer solchen Tradition einnimmt. Sie legen von der Komplexität der Probleme, mit denen er sich auseinandersetzt, Zeugnis ab.

Im Detail muß der physiko-theologische Beweis bei Kant, wie er es in der transzendentalen Dialektik entwickelt hat, auf den kosmologischen Beweis und von da ausgehend auf den ontologischen Beweis verweisen. Bestenfalls ließe sich daraus auf einen Weltbaumeister, aber nicht auf einen Weltschöpfer schließen, „wozu aber ganz andere Beweisgründe, als die von der Analogie mit menschlicher Kunst, erfordert werden würden".[4] Die Passagen aus Kants Kritik entsprechen allerdings, auch wenn es oft vergessen wird, dem Ansatz, den schon Wolff diesem Beweis gegeben hatte. Wie ich zu zeigen versuchen werde, hatte Wolff den physiko-theologischen Beweis dadurch kritisiert, daß er die Notwendigkeit betonte, ihn durch die *Kontingenz a posteriori* zu vervollständigen. Es handelt sich um eine Kontingenz, die hauptsächlich, wie aus den Reflexionen der lateinischen *Ethica* klar hervorgeht, die Ebene der Existenz betreffen sollte. Zugleich wird es mein Ziel sein, den Sinn der Wolffschen Beobachtungen innerhalb seines gesamten Denksystems zu erklären.

I. „Ubi datur ordo, ibi datur ordinans "

Die programmatische Schrift *Ratio praelectionum* nimmt sicherlich einen zentralen Platz in dem philosophischen Denkgebäude von Christian Wolff ein. In diesem Werk legt er Rechenschaft (*ratio*) darüber ab, wie er bei seinen privaten und öffentlichen Vorlesungen verfährt. Der Text wird zum ersten Mal im Jahr 1718 veröffentlicht und, abgesehen von einigen kurzen, aber bedeutungsvollen Veränderungen und Hinzufügungen, 1735 fast unverändert noch einmal herausgegeben. Schon bei der Unterteilung des Textes wird die doppelte Ausrichtung seiner Interessen als Professor der Universität Halle deutlich: Einerseits die verschiedenen Mathematiken, denen er den ersten langen Teil widmet (106 von den 206 Seiten der ersten Ausgabe). Wenn man zu diesen noch die ungefähr 25 Seiten hinzufügt, die er der Experimentellen Philosophie und der Physik widmet, kann man leicht den vorherrschenden wissenschaftlichen Zuschnitt der akademischen Tätigkeit von Wolff in Halle erkennen. Andererseits kommt zu dem Interesse an Mathematik, das er während seines ganzen Lebens nicht aufgibt, allmählich – vor allem seit der *Logik* aus dem Jahr 1713 – auch das Interesse an der von der Logik bis zur Metaphysik reichenden Philosophie hinzu. Ein gewisses Augenmerk auf die praktische Philosophie und gleichzeitig auf die Entwicklung der Experimentellen Phi-

---

[3] Akad.-Ausgabe, Bd. 2, 106, Z. 3–4.
[4] Kritik der reinen Vernunft, Akad.-Ausgabe, Bd. 3, 417, Z. 26–28.

losophie stellt fast ein Verbindungsglied zwischen diesen beiden grundlegenden Schwerpunkten dar. Sie finden sich schon in den frühen Schriften Wolffs, nämlich einerseits in der *Philosophia practica universalis, mathematica methodo conscripta* aus dem Jahr 1703, andererseits in den *Aërometriae elementa* aus dem Jahr 1709, und sie werden Wolff ein halbes Jahrhundert lang begleiten.

Die Verflechtung dieser unterschiedlichen Interessen tritt sehr genau bei dem physiko-theologischen Beweis zutage, und zwar in einem ziemlich unerwarteten Zusatz am Ende des vierten Kapitels des ersten Teils (*De lectionibus algebraicis*). Nachdem er kurz zuvor auf die Bedeutung der Analyse aufmerksam gemacht hat, die es der symbolischen Erkenntnis ermöglicht, sich in intuitive und reine Erkenntnis zu verwandeln, wie er es schon in der *Logik* vertreten hatte, betont er jetzt, daß das Studium der Mathematiken auch im weiteren Bereich der Philosophie nützlich sein kann, wenn die Inkonsistenz einiger Behauptungen gezeigt und an ihre Stelle unverfälschte metaphysische Prinzipien gesetzt werden sollten. Als Beispiel erinnert er daran, daß einige als selbstverständlich ansehen, daß jede Ordnung jemanden voraussetze, der sie ins Leben gerufen habe: „*ubi datur ordo, ibi datur ordinans*". Bei dieser Behauptung wird seiner Meinung nach allerdings vergessen, daß auch eine absolut notwendige Ordnung („*absolute necessarium*") bestehen kann, wie diejenige, die man in vielen Beispielen aus der Mathematik findet: „Hoc principium esse falsissimum monstrant multa Matheseos purae capita, ubi elegantissimus ordo observatur in absolute necessariis; ob quem e. gr. potentiae infinitae numerorum, itemque infiniti numeri polygoni unica formula generali complecti possumus". Fast um sich für diesen unerwarteten Ausflug in den Bereich der Metaphysik („in ardua de existentia Dei doctrina") zu entschuldigen, beschließt Wolff, die Anmerkung als Ausschmückung („coronidis loco") zu bezeichnen, um die Aufmerksamkeit all derjenigen zu wecken, die sich dem Studium der Mathematiken widmen.[5]

In der zweiten Ausgabe des Jahres 1735, kurz nach der Veröffentlichung von *Psychologia empirica* (1732) und *Psychologia rationalis* (1734), fügt er als Beispiel ein weiteres Anwendungsgebiet der Mathematik im Bereich der Philosophie hinzu: Die Algebra kann sich für eine tiefergehendere Erkenntnis der Seele („ad interiorem animae cognitionem") als sehr nützlich erweisen. Das kann derjenige bezeugen, der ein Kunstwerk beginnt. Er muß nämlich die einzelnen Schritte in seinem Kopf ständig vor Augen haben („id quod mirum videri haud quaquam debet, cum operationum mentis singularium sibi sit continuo conscius, qui artem exercet").

Daß der Angriff auf das physiko-theologische Prinzip nicht zufällig war, wird durch die Wiederaufnahme dieser Kritik bestätigt, die Wolff etwas später genauer erläutert, wenn er dazu übergeht zu erklären, welche seiner Meinung nach die kor-

---

[5] Ratio praelectionum, 98 f. (sectio I, cap. IV, § 66).

rektere Art sein könnte, um sich mit dem Problem der Existenz Gottes auseinanderzusetzen. Diesmal befinden wir uns innerhalb des zweiten Teils, der den Philosophievorlesungen gewidmet ist, genauer gesagt, im dritten Kapitel mit dem Titel *De lectionibus metaphysicis*. Nachdem er noch einmal die Hauptetappen der Entwicklung seines Denkens ins Gedächtnis gerufen hat, beschäftigt er sich hauptsächlich mit der Seele des Menschen und verbindet diese Nachforschungen mit der Möglichkeit an sich, aufgrund der eigenen Erfahrung von der Existenz Gottes zu reden, „quatenus scilicet a posteriori ad illius cognitionem pervenire datur". Er behauptet auch programmatisch, daß eine Beziehung zwischen den zwei Problemfeldern bestehe: „Demonstro autem in Metaphysicis, ignorata mente humana Dei cognitionem haberi non posse".[6]

In den Vorlesungen zur Metaphysik, die in der *Ratio praelectionum* zu finden sind, scheint die Problematik, die dann im vierten Kapitel der *Deutschen Metaphysik* unter dem Thema *„Von der Welt"* ausgeführt werden wird, jenseits der Definition des Begriffs *universum* als *„series possibilium simultaneorum & successivorum"*[7] fast nicht präsent zu sein, während andererseits programmatisch die Absicht angekündigt wird, ein System zu erstellen, das sowohl von den Idealisten als auch von den Skeptikern anerkannt werden könne. Daraus ergibt sich der Versuch, nur die ideale Existenz der Welt in Betracht zu ziehen, um die Existenz eines *Ens an sich* behaupten zu können, in dem sich der Grund für das Dasein des Existierenden findet: „Inquisiturus itaque in rationem existentiae universi idealis, ostendi dari ens a se & in eo contineri rationem existentiae (si qua sunt) reliquorum".[8]

Wenn sich Wolff mit der Existenz von Gott auseinandersetzt, sieht er sich zunächst einmal dazu verpflichtet, ein Gesamtbild der unterschiedlichen Beweisführungen zu liefern. Dabei betont er, daß nur diejenigen zufriedenstellend sein können, die den zureichenden Grund für die Existenz der realen Gegenstände suchen. Er hat also die erklärte Absicht, das Problem mit einer strengen Methode anzugehen:

---

⁶ Ebd., 147 (sectio II, cap. III, § 16).

⁷ Ebd., 151 (sectio II, cap. III, § 25). Den Thematiken, die später in der *Cosmologia* behandelt werden, ist das fünfte Kapitel, 2. Abschnitt mit dem Titel *De lectionibus physicis* gewidmet, und es ist kein Zufall, daß ein der Experimentellen Philosophie gewidmetes Kapitel (IV. *De Collegio experimentali*) vorangeht.

⁸ Ebd., 161 (sectio II, cap. III, § 52). „Hinc porro demonstravi, quaenam sint entis a se proprietates & ex iis evici, neque mentem nostram, neque universum corporeum, si realem existentiam habeat, esse ens a se, consequenter hoc ens esse diversum a mente nostra & universo corporeo".

[…] accuratam hic in primis methodum summo cum rigore observandam esse duxi, ut scilicet nulla uterer voce nisi rite definita, nulla in ratiocinando praemissa nisi evidenter vera, utque omnes conclusiones tandem cum prima Dei notione connecterem.[9]

Diese methodologischen Schwierigkeiten führen ihn dazu, die einzelnen Argumente zu untersuchen, die seiner Meinung nach lückenhaft sind, und zwar entweder aufgrund der Form, in der sie formuliert sind, oder durch ihren nicht ausreichend abgesicherten Inhalt.

Unter letzteren befindet sich auch das Argument, daß von der Ordnung ausgegangen wird, um die Existenz eines Ordnenden zu behaupten. Und wenn wir das, was er schon in dem ersten Teil beobachtet hatte, wieder aufnehmen, wird klar, wo die Grenzen einer solchen Argumentation liegen:

Sumunt enim tanquam simpliciter verum, *ubi datur ordo, ibi datur ordinans*, quod nonnisi *secu[nd]um quid*, nempe de ordine contingente intelligendum. Superius enim jam ostendi in ordine absolute necessario nullum dari ordinans.

Um allen Mißverständnissen zu entgehen, fügt er in der zweiten Ausgabe aus dem Jahr 1735 hinzu:

Nec sufficit excipere, intelligi hic ordinem in universo, qui est contingens. Etenim ordinem in universo esse contingentem, non sumendum, sed probandum est.[10]

Gleich danach verbindet Wolff mit diesem Argument ein sehr ähnliches, und zwar das von der Analogie der von Menschenhand geschaffenen Werke mit denen des göttlichen Schöpfers. Dazu wird es noch einmal notwendig, im Vorfeld festzulegen, ob man diese Analogie an die Werke der Natur anlegen kann, wenn man vermeiden will, von einer nicht ausreichend abgesicherten Prämisse auszugehen:

Sumitur enim structuram artificiosam supponere artificem, quod non simpliciter verum nobis innotuit, adeoque *secundum quid* intelligendum est, nempe de operibus Artis, de quibus per inductionem innotuit illa sumptio. Antequam igitur probaveris, quod de operibus Artis annotasti, idem ad opera naturae applicari posse; sumptione illa usus *fallaciam dicti simpliciter* committis.[11]

Auf ähnlich kritische Weise erinnert er kurz an das Argument, das vom Finalismus ausgeht, um es mit dem Teufelskreis in Verbindung zu bringen, in dem sich die apriori-Beweisführung bei Descartes verrennt: Auch in diesem Fall wird nämlich vorausgesetzt, was man eigentlich beweisen müßte:

---

[9] Ebd., 155 (sectio II, cap. III, § 36). In der zweiten Ausgabe wird zu der „prima Dei notione" als weiterer möglicher Ausgangspunkt „seu definitione nominali assumta" hinzugefügt.
[10] Ebd., 156 (sectio II, cap. III, § 41).
[11] Ebd., 157 (sectio II, cap. III, § 42).

Similiter qui a finibus rerum magna cum pompa petunt argumentum, sumunt, quod non probant, dari rerum naturalium fines. Valde autem vereor, ne sumtionem probaturi committant *circulum vitiosum*.[12]

Aus dem Text *Ratio praelectionum* geht Wolffs kritischer Einwand gegenüber dem physiko-theologischen Argument klar hervor, den er in verschiedenen Formulierungen wieder aufnimmt; auch in diesem Bereich scheint fast jenes *principium reductionis* wieder zu wirken, das er im ersten Teil ausführlich behandelte, als er die Notwendigkeit betont hatte, analytisch auf die Prinzipien zurückzugreifen, um die verschiedenen Phasen unserer Argumentationen klarzustellen. Daraus ergibt sich auch für die anderen Disziplinen die Bedeutung der Mathematik:

Mentis cultura cum mihi in docenda Mathesi suprema lex sit [...]; consultissimum omnino videtur, ut via analytica continuo progrediens notiones ante eruam, quam terminorum, quibus designantur, mentionem faciam. [...] Eidem satisfacturus in legibus Algorithmi eruendis utor magno aliquo principio analytico, quod *principium reductionis ignoti ad notum* & brevitatis gratia *principium reductionis* vocare soleo.[13]

Auch für den Fall der unterschiedlichen Beweisführungen zugunsten der Existenz Gottes scheint das Ziel von Wolff zu sein, den Diskurs strenger zu führen, um an den Kern der Fragestellung heranzukommen, damit eine Argumentation erreicht wird, die keinen Zweifel mehr zuläßt. In diesem Sinne zielt die Kritik an den unterschiedlichen Beweisen darauf ab, die entscheidende Rolle der a-priori-Argumentation zu erhellen, die auf dem Prinzip des zureichenden Grundes beruht.

Was die rationale Theologie anbetrifft, so begnügt sich Wolff in der Selbstrezension der *Ratio praelectionum*, die im März 1719 in den „Acta Eruditorum" erschienen ist, damit, den spezifischen Ansatz zu beobachten, der aus dem Problem der Existenz Gottes hervorgeht, und zwar unabhängig von der Definition selbst als *vis repraesentandi distincte omnia universa:* „in ejus tamen existentia probanda sumit definitionem nominalem, quod sit substantia, in qua ratio sufficiens existentiae universi sive idealis sive realis continetur".[14] Die Rezension setzt sich nicht mit den Details seiner Kritik auseinander, aber sie macht auf das, was Wolff sich beim Studium der Philosophie zum Ziel gesetzt hatte, aufmerksam. Dieses Vorhaben erinnert uns unmittelbar an das, was Kant sagen wird, der im Jahr 1787 von dem „Geist der Gründlichkeit" redet, den Wolff in Deutschland begründet habe.[15] Es ist in der Tat notwendig, gründliche Definitionen zu liefern und nichts ohne Beweis zu übernehmen, um mißbräuchliche Interferenzen bei den Beobachtungen und bei den Experimenten zu vermeiden, damit alles miteinander verbunden erscheint und damit das, was vorausgeht, die Ursache für das, was folgt, darstellt.

---

[12] Ebd., 158 (sectio II, cap. III, § 45).
[13] Ebd., 23 (sectio I, cap. II, §§ 14–15).
[14] Meletemata, I, 134–143, hier 140.
[15] Kritik der reinen Vernunft, Akad.-Ausgabe, Bd. 3, 22, Z. 9.

In der Tat verursacht der Verzicht auf einen solchen Ansatz fruchtlose und schädliche Diskussionen in den verschiedenen Disziplinen:

> Neglectui studii philosophici tandem tribuit, quod passim omnium Facultatum eruditi nihil diserte explicare, nihil sufficienter probare, nihil quod satisfaciat ad objectiones respondere valeant, quodque tot quotidie in lucem edantur opinionum monstra.[16]

Die Klarstellungen, die Wolff in den verschiedenen Bereichen der Philosophie vornehmen wollte, besonders aber im Bereich der Physiko-Theologie, mußten zwangsläufig die Kritik der Pietisten von Halle auf sich ziehen, die in seinen Behauptungen ein getarntes Bekenntnis zum Atheismus sahen. Das wird auch in der *Caussa Dei* von Joachim Lange sichtbar, der sich auf sehr eindeutige Weise mit den unterschiedlichen Argumentationen zugunsten der Existenz Gottes auseinandersetzt, aber zwischen den Zeilen der Kritik widerspricht, die in der *Ratio praelectionum* enthalten ist. Im besonderen nimmt Lange, was die Ordnung des Universums anbetrifft, die Begriffe von Wolff wieder auf, ohne allerdings ausdrücklich die Quelle zu nennen, und er beschuldigt den Atheisten, zu behaupten, daß das Argument „ubi datur ordo, ibi dari ordinans" einzig und allein ein Betrug sei, da „in ordine absolute necessario, qui in multis matheseos purae capitibus elegantissimus deprehendatur, nullum dari ordinans" zu gelten habe. Wenn also der Atheist behaupte, daß die Ordnung dieses Universums absolut notwendig sei, begehe er eine *Petitio principii*, die sich als grundlos und absurd erweise, weil sie aus der Ordnung der Welt, die sich aus ihrer derzeitigen Struktur ergibt, eine ausschließlich abstrakte und notwendige Ordnung mache, wie diejenige, die man im Bereich der Mathematik antrifft. Abschließend sagt J. Lange dazu: „Quae sane magna est confusionis fallacia manifestum matheseos abusum prodens".[17]

In der Gegnerschaft der Pietisten tritt ganz klar der volle Sinn dieser Auseinandersetzung zutage, die zur Verjagung Wolffs aus Halle führen sollte. Im Mittelpunkt des Streits stand die Polemik über die Rolle der mathematischen Methode, die angeklagt war, zu leeren Abstraktionen zu führen, die ihrerseits unvermeidlich die Ebene der konkreten Existenz vernachlässigen würden. Trotzdem kann man sich fragen: Ist das wirklich die Bedeutung der Wolffschen Kritik an der Physiko-Theologie? Oder sollte gar die Berufung auf die Möglichkeit einer notwendigen Ordnung, wie der der Mathematik, dazu dienen, den konkreten Plan der Existenz zurückzugewinnen, in dem er jene Kontingenz anerkannte, die nicht vorausgesetzt, sondern auf strenge Weise hätte klargestellt werden müssen?

---

[16] Meletemata, I, 138.
[17] Joachim Lange, Caussa Dei, et religionis naturalis adversus Atheismum, Halle 1723, 188 (nicht mehr in der zweiten Aufl. 1727).

II. Die Wiederaufnahme der Horae subsecivae *und
der Entwurf der* Theologia rationalis

In den Aufsätzen mit dem Titel *Horae subsecivae*, die zwischen 1729 und 1741
das wohl kreativste Jahrzehnt von Wolffs Schaffenszeit in Marburg begleiten, begegnet uns immer wieder der typische Ansatz zu einigen der bedeutendsten Momente seiner Reflexionen, allerdings – verglichen mit den großen lateinischen
Werken dieser Zeit – in einer unmittelbareren und aussagekräftigeren Form. In
einem Aufsatz vom Herbst 1730, der erst 1732, also ein Jahr nach dem Erscheinen
der *Cosmologia generalis*, herausgegeben wurde, behandelt er auch das physiko-
theologische Argument. Der Aufsatz beschäftigt sich, wie schon aus dem Titel *De
methodo existentiam Dei ex ordine Naturae demonstrandi* hervorgeht, mit diesem
Thema. Und es ist kein Zufall, daß Wolff, nachdem er systematisch die kosmologischen Problematiken entwickelt hatte, einen besonders strittigen Punkt bei
der Auseinandersetzung mit den Pietisten wiederaufnimmt. Die Wiederaufnahme
dieses Themas bedeutet allerdings kein Abrücken von dem Standpunkt, den er in
der *Ratio praelectionum* vertrat. Er wollte sich jetzt weder das Thema neu aneig-
nen, noch die vorausgehenden kritischen Betrachtungen aufgeben. Er stellte darin
vielmehr deren Bedeutung in einen größeren Zusammenhang, um eine neue Sprache zu finden, die mit dem Inhalt seiner großen lateinischen Abhandlungen über
Metaphysik übereinstimmte.

Die Absicht, die in dem Aufsatz von Wolff zum Ausdruck kommt, scheint von
Anfang an sehr klar: Es geht darum, sich gegen die Vorwürfe zu verteidigen, die
man ihm gemacht hatte: Man bezog sich dabei auf das, was er 15 Jahre vorher in
der *Ratio praelectionum* vertreten hatte. Jetzt wollte er zeigen, daß seine Beobachtungen in der Tat begründet waren. Man kann nicht davon ausgehen, daß
die Ordnung, über die man spricht, zufällig sei, sondern es ist notwendig, das
auch zu beweisen, da man gerade in diesem Punkt nicht umhin kann, die Einwände von Spinoza und den Fatalisten zu entkräften, die ihrerseits von einer natürlichen notwendigen Ordnung sprechen. Es handelt sich um eine schwierige Aufgabe, und sie ist keineswegs selbstverständlich: Vor allem muß festgelegt werden,
ob eine Ordnung der Natur existiert und ob diese Ordnung kontingent sei, wenn
man zu dem Schluß kommen will, daß es einen Autor dabei geben muß und daß
dieser kein anderer als Gott sein könne.

Wolff merkt an, daß die Präsenz einer notwendigen Ordnung der Natur nicht im
Widerspruch zu der Existenz von Gott stehe und zu der Abhängigkeit dieser Ordnung von Gott, auch wenn man in diesem Fall offenbar die notwendige Ordnung
nicht als Argument verwenden könne, um auf die Existenz Gottes zu schließen. Er
fügt hinzu, daß diese Ordnung an sich nicht im Widerspruch zu der göttlichen
Freiheit stehen würde: Auch wenn Gott keine andere Ordnung hätte schaffen kön-

nen, wäre diese in sich notwendige Ordnung in Wirklichkeit nicht notwendig gewesen, da Gott sicherlich die Welt hätte schaffen wie auch nicht schaffen können:

> Quodsi vero potentia in creando a necessitate absoluta libera, ita ut mundum creare potuerit Deus & non creare, prout ipsi visum fuerit; ordo naturae in se necessarius non tamen necessario actu datur.[18]

Die Unterscheidung scheint wichtig zu sein, besonders was die Kritik der Pietisten anbetrifft, auf die Wolff ziemlich entschlossen antwortet: „Vulgo in hoc argumento mire confunduntur omnia". Man darf denjenigen nicht als Atheisten bezeichnen, der nur klarstellen will, daß das Prinzip „Ubi datur ordo, ibi datur ordinans" nur für den Fall der kontingenten Ordnung gilt. Vielmehr ist es wichtig, das Argument sehr vorurteilslos zu betrachten, ohne irgend etwas für selbstverständlich zu halten.

An diesem Punkt fügt Wolff den Kritiken an der *Ratio praelectionum* noch einige Klarstellungen hinzu. Dabei bezieht er sich auf das, was er in der *Ontologia* und in der *Cosmologia generalis* ausgeführt hatte. Sogleich danach geht er dazu über, daran zu erinnern, worin die Ordnung der Natur bestehe. Einerseits hätten wir nämlich die Ordnung des Universums oder der Welt, eine Ordnung, die an die Phänomene die Raum-Zeit-Beziehung gebunden sei („Constat in mundo dari coëxistentia, dari successiva, ut adeo eundem in genere definiverimus per seriem entium finitorum tam simultaneorum, quam successivorum inter se connexorum"), andererseits hingegen die Ordnung der Natur, die man nur begreifen könne, wenn man klarstelle, worin die Natur selbst bestehe: Sie müsse als die Gesamtheit aller in den Körpern befindlichen Triebkräfte verstanden werden; daraus gehe hervor, daß unser Diskurs die Ordnung betrifft, die von der Natur in ihrem Ablauf befolgt werde und die in den Veränderungen der Triebkräfte beobachtet werden könne. Daraus ergebe sich wiederum die Notwendigkeit zu klären, wie die Geschwindigkeit oder die Richtung dieser Kräfte verändert werden könne, wenn man die Gesetze der Bewegung berücksichtige, bevor man auf die Existenz dieser Ordnung schließe, wie in der *Cosmologia* gezeigt wird.[19] Die Kontingenz der Ordnung der Natur hänge tatsächlich von der Kontingenz der Bewegungsgesetze ab; zu diesem Zweck müsse daran erinnert werden, daß diese Gesetze vom Prinzip des zureichenden Grundes abhängen würden, der der Ursprung aller kontingenten Wahrheiten ist: „Multa hic praesupponuntur principia" – sagt Wolff abschließend – „& cosmologica de notione corporis, & ontologica de ente in genere, antequam adsint perspicilla, per quae conspicis leges istas a materia & corporis essentia minime resultare".[20] Deshalb ist es notwendig, das Augenmerk auf die Erfahrung zu rich-

---

[18] De methodo existentiam Dei ex ordine Naturae demonstrandi, in: Horae subsecivae, Bd. 2, Trimestre autumnale 1730, 660–683, hier 665 (§ 2).

[19] Ebd., 668–673 (§ 3).

[20] Ebd., 674 (§ 4).

ten, da die ontologischen und kosmologischen Erkenntnisse durch Abstraktion aus den existierenden Dingen entnommen wurden, wozu aber nicht alle fähig sind.

Die Schwierigkeit, mit dem pysiko-theologischen Argument umzugehen, kommt vor allem von der Notwendigkeit, die Kontingenz der natürlichen Ordnung zu bestimmen: Die Bewegungsgesetze hängen von den einfachen Substanzen ab, die die wahren Elemente der materiellen Realität darstellen. Nun nehmen wir aber, sagt Wolff, auf sehr konfuse Art und Weise nur das wahr, was an Realem in den Elementen existiert und was die Phänomene der Materie und der Triebkraft entstehen läßt. Die Kontingenz der Bewegungsgesetze hängt letztendlich von der Kontingenz der Elemente ab, die auch auf die Kontingenz dieses Universums verweisen. Deshalb muß man zuerst das Problem der kontingenten Existenz der Welt angehen und in allgemeinerer Weise das a-posteriori-Argument wieder aufnehmen:

> Quamobrem ubi sufficiente acumine usus evincere volueris dari autorem ordinis naturae, probandum tibi erit dari autorem universi, seu mundi. Atque sic argumentum ab ordine universi contingente desumtum redit ad contingentiam ipsius universi: quo argumento nos utimur existentiam Dei demonstraturi.[21]

Nachdem Wolff daran erinnert hat, daß die Beweisführung außerdem klarstellen muß, daß der Autor dieser Ordnung die Eigenschaften besitzt, die dem Schöpfer in der Heiligen Schrift zugeschrieben werden, unterstreicht er am Ende noch einmal ausdrücklich, was er schon in der *Ratio praelectionum* behauptet hatte, als er allen anderen das *a-contingentia-universi*-Argument „ne per ambages ad scopum tenderem" vorgezogen hatte. Mit sarkastischem Ton fügt er hinzu, daß er sich nicht darüber wundere, daß diejenigen, deren „in judicando temeritatem modo notavimus", diese Schwierigkeiten nicht bemerkt hätten: „mirarer potius, si eas vidissent".[22]

Ohne hier diese ziemlich polemischen Nuancen einiger Zeilen betonen zu wollen, weicht die Wiederaufnahme dieses physiko-theologischen Arguments in dem Aufsatz von 1732 nicht von der Position ab, die er 14 Jahre vorher eingenommen hatte. Ganz im Gegenteil vertieft Wolff die Darstellung noch einmal mit präzisem Bezug auf die Problematiken, mit denen er sich in jenen Jahren in der *Cosmologia generalis* auseinandergesetzt hatte. Mit der Bekräftigung, daß die Kontingenz im Mittelpunkt der Beweisführung stehe, könnte man diese Diskussion als abgeschlossen ansehen. Diese Kontingenz wird auch von Kant in seiner Transzendentalen Dialektik als kosmologischer Beweis angesehen.

---

[21] Ebd., 678 (§ 5).
[22] Ebd., 682 (§ 7).

Das Gesagte wird auch durch die Tatsache bestätigt, daß das physiko-theologische Argument keinen besonderen Platz in den zwei Bänden der *Theologia naturalis* einnehmen wird. Das Argument taucht dort wieder auf, wo von der Schöpfung gesprochen wird. Im ersten Band wird daran erinnert, daß Gott eine andere als die vorhandene Ordnung (I, § 761) hätte schaffen können. Auch im zweiten Band erinnert Wolff wieder daran, daß die Ordnung der Welt anders aussehen würde, wenn andere als die gegenwärtig existierenden Elemente (II, §§ 319– 323) geschaffen worden wären. Alle diese Klarstellungen stehen allerdings in Einklang mit der *Theologia naturalis*, ohne daß dem physiko-theologischen Argument ein eigenes Kapitel gewidmet worden wäre. Schon in den ersten Zeilen wird aber das Thema erwähnt, und es wird als Beispiel benutzt, um davor zu warnen, in unbegründete Vermutungen abzuleiten.

Im Paragraphen 8 der *Prolegomena* unterstreicht Wolff programmatisch den beweisführenden Charakter der *Theologia naturalis*, da diese die philosophische Disziplin sei, die darauf abziele, die wissenschaftliche Absicherung der eigenen Behauptungen zu erreichen. In diesem Sinne wird darauf hingewiesen, daß man sie nicht als „*principia demonstrandi, nisi quae vel experientia, vel demonstratione nituntur, aut in numerum definitionum nominalium referuntur*" voraussetzen könne. Als Beispiel geht er auf das physiko-theologische Argument ein und verweist dabei auf den vorher erwähnten Aufsatz der *Horae subsecivae*. Aus dem Ton seines Diskurses geht fast hervor, daß Wolff hier nur zu einer gewissen methodologischen Vorsicht aufrufen wolle, auch wenn klar erscheint, daß die betreffenden Klarstellungen paradigmatisch sind und sich auf den gesamten Ansatz der ganzen *Theologia naturalis* beziehen. Das erklärte Ziel ist es, sich vor „ne judicium praecipitando reprehendant methodi ignari, quod laudare debebant" zu schützen: „imo ne zelo ignorantiae socio damnent & in impietatem vertant, quod cognitionem Dei extra omnem dubitationis aleam ponit". Man darf sich nicht damit begnügen, das anzunehmen, was wahr ist, sondern man muß sich sicher sein, daß es wahr ist, und zwar muß man, ausgehend von den als wahr bewiesenen Prinzipien, einen Beweis führen: „Similiter verum est dari ordinem in hoc universo & ordinem in universo esse contingentem. Nolim tamen haec sine probatione sumi; sed demonstrandum utrumque est, ex eadem, quam modo dixi, causa". Nachdem Wolff dieses Argument ins Gedächnis gerufen hat („Ubi datur ordo, ibi datur ordinans. Atqui in universo datur ordo. Ergo datur ordinans, hoc est Deus"), nimmt er nacheinander die schon in dem Aufsatz der *Horae subsecivae* formulierten Beobachtungen auf, was noch einmal bestätigt, daß seine Position dazu fast immer konstant erscheint, wenn sie auch immer wieder vertieft wird. Auch hat er die Kritik, die seit 1718 formuliert wurde, in seinem Gesamtwerk verarbeitet, das auf der Grundlage seiner großen lateinischen Werke aufbaut.

III. Abschließende Anmerkungen. Das einzige Argument: das a-posteriori-Argument „a contingentia"

Die Kritik an dem physiko-theologischen Argument ist bis zum dritten Band der *Philosophia moralis sive Ethica* aus dem Jahr 1751 eine Konstante im gesamten Werk Wolffs. Im ersten Kapitel mit dem Titel *De agnitione Dei* betont Wolff noch einmal die Notwendigkeit einer sicheren Kenntnis der göttlichen Existenz, die man nur „*ex Theologia naturali methodo demonstrativa pertractata*"[23] gewinnen kann. In diesem Sinne scheint die a-posteriori-Vorgehensweise, d. h. ausgehend vom Bestehen der Welt, grundlegend zu sein, nicht allerdings von der Existenz im Allgemeinen, sondern vielmehr von der kontingenten Existenz der Welt. Der entscheidende Punkt ist, auszuschließen, daß die Welt auf notwendige Weise existieren könne. Wenn die Welt notwendig wäre, dann bräuchte man keineswegs in Bezug auf die Welt selbst die Existenz eines transzendenten *Ens an sich* zu setzen. In Bezug auf die Kritik, die er in der *Ratio praelectionum* formuliert hat, betont Wolff ganz kategorisch, daß andere Argumente, die eine andere Vorgehensweise als diejenige „a contingentia" einschlagen, tatsächlich voraussetzen würden, was sie eigentlich beweisen wollten:

> Qui aliam viam ingredi voluerit, is semper deprehendet, tacite supponi, quod erat demonstrandum, nimirum existere ens a mundo diversum, a quo mundus integer & quicquid in eo existit existentiam suam habet.[24]

Wenn er die Vorwürfe der Pietisten wiederaufnimmt, die „labem atheismi nomini meo adspergere non verebantur", betont Wolff noch einmal, daß schon die aristotelisch-scholastische Tradition unterstrichen hatte, daß nicht alle Argumente zugunsten der Existenz Gottes als gleichwertig betrachtet werden können. Um aber die Beziehung zwischen seinen beiden kritischen Äußerungen bezüglich der verschiedenen Argumente der rationalen Theologie und seine Bevorzugung des a-posteriori-Arguments auszudrücken, betont er, daß dieses Argument sicherlich dem Argument a priori der cartesianischen Tradition vorzuziehen sei: „Nullus autem dubito fore, ut demonstrationem a posteriori alteri a priori praeferat, &, si vel maxime hanc negligi nolit, illam tamen huic praemittendam esse statuat".[25] Diese Klarstellung kann denjenigen als Antwort dienen, die in der Wiederaufnahme des *a-priori-Arguments* im zweiten Teil der *Theologia naturalis* eine Inkohärenz sehen, wenn man sie mit der Behauptung vergleicht, daß nur ein einziges Argument gültig sein kann, d. h. das a-posteriori-Argument. Um der Auseinandersetzung den Wind aus den Segeln zu nehmen, fügt Wolff selbst gleich danach hin-

---

[23] Ethica, Bd. 3, 10 (§ 9).
[24] Ebd., 14 (§ 12 not.).
[25] Ebd., 16 (§ 13 not.).

zu, daß der a-priori-Beweis, der Gott als *Ens perfectissimum* definiert, nicht im engeren Sinne der aristotelischen Tradition verstanden werden dürfe, als ob die Existenz in den Voraussetzungen, von denen man ausgeht, schon eingeschlossen sei, sondern vielmehr im Sinne von Euklid und den Mathematikern, die durch die Konstruktion ihrer Begriffe die Eigenschaften gewinnen, die zu ihnen gehören.[26]

Insgesamt hat Wolff nicht die Absicht, die unterschiedlichen Argumente zugunsten der Existenz Gottes auszuschließen, sondern er zielt darauf ab, sie in ein systematisches Gesamtbild einzufügen, bei dem das a-posteriori-Argument[27] eine wesentliche Rolle spielt. Wie schon Jean École betont, muß deshalb der Vorwurf von Étienne Gilson, der die Kantische Argumentation wieder aufnimmt, richtiggestellt werden, der bei Wolff eine Bevorzugung des ontologischen a-priori-Arguments und nicht des „a contingentia"-Arguments sah.[28] Jenseits der Schwierigkeiten, die Wolffs Positionen manchmal bereiten können, kann man allerdings nicht die zentrale Bedeutung der Existenz als konkrete Verwirklichung leugnen, anders als beim Essentialismus, mit dem man gewöhnlich sein Gesamtsystem abzustempeln versucht.

Beweis dafür ist auch hier die Art und Weise, wie im dritten Band der *Ethica* die Idee wieder aufgenommen wird, daß die Welt zweifellos als Werk des göttlichen Baumeisters angesehen werden könne. Erneut, wie schon bei der Ordnung des Universums, führt die Betrachtung über die Essenz zu keiner Schlußfolgerung auf der Ebene der Existenz. Nur ausgehend von der konkreten Existenz der Wirkung kann man auf die Existenz der Ursache schließen:

---

[26] Ebd.

[27] Ein Nachweis kann zum Beispiel in der Einleitung (Von der Erkenntniß GOttes und seiner Eigenschafften überhaupt, aus Betrachtung der Welt) zu dem Werk von Bernard Nieuwentyt gefunden werden, die Wolff zur deutschen Übersetzung durch Wilhelm Conrad Baumann geschrieben hat (Die Erkänntnüß der Weißheit, Macht und Güte des Göttlichen Wesens, aus dem rechten Gebrauch derer Betrachtungen aller irrdischen Dinge dieser Welt zur Uberzeugung derer Atheisten und Unglaubigen, Franckfurt [u.a.] 1732). Siehe Kleine Schriften, Bd. 1, 508–519.

[28] Jean École, Introduction de l'éditeur zu Wolffs *Theologia naturalis*, Bd. 1, CIV: „Aussi nous semble-t-il difficile de retenir l'affirmation de M. Gilson, dans *L'Être et l'essence*, Paris, 1962², c. 5, p. 181, que la preuve wolffienne *a posteriori* implique finalement l'argument ontologique, c'est-à-dire la preuve *a priori*, parce que ‚la pensée [n'y] […] procède pas d'existence en existence, mais d'essences en essences, jusqu'à ce qu'elle en rejoigne une qui soit capable de sécréter son propre acte d'exister'. Car, s'il est vrai que la façon dont Wolff procède à la demonstration de l'existence de Dieu dans le premier chapitre de la première partie de la *Theologia naturalis*, en analysant l'essence de l'Être *a se* et de ceux qui sont *ab alio*, peut prêter le flanc à ce reproche, – et c'est l'enseignement de ce chapitre que vise M. Gilson –, il ne nous semble pas qu'on puisse en dire autant des autres passages dont nous avons fait mention et dans lesquels Wolff s'appuie sur la contingence de l'existence du monde et des âmes, pour conclure à la nécessité de rattacher ces existences contingentes à l'existence nécessaire de Dieu".

Ex eo autem, quod opus tale est, existentia artificis nullo ratiocinio concluditur. Ut vero ex operis existentia artificis existentia inferri possit, constare utique debet, istiusmodi opus non necessario existere, sed coepisse, cum antea non existeret, aut, quod perinde est, non esse ens a se, sed ab alio.[29]

All denen, die, ausgehend von der Analogie zwischen der Welt und den von den Menschen geschaffenen Werken, die Existenz von Gott beweisen wollen, sagt Wolff „magno verborum apparatu nihil dicunt quod ad rem facit".[30] Man müsse sich dagegen auf das Prinzip des zureichenden Grundes beziehen, was das einzige Prinzip sei, das es uns erlaube, a posteriori für die Existenz Gottes zu plädieren.

Welchen Sinn hatte also die Wolffsche Kritik an dem physiko-theologischen Argument? (Es handelt sich um eine Kritik, die wie ein Leitmotiv immer wieder in seinem gesamten Denken auftaucht.) Sicherlich hatte die Kritik nicht den Sinn, den die Pietisten vermuteten, die Wolff vorwarfen, hinter seinen Klarstellungen eine grundsätzliche Skepsis zu verbergen, und zwar auf der Grundlage jener notwendigen Ordnung auf der Ebene der Essenz, wie sie im Bereich der Mathematiken besteht. Über einen Denker, der die strenge Beweisführung der Mathematiken in allen Bereichen seiner Untersuchungen zu einem maßgeblichen Kriterium macht, könnten wir paradoxerweise sagen, daß hier der Bezug auf der Ebene der konkreten Existenz vorherrscht. Nach Wolff kann nur das a-posteriori-Argument, das von der Kontingenz ausgeht, uns erlauben, auf strenge Weise die Existenz Gottes zu behaupten.

(Übersetzt von Elisabeth Jankowski)

Was die Beweisführung zugunsten der Existenz Gottes betrifft, stellt der physiko-theologische Beweis sicherlich während der gesamten Aufklärung einen privilegierten Zugang zur Interpretation der Texte von Wolff dar. Bereits in der Ratio praelectionum *(1718) hatte Wolff den physiko-theologischen Beweis kritisiert. Die Klarstellungen, die Wolff vornehmen wollte, mußten zwangsläufig die Kritik der Pietisten von Halle auf sich ziehen, die in seinen Behauptungen ein getarntes Bekenntnis zum Atheismus sahen. Wenn er die Vorwürfe der Pietisten wiederaufnimmt, betont Wolff noch einmal, daß schon die aristotelisch-scholastische Tradition unterstrichen hatte, daß nicht alle Argumente zugunsten der Existenz Gottes als gleichwertig betrachtet werden können. Insgesamt hat Wolff nicht die Absicht, die unterschiedlichen Argumente zugunsten einer Existenz Gottes auszuschließen, sondern er zielt darauf ab, sie in ein systematisches Gesamtbild einzufügen, bei dem das a-posteriori-Argument eine wesentliche Rolle spielt.*

The physico-theological argument is a privileged perspective to understand the German Enlightenment, from Wolff to Kant. Wolff had criticized this argument since his Ratio praelectionum *(1717). His criticisms have provoked the Pietists of Halle, who accused him of atheism. Wolff responds by claiming that even the Aristotelian-Thomist tradition had em-*

---

[29] Ethica, Bd. 3, 21 (§ 16 not.).
[30] Ebd., 22 (§ 17).

phasized the fact that the different proofs of God's existence cannot be treated as equivalent. In general, Wolff's does not intend to exclude any of the arguments proving God's existence. His aim is rather to include them in a systematic overview within which the a posteriori *argument plays a prominent role.*

Prof. Dr. Ferdinando Luigi Marcolungo, Universität von Verona, Institut für Philosophie, Pädagogik und Psychologie, Via San Francesco, 22, I-37121 Verona, E-Mail: ferdinando.marcolungo@univr.it

STEFANIE BUCHENAU

Die Teleologie zwischen Physik und Theologie

In der ersten Hälfte des 18. Jahrhunderts beobachten wir eine Reihe von Neuerun-
gen innerhalb der philosophischen Disziplinen und Begrifflichkeiten, die auf tiefgreifende Änderungen in der Konstellation der philosophischen Disziplinen hinzuweisen scheinen. Tatsächlich scheint das Auftreten von Begriffen wie „Teleologie" und „teleologisch" – Neologismen, die zuerst um 1728[1] in den Schriften
von Christian Wolff auftauchen – auf gewisse Grenzverschiebungen zwischen
zwei Disziplinen hinzudeuten: der Physik auf der einen und der Theologie auf
der anderen Seite. Denn Wolff präsentiert die Teleologie als eine neue *physikalische* Disziplin, welche Funktionen übernimmt, die zuvor der Theologie zugeschrieben wurden – nämlich die Untersuchung der Zwecke und finalen Ursachen
im Universum. In diesem Artikel möchte ich diese Grundlegung der Teleologie
näher betrachten. Die leitende Fragestellung soll wie folgt lauten: Warum möchte
Wolff die Theologie von der Suche nach den Ursachen entbinden und diese Suche
bei der Physik ansiedeln? Was bedeutet dieser Ansatz in der Geschichte der Physikotheologie? Hat die Einführung der Teleologie eine Lockerung oder gar einen
Bruch der Allianz zwischen Physik und Theologie zur Folge? Bedeutet dies entweder, daß die physikotheologische Auseinandersetzung abgeschlossen ist, oder
aber, daß sie sich radikalisiert? Ich entscheide mich für die letzte Hypothese: Gemäß der These, die ich hier entwickeln möchte, bedeutet die Einführung einer
neuen Disziplin und neuer Begrifflichkeiten nicht, daß die Debatte der Physikotheologie endet, sondern daß sie im Gegenteil weiter angestachelt wird (und ihre
Rechtfertigung kann nicht verstanden werden, wenn man sie nicht im Lichte dieser Debatte betrachtet). Genauer gesagt, muß man diese Einführung und die Verschiebung der Disziplinen als den Ausdruck einer neuen Rivalität und von „fach-

---

[1] Ich beziehe mich im folgenden vor allem auf die Texte Wolffs aus der Phase von 1723 bis 1730.
Demnach werde ich die späteren, auf Latein verfaßten Abhandlungen zur Metaphysik und Theologie
auslassen.

lichen Spannungen" (vocational tensions, um einen Ausdruck von Peter Harrison[2] zu verwenden) zwischen den Naturphilosophen und den Theologen verstehen. Die Einordnung der Wissenschaft der Zwecke – also der Teleologie – an der Seite der Physik ist ein Ausdruck von Wolffs Verlangen, seinen eigenen philosophischen Ansatz gegen den Vorwurf des Atheismus von Seiten der pietistischen Theologen Halles zu verteidigen.

I. Die Teleologie als physikalische Disziplin

Wolff verwendet diesen Begriff, der gemäß dem *Historischen Wörterbuch der Philosophie* „zu den am wenigsten geklärten der ganzen Philosophiegeschichte zählt"[3] zunächst, um eine neue physikalische Disziplin zu bezeichnen, der er in den Jahren 1723/26 ein ganzes Werk gewidmet hat, nämlich die *Vernünfftigen Gedancken von den Absichten der natürlichen Dinge*.[4] In seiner Einleitung zu den Teilen seines philosophischen Systems, dem *Discursus praeliminaris* von 1728, erwähnt Wolff diesen Teil als Teil der Naturphilosophie.

Ein namenloser Teil der Physik

Es können aber zweierlei Gründe von den natürlichen Dingen angegeben werden, von denen die einen von der bewirkenden Ursache, die anderen von dem Zweck hergenommen werden. Die von der bewirkenden Ursache hergenommenen werden in den bisher definierten Disziplinen untersucht. Außer diesen gibt es daher noch einen anderen Teil der Naturphilosophie, der die Zwecke der Dinge erklärt und der bisher noch keinen Namen hat, obwohl er von höchster Bedeutung und von größtem Nutzen ist. Er könnte *Teleologie* genannt werden.[5]

Demgemäß ist die Teleologie also derjenige Teil der allgemeinen Physik, der die Zwecke der Dinge erläutert; dies obliegt demnach nicht der Metaphysik oder der Theologie, sondern der Physik selbst. Damit wird die, wie Wolff sie nennt, „allgemeine Physik" vervollständigt und von den einzelnen Zweigen der speziellen Physik abgegrenzt, nämlich der Meteorologie (der Lehre von den Meteoriten),

---

[2] Peter Harrison, Physico-theology and the mixed sciences, in: Peter R. Anstey u. John Schuster (Hg.), The Science of Nature in the Seventeenth Century, Dordrecht 2005 (Studies in History and Philosophy of Science, 19), 165.

[3] Hubertus Busche, Art. ‚Teleologie', in: Joachim Ritter, Karlfried Gründer (Hg.), Historisches Wörterbuch der Philosophie, Bd. 10, Basel 1998, 970–977, hier 970. Ein erhellender Kommentar zu Wolffs Teleologiebegriff und dem weiteren Kontext seiner Physikotheologie findet sich aber bereits in dem ausführlichen Artikel von Marco Paolinelli, Fisico-teologica e principio di ragione sufficiente. I. Boyle, Maupertuis, Wolff, in: Rivista di filosofia neo-scolastica 62 (1970), 574–633 (zu Wolff: 603–633).

[4] Deutsche Teleologie.

[5] Discursus praeliminaris, § 85.

der Oryctologie (der Lehre von den Fossilien), der Hydrologie (der Lehre vom Wasser), der Phytologie (der Lehre von den Pflanzen) und der Physiologie (der Lehre von den beseelten Körpern).[6] Der allgemeinen Physik kommt es demzufolge zu, sich mit den *allgemeinen* Eigenschaften der Körper zu beschäftigen, sofern sie mehreren Arten *gemeinsam* sind.

Dieses Postulat ist insofern revolutionär, als es die explizite Einbindung einer finalistischen Perspektive bedeutet, die von bestimmten klassischen Autoren wie Bacon und Descartes aus der Physik verbannt worden war – mit der Begründung, daß die göttlichen Zwecke für den Menschen undurchschaubar sind und unter Hinweis auf die Gefahr, durch eine solche Form der aristotelischen Erklärung Wirkursachen und mechanische Ursachen zu umgehen oder gar zu vermeiden. Aber bedeutet das Wiedereinbinden der Suche nach den finalen Ursachen in den Kern der Physik nicht den Rückfall in die aristotelische Physik?

Dies wäre in der Tat so, wenn der Physiker jeder einzelnen Sache eine Zweckursache zuweisen würde. Im Gegensatz dazu betont Wolff, man solle darauf verzichten, übereilte finalistische Thesen anzuwenden, und sich vielmehr an die methodische Reihenfolge halten, welche seine Disziplin vorgebe. Wie Wolff im Vorwort seiner Abhandlung zur experimentellen Physik[7] betont, ist die wissenschaftliche Vernunft diejenige Instanz, welche die von einer umsichtigen Erfahrung erworbenen Erkenntnisse verknüpft – ohne mehr gelten zu lassen, als mit korrekten Schlußfolgerungen deduziert werden kann. Weil „die Zweckursachen erst dann zu Tage liegen, wenn die Wirkursachen erkannt sind",[8] muß der Erkenntnis der Wirkursachen eine größere Aufmerksamkeit gewidmet werden, müssen die Resultate durch Proben bestätigt werden und müssen Zweifel so gut als möglich ausgeräumt werden – bevor erneut zu der Untersuchung der Zweckursachen fortgeschritten werden kann, indem die Frage gestellt wird, was der Zweck der Dinge in der Welt füreinander ist.[9] Aus dieser Perspektive betrachtet, ist die Physik vor der Teleologie anzusiedeln.[10]

Dennoch: Aus welchem Grund sollte der Physiker seine Erforschung der Wirkursachen zu einer Betrachtung der Zweckursachen ausweiten? Sind die Absich-

---

[6] Ebd., §§ 80 ff.

[7] Allerhand nützliche Versuche, dadurch zu genauer Erkäntnis der Natur und Kunst der Weg gebähnet wird [Deutsche Experimentalphysik], Bd. 1 ([1]1721), Halle 1727, Nachdruck: Hildesheim 1982 (GW, Abt. I, Bd. 20.1), Vorrede, [3] : „so habe [ich] keinen sicherern Weg zur Erkäntnis der Natur erwehlen können, als wenn ich die Vernunfft mit einander verknüpfen liesse, was durch vorsichtige Erfahrung erkandt worden, und ausser diesem weiter nichts einräumete, als was sich ferner daraus durch richtige Schlüsse herleiten liesse [...]".

[8] Discursus praeliminaris, § 100.

[9] „wie eines in der Welt immer um des anderen Willen ist [...] was eines in der Welt dem andern nutzet, und warum ein jedes geschiehet". Deutsche Teleologie, § 3.

[10] Ebd.

ten Gottes nicht von vornherein undurchschaubar, und selbst wenn es möglich
wäre, sie zu erkennen, läge dies nicht auf jeden Fall außerhalb der Kompetenz
des Physikers? Warum sollen die Zweckursachen zu einem Forschungsgegen-
stand auch der Physiker werden und nicht allein den Theologen vorbehalten bleiben? Die deutlichste Antwort hierauf gibt Wolff in einer seiner kurzen Abhandlungen, die manche Auseinandersetzungen zuweilen klarer zeigen als seine län-
geren Schriften. Die Abhandlung stammt aus dem Jahre 1730 und trägt den Titel
De methodo existentiam Dei ex Ordine naturae demonstrandi,[11] zu Deutsch *Wie
fern man aus der Ordnung der Natur beweisen könne, daß ein GOtt seye*.[12] Sie ist
dem physikotheologischen Gottesbeweis gewidmet und zielt darauf ab, die Position Wolffs gegenüber den „Lästerern und Gottesleugnern", die ihm seit mehreren
Jahren das Leben schwer machten, indem sie ihn des Spinozismus und des Atheismus beschuldigten, zu erklären und zu rechtfertigen – in seinem Text nennt
Wolff die Betroffenen nicht, aber es handelt sich in diesem Fall um seine beiden
Hauptgegner Joachim Lange und Johann Franz Budde. Die Abhandlung dient damit der Selbstrechtfertigung und der Aufwertung seiner eigenen wissenschaftlichen Methode.[13] Im folgenden soll gezeigt werden, wie Wolff hier die Aufgabe
des Physikers und seine Beschäftigung mit den Zweckursachen beschreibt und
rechtfertigt.

Wolff beginnt damit, den Irrtum oder die Irrtümer anzuprangern, die sich aus
dem übergroßen Zutrauen seiner theologischen Gegner in ihre eigenen demonstrativen Fähigkeiten und in die Leichtigkeit des physikotheologischen Gottesbeweises ergeben. Sie glauben nämlich, daß es gerechtfertigt ist, aus der Ordnung
der Welt auf einen Urheber dieser Ordnung zu schließen, der mit dem Gott der
Heiligen Schrift identisch ist. Wolff behauptet jedoch, daß diese Folgerung unzu-
lässig sei, da sie auf einer Reihe von Prämissen beruhe, welche die Theologen voraussetzen, ohne sie zu beweisen. Der physikotheologische Gottesbeweis besteht
nach Wolff aus vier Stücken: „Es muß nemlich gezeiget werden, 1) daß eine Ordnung der Natur seye, 2) daß sie zufällig seye und daß sie dahero 3) einen Urheber
habe, endlich 4) daß niemand anders als GOtt dieser Urheber seye".[14]

Die Theologen haben sich angewöhnt, die Teile des Beweises zu vermischen[15]
und ihr Urteil durch die Auslassung der Beweise 1, 2 und 4 zu übereilen. Als erstes
setzen sie fälschlicherweise voraus, die Ordnung der Natur erkennen und erklären
zu können, weil sie die sichtbare und die tatsächliche Ordnung der Dinge durch-

---

[11] In: Horae subsecivae, Bd. 2, Trimestre autumnale 1730, 660–683.

[12] In: Kleine Schriften, Bd. 4, 233–275. Im folgenden beziehe ich mich auf diese Übersetzung.

[13] Siehe hierzu auch: Deutsche Metaphysik, § 541.

[14] Wie fern man aus der Ordnung der Natur beweisen könne, daß ein GOtt seye (wie Anm. 12),
235 f. (§ 2).

[15] Ebd., 240 (§ 2): „Ins gemein menget man bey diesem Beweisgrund alles auf eine wunderliche
Art unter einander."

einanderbringen, und ebenso die rationale und die empirische Erkenntnis. Wer aber die Ordnung der Natur empirisch anhand der Regelmäßigkeit der Sonnenbewegung oder der Abfolge der Jahreszeiten „erkenne" (bedenken wir, daß Wolff die kognitive Dimension der empirischen Erkenntnis nicht verleugnet), kann für die bestehende Ordnung noch keine Gründe angeben und keine *Verknüpfung*, d. h. keinen *nexus rerum*. Aufgrund dessen kann er sein Wissen anderen nicht verständlich machen, da er nur über eine Nominaldefinition der Naturordnung verfügt, nicht über eine reale. Wer hingegen in seinem Diskurs versucht, Gründe anzugeben, folgt ganz direkt den methodischen und stilistischen Regeln der Beweisführung und Kommunikation in den Wissenschaften – zur Debatte stehen hier Fragen der Methode (und Schreibart).[16] So erklärt sich eine erste Überlegenheit des mechanistischen Physikers über den Theologen auf dem Gebiet der Physikotheologie. Allein der Naturphilosoph, der den Ursachen der Dinge nachgeht und seine Erkenntnis der Naturordnung vertieft, ist in der Lage, diese den anderen zu erklären.

Genauer gesagt: Der Physiker versucht das Wesen der natürlichen Dinge zu erkennen und Regeln oder Naturgesetze aufzustellen – ausgehend von den Regelmäßigkeiten oder Ähnlichkeiten, die er in ihren Wechselwirkungen miteinander feststellt. Wolff besteht auf der Tatsache, daß die Erkenntnis der Naturgesetze nicht direkt aus der Erkenntnis der essentiellen Eigenschaften der Körper folgt; die Körper hinsichtlich ihrer Größe, Anzahl und Lage in Raum und Zeit zu kennen, ermöglicht noch nicht die Erkenntnis der Naturordnung; sie ermöglicht es lediglich, dasjenige zu verstehen (sozusagen negativ), das der Notwendigkeit entgeht: *worin die Zufälligkeiten bestehen*. Hat man die zufälligen Faktoren erst einmal ausfindig gemacht, ist es möglich, die Regeln der Bewegung zu untersuchen, welche die Richtung und die Geschwindigkeit der Dinge bestimmen (nämlich die Gesetze der gleichmäßigen geradlinigen Bewegung und der Trägheit) und durch diese Ordnung zwar nicht die *Würcklichkeit*, aber wenigstens die Möglichkeit eines Prinzips der Harmonie und der Vollkommenheit (das Wolff bewußt von dem Begriff der Ordnung unterscheidet) zu zeigen. Nach diesem Prozeß findet der Physiker eine lange Kette von Sätzen wieder, da der Beweis den Rekurs auf das Prinzip des zureichenden Grundes erfordert : „es läufft nemlich die ganze Sache darauf hinaus, daß man einsieht, die natürlichen Regeln der Bewegung beruheten auf den Saz des zureichenden Grundes als welcher die Quelle der zufälligen Wahrheiten ist".[17] Man muß in der Tat die Existenz einer äußeren Ursache voraussetzen, die den Mechanismus in Gang setzt, der Wolff zufolge die Bewegung der Welt konstituiert und ihre Richtung festlegt.

---

16 Vergleiche hierzu Kapitel V des *Discursus praeliminaris*.
17 Wie fern man aus der Ordnung der Natur beweisen könne, daß ein GOtt seye (wie Anm. 12), 259 (§ 4).

In diesem Sinne ist der physikotheologische Gottesbeweis ein Beweis durch die Kontingenz: Er besteht darin zu zeigen, daß die Ursache der Bewegung sich nicht in der Natur selbst findet, was bedeuten würde, daß die Ordnung der Natur schlechterdings notwendig sei, sondern daß es erforderlich ist, eine Ursache oder ein Prinzip der Bewegung und der Richtung derselben vorauszusetzen, welches sich außerhalb der Reihe von Ursachen befindet, die in der Welt vorherrschen. Folglich ist das Verständnis der mechanischen Ordnung und der Zufälligkeit derselben eine der Voraussetzungen für die Gültigkeit des physikotheologischen Gottesbeweises.

Aber das Studium der Physik erlaubt nicht nur den Beweis des Daseins eines Schöpfers der Welt, sondern auch den seiner traditionellen Attribute. Dieser Aspekt fehlt ebenfalls im physikotheologischen Beweis, wie er von den Theologen üblicherweise geführt wird: Diese setzen Wolff zufolge die Identität des Urhebers der Ordnung der Natur mit dem Gott der Heiligen Schrift nur voraus, obwohl diese Identität eigentlich ebenfalls bewiesen werden muß. Dieser Punkt, der von Wolff in der genannten Streitschrift nicht weiter ausformuliert wird, läßt sich in seinen Werken zur Theologie und zur Metaphysik nachvollziehen. Aus der Notwendigkeit, auf das Prinzip des zureichenden Grundes zurückzugreifen, kann man allererst auf die Notwendigkeit Gottes schließen (indem man ihn sozusagen mit den Dingen der Welt und mit sich selbst vergleicht) sowie auf die ihm zugehörigen Eigenschaften wie Autonomie, Ewigkeit, Unermeßlichkeit,[18] Unveränderlichkeit, Unkörperlichkeit, Einfachheit.

Wenn wir nun Gottes Schöpfung näher betrachten, wenn wir dabei, wie wir es als mechanistischer Physiker tun müßten, als heuristisches Prinzip die Ökonomie und die Gleichmäßigkeit[19] annehmen und unsere Aufmerksamkeit besonders auf das sehr Große (die Astronomie) und das sehr Kleine[20] in der Welt und in der Natur lenken, können wir darin ebenfalls die unendliche Größe seines Verstandes erkennen, seine Allwissenheit, seine unendliche Weisheit, aufgrund deren alle seine Absichten zugleich als Mittel für andere Absichten dienen und in einer einzigen wesentlichen Absicht zusammenlaufen. (Was es uns möglich macht, nicht nur das zu sehen, was Gott aus notwendigen Gründen tut, sondern auch das, was er aufgrund seiner Allmacht tun kann.)

Ein solche Betrachtungsweise erhellt auch erst den Sinn von Wolffs These, daß die Welt ein Spiegel Gottes sei: „die Welt [stellet] Gottes Vollkommenheit als in einem Spiegel [vor]".[21] Auf den ersten Blick erinnert diese an die These Leibniz', wonach die Seele ein Spiegel der Welt und Gottes sei; sie ist aber doch davon ver-

---

[18] Deutsche Metaphysik, §§ 928–932.
[19] Ebd., § 1049.
[20] Ebd., § 957.
[21] Ebd., § 1045.

schieden. Jean-Paul Paccioni hat eine kaum spürbare Verschiebung in ihrer onto-logischen und kosmologischen Dimension aufgefunden.[22] Das Argument, das wir gerade rekonstruiert haben, beleuchtet ihre epistemologische (und physikotheo-logische) Dimension. Der physikotheologische Gottesbeweis hängt vom Prinzip der Zufälligkeit der natürlichen Ordnung ab, einer Zufälligkeit, welche die natür-liche Ordnung von einer notwendigen mathematischen Ordnung unterscheidet. Die Hypothese von der Kontingenz selbst hängt von einer gewissen Undurchsich-tigkeit ihrer Elemente ab, die Wolff nicht mehr Monaden nennt, sondern „Elemen-te" – eine Begriffsänderung, die viele Kommentatoren seinem mangelnden Leib-niz-Verständnis zugeschrieben haben. Es ist in der Tat so, daß das Wesen oder die essentiellen Eigenschaften dieser Elemente keine Erklärung für ihre Veränderung enthalten – sie drücken diese Veränderung nicht aus. Die metaphysischen Hypo-thesen und Beweise Wolffs (in welchen er zumindest teilweise mit Leibniz bricht) sind folglich eng mit bestimmten fortschrittlichen wissenschaftlichen Positionen verknüpft: „Es ist gar ein weitläufftiges und mühsames Werk wenn man beweisen will daß es in der Natur eine Ordnung gebe, und da in dem vorigen Jahrhundert die Regeln der Bewegung noch nicht entdeket waren, so liese sich ein solches gar nicht beweisen".[23]

II. Die Teleologie als Propädeutik der Theologie

Da allein der Physiker in der Lage ist, den physikotheologischen Gottesbeweis richtig durchzuführen, ist es demnach nicht mehr möglich, die Teleologie bei der Theologie und der Metaphysik anzusiedeln; dies ist ohne Zweifel der Grund, warum Wolff für ihre Einbettung innerhalb der Physik plädiert. Aber was bedeutet diese neue Anordnung überhaupt? Gehört die Teleologie nun voll-ständig zur Physik? Oder bleiben die Teleologie (und die Physik) nicht im Gegen-teil im höchsten Maße abhängig von der Metaphysik?

Tatsächlich scheinen die beiden Disziplinen zutiefst ineinander verschachtelt zu sein. Gemäß der demonstrativen Ordnung entleihen die Physik und die Teleo-logie ihre Prinzipien bei der Metaphysik. Allein das Verständnis der Zufälligkeit der Natur erfordert eine Reihe von *Hülfsmitteln* bzw. einen begrifflichen Apparat, den der Physiker bei der Ontologie entleihen muß, wie den Begriff der Sache, des Körpers, des Satzes vom zureichenden Grunde; der Schluß von einer zufälligen

[22] Jean-Paul Paccioni, Dieu dans le Miroir. Leibniz, Wolff et l'actualisation du monde, in: Les Études philosophiques 58/3 (2003), 371–387. Vgl. auch vom gleichen Autor: Cet esprit de pro-fondeur. Christian Wolff, l'ontologie et la métaphysique, Paris 2006, besonders Kap. 6.

[23] Wie fern man aus der Ordnung der Natur beweisen könne, daß ein GOtt seye (wie Anm. 12), 258 (§ 4).

Ordnung auf einen Urheber derselben und auf seine Eigenschaften erfordert unter
anderem den Rekurs auf den Begriff der Absicht, und sei es nur eine mögliche
Absicht oder ein möglicher Zweck. Gemäß der Wolffschen Abhandlung über
die Teleologie[24] nimmt der Physikotheologe eine Absicht der natürlichen Dinge
und sogar eine *Hauptabsicht der Welt* an; eine Absicht, die darin besteht, uns die
Erkenntnis der Vollkommenheit Gottes zu ermöglichen. Wenn unter „Absicht" all
das verstanden werden soll, „was ein vernünfftiges und freyes Wesen durch dasjenige, was es wil oder begehret, zu erhalten gedencket",[25] muß Wolff auf das
Schema eines handwerklich handelnden Geistes und Akteurs zurückgreifen.

Kurz: Statt durch die Einführung der Teleologie auf eine größere Autonomie
der Physik hinzuarbeiten, scheint Wolff einfach mehr von der Theologie und der
Metaphysik in die Physik einzuführen und damit die Grenzen vollständig zu ver-
wischen: Wenn die Metaphysik (als Wissenschaft dessen, was ist, der Welt und
des Geistes) die Ontologie, die allgemeine Kosmologie und die Pneumatik (Psychologie und natürliche Theologie) mit einschließt, dann nimmt sie auch neue Di-
mensionen und Disziplinen der Physik mit auf. Die essentiellen Eigenschaften der
Körper, ihre Zwecke und die Absichten des göttlichen Handelnden können nur
durch die Physik erkannt werden; die Welt ist traditionell der Gegenstand der Physik – demzufolge ist die Teleologie, ähnlich wie die Kosmologie[26] und die Pneumatik,[27] eine ganz und gar zwitterhafte Disziplin! Und das bei Wolff, dessen größ-
tes Verdienst in der Philosophie es doch zu sein scheint, mehr Ordnung und
Gründlichkeit[28] eingeführt zu haben – der aber hiermit eine Unordnung sonder-
gleichen geschaffen hat. Aber die klare Trennung der Disziplinen gehört hier
wohl ganz einfach nicht zu seinen Prioritäten. Um die Argumentation Wolffs
zu verdeutlichen, muß man der Teleologie zwei Funktionen zuschreiben: Sie
ist einerseits ein Teil der Physik (weil sie nicht einfach eine Sache des Theologen
sein kann), und andererseits wird sie zu einer einflußreichen und notwendigen
propädeutischen Disziplin für die Theologie. Gemäß der These, die wir hier um-
reißen, nimmt sie völlig ihren Platz in der Reihe der theologischen Disziplinen
ein.

Genauer gesagt hält Wolff den Physiker dazu an, den Theologen in seiner Beweisführung zu unterstützen. Bemerken wir nebenbei, daß die beiden Wissenschaften sich im gleichen Schritt weiterentwickeln – je weiter wir in der Erkennt-

---

[24] Vgl. Deutsche Teleologie, besonders Kap. 2: „Von der Haupt-Absicht der Welt".

[25] Deutsche Teleologie, § 1. Vergleiche auch Deutsche Metaphysik, § 910.

[26] Die Kosmologie beschäftigt sich mit den ganzen Körpern und mit der Zusammensetzung der
Welten und enthält eine allgemeine oder transzendentale Kosmologie, welche die allgemeinen und
zum Teil abstrakten Begriffe behandelt. Vgl. Discursus praeliminaris, §§ 77 f.

[27] Die Pneumatik ist gemäß § 79 des *Discursus praeliminaris* die Wissenschaft von den Geistern.

[28] Vgl. die berühmte Kantische Lobrede auf Wolff im Vorwort der zweiten Ausgabe der *Kritik
der reinen Vernunft* (Akad.-Ausgabe Bd. 3, 22).

nis der Werke Gottes fortschreiten (hinsichtlich ihrer Bedeutung, Anzahl und Mannigfaltigkeit), desto näher kommen wir auch an die göttliche Wissenschaft heran. Der erste Nutzen der Teleologie besteht in der Tat darin, die Erkenntnis Gottes und seiner Eigenschaften[29] zu bekräftigen, wie sie aus der Natürlichen Theologie geschöpft wurde.[30] Sie vervollständigt in der Tat die rein vernünftige Erkenntnis a priori, wie sie von der Theologie erworben wird, durch eine Erkenntnis a posteriori, die dieselben Vollkommenheiten dem Geiste anschaulicher und lebhafter nahebringt: „wir ersehen solchergestalt sein unsichtbares Wesen aus seinen Wercken".[31] Denn während die Erkenntnis, die aus den theologischen Beweisen (welche darin bestehen, unser eigenes Sein und seine Qualitäten zu betrachten und von seinen Mängeln zu abstrahieren) erworben wurde, in gewissem Sinne negativ bleibt, bietet der physikotheologische Gottesbeweis, dieser „zweite Blick in Richtung Gott",[32] eine positive Erkenntnis der Möglichkeit Gottes bzw. seiner Nicht-Widersprüchlichkeit; eine Erkenntnis, die es ermöglicht, die Richtigkeit unserer Vorstellungen zu *genießen* und mit *eigenen Augen zu sehen*, in dem Sinne, daß wir sie sozusagen mit unseren Händen begreifen.[33] Der von der Natürlichen Theologie etablierte und von der Physik unterstützte Gottesbeweis ist demnach der einzige, der diesen Namen überhaupt verdient, weil er allein mit Überzeugung ausgestattet ist; weil er allein anschaulich und lebendig ist und einen praktischen Anstoß enthält; weil er uns dazu antreibt, Gott zu ehren; weil er uns den Weg zu Tugend und Glück ebnet.

Schluß

Wie soll man also diese Einführung der Teleologie bewerten ? Wir haben gerade gezeigt, daß sie in der Tat einen zentralen Beitrag in der physikotheologischen Debatte darstellt und dort einen gewissen Machtgewinn der physikalischen Wis-

---

[29] Deutsche Teleologie, § 4 : „Indem wir die natürlichen Dinge dergestalt beschaffen finden, daß wir daraus als aus untrüglichen Gründen die Vollkommenheit GOttes schliessen können […], so dienen uns dieselben zu Proben dessen, was wir entweder aus natürlichen Gründen […] von den Eigenschafften GOttes und sonst erkandt, oder aus der Schrifft davon gelernet, und werden dadurch desto mehr versichert, daß beyde Erkäntniß Warheit sey, absonderlich daß wir in der natürlichen Erkäntniß von GOTT richtig geschlossen, gleichwie wir in der Rechen=Kunst versichert werden, daß das Exempel richtig sey und wir im Rechnen nichts versehen, wenn die angestellte Probe mit dem facit überein kommet".

[30] Discursus praeliminaris, § 101.

[31] Deutsche Teleologie, § 5

[32] Vgl. Deutsche Metaphysik, § 1004.

[33] „Indem wir aber die Richtigkeit unserer Begriffe von den Eigenschafften GOttes erfahren, so schmecken wir dieselben und sehen sie mit Augen, ja wir ergreifen sie gleichsam mit unseren Händen" (Deutsche Teleologie, § 5).

senschaft signalisiert: Der Physik gelingt es damit, ihren Geltungsbereich zu erweitern und gleichzeitig die Theologie zu schwächen. Dies wirft zu allererst ein neues Licht auf die philosophische und metaphysische Debatte zwischen Wolff und den Pietisten. In dieser Debatte kommen nicht nur persönliche Feindseligkeiten zum Ausdruck, sondern auch tatsächliche philosophische Probleme der physikotheologischen Art. Es handelt sich um einen Streit zwischen der Theologie und der Naturphilosophie, in dem sich beide um das Recht des Gottesbeweises zanken.[34] Das Ausmaß des Anspruches, den Wolff auf diesem Gebiet geltend macht, und die Kraft seiner Argumente erklären in der Tat die Heftigkeit seiner Gegner.

Außerdem kann unsere Analyse dazu beitragen, die Position Kants zu erhellen. Zwar kann die komplexe Debatte um die Physikotheologie, die zwischen Wolff und Kant auch an der Berliner Akademie der Wissenschaften Maupertuis[35] und Formey[36] involviert, in diesem Rahmen nicht ausführlich dargestellt werden.[37] Trotzdem zeigt unsere kurze Rekonstruktion der physikotheologischen Debatte, in welchem Sinne man die Metaphysik zu Kants Zeit als ein Schlachtfeld bezeichnen kann. Dominiert wurde dieses Feld von den Theologen, deren absolute Autorität von den Naturphilosophen in Frage gestellt wurde. Wir verstehen aber auch besser, in welcher Hinsicht sich Kants Angriff auf die Metaphysik von demjenigen Wolffs unterscheidet. Fest steht, daß Kant sich, wenn es darum geht, wie Wolff das Feld der Metaphysik einzugrenzen, nicht mehr als Naturphilosoph und Mathematiker positioniert, sondern als kritischer Philosoph, und daß er nicht mehr die gleichen Absichten wie die Metaphysiker und Theologen teilt. Dies bedeutet eine Verschiebung der physikotheologischen Debatte hin zu anderen Sachverhalten und anderen Disziplinen

In der Tat bemerkt Kant in seinem ausführlichen Kommentar zum physikotheologischen Gottesbeweis in *Der einzig mögliche Beweisgrund zu einer Demonstration des Daseins Gottes*, daß der Beweis mit Hilfe der Kontingenz unzureichend sei, wenn es darum geht, die Existenz einer materiellen Ursache zu beweisen,[38] und daß jeder kosmologische Beweis der Strenge entbehrt, die für eine Beweis-

---

[34] Wolffs Argumentation steht hier vielleicht unter englischem Einfluß. Wie Jean École mit dem *Index auctorum* (GW, Abt. III, Bd. 10) zeigt, hat Wolff die Werke Boyles, den er vielfach zitiert, gründlich gelesen.

[35] Vgl. insbesondere Pierre-Louis Moreau de Maupertuis, Les lois du mouvement et du repos déduites d'un principe métaphysique, in: Histoire de l'Academie Royale des Sciences et Belles Lettres, tome II, 1746, Berlin 1748 ; ders., Essay de cosmologie, (Berlin) ¹1750, (Leiden) ²1751.

[36] Jean Henri Samuel Formey, Essais de Physique appliqués à la Morale, in: ders., Mélanges philosophiques, Vol. 2, Leide 1754.

[37] Hierzu wiederum der informative Artikel Paolinellis, (wie Anm. 3) vor allem 586–602, der ausführlich auf die Schriften dieser beiden Autoren in den Annalen der Berliner Akademie eingeht.

[38] Kant, Akad.-Ausgabe, Bd. 2, 122 (Ende der fünften Betrachtung).

führung nötig ist. Dieser Befund, der aus der vorkritischen Phase stammt, deutet bereits die Thesen der kritischen Periode an, die durch die methodische Ablehnung, sich jenseits der Grenzen des für den Menschen Erkennbaren zu bewegen, gekennzeichnet ist – und durch den Willen, aller Metaphysik eine klärende Kritik vorausgehen zu lassen. Der berühmte Paragraph 68 der *Kritik der Urteilskraft* nimmt einige der Thesen Wolffs wieder auf, besonders diejenige, derzufolge das Prinzip der Zweckmäßigkeit, welches die Natur mit Absicht, Weisheit, Ökonomie und Wohlwollen ausstattet, in der Physik gültig und methodisch notwendig ist, aber nur die möglichen Zwecke betreffen kann – daher die Notwendigkeit, klar zwischen der theologischen und der physikalischen Sichtweise zu unterscheiden. Aber Kant bietet eine ganz eigene Rechtfertigung dieser These, die für seinen kritischen Ansatz bezeichnend ist. Kant zufolge besitzt das teleologische Urteil ein einfaches regulatives Statut: Es spiegelt die Verbindungen unserer Begriffe (und der Natur unserer Vermögen), aber nicht die reale Verbindung der Dinge. Demnach ist die Kantische Teleologie nicht im gleichen Maße eine Propädeutik der Metaphysik wie diejenige Wolffs.

Im Jahre 1728 erwähnt Christian Wolff erstmals einen bisher namenlosen Teil der Physik, der „die Zwecke der Dinge erklären soll" und der „Teleologie genannt werden" könnte. Der Begründung und Konkretisierung dieser neuen Disziplin dienen Wolffs Vernünfftige Gedancken von den Absichten der natürlichen Dinge *(1723/1726), auch* Deutsche Teleologie *genannt. In diesem Artikel soll diese „Erfindung" der Teleologie als Wolffs Beitrag zur modernen Debatte um die Physikotheologie gelesen werden. Sie zeugt von einem Streit zwischen Naturphilosophie und Theologie, in dem sich der Naturphilosoph Wolff gegen den Vorwurf des Atheismus seitens der pietistischen Theologen Budde und Lange zu verteidigen sucht und die Grenzen zwischen Physik und Theologie neu absteckt. Indem Wolff dem Naturphilosophen oder Physiker allein das Recht zuspricht, Ordnung und Zweckursachen in der Natur zur erkennen und die Absichten, das Dasein und die Eigenschaften Gottes aus der Schöpfung zu beweisen, erweitert er den Geltungsbereich der Physik erheblich – und er beschränkt gleichzeitig den der Theologie.*

In 1728, Christian Wolff mentions a hitherto nameless part of Physics which should „explain the ends of things" and which could „be called Teleology". Wolff's Vernünfftige Gedancken von den Absichten der natürlichen Dinge *(1723/1726), also known as his* German Teleology, *is meant to justify and to substantiate this new discipline. This paper is supposed to interpret this „invention" of teleology as Wolff's contribution to the modern debate about natural theology. It is evidence of the controversy between natural philosophy and theology, in the context of which Wolff as a natural philosopher has to redefine the borders between theology and physics – and to defend himself against the charge of atheism, being raised by the pietistic Theologians Budde and Lange. Wolff claims that only the natural philosopher or physicist is able to recognize order and final ends in nature – and to deduce the intentions, the existence and the attributes of God form his creation. As a result, Wolff enlarges the realm of physics to a great extend – and limits the realm of theology at the same time.*

Dr. Stefanie Buchenau, Maître de conférences, département d'Etudes germaniques, Université Paris 8 Saint-Denis. 2, rue de la Liberté, F-93526 Saint-Denis Cedex; E-Mail: stefaniebuchenau@univ-paris8.fr

JEAN-FRANÇOIS GOUBET

Wolffs systematische Denkweise auf dem Prüfstand der theologischen Kontroverse

I. Die Absicht des vorliegenden Aufsatzes

Bekanntlich hat die Wolffsche Metaphysik heftige Streitigkeiten mit Theologen verursacht. Der Philosoph hat sich so sehr herausgefordert gefühlt, daß er sich auf Schutzschriften einließ. Mein Vorhaben besteht nicht darin, mich inhaltlich mit den Antworten auf Lange, Budde oder Walch auseinanderzusetzten.[1] Vielmehr möchte ich verstehen, wie Wolff, der eher einen demonstrativen als einen polemischen Stil pflegte, in seiner Denkweise auf die Kontroverse reagierte. Inwiefern konnte der Philosoph auf seinem eigenen Weg bleiben, wenn sich Opponenten von überall her gegen ihn wandten? Hat die Ausführung des Werkes erhebliche Veränderungen erfahren oder nicht? – Die umstrittene Frage der prästabilierten Harmonie möchte ich nicht erörtern, da sie die Wechselwirkung zwischen Leib und Seele betrifft und deswegen hauptsächlich zur rationalen Psychologie gehört. Meine Aufmerksamkeit will ich vielmehr auf die Denkweise der theologischen Teile des Lehrgebäudes und deren Einleitungen richten, um die Systemidee Wolffs genauer zu erfassen.

II. Die Wolffsche Standhaftigkeit in theologischen Sachen

1. Das Festhalten an der demonstrativen Methode

Wenn er von seinem Verfahren bei der Behandlung der Lehre Gottes in seiner *Deutschen Metaphysik* Rechenschaft ablegt, sagt Wolff am Anfang folgendes:

---

[1] Vgl. GW, Abt. I, Bd. 17 und Bd. 18.

Aufklärung 23 · © Felix Meiner Verlag 2011 · ISSN 0178-7128

> In diesem 6. Capitel habe ich die *Theologiam naturalem*, oder was man von GOTT aus dem Lichte der Natur erkennet, auf eine demonstrativische Art abzuhandeln mir vorgenommen.[2]

Die methodische Strenge wird noch einmal als das Kennzeichen der eigenen Lehre hervorgehoben. Was soll aber genau diese „demonstrativische" Art bedeuten? Da Wolff selten über solche Sachen schweigt, fällt es leicht, Auskünfte darüber aus erster Hand zu bekommen. Wenn er in einem anderen Werk über Theologie zu sprechen beginnt, gibt er ebenfalls von vornherein an, daß er die demonstrative Methode benutzt. Er fährt dann fort:

> Und deswegen habe ich keine Gründe angenommen, die nicht von ungezweiffelter Gewißheit sind, und hingegen alles in einer beständigen Verknüpffung miteinander auseinander hergeleitet.[3]

An die Motive der Gründlichkeit und der Herleitbarkeit, also der Unumstößlichkeit der Prämissen und der Richtigkeit der Beweisführung, wird noch einmal erinnert. Wolff ist nie müde geworden, diese Säulen seiner Philosophie in den Vordergrund zu stellen. Das allerhöchste Gesetz der Methode,[4] so der *Discursus praeliminaris*,[5] wird ihr noch einen Geruch der Heiligkeit hinzufügen.[6] Interessanter ist im gegenwärtigen Zusammenhang der Verweis auf die Verknüpfung der Sätze miteinander. Das System Wolffs hat nicht nur eine Dimension; es leitet nicht alle Wahrheiten von einem roten Faden ab, sondern erfordert eine gewisse Koordination zwischen seinen Teilen. Nach den Angaben der *Logica* folgt er meistens einer gemischten Ordnung,[7] wo bewiesene Disziplinen (innerlich durch die Demonstration organisierte Fächer) nebeneinandergestellt werden.[8]

Wolffs Festhalten am demonstrativen Weg macht ihn prinzipiell unfähig, irgendeine Streitigkeit einzubeziehen, irgendeine Fehde einzugehen. Der rote Faden des Vernunftschlusses soll unberührt durch alle Abschnitte fortgehen, ohne daß umstrittene Fragen mehr als eine Bemerkung verdienen. Der Vortrefflichkeit seiner Methodik bewußt, erklärt Wolff ganz klar, daß die Polemik keinen Platz in

---

[2] Anmerkungen zur Deutschen Metaphysik, 556 (§ 342).

[3] Ausführliche Nachricht, 297 (§ 107).

[4] Zur angeblichen Mathematizität dieser Methode vgl. Paola Basso, Rien de *mathématique* dans la *methodus mathematica* wolffienne. La méthode ‚mathématique' de Wolff et les objections de Lambert, in: Jean-François Goubet, Faustino Fabbianelli, Oliver-Pierre Rudolph (Hg.) Christian Wolff et la pensée encyclopédique européenne. Autour du *Discours préliminaire sur la philosophie en général*, Bordeaux 2009 (Lumières, 12) 109–121.

[5] Discursus praeliminaris, 152 (§ 133).

[6] Im *Discursus praeliminaris* benutzt Wolff zweimal das Adverb *sancte*, um die Ordnung bzw. das Gesetz der Methode zu kennzeichnen, vgl. 94 (§ 87) und 160 (§ 139).

[7] Logica, Bd. 2, 594 (§ 830).

[8] Zur Methodik Wolffs vgl. Juan Ignacio Gómez Tutor, Die wissenschaftliche Methode bei Christian Wolff, Hildesheim, New York 2004 (GW, Abt. III, Bd. 90).

seinen Büchern haben kann. Seine systematische Vorgehensweise kommt nämlich allen Einwänden zuvor![9]

2. Wie die meisten Einwände von Anfang an
für ungültig erklärt werden

Gelegentlich will Wolff den möglichen Einwänden einige Aufmerksamkeit
schenken. Man kann hier und da Passagen finden, wo der Philosoph ein bißchen
Offenheit dafür zeigt. Wer ihm vorwirft, er vertrete Ansichten, die der natürlichen
oder der christlichen Religion zuwider seien, der kann das kurz und bündig schreiben, und dann wird eine genaue Antwort erfolgen.

> Ist man nicht zu frieden, so kann man darauf, aber wieder ohne weitläufftige Worte *re-
> plici*ren und, wenn ich *duplici*ret, soll es gedrukt werden, und mögen Verständige urt-
> heilen, wer die Wahrheit hat.[10]

Man darf sich nicht einbilden, der dogmatische Philosoph möchte einen Gerichts-
hof entstehen sehen, an dem das gute Recht einer Partei letztendlich nach einer
Appellation festgestellt würde. Das gelehrte Publikum kann nur bestätigen,
daß einer von Anfang an seine Demonstration richtig geführt hat. Wer urteilt,
der entscheidet nicht nach einem Vergleich des Für und Wider, sondern erkennt
die Richtigkeit der Beweisführung des einen und folglich die Nichtigkeit der Argumente des anderen.

Man solle sich nämlich zweimal überlegen, ob es sich lohnt, sich an den Meister zu wenden, um ihm einige Einwände mitzuteilen. Seine mit der demonstrativen Ausarbeitung seiner großen philosophischen Absicht erfüllte Zeit sei kost-
bar, so daß er kaum Zeit zum Lesen finde. Es wäre besser, daß man ihn zu lesen
lernte, d. h. daß man sich seine Methodik aneignete und sich zum unparteiischen
Denken erhebe.

Wolff unterscheidet bei seinen Gegnern zwischen zwei Haupttypen, den Kon-
sequenzen- und den Bessermachern. Um sie zu denunzieren, faßt er jedoch beide
zusammen: Beide Arten von Menschen sind „Kinder am Verstande, aber Männer
an Boßheit";[11] ihre böse Absicht deckt sich mit einer schlechten Denkkraft. Fol-

---

[9] In dieser Hinsicht bemerkt mit Recht Hans-Werner Arndt (Einleitung zur *Ausführlichen Nachricht*, XII) folgendes: „Der Nachdruck bei Wolffs Verteidigung liegt weit weniger im Theo-retischen als in der Herausstellung der eigenen Rechtschaffenheit im Hinblick auf die methodische Durchführung seines Programmes".

[10] Sicheres Mittel wider ungegründete Verleumdungen, wie denselben am besten abzuhelfen, in: Kleine Schriften, Bd. 4, 446 f. (§ 7).

[11] Erste Vorrede zur Deutschen Metaphysik, [1].

gen- und Bessermacher haben beide ein indirektes Verhältnis zum Wolffschen Werk. Allerdings kritisieren sie es auf unterschiedliche Weise.

3. Über die Bessermacherei

Die Bessermacher machen die Philosophie, insbesondere die Metaphysik, zu einem Kampfplatz, zu einem Zankapfel. Was sie antreibt, ist das Ansehen beim Pöbel, bei den Unverständigen. Da die Bessermacher unfähig sind, die Wahrheit selber zu entdecken, versuchen sie den Wert anderer herabzusetzen. In der Argumentation Wolffs kommt zum Vorschein, daß die moralische und die intellektuelle Tugend bzw. das moralische und intellektuelle Laster zusammenfallen. Die Liebe zur Wahrheit funktioniert also als Reinheit der Absichten bei deren tüchtiger Erforschung. Umgekehrt passen Verfolgungseifer und Dummheit gut zusammen, wie es der folgende Schluß von 1720 belegt (wobei der dritte Satz als rhetorische Frage, also als Behauptung, und als zweite Prämisse gelesen werden soll):

> Man soll nicht eher etwas tadeln, biß man es besser machen kan. Wer es aber besser machen kan, der wird den andern zu tadeln nicht verlangen. Denn wer strebet nach einem geringen und öfters nur vermeinten Ruhme, der einen grösseren und wohlgegründeten haben kan?[12]

Wer die Kraft hat, auf eigene Faust etwas festzustellen, wird nie aus Verfolgungseifer mit einem anderen zanken. Er wird nur an seiner Maxime festhalten, dem sogenannten Fehler, d. h. die schon aufgestellte Wahrheit durch neue Proben noch einmal zu zeigen „und dadurch seinen Verleumder oder Gegner, wie sie heissen wollen, in der Tat zu widerlegen".[13] Man widerlegt nicht eine Widerlegung, sondern man führt noch einmal direkt den Beweis vor, vorausgesetzt, daß man es vermag.

4. Und über die Folgenmacherei

Gefährlicher sind sicherlich die Folgenmacher. Ein Schein der Vernünftigkeit plädiert für ihr gutes Recht: Angenommen, daß diese Sätze wahr sind, dann sind deren Konsequenzen jene Sätze; falls die letzteren unhaltbar sind, dann sind die ersteren, d. h. die Vordergründe wegzulassen.[14] Was ist die Haltung Wolffs den Konsequenzenmachern gegenüber?

---

[12] Erinnerung, wie es Herr Wolff mit den Einwürfen halten will, die wider seine Schrifften gemacht werden, in: Kleine Schriften, Bd. 2, 637 (§ 7).

[13] Ebd.

[14] Vgl. *modus refutandi per indirectum*, Logica, Bd. 2, 744 f. (§ 1039).

Zum ersten wiederholt er schon angeführte Gründe, um sie nicht ernst zu nehmen. Es wäre besser, wenn sie schweigen würden, weil sie nichts weiter erzielen, als sich einen Namen ohne Hinsicht auf die Wahrheit zu verschaffen. Auf eine Komödie von Gryphius anspielend, erklärt Wolff, er wolle keinen Narren unter den Narren bei der Beantwortung widersinniger Einwände spielen.[15]

Zum zweiten verneint Wolff auf eine juristische Art das Recht, Konsequenzen zu ziehen, um jemanden zu widerlegen. *Quid facti?* Können die Widersacher Sätze zeigen, die sich gegen die christliche Religion richten? Öfters machen die Opponenten *imputationes*; sie schreiben dem Philosophen zu, was er gemeint haben soll, nicht was er eigentlich geschrieben hat.[16]

Zum dritten erinnert Wolff daran, daß seine Gegner seine Systementfaltung nicht verstehen. Das gilt insbesondere für diejenigen philosophischen Hypothesen, die nur eine Ergänzung des Sinnes liefern, aber die übrigen Teile des Lehrgebäudes unberührt lassen. Ganz gleich, welche Stellung man zu einem metaphysischen Streitpunkt einnimmt: Es ist nicht erlaubt, sich darauf zu stützen, um Folgerungen für davon unabhängige Teile des Systems zu ziehen, um so mehr, wenn sie ungereimt oder der Religion schädlich sind. Denn eine Vermutung, wenn sie nur wahrscheinlich ist, ist immer im Zusammenhang mit einer untrüglichen Erfahrung zu verstehen. Und obwohl sie früher im Buch formuliert worden ist (z. B. in der rationalen Psychologie), ist sie auch ohne Beweiskraft für das Folgende (z. B. in der Natürlichen Theologie).[17]

5. Das Ergebnis für die eigene systematische Denkweise

Interessanterweise erfordert die Wolffsche Argumentation, seine Behauptungen über sein eigenes System zu relativieren. Im Fall der Hypothesen stimmt der Satz nicht, sein Lehrgebäude sei wie eine Kette.[18] Die lineare Fortführung des Beweises macht bei den Hypothesen gleichsam Halt, um mehr Inhalt auf einem anderen begrifflichen Niveau darzustellen. Es gibt also in den Werken Wolffs eine Superstruktur, die neben den Schlußketten mehrere Denkmöglichkeiten diskutiert. Anders gesagt, existieren Parallelstellen, die einen gewissen Punkt anders interpretieren.

---

[15] Vgl. Sicheres Mittel (wie Anm. 10), 448 (§ 7).
[16] Vgl. z. B. Christian Wolffens Anmerkungen, über der Philosophischen Facultät zu Tübingen Responsum über seine Philosophie (1725), in: GW, Abt. I, Bd. 22, 201.
[17] Vgl. z. B. De hypothesibus philosophicis, in: Horae subsecivae, Bd. 1, Trimestre vernale 1729, 214–218 (§ 12).
[18] Obwohl das in der ersten Vorrede zur Deutschen Metaphysik steht, [5].

Bevor ich zu diesem Überbau in den Schriften komme, möchte ich aber letzte
Bemerkungen über den Vorzug der Standhaftigkeit im demonstrativen Verfahren
bei Wolff einfügen. Sich indirekt auf Wolff zu beziehen, kann nämlich zwei Bedeutungen haben. Zum ersten begeht man *impugnatio*, einen Angriff, sogar *logo-
machia*, einen Wortstreit,[19] wenn man die zulängliche Demonstration und genü-
gende Bestimmung der Wörter durch den anderen übersieht, oder man wird zum
consequentiarius, zum Folgenmacher, sogar zum *persecutor*, zum Verfolger,[20]
wenn man um jeden Preis *per indirectum* zu beweisen versucht, daß der andere
irre. Zum zweiten kann das aber heißen, daß man von der fremden Lehre nichts
aus eigener Kenntnis weiß, daß man sie nur vom Hörensagen oder aus zweiter
Hand kennt. Wolff stellt diesen Tatbestand fest und verurteilt ihn, so daß seine eigene Ansicht dessen zum Vorschein kommt, was ein systematischer Verstand sein
soll.

„[V]erweise man mich nicht an alte Widerlegungen, sondern widerlege selbst",
dieses Motto Fichtes in der Vorrede zur ersten Auflage der *Grundlage der gesammten Wissenschaftslehre*[21] hätte wohl vorher unter der Feder seines Vorgän-
gers auftauchen können. Denn es kommt beim Philosophieren darauf an, daß
man seinen eigenen Gedankengang zu führen lernt.

6. Das Philosophieren Wolffs als methodisches Selbstdenken

Die eigentliche Art zu widerlegen bleibt bei Wolff der *modus refutandi per demonstrationem, sive per directum*,[22] d. h. die Darstellung des Wahren, ohne sich
weiter darum zu kümmern, wie andere zu einem anderen Resultat gelangen konnten. Als Nebenwirkung der Demonstration, als Ergebnis am Rand, ist also das Verwerfen eines fremden Lehrsatzes anzusehen.

Deshalb versteht man, daß Wolff mit Abstand, sogar mit Herablassung, mit
denjenigen spricht, die ihre eigenen Einwände nur halb verstehen. Am besten solle der Untüchtige schweigen und sich mit anderen Sachen beschäftigen. Wer nicht
fähig ist, die Ontologie, die Kosmologie und die Psychologie mit Geduld und Aufmerksamkeit durchzulesen, der überlasse also die Natürliche Theologie den Weltweisen, die mit eigenen, nicht mit fremden Augen sehen. Er aber möge sich mit
dem Segen des ihm überlegenen echten Philosophen mit einer dunkelen höchst
zweifelhaften Erkenntnis zufrieden geben, sucht doch jeder die Wahrheit gemäß

---

[19] Logica, Bd. 2, 734 und 739 (§ 1018 und § 1029).
[20] Ebd., 749 f. und 752 (§ 1046 und § 1051).
[21] Johann Gottlieb Fichte, Gesamtausgabe, Werke, Bd. 2, Stuttgart-Bad Cannstatt 1965, 254.
[22] Logica, Bd. 2, 742 f. (§ 1035 f.).

der Eigentümlichkeit seines Gemütes (*pro suo ingenii modulo*).[23] Denn durch sich selbst eine Wahrheit zu fassen, sei sie auch armselig, gilt mehr, als sich einzubilden, man könne unfehlbare Wahrheiten auf gut Glück herausbringen.

Wer sich trotzdem anmaßt, sich zu Wort zu melden, obgleich er nicht erklären kann, woher er dieses weiß, der verdient schweren Tadel. Er ist nur die Nachbildung eines anderen und hat damit öfters das Unglück, von diesem zuerst die schlechteren Züge zu übernehmen. Mit Wolffs eigenen Worten heißt das:

> Nach Leuten, die nur ein Echo anderer sind, habe ich jederzeit wenig gefraget, und werde mir auch darüber ins künfftige keine grauen Haare wachsen lassen, daß Leute, welche die Sachen selbst einzusehen nicht geschickt sind, ihnen etwas widriges von mir einbilden.[24]

Fremde Gedanken sind dem Gelehrten wie Perücken, meinte einmal Schopenhauer:[25] Sie sind bequem für verschiedene Gelegenheiten, können die Köpfe wechseln, aber sie haben keine festen Wurzeln und wachsen nicht von selbst. Das Wolffsche Haar ist so gesund gewesen, daß es weder eine Färbung noch einen Ersatz nötig gehabt hat. Sicherlich war demzufolge die prachtvolle Perücke, mit der er am Anfang vieler Bücher prahlt, nur ein Zugeständnis an die daran gewöhnte Leserschaft, welche keinen Anstoß nehmen durfte und nicht gehindert werden sollte, das Werk zumindest anzufangen.

Aber kehren wir zum Echo zurück. Ein Passus der Moral Wolffs stellt die Gründlichkeit des Verstandes (*profunditas intellectus*) als Erfordernis des Systems dar: Wer sie besitzt, der kann die Begriffe in einfachere zerlegen und dann Wahrheiten untereinander verknüpfen.[26] Im Gegensatz zum Systematiker steht der Nachhall der Gelehrten, der Papagei, der nicht von selbst urteilt, jedoch über das spricht, was er nicht versteht.[27] Gegen den *psittacismus eruditorum* besteht die einzige Heilung darin, daß die Jugend in die richtige Methode eingeweiht wird, sich traut, selbst zu denken und somit dem Wolffschen Geist der Gründlichkeit treu bleibt.[28]

---

[23] Vgl. Theologia naturalis, Bd. 1, Praefatio, 18*.

[24] Erinnerung (wie Anm. 12), 644 (§ 11).

[25] Vgl. Parerga und Paralipomena II, hg. von Ludger Lütkehaus, Zürich 1988, Kap. XXI, „Ueber Gelehrsamkeit und Gelehrte", 426 (§ 248).

[26] Vgl. Ethica, Bd. 1, 484–486 (§ 313).

[27] Ebd., 483–484 (§ 312).

[28] Vgl. Kant, Kritik der reinen Vernunft, B XXXVI. Akad.-Ausgabe, Bd. 3, 22.

III. Hat Wolff infolge der theologischen Streitigkeiten
erhebliche Veränderungen vorgenommen?

1. Das Einbeziehen fremder Denkimpulse
in die eigenen theologischen Werke

Daß Wolff für das Denken auf eigene Faust plädiert, soll nicht mißverstanden werden. Das bedeutet überhaupt nicht, daß fremde Gedanken auf keinem Fall impor-
tiert werden dürfen. Sofern ein anderer einen Beweis richtig führt, wird die von
ihm gefundene Wahrheit zum Gemeingut aller Verständigen. Anders gesagt, gehört der einmal aufgestellte Satz keineswegs dem, der ihn als erster erwogen hat;
alle Geister sind ebenbürtig, wenn sie durch die eigene Anstrengung und die eigenen Augen die Wahrheit fassen.

Die logische Fertigkeit eines Lesers erlaubt es ihm, dem Vorurteil der Autorität
(*praejudicium autoritatis*) nicht zu verfallen und eine vernünftige Wahl fremder
Lehren zu treffen (*eclecticum agere*).[29] Mit einem flüchtigen Auge kann er dann
Bücher durchblättern und daraus das entnehmen, was er als gut definiert und richtig bewiesen erkennt.[30] Dieses Verfahren kann auch in den göttlichen Angelegenheiten seinen Platz finden, wie das Beispiel Caspar Neumanns es belegt. Dieser
Theologe, wie übrigens einige Mathematiker und Philosophen, hat einen echten
systematischen Geist besessen.[31] – Wie hat sich nun Wolff angesichts seines Breslauer Vorbilds in der Behandlung der theologischen Sachen verhalten?

Wolff beruft sich ausdrücklich auf Descartes, Thomas von Aquino, Augustinus
oder sogar auf Jesuiten, wenn er für die Ungefährlichkeit seiner Theologie plädiert. Die Verbindung der höchsten Vollkommenheit der sichtbaren Welt mit
der Freiheit Gottes wurde schon von den scharfsinnigsten Männern eingesehen;
der Beitrag Wolffs besteht darin, daß er sie mit seinen Demonstrationen am evi-
dentesten dargetan hat.[32] Die Wahrheit darf nicht verlorengehen, sie muß vielmehr in die eigenen Schlußketten einbezogen werden. Diese Übernahme fremder
Sätze in seinen Text impliziert manchmal Verbesserungen in Hinsicht auf die for-
melle Richtigkeit und auf die materielle Vollständigkeit der Importe. Auf diese
Weise darf Wolff cartesianische Lehrstücke aufnehmen und trotzdem ihren Autor

---

[29] Über den systematischen Verstand als den besseren Eklektiker bei Wolff vgl. Michael Albrecht, Eklektik. Eine Begriffsgeschichte mit Hinweisen auf die Philosophie- und Wissenschaftsgeschichte, Stuttgart-Bad Cannstatt 1994, 535 ff.

[30] Vgl. De differentia intellectus systematici & non systematici, in: Horae subsecivae, Bd. 1,
Trimestre brumale 1729, 149 (§ 16). Über die Bedeutung dieser kleinen Schrift vgl. Norbert Hinske,
Zwischen Aufklärung und Vernunftkritik. Studien zum Kantschen Logikcorpus, Stuttgart-Bad
Cannstatt 1998, 105 f.

[31] De differentia (wie Anm. 30), 119 (§ 7).

[32] Vgl. Theologia naturalis, Bd. 1, Praefatio, 23*.

tadeln, da er nicht präzis genug beim Beweis *a priori* des Daseins Gottes verfuhr.[33] Dieser Hinweis auf den zweiten Teil der *Theologia naturalis* führt uns aber zu neuen Betrachtungen über die Veränderungen, die Wolff bei den theologischen Sachen unternommen hat.

2. Die demonstrative Weiterentwicklung der Theologie in der lateinischen Schriftenreihe

Warum hat Wolff eine Demonstration *a priori* des Daseins Gottes dem Beweis *a posteriori* hinzugefügt?[34] Die Vervielfältigung der Beweise, die normalerweise die Unumstößlichkeit der Sätze stärker befestigen soll, hat den Nachteil, den Verdacht gegen die Zulänglichkeit der angeführten isolierten Vernunftschlüsse zu erwecken. Wolff muß also Gründe anführen, warum er in der lateinischen Reihe und nicht in der deutschen auf solche Weise verfährt.

Da der Beweis der Existenz Gottes aufgrund der Zufälligkeit des Weltalls (*argumentum de contingentia universi*) Umwege durch die schwierige Kosmologie und ihre Lehre von der Bewegung erfordert, ist er nicht so faßlich wie der direktere Weg, obwohl ebenso richtig. Die Schuld sei dann die des Unwissenden, der nicht fähig ist, die Wahrheit wahrzunehmen.[35] Wolff sei überhaupt nicht dafür zu rügen, daß eine Lehre wegen ihrer innerlichen Schwierigkeit sich nicht für alle Köpfe eignet.

Übrigens verteidigt sich der Philosoph dagegen, die Gründe unnötig verdoppelt zu haben. Die sogenannte Demonstration *a priori* des Daseins Gottes wird auch besser als Beweis aus den vorherigen psychologischen Wahrheiten betrachtet. Weil sie etwas Willkürliches enthält, nämlich die Wegschaffung der Schranken unserer Seele, um das Unendliche zu erzeugen, hat sie nicht dieselbe überzeugende Kraft. Da sie aber viel schneller zu den Attributen Gottes führt, hat sie auch ihre Vorteile. Deshalb kann Wolff immerhin zugeben, es sei nicht zu raten, mehrere gleichwertige Beweise zu häufen.[36] Allerdings seien die Wege, die er in den beiden theologischen lateinischen Schriften begangen hat, verschiedenartig.

---

[33] Ebd., 24* f.

[34] Weitere sachliche Argumente finden sich bei Jean-Paul Paccioni, Cet esprit de profondeur. Christian Wolff, l'ontologie et la métaphysique, Paris 2006, Kap. VIII, 179–195.

[35] Vgl. De methodo existentiam Dei ex Ordine Naturae demonstrandi, in: Horae subsecivae, Bd. 2, Trimestre autumnale 1730, 683 (§ 7).

[36] Vgl. Theologia naturalis, Bd. 2, Praefatio, 14* f.

3. Die Kompromisse in der beweisenden Schreibart

Soweit Wolff. Was verschweigt er aber? Sind nicht andere Gründe zu erwähnen, weshalb ein neues Werk, das kein Gegenstück in der deutschen Schriftenreihe hat,[37] zur Welt gekommen ist? Die Verschiebung der empirischen Psychologie hinter die Kosmologie ist von keiner großen Brisanz in diesem Zusammenhang. Man sieht nur leichter auf einen Blick, wie der eine Beweis in der Psychologie überhaupt wurzelt, während der andere aus der Kosmologie erwächst. Die Vorrangstellung der Kosmologie[38] hat nicht dazu beigetragen, eine Erweiterung der Lehre zu unternehmen.

Die zweite Abteilung des zweiten Teils ist maßgeblich für den Entschluß, die Theologie zu erweitern. Da Wolff sich gegen Mißdeutungen seiner Doktrin zu wehren hat, fand er es nötig, die falschen Meinungen hinsichtlich Gottes in Betracht zu ziehen. Wolff erinnert noch einmal daran, wie ungern er andere Meinungen widerlegt, da die Aufstellung der Wahrheit von selbst die entgegengesetzten Irrtümer vertreibt. Gewisse Gelegenheiten haben ihn allerdings dazu gezwungen, sich dafür zu öffnen. Wenn Verleumder nur nach Streit suchen und nach allen Richtungen schreien, das Wolffsche System führe zu Atheismus, Fatalismus oder sogar Spinozismus, bleibt keine andere Haltung als diejenige der Verteidigung möglich.[39]

Was früher nur als beiläufige Bemerkungen gedacht war, z. B. kleine Exkurse über Materialismus und Idealismus in der *Psychologia rationalis*,[40] nimmt jetzt einen viel größeren Raum im Wolffschen Werk ein. Solche Passagen, die zunächst wie Zusätze erscheinen mögen, verändern in der Tat den Gehalt der Lehre. Dies will ich jetzt näher untersuchen.

---

[37] Hier muß hervorgehoben werden, daß die lateinische Entfaltung des Systems sich nicht auf die deutsche zurückführen läßt. Also ist es nötig, eine sehr oft wiederaufgenommene Meinung Max Wundts zu verwerfen. In seinem Buch *Die deutsche Schulphilosophie im Zeitalter der Aufklärung* ([1]1945, Nachdruck Hildesheim, Zürich, New York 1992, 184) behauptete er: „Sie [= die lateinischen Schriften] sind ja nicht als eine neue, von der deutschen abweichende Darstellung geplant, sondern von frühe an, während die deutsche Reihe erst entstand, ins Auge gefaßt, und nur aus dem Grunde, um ihnen durch die lateinische Sprache eine weitere Verbreitung in den Schulen Europas zu gewinnen".

[38] Vgl. Discursus praeliminaris, 106 f. (§ 98).

[39] Theologia naturalis, Bd. 2, Praefatio, 17* f.

[40] 24–29 (§ 32–43).

4. Wie die möglicherweise gefährlichen Stellungnahmen
von vornherein miteinander vereinbart werden

Wolff hat nicht so leicht auf sein ursprüngliches Vorhaben verzichtet, seinen Weg allmählich zu gehen, ohne sich um die durch ihn überholten Stellungnahmen zu kümmern. Auch wenn er fremde Positionen berücksichtigt, sieht er im anderen meistens nur eine Widerspiegelung seines Selbst. Anders ausgedrückt, hat er die Diskrepanzen zwischen allen Sekten unterschätzt, so daß der größtmögliche Einklang für ihn erreichbar blieb. Die Verständigen sollten auch diejenigen Menschen sein, die sich untereinander aussöhnen konnten, die einander eben verstehen konnten.

Schon früh, und zwar 1721, kommt diese Haltung zum Vorschein. Geistliche der drei christlichen Kirchen haben gemeint, daß das metaphysische Werk Wolffs viel zur Erkenntnis der Theologie beiträgt. Das ist aber noch nicht genug: Eine Vereinbarkeit zwischen den Philosophien wird ins Spiel gebracht. Nachdem Wolff die jeweiligen Behauptungen der beiden Gegner des Dualismus in der rationalen Psychologie untersucht hat, hat sich ergeben, „daß sich nehmlich die Meinungen der Idealisten und Materialisten von den Dualisten mit einander vereinbaren lassen".[41] Die Metaphysik vorzutragen, heißt nicht so sehr die Scheidewände, die Wegkreuzungen zu zeigen, als einen Ausgleich vorzubereiten.

Die viel ausführlicheren Passagen des Endes der *Theologia naturalis* machen diesen Zug der Wolffschen Denkart noch auffallender. Weder die Materialisten noch die Idealisten leugnen notwendigerweise die Existenz Gottes. Wolff verfährt so lange wie möglich Hand in Hand mit ihnen, um nur am Ende ihre Irrtümer zu widerlegen. Wie Jean École bemerkt, gibt Wolff selbstgemachte Definitionen der verschiedenen Denkrichtungen und zieht daraus Schlüsse, wenn auch niemand sich tatsächlich zu ihnen bekannt hat.[42]

Die logische Fertigkeit Wolffs hat sich also mit seinem Wunsch, die Metaphysik als Friedensplatz geltend zu machen, vereinigt. Wer es unternimmt, die Parteien von vornherein miteinander zu vereinigen, darf jedoch kaum hoffen, eine endgültige Versöhnung der Meinungen zu erreichen. Also bleibt fraglich, ob ein solches Verfahren, das die Fehde nicht als konstitutiv für die philosophische Debatte ansieht,[43] die Zustimmung der wirklichen Opponenten gewinnen kann.

---

[41] Zweite Vorrede zur Deutschen Metaphysik, [21].
[42] Vgl. das Vorwort des Herausgebers zur Theologia naturalis, Bd. 2, XXXIII.
[43] Wir verdanken dem Spinoza-Spezialisten Pierre-François Moreau den Hinweis auf die zentrale Rolle der Kontroversen im klassischen Zeitalter.

5. Die Eigentümlichkeit der theologischen Hypothesen

Die Vorgehensweise der *Theologia naturalis* hat nicht nur den verschiedenen Sekten viel mehr Platz eingeräumt, sie hat auch dazu beigetragen, den Status der philosophischen Hypothesen implizit zu verändern. Während Wolff mit Recht behaupten konnte, daß die Wahl dieser oder jener Meinung im Feld der rationalen Psychologie für die vorher bewiesenen Lehrstücke gleichgültig war, versuchte er in der Theologie vergeblich, derselben argumentativen Linie zu folgen. Eine theologische Meinung läßt sich nicht so leicht auf eine Superstruktur zurückführen, die für den Rest ohne Belang wäre. Es kommt hier nicht darauf an, einen Zusatz an Sinn zu geben, sondern eine Grundwahrheit gegen alle Angriffe zu verteidigen. Deshalb deckt sich die Beweisführung *a priori* der *Psychologia rationalis* auch nicht mit derjenigen des zweiten Teils der *Theologia naturalis*. Was dort die Stiftung einer Einheit auf einem anderen Niveau von Verständlichkeit hieß,[44] ergibt sich hier vor allem als die Untermauerung, die Befestigung eines Gebäudes, das auf keinen Fall zusammenfallen darf.

Richten wir kurz unsere Aufmerksamkeit auf die Untersuchung der idealistischen Sichtweise, um das vorher Gesagte zu beleuchten. Im § 639 lernt man, daß der Idealismus der ganzen Philosophie in nichts schadet (*Idealismus philosophiae universae nihil nocet*); Wolff zählt dann vielfältige Disziplinen auf, bevor er auf den dritten Teil des *Discursus praeliminaris* hinweist, falls man mehr dazu hinzufügen wollte.[45] Wenige Seiten später lernt man aber, daß die Verleugnung der Körper ein Irrtum ist. Wer die wirkliche Existenz der Körper verwirft, der verneint auch die Existenz Gottes. In der Tat ist Gott die Ursache der endlichen Dinge, womit seine Ehre offenbart wurde.[46] Wie man sieht, laufen die Reihenfolge der Ursachen und diejenige der logischen Bedingungen in umgekehrte Richtungen. Die Lehre von den Körpern und die Doktrin von der Seele hängen mit der letzten Wahrheit zusammen, die implizit schon da ist, obwohl sie noch nicht ausgesprochen wird. Anders gesagt, hat man es letztendlich in der Theologie nie wirklich mit Hypothesen zu tun. Eine einzige Art des Daseins und der Wirkung Gottes ist akzeptabel. Weicht man davon in den theologischen Sätzen ab, dann widerspricht man den vorher erkannten Wahrheiten, was aber nicht sein darf.

In dieser Hinsicht sind die Wolffschen Verweise auf die Hypothese des Dualismus[47] bzw. der Dualisten nicht im strengen Sinne zu nehmen. Von einer wahren Alternative zwischen dieser Meinung und anderen kann nicht wirklich die Rede sein. Von Anfang an ist die Wolffsche Philosophie als dualistisch einzuordnen.

---

[44] Vgl. Psychologia rationalis, 3 f. (§ 4).
[45] Vgl. Theologia rationalis, Bd. 2, 632.
[46] Vgl. ebd., 639 (§ 644).
[47] Vgl. z.B. ebd., 618 (§ 626 Anm.) oder 620 (§ 627 Anm.).

Obwohl die erste Fassung der *Deutschen Metaphysik* nur von dem Bewußtsein sprach, ohne das Bewußtsein unserer und anderer Dinge zu erwähnen, machte das Folgende klar, daß die Egoisten als extreme Idealisten irrten.[48] Faktisch wurde schon von dem ausgegangen, was später philosophisch bekräftigt werden sollte, also das Dasein anderer Menschen und Dinge außer mir dank der Macht Gottes. Derart beinhaltet die Wolffsche Philosophie eine äußerste Konsistenz. Aber eine gewisse Zirkelhaftigkeit läßt sich nicht leicht von der Hand weisen. Was wäre die Theologie unter anderen Bedingungen geworden? Die Tatsachen, die vermutlich unbezweifelbar sind und idealerweise in einer von der Theorie unabhängigen Sprache wiedergegeben werden, geben ihr bereits eine bestimmte Orientierung.

6. Das Wolffsche System zwischen Lehrgebäude und Lehrbegriff

Als er über seine deutsche Fassung der Theologie schrieb, legte Wolff Rechenschaft ab von dem, was er mit ihr beabsichtigte. Er wollte niemanden von der Kenntnis Gottes ausschließen, auch wenn er nicht in allen Punkten mit ihm einverstanden war. Obwohl er sich zum Dualismus bekannte, wollte er zeigen, daß der Beweis des Daseins Gottes auch für die Materialisten und die Idealisten gültig sei.[49] Die Frage stellt sich, wie dieses Bekenntnis mit der Wolffschen Systemidee kompatibel ist.

Auf den ersten Blick sind System und Bekenntnis zwei verschiedene Sachen. Näher betrachtet, können sie jedoch zusammenfließen. Wenn er über den subtilen Anthropomorphismus redet, spricht Wolff ausdrücklich von seinem System, das nicht vom Irrtum angesteckt wurde.[50] Was kann „unser System" (*systema nostrum*) anderes bedeuten, als daß es andere Systeme gibt, die auch eine gewisse Konsistenz haben, obwohl sie nicht in jeder Hinsicht zuverlässig sind? Ein System zu haben, heißt in diesem Kontext: eine gewisse Meinung anzunehmen und kohärente Sätze aufzustellen, eine bestimmte Hypothese zu verteidigen. So kann Hobbes sich zum Materialismus bekennen,[51] genauso wie andere sich zum Okkasionalismus oder zur vorherbestimmten Harmonie bekannt haben.

---

[48] Deutsche Metaphysik, 2 (§ 2). Zur ersten Fassung des Werkes vgl. Charles A. Corr (ebd., 713). Über den „methodischen Defekt der Wolffschen Metaphysik" in Hinsicht auf die Widerlegung des Idealismus: Oliver-Pierre Rudolph, Außenwelt und Außenweltbewusstsein in der Psychologie Christian Wolffs, in: Ferdinando Luigi Marcolungo (Hg.), Christian Wolff tra psicologia empirica e psicologia razionale, Atti del seminario internazionale di studi, Verona, 13–14 maggio 2005, Hildesheim, Zürich, New York 2007 (GW, Abt. III, Bd. 106 [Wolffiana, III]), 53–62, hier 60.

[49] Vgl. Ausführliche Nachricht, 300 (§ 108).

[50] Vgl. Theologia naturalis, Bd. 2, 600 (§ 612 Anm.).

[51] Ebd., 604 (§ 616 Anm.).

Die Wolffsche Lehre konnte also die Parteien in der Philosophie nicht vollständig ignorieren. Indem sie sich als ein *systema doctrinarum*, ein *Lehrgebäude* ausgestalten und nichts von einer Anhäufung verwandter Sätze wie in der Ordnung der Schule wissen wollte,[52] erweckte sie den Eindruck, die Sekten zu verwerfen und der allgemeingültigen Wahrheit zu dienen. Indem sie sich allerdings gezwungen fand, sich gegen den Verdacht des theologischen Irrtums zu verteidigen, machte sie sich zum System der Systeme, und zwar durch die Einbeziehung divergierender Stimmen, die in Einklang gebracht werden sollten, in den eigenen Text. Damit zeigte Wolffs Lehre sich schließlich als ein Lehrbegriff,[53] ein Inbegriff zusammenhängender Sätze, der aber von einer prinzipiellen Grundhaltung abhängig war. Denn Wahrheit ist nicht nur das, was sich aus Prämissen allmählich beweisen läßt, sondern auch das, wozu man sich grundsätzlich bekennt oder nicht.

Wolff pflegte eher einen demonstrativen als einen polemischen Stil. Wie hat er dann auf die Aufforderung reagiert, in theologische Kontroversen einzutreten? Die Absicht des Aufsatzes liegt darin, zu bestimmen, inwiefern das theologische Werk Wolffs in diesem Kontext Veränderungen erfahren hat, inwiefern seine systematische Denkweise sich auf Akkommodationen einlassen mußte. Zuerst analysiert der Artikel die Wolffsche Standhaftigkeit im demonstrativen Verfahren und skizziert damit seine Systemidee näher. Danach geht es vor allem um die lateinische Schriftenreihe, wo behauptet wird, daß eine theologische Hypothese etwas Eigentümliches hat und daß ein System nicht nur als Lehrgebäude, sondern auch als Lehrbegriff aufgefaßt werden soll.

Wolff used to write in a demonstrative way rather than a polemical one. How did he then react when he was challenged to enter into theological controversies? The purpose of this paper is to determine to what extent Wolff's theological works sustained changes in this context and whether his systematic way of thinking had to allow accomodations. This article begins with an analysis of Wolff's straightforwardness in his demonstrative way which helps to sketch his system's idea. It then proceeds to his Latin series of works, which maintains that a theological hypothesis has something peculiar about it and that a system is not just a doctrinal building but a creed too.

Prof. Dr. Jean-François Goubet, 3 place du père Chaillet, 75011 F-Paris. E-Mail: jfgoubet@wanadoo.fr

---

[52] Vgl. De differentia, (wie Anm. 30), 109 f. (§ 3).

[53] Interessanterweise schlägt die zeitgemäße Übersetzung ins Deutsche „zusammenhangender (*sic*) Lehrbegriff" für „*systema doctrinarum*" vor (Kleine Schriften, Bd. 4, 166). Man sieht hier die Schwierigkeit, eine neue Systemauffassung zu etablieren, die mit dem Lehrbegriffverständnis brechen würde: Erstens sieht oft das Publikum nur das Alte im Neuen und zweitens bleibt der Verfasser selbst *nolens volens* der Tradition verhaftet.

JOHANNES BRONISCH

Naturalismus und Offenbarung beim späten Christian Wolff

Mit der Edition eines Briefes von Wolff

Für Manfred Rudersdorf zum 60. Geburtstag

I. Wolffs Natürliche Theologie

Christian Wolff hat sich zweimal ausführlich und systematisch mit der Natürlichen Theologie auseinandergesetzt. In beiden Fällen beschloß er damit den metaphysischen Teil seiner in ein universales Verständnis von Philosophie – „Philosophia est scientia possibilium, quatenus esse possunt"[1] – eingebetteten Werkfolge: In der *Deutschen Metaphysik* von 1720 widmete Wolff der Natürlichen Theologie ein vollständiges Kapitel.[2] Dieses diente später einer umfassenden lateinischen Darstellung, die als *Theologia naturalis* in zwei Bänden 1736/1737, also gegen Ende der Marburger Zeit, erschien, als Vorlage.[3]

Den Kern der Natürlichen Theologie Wolffs bildet die Verhältnisbestimmung von Vernunft und Offenbarung. Die Tradition, in der Wolff sich dabei bewegt, ist offensichtlich.[4] Der philosophische Weg zur Gotteserkenntnis, den die Natürliche

---

[1] Discursus praeliminaris, 32 (§ 29).

[2] Deutsche Metaphysik, insgesamt das sechste Kapitel, 574 ff.(§§ 928 ff.). Vgl. Anmerkungen zur Deutschen Metaphysik, 556 ff. (§§ 342 ff.).

[3] Hierzu u. a. Mario Casula, Die Theologia naturalis von Christian Wolff. Vernunft und Offenbarung, in: Werner Schneiders (Hg.), Christian Wolff 1679–1754. Interpretationen zu seiner Philosophie und deren Wirkung, Hamburg ²1986 (Studien zum achtzehnten Jahrhundert, 4), 129–138; Anton Bissinger, Die Struktur der Gotteserkenntnis. Studien zur Philosophie Christian Wolffs, Bonn 1970 (Abhandlungen zur Philosophie, Psychologie und Pädagogik, 63).

[4] Siehe hierzu u. a. Mario Casula, Die Beziehungen Wolff – Thomas – Carbo in der Metaphysica latina. Zur Quellengeschichte der Thomas-Rezeption bei Wolff, in: Studia Leibnitiana 11 (1979), 98–123; Ludger Honnefelder, Scientia transcendens. Die formale Bestimmung der Seiendheit und Realität in der Metaphysik des Mittelalters und der Neuzeit. Duns Scotus – Suárez – Wolff – Kant – Peirce, Hamburg 1990 (Paradeigmata, 9), hier zu Wolff 295 ff.; Oliver-Pierre Rudolph, Die Psychologie Christian Wolffs und die scholastische Tradition, in: ders., Jean-François Goubet (Hg.), Die Psychologie Christian Wolffs. Systematische und historische Untersuchungen, Tübingen 2004 (Hallesche Beiträge zur Europäischen Aufklärung, 22), 237–248.

Aufklärung 23 · © Felix Meiner Verlag 2011 · ISSN 0178-7128

Theologie eröffnet, führt zu all jenen Aussagen über Gott, die aus der Vernunft ohne Zuhilfenahme einer göttlichen Offenbarung erkannt werden können.[5] Die christliche Offenbarung in ihren konkreten Inhalten bleibt dagegen Gegenstand einer theologischen Auslegung. Das heißt, „Theologia naturalis" und „Theologia revelata" sind durch das gemeinsame Erkenntnisziel „Gott" verbunden, aber durch ihre jeweilige methodische Herangehens- und strukturelle Erkenntnisweise unterschieden.[6] Demnach sollte zwischen ihnen also weder Widerspruch noch Konkurrenz entstehen. Vielmehr setzte die Annahme, aus der Vernunft erkannte Wahrheiten seien nicht weniger als offenbarte Wahrheiten letztlich göttlichen Ursprungs, beide Erkenntniswege in ein enges komplementäres Verhältnis.[7]

Sowohl in der *Deutschen Metaphysik* als auch in der *Theologia naturalis* markierte Wolff seine auf den überkommenen Dogmenbestand des Christentums bezogenen apologetischen Absichten in eindeutiger Weise. So heißt es etwa zur *Deutschen Metaphysik*, sie habe

> diesen Vorzug vor sich, daß sie in dem ersten Ursprunge der Dinge allezeit mit einer unvermeidlichen Folge auf GOtt führt, und zwar dabey sich jederzeit daraus ein solches göttl. Wesen demonstriren lässet, wie wir Christen aus dem geoffenbarten Worte erkennen und verehren. Und deshalb habe ich mehr als einmahl gesaget, und sage es noch, ja ich weiß, daß es auch viele andere erkant, daß noch keine Philosophie mit der Schrifft und der darinnen gegründeten Religion sowohl übereinkommen ist, als meine.[8]

Die *Theologia naturalis* geht noch weiter und bietet in ihrem zweiten Band eine eingehende Auseinandersetzung mit den wichtigsten religiösen „Irrlehren" – Atheismus, Deismus, Fatalismus, Spinozismus und Naturalismus.[9] Wolff erweiterte in diesem Punkt auf auffällige Weise die Struktur seiner früheren deutschen Vorlage, der er bis dahin gerade in den metaphysischen Teilen seines Werkes recht genau gefolgt war.

Es kann keinerlei Zweifel daran bestehen, daß es Wolff mit der Absicht, die Evidenz der überkommenen christlichen Religion philosophisch zu erweisen, völlig ernst war. Dieser Intention korrespondiert auf der persönlichen Ebene

---

[5] Discursus praeliminaris, 68 (§ 57): „Ea pars philosophiae, quae de Deo agit, dicitur Theologia naturalis. Quamobrem Theologia naturalis definiri potest per scientiam eorum, quae per Deum possibilia intelliguntur". Theologia naturalis, Bd. 1, 1 (§ 1): „Theologia naturalis est scientia eorum, quae per Deum possibilia sunt, hoc est, eorum, quae ipsi insunt, & per ea, quae ipsi insunt, fieri posse intelliguntur".

[6] Ebd., Bd. 1, 9 ff. (§§ 8 f.).

[7] Ebd., Bd. 1, 19 f. (§ 18).

[8] Anmerkungen zur Deutschen Metaphysik, 59 ff. (§ 28), hier 61. Vgl. auch Ausführliche Nachricht, 532 ff. (§ 193), hier 538: „Endlich die Theologia naturalis [...] gewähret die Waffen wider die Atheisterey und selbst zur Vertheidigung der christlichen Religion". Ausführlich hierzu ebd., 555 ff. (§ 199 ff.).

[9] Theologia naturalis, Bd. 2, zweite Sektion, 369 ff. (§§ 411 ff.).

Wolffs feste Glaubensüberzeugung und seine intensiv gelebte, praktische Frömmigkeit, die wegen des Fehlens einer wissenschaftlichen Ansprüchen genügen-
den Biographie des Philosophen bislang wenig bekannt ist.[10] Auffällig ist auch,
welchen großen Wert der Lutheraner Wolff Stimmen aus dem katholischen Eu-
ropa beimaß, die seine Metaphysik aufgrund ihrer apologetischen Qualitäten lob-
ten. Bekannt ist aus einem Brief Wolffs, den bereits Heinrich Wuttke im Kommentar zur *Eigenen Lebensbeschreibung* Wolffs zitierte, daß Wolff über die positive
Rezeption seiner Philosophie in klerikalen Kreisen Frankreichs und Italiens sehr
gut informiert war:

> Es wäre nemlich […] der Materialismus und Scepticismus in Italien überall gewaltig
> eingerißen. Man hätte sich nicht im stande gefunden aus der Scholastischen Philoso-
> phie demselben zu begegnen. Daher hätte man sich mit Macht auf meine Philosophie
> legen müßen, weil man darinnen die Waffen gefunden, dadurch man diese Monstra be-
> streiten und besiegen kan. In Franckreich reißet der Deismus, Materialismus und
> Scepticismus auch gewaltig und mehr ein, als fast zu glauben stehet.[11]

Dies ging so weit, daß Wolff sich öffentlich des Votums der „Römischen Inqui-
sition", die den Nachdruck seiner lateinischen Werke in Italien approbiert hatte,
rühmte – so etwa 1746 in den *Zuverlässigen Nachrichten* des Leipziger Theologen und Historikers Christian Gottlieb Jöcher, einer durch und durch auf den protestantischen Raum der aufgeklärten Gelehrtenwelt zugeschnittenen gelehrten
Zeitschrift. Die „Herren Inquisitores", so Wolff hier mit Stolz, hätten,

> als meine philosophischen Werke zu Verona nachgedruckt worden, vor einem ieden
> Theil das Zeugniß gesetzt […], daß nichts darinnen enthalten sey, was dem catholi-
> schen Glauben zuwider sey. Ja ich weiß, daß viele Gelehrte bekennen, man könne
> aus meinen Schriften die besten Waffen wider die Religionsspötter entlehnen.[12]

Wolffs überkonfessioneller Standpunkt hebt ihn hier zweifellos unter seinen aufklärerischen Zeitgenossen markant hervor. Antikatholische Polemik, wie man sie

---

[10] Vgl. u.a. Jean École, Wolff et la Bible, in: ders., Nouvelles études et nouveaux documents
photographiques sur Wolff, Hildesheim 1997 (GW, Abt. III, Bd. 35), 194–211; sowie Johannes
Bronisch, Aufklärerische Sozialität und universitär-urbane Gelehrsamkeit. Beobachtungen und
Briefe zu Christian Wolffs Aufenthalt in Leipzig 1744, in: Neues Archiv für Sächsische Geschichte
81 (2010), 83–110.

[11] Christian Wolffs eigene Lebensbeschreibung, hg. mit einer Abhandlung über Wolff von
Heinrich Wuttke, Leipzig 1841, Nachdruck: Königstein/Ts. 1982, Nachdruck auch: Hildesheim
1980 (GW, Abt. I, Bd. 10), 177 f., Anm. 1. Hier zitiert nach dem Original des Briefes, Christian
Wolff an Ernst Christoph von Manteuffel, Universitätsbibliothek Leipzig [künftig: UBL], Ms 0345,
90 r-93 r, Marburg, 7.6.1739, hier 92 v-93 r.

[12] Des Freyherrn Christian von Wolfs weitere Fortsetzung des Bedenkens, welches er, über die im
vorigen Jahre im Haag gedruckte Schrift: La decouverte de la Verité & le monde détrompé à l'égard
de la Philosophie & de la Religion, abgefasset und in die Acta Eruditorum des 1745. Jahres einge-
rückt hat, in: Zuverläßige Nachrichten von dem gegenwärtigen Zustande, Veränderung und
Wachsthum der Wissenschaften 81 (1746), 669–678, hier 677 f.

bei zahlreichen seiner protestantischen Anhänger, etwa im Umkreis Johann Christoph Gottscheds in Leipzig, häufig findet, ist bei ihm kaum festzustellen.

Die Ausführungen Wolffs zur Natürlichen Theologie haben ihren Platz innerhalb der Logik des Gesamtwerkes. Sie sind nicht primär durch äußere Anlässe geprägt. Zwar mag bei der massiven Ausweitung des apologetischen Programms in der *Theologia naturalis* die kurz zuvor in den 1730er Jahren virulente Auseinandersetzung um die „Wertheimer Bibelübersetzung" eine Rolle gespielt haben.[13] Hauptsächlich aber entwickelte sich Wolffs Werk unabhängig von kurzfristigen diskursiven Konjunkturen der zeitgenössischen Gelehrtenrepublik und fand seine Form aus seiner eigenen deduktiven Vorgehensweise heraus. Besonders der späte Wolff hielt sich persönlich aus verschiedenen Gründen von öffentlichen Debatten fern, so daß entscheidende Auseinandersetzungen – etwa der von der Berliner Akademie der Wissenschaften 1746 entfachte „Monadenstreit" – gleichsam stellvertretend von seinen Anhängern geführt werden mußten. Insofern überrascht es, daß sich Wolff in den 1740er Jahre, in denen er sich fast ausschließlich der Niederschrift seines monumentalen achtbändigen *Ius naturae* widmete, zugleich intensiv an einer Debatte über den Stellenwert der Offenbarung beteiligte, die sein Konzept der Natürlichen Theologie direkt betraf. Die Vorgänge blieben unbekannt, da sich Wolffs Stellungnahmen nur in seinen Briefen finden, die bis heute nicht erschlossen worden sind. Einschlägig ist hier vor allem der Briefwechsel Wolffs mit dem Reichsgrafen Ernst Christoph von Manteuffel (1676–1749), welcher der Forschung bislang fast ausschließlich aus der älteren Studie von Heinrich Ostertag bekannt war.[14] Obgleich sich aber in den Originalquellen mindestens 50 Schreiben von Wolff und anderen Diskussionsteilnehmern aus den Jahren 1746 bis 1748 zur Frage der Offenbarung feststellen lassen, die durch andernorts eruierte Quellen noch ergänzt werden, findet sich gerade bei Ostertag so gut wie nichts zu diesen Vorgängen.[15]

Eine Aufarbeitung dieser Debatte ist deshalb von großem Interesse. Sie zeigt en détail, in welcher Weise Wolff in den 1740er Jahren an religionsbezogenen Debatten teilnahm. Die hier überlieferten Briefe Wolffs dürften das Substanzreichste sein, was der Philosoph nach der Veröffentlichung der *Theologia naturalis* im Bereich der Natürlichen Theologie geäußert hat. Seine Aussagen knüpfen zweifellos

[13] Vgl. zuletzt und am ausführlichsten Ursula Goldenbaum, Der Skandal der Wertheimer Bibel. Die philosophisch-theologische Entscheidungsschlacht zwischen Pietisten und Wolffianern, in: dies. (Hg.), Appell an das Publikum. Die öffentliche Debatte in der deutschen Aufklärung 1687–1796. Mit Beiträgen von Frank Grunert, Peter Weber, Gerda Friedrich, Brigitte Erker und Winfried Siebers, 2 Bde., Berlin 2004, Bd. 1, 175–508.

[14] Heinrich Ostertag, Der philosophische Gehalt des Wolff-Manteuffelschen Briefwechsels, Leipzig 1910 (Abhandlungen zur Philosophie und ihrer Geschichte, 13), Nachdruck: Hildesheim 1980 (GW, Abt. III, Bd. 14).

[15] Vgl. ebd., 176 ff.

am publizierten Werk an, beinhalten aber zugleich aufschlußreiche Zuspitzungen und Perspektivwechsel, die die Position von Werk und Person Wolffs in den Religionsdebatten seiner Zeit schärfer und deutlicher hervortreten lassen. Da der Gesamtzusammenhang dieser Debatte innerhalb des Netzwerkes der „Wolffianer" kürzlich eine eingehende Darstellung erfuhr[16] und derzeit die Arbeit an einer historisch-kritischen Edition des gesamten Quellencorpus im Rahmen eines an der Sächsischen Akademie der Wissenschaften zu Leipzig und am Interdisziplinären Zentrum für die Erforschung der europäischen Aufklärung in Halle/Saale (IZEA) angesiedelten und von der Deutschen Forschungsgemeinschaft (DFG) geförderten Projektes aufgenommen wird,[17] soll im folgenden eine konzise Darstellung der Debatte, ihres Anlasses und ihres argumentativen und kommunikativen Verlaufs gegeben werden (II.). Abschließend erfolgt eine kommentierte Wiedergabe eines Briefes Wolffs vom 18. Dezember 1746, der als außergewöhnlich aussagekräftige Quelle für Wolffs Position bezüglich dieses Themenzusammenhangs angesehen werden muß (III.).

II. Der Streit über die Offenbarung innerhalb der wolffianischen Partei der Aufklärung

Die Kritik der christlichen Offenbarung führte die Aufklärung an ihre entscheidenden Bruchstellen. Es ist nicht verwunderlich, daß es auch Christian Wolff – nicht zuletzt angesichts der Debatten, die sich frühzeitig an seiner Philosophie entzündet hatten – bei der Formulierung seiner diesbezüglichen Position um zweifelsfreie Deutlichkeit und Unmißverständlichkeit zu tun war. Bereits im *Discursus praeliminaris*, mit dem Wolff 1728 die in den folgenden fast drei Jahrzehnten erarbeitete lateinische Fassung seiner Philosophie einleitete, heißt es prägnant: „Methodo philosophica philosophatus non contradicit veritati revelatae".[18] Indes regte sich gerade gegen dieses grundlegende Axiom unter einigen seiner ansonsten treuen Anhänger Widerspruch, der zu weitreichenden Debatten Anlaß

---

[16] Johannes Bronisch, Der Mäzen der Aufklärung. Ernst Christoph von Manteuffel und das Netzwerk des Wolffianismus, Berlin, New York 2010 (Frühe Neuzeit, 147), 335 ff.; ders., Göttliche Offenbarung, natürliche Religion und deistische Kritik. Eine Aufklärungsdebatte im Wolffianismus 1746–1748, in: Historisches Jahrbuch 130 (2010) (im Erscheinen).

[17] Pressemitteilung der Martin-Luther-Universität Halle-Wittenberg, Nr. 223/2010 vom 30. September 2010. Zum Briefwechsel Wolffs siehe Bronisch, Der Mäzen der Aufklärung (wie Anm. 16), 211 ff. und passim; ders., „La trompette de la vérité". Zur Korrespondenz Ernst Christoph Graf von Manteuffels mit Christian Wolff 1738–1748, in: Ivo Cerman, Velek Lubos (Hg.), Adlige Ausbildung. Die Herausforderung der Aufklärung und die Folgen, München 2006 (Studien zum mitteleuropäischen Adel, 1), 257–278.

[18] Discursus praeliminaris, 206 (§ 163).

gab. Besonders ausgeprägt war die Gegenposition, die im Jahr 1746 von Jean Henri Samuel Formey (1711–1797) geäußert wurde. In Formey, dem Historiographen und Sekretär der Königlichen Akademie der Wissenschaften zu Berlin, Journalisten und Übersetzer, vor allem aber wichtigstem hugenottischen Vertreter des Wolffianismus, wird zu Recht eine Schlüsselfigur der Geistesgeschichte des Berliner Refuge im aufgeklärten 18. Jahrhundert gesehen.[19] Von 1736 an hatte Formey die Bemühungen, die auf die Rehabilitation Wolffs in Preußen zielten, unterstützt und 1739 begonnen, öffentliche Vorlesungen über Wolffs Philosophie zu halten. Unter Formeys Publikationen der 1740er Jahren dominieren Werke, die Wolffs Lehrgebäude aufnehmen und formal und sprachlich mit dem Ziel einer weiteren Verbreitung im frankophonen Publikum umformen. Anschaulich belegt wird seine wolffianische Position zudem durch seine Rolle als Widerpart Leonhard Eulers im Monadenstreit.[20] Dies alles hat der Forschung wiederholt Anlaß gegeben, Formey als einen Vertreter des „courant modéré des Lumières"[21] zu bezeichnen und ihn philosophiegeschichtlich in eine „Phalanx der Wolffianer"[22] einzuordnen.

Aufs Ganze gesehen ist diese Einschätzung sicherlich zutreffend. Allerdings trübt sich ihre vermeintliche Eindeutigkeit bei genauerer Betrachtung in einigen Punkten nachhaltig ein. Denn Formey, reformierter Geistlicher, scheint gerade auf seinem eigentlichen Kompetenzgebiet, nämlich in theologischen Belangen, die Schlußfolgerungen, die sich aus Wolffs Philosophie ergaben, keinesfalls vollständig übernommen zu haben. Die Feststellung seiner insgesamt aufgeklärt-apologetischen Position, die sich etwa auf seine „Ablehnung des wuchernden Un-

---

[19] Vgl. Sandra Pott, Martin Mulsow, Lutz Danneberg (Hg.), The Berlin Refuge 1680–1780. Learning and Science in European Context, Leiden u. a. 2003 (Brill's Studies in Intellectual History, 114); Bertram E. Schwarzbach, Voltaire et les Huguenots de Berlin. Formey et Isaac de Beausobre, in: Peter Brockmeier, Roland Desné, Jürgen Voss (Hg.), Voltaire und Deutschland. Quellen und Untersuchungen zur Rezeption der Französischen Aufklärung, Stuttgart 1979, 103–118; Werner Krauss, Ein Akademiesekretär vor 200 Jahren. Samuel Formey, in: ders., Studien zur deutschen und französischen Aufklärung, Berlin 1963, 53–62; Rolf Geissler, Formey journaliste. Observations sur sa collaboration au Journal encyclopédique et d'autres journaux européens, in: Jens Häseler, Antony McKenna (Hg.), La vie intellectuelle aux refuges protestants, Bd. 1, Actes de la Table ronde de Münster du 25 juillet 1995, Paris 1999, 137–156; Jens Häseler, Les Huguenots traducteurs, in: ders., Antony McKenna (Hg.), La vie intellectuelle aux refuges protestants, Bd. 2, Huguenots traducteurs. Actes de la table ronde de Dublin, juillet 1999, Paris 2002, 15–25.

[20] Vgl. Bronisch, Der Mäzen der Aufklärung (wie Anm. 16), 232 ff.

[21] Jens Häseler, Samuel Formey, pasteur huguenot entre Lumières françaises et Aufklärung, in: Dix-huitième siècle 34 (2002), 239–247, hier 247.

[22] Martin Fontius, Zwischen „libertas philosophandi" und „siècle de la philosophie". Zum geistesgeschichtlichen Standort Formeys und der zweiten Generation der Réfugiés, in: Michel Delon, Jean Mondot (Hg.), L'Allemagne et la France des Lumières. Deutsche und Französische Aufklärung. Mélanges offerts à Jochen Schlobach par ses élèves et amis, Paris 2003, 45–68, hier 67.

glaubens",[23] seine Kritik des Deismus Voltaires,[24] sowie auf den Einfluß wolffianischen Gedankengutes auf seine Predigten und homiletischen Texte[25] beruft, macht den Schluß, Formeys Theologie habe sich mit der Philosophie Wolffs in völligem Einklang befunden, durchaus nicht zwingend. Vielmehr scheint es, als habe Formey als Theologe den Nährboden des Wolffianismus schon bald wieder verlassen. Sein anonym publizierter, bisher kaum beachteter *Essai sur la Necessité de la Revelation* von 1746 bietet in dieser Hinsicht sowohl durch die dort vertretenen Thesen als auch durch die dadurch ausgelösten Verwerfungen im Lager der Anhänger Wolffs genaueren Aufschluß.[26]

Der Hauptaussage des *Essai sur la Necessité de la Revelation* nach ist die Offenbarung Gottes – vor allem die Bibel im Sinne von „verbum Domini" – und der hierdurch begründete christliche Glaube für das Heil und die Erlösung des Menschen durch Gott nicht unabdingbar. Das entscheidende Kriterium hierfür sei vielmehr, so Formey, ob der betreffende Mensch den Regeln einer „vernünftigen Religion" gefolgt sei.[27] Nach Formey erhebt das Christentum als Offenbarungsreligion zu Unrecht den Anspruch, einen exklusiven, einzig möglichen Weg zum See-

---

[23] Ebd., 61.

[24] Jens Häseler, Voltaire vu par Formey et ses amis, ou éléments d'une histoire de la réception de Voltaire en Prusse, in: Ulla Kölving, Christiane Mervaud (Hg.), Voltaire et ses combats, 2 Bde., Oxford 1997, Bd. 2, 969–975, hier 969 f.; Fontius, Zwischen „libertas philosophandi" und „siècle de la philosophie" (wie Anm. 22), 57 f.; Schwarzbach, Voltaire et les Huguenots de Berlin (wie Anm. 19), 105.

[25] Christiane Berkvens-Stevelinck, L'évolution spirituelle des pasteurs réfugiés de Berlin, in: Manuela Böhm, Jens Häseler, Robert Violet (Hg.), Hugenotten zwischen Migration und Integration. Neue Forschungen zum Refuge in Berlin und Brandenburg, Berlin 2005, 205–220, zu Formey 216 f.; dies., Les pasteurs français berlinois entre le piétisme allemand et l'influence rationaliste de Wolff, in: Hubert Bost, Claude Lauriol (Hg.), Refuge et Désert. L'évolution théologique des huguenots de la Révocation à la Révolution française, Paris 2003 (Vie des huguenots, 28), 243–252; dies., Entre ferveur et scepticisme. Une enquête huguenote, in: Gianni Paganini, Miguel Benítez, James Dybikowski (Hg.), Scepticisme, Clandestinité et Libre Pensée. Scepticism, Clandestinity and Free-Thinking, Paris 2002 (Libre pensée et littérature clandestine, 9), 195–212.

[26] [Jean Henri Samuel Formey,] Essai sur la Necessité de la Revelation [1746]. Nach Rolf Geissler, Bibliographie des écrits de Jean Henri Samuel Formey, erschien die Schrift in Berlin. Siehe La correspondance de Jean Henri Samuel Formey, hg. von Jens Häseler und Rolf Geissler, Paris 2003, 430. Im folgenden wird das Exemplar der SBB PK, Cz 2987, zitiert. Diese ursprüngliche Ausgabe in einem Bogen zu 16 Seiten ist ansonsten in keiner anderen öffentlichen Bibliothek nachweisbar. Leichter zugänglich ist der Nachdruck in: Jean Henri Samuel Formey, Mélanges philosophiques, 2 Bde., Leyden 1754, Bd. 2, 267–284. In der Forschungsliteratur findet der Text bislang kaum Aufmerksamkeit. Häseler, Samuel Formey (wie Anm. 21), 244, charakterisiert den Inhalt der Schrift sehr knapp als „une relativisation du rôle de l'Eglise (chrétienne) comme garant de la morale".

[27] Formey, Essai sur la Necessité de la Revelation (wie Anm. 26), 6 f. (§ 9), hier 7: „C'est un bien, un présent, une grace signalée de Dieu; mais absolument parlant, il pouvoit se dispenser de la faire, & les hommes se passer de la recevoir".

lenheil zu weisen. Auch eine rationale Ethik und eine rein vernunftgeleitete Gotteserkenntnis könnten zu diesem Ziel führen. Diese These stellt sich bei Formey
als eine Art Umkehrschluß aus einem schon bei Celsus angelegten, gerade im
18. Jahrhundert vielfach wiederaufgenommenen antichristlichen Argument
dar, welches auf die Defizite des historischen Verlaufs und der Verbreitung der
Offenbarung Jesu Christi abzielt. So moniert Formey mit scharfen Worten, daß
nicht nur alle Generationen aus vorchristlichen Zeiten von der Erlösung durch
die Offenbarung ausgeschlossen seien,[28] sondern auch das Wirken des Gottessoh-
nes und seiner Apostel stets nur einen Teil der Menschheit erreicht habe.[29] Ja es
habe seither, etwa durch die Ausbreitung des Islam, durch den Arianismus oder
durch innerchristliche Glaubenskämpfe sogar zahlreiche Rückschläge für die
christliche Lehre gegeben.[30] All dies aber stünde zu Gottes Allmacht, Größe
und Güte in Widerspruch. Denn ohne erkennbaren Grund – also willkürlich! –
einen großen Teil der Menschheit von der Offenbarung als einem für die Erlangung des Seelenheils notwendigen Mittel auszuschließen, sei Gottes unwürdig:

> Digere qui voudra, ou qui pourra, une semblable idée de Dieu; je ne lui attribuërai ja-
> mais des vuës auxquelles l'exécution ne répond en aucune maniere; je ne croirai ja-
> mais, qu'ayant envisagé de toute Eternité la […] Revelation comme un moyen unique
> & indispensable de salut pour tous les hommes, il s'y soit pris de cette maniere pour leur
> en faire part.[31]

Dieser Widerspruch zwischen dem vorgeblich heilsnotwendigen Offenba-
rungsinhalt des Christentums und der Insuffizienz des Offenbarungsvorgangs
selbst läßt für Formey nur die Schlußfolgerung einer Nichtnotwendigkeit der Offenbarung zu: „Dieu n'a pas donné la Revelation à tous les hommes; donc elle
n'étoit pas nécessaire".[32] Damit ist bereits das wesentliche Ergebnis der Argumentation Formeys formuliert. Seine Konstruktion des Widerspruchs zwischen
Heilsnotwendigkeit und historischem Verlauf der Offenbarung verläuft zwingend, weil Gottes Handeln sich strikt am Maßstab der „raison" messen lassen
muß.[33] Nichts steht dem aufgeklärten französisch-reformierten Theologen ferner
als der „Deus absconditus" eines Calvin oder Luther. Jegliche Vorstellung einer
Prädestination, „si deshonorantes pour Dieu, & si accablantes pour l'homme",[34]
lehnt er ausdrücklich ab. Hingegen sei die „natürliche Vernunft" universal und

---

[28] Ebd., 7 ff. (§§ 11 ff.).

[29] Ebd., 11 f. (§ 14).

[30] Ebd., 13 f. (§ 16).

[31] Ebd., 13 f. (§ 16), hier 14.

[32] Ebd., 12 f. (§ 15), hier 13.

[33] Ebd., 9 f. (§ 12), hier 10: „On a beau dire, que les voyes de Dieu ne sont pas nos voyes; je
maintiens que ce sont celles de la Raison, & que tout ce qu'on suppose en Dieu de contradictoire à
nos saines notions, ne sauroit être l'objet de la foi, sinon pour un vulgaire imbécile".

[34] Ebd., 7 ff. (§ 11), hier 8.

stelle, da selbst göttlichen Ursprungs, eine „relation [...] primitive"[35] Gottes zur
Menschheit dar. Primär die Vernunft weise also den Weg zu Gotteserkenntnis und
Glückseligkeit. Die christliche Offenbarung der Evangelien und der Apostelge-
schichte erscheint dagegen zumindest als defizitär.

Formeys Hauptargument der historischen Insuffizienz der Offenbarung war
Teil einer langen deistischen Denktradition, ja es sollte sogar noch bis hin zu
d'Holbachs *Système de la Nature* von 1770, der so genannten „Bibel des Atheismus", religionskritische Karriere machen.[36] Auch wenn andere typisch deistische
Topoi, etwa die Rede von „Aberglauben" und „Priesterbetrug", in Formeys *Essai*
nicht vorhanden sind, so überrascht doch der scharfe und kritische Ton, der die
gesamte Schrift durchzieht. Im Widerspruch hierzu steht Formeys mehrfach her-
vorgehobene, ausdrücklich apologetische Absicht.[37] In der Tat folgt gegen Ende
seines Textes ein Rettungsversuch der christlichen Offenbarung. Formeys „Hypothese", die hier der tradierten theologischen Meinung alternativ gegenübergestellt
wird, lautete jedoch: Die christliche Offenbarung, an deren Realität nicht zu zweifeln sei, diene nicht als exklusiver Heilszugang, sondern als ein „privilegierter"
Weg zur grundsätzlich allgemein erreichbaren religiösen Glückseligkeit. Während der Weg der universalen Vernunft dem „guten Heiden" oder „guten Muslim"
gleichfalls offenstehe,[38] erreiche der Christ dieses Ziel nicht nur schneller, sondern dürfe auch mit einem höheren Grad an Glückseligkeit, „un état superieur
de gloire, & de félicité"[39] rechnen. Im Reich Gottes bilde sich damit gleichsam
eine Ständegesellschaft heraus, in der ein – bei Formey wenig konturierter –
„état privilegié"[40] der Christen existiere: „La Revelation est donc nécessaire

[35] Ebd., 7 ff. (§ 11), hier 7. Ebd.: „Dieu prend un égal intérêt à tous les individus d'une même
espece".
[36] [Paul Thiry d'Holbach,] Système de la Nature ou des Lois du Monde Physique & du Monde
Moral, London [?] 1770, Nachdruck: Genf 1973, hier Teil 2, 87 f.; auch in: ders., Œuvres philosophiques complètes, 3 Bde., Paris 1998–2001, Bd. 2, 162–643, hier 438 f. Eine deutsche Übersetzung: ders., System der Natur oder von den Gesetzen der physischen und der moralischen Welt,
Frankfurt am Main 1978, hier 359: „In der Tat setzt jede Offenbarung voraus, daß die Gottheit dem
Menschengeschlecht für lange Zeit die Kenntnis der für sein Glück wichtigsten Wahrheiten hat
verbergen können. Wenn die Offenbarung nur einer kleinen Anzahl ausgewählter Menschen zuteil
wird, so zeugt das überdies von einer Parteilichkeit und ungerechten Vorliebe in jenem Wesen, die
mit der Güte des gemeinsamen Vaters des Menschengeschlechtes kaum zu vereinbaren ist".
[37] Formey, Essai sur la Necessité de la Revelation (wie Anm. 26), 2 ff. (§§ 2 f.).
[38] Ebd., 14 ff.(§ 17), hier 16: „Mais s'il y a plusieurs demeures dans la maison de Dieu pour les
divers ordres de Chrétiens; il y en a pour les divers ordres d'hommes en général; & ceux qui auront
rempli les devoirs de leur état, proportionnellement à leurs lumieres, & auront vêcu en bon Payen, en
bon Mahometan, comme un Chrétien vit en bon Chrétien, seront partagés d'une maniere favorables
quoi qu'inferieure au sort des Chrétiens".
[39] Ebd., 15.
[40] Ebd., 16.

quant à ce genre de salut [...]".[41] Neben der Möglichkeit einer Apokatastasis aufgrund der universalen natürlichen Vernunft sollte die Wahrheit der historisch
nicht-universalen christlichen Offenbarung also die Stelle eines Supplements einnehmen, dessen „Notwendigkeit" nur noch für den Gläubigen zuträfe.

Ein solcher apologetischer Ansatz war eine offensichtlich wenig befriedigende
Verlegenheitslösung. Schon die Zeitgenossen empfanden das Ungleichgewicht
zwischen einerseits der Schwäche dieses neuen Argumentes für eine Teilnotwen-
digkeit der Offenbarung und andererseits der Stärke der rationalistischen Kritik
des herkömmlichen Verständnisses. Nicht zuletzt die Schwerpunktsetzung Formeys, der sechzehn Paragraphen der Widerlegung der überkommenen theologischen Meinung und nur einen einzigen Paragraphen der Entwicklung der alterna-
tiven Begründung gewidmet hatte, bestätigte diese Wahrnehmung. Das Hauptin-
teresse des Autors schien entgegen aller Beteuerungen letztlich ein religionskri-
tisches zu sein. Nicht verwunderlich also, daß der *Essai*, etwa durch Trinius, als
grundsätzlich offenbarungsfeindlich eingestuft wurde und Formeys apologetische Absichtserklärungen als bloße Schutzbehauptungen gewertet wurden.[42]

An dieser Stelle drängt sich zuerst die Frage auf, wie sich der theologische
Standpunkt des *Essai* zum Wolffianismus verhielt, das heißt, ob Formey sich
hier im speziellen als der „Wolffianer" erwies, als der er im allgemeinen gilt. Dagegen spricht viel. Der offenbarungskritische Blickwinkel ist ebenso grundsätzlich unwolffianisch wie der rhetorisch scharfe, teils provokante Stil der kleinen
Schrift, in der wenig Wert auf methodische „Gründlichkeit" gelegt wurde. Auffällig ist sodann im Kontext des Formeyschen Werkes jener Jahre, daß dort, wo
Formey explizit die theologischen Implikationen der Wolffschen Metaphysik referiert – etwa in den entsprechenden Abschnitten der *Elementa Philosophiae seu*

---

[41] Ebd., 16. Ebd.: „Le salut promis par l'Evangile est donc, pour ainsi dire, le droit de Bour-
geoisie à cette Capitale de la felicité, qui sera peuplée de ces hommes privilegiés, qui ont eu le
bonheur de connoitre J. Christ, & de croire salutairement en lui".

[42] Johann Anton Trinius, Freydenker-Lexicon oder Einleitung in die Geschichte der neuern
Freygeister, ihrer Schriften, und deren Widerlegungen. Nebst einem Bey- und Nachtrage zu des
seligen Herrn Johann Albert Fabricius Syllabo Scriptorum, pro veritate Religionis Christianae,
Leipzig, Bernburg 1759, Nachdruck: Turin 1966, 25 f., hier 25: „Der Verfasser [...] nimmt zwar den
Schein eines Freundes der geoffenbarten Religion an, dennoch aber führet er ein besonderes Lehrgebäude auf, nach welchem die heil. Schrift nur denen nöthig ist, welche geschwinder selig werden,
oder zu einem höhern Grade der Glückseligkeit und Herrlichkeit kommen sollen, die andern aber
können ohne der Beyhülfe der Offenbarung ein solches Verhalten beobachten, das sie vor wirklichen
Strafen nach diesem Leben in Sicherheit setzt". Trinius datiert die Schrift fälschlich auf 1748.
Erstaunlich ist zudem, daß Formey als Autor nicht aufgedeckt wird, obgleich Trinius die *Mélanges
philosophiques* Formeys von 1754, in denen der *Essai* unter seinem Namen wiederabgedruckt
wurde, kannte und an anderen Stellen heranzog. Vgl. u. a. Johann Anton Trinius, Erste Zugabe zu
seinem Freydenker-Lexicon, Leipzig, Bernburg 1765, Nachdruck: Turin 1966, 40.

Medulla Wolfiana[43] von 1746 oder im sechsten Band von *La belle Wolfienne*[44] von 1753 –, gerade keinerlei Relativierung der Offenbarung oder ihrer Notwendigkeit hergeleitet wird. Formey war es demnach also bewußt, daß er sich bei seiner Offenbarungskritik nicht auf Wolff berufen konnte. Ein um den Nachweis des Einklangs aus Vernunft und Offenbarung bemühter „Rechts-Wolffianer", wie Günter Gawlick vermeinte,[45] war er mit den Thesen seines *Essai* schon gar nicht. Selbst die vom Wolffianismus beeinflußte lutherische „Übergangstheologie" etwa eines Baumgarten kannte keine derartige Relativierung der Offenbarungsnotwendigkeit.[46] Ein Gespür für die theologische Brisanz seiner Thesen, ein Bewußtsein, hier keinesfalls im „Mainstream" des Wolffianismus zu schwimmen, drückte Formey nicht zuletzt mit der Anonymität seiner Publikation aus, die er anfangs selbst gegenüber anderen Anhängern Wolffs zu wahren suchte.[47]

Formulierte Formey also mit dem *Essai* in einer sich hierfür anbietenden Form einen gänzlich unabhängig von und im Widerspruch zu seinen „objektiven" Darstellungen der Wolffschen Philosophie entstandenen „subjektiven" Zweifel? Auch diese Vermutung erfordert eine Überprüfung, sind doch in der Forschung wiederholt Verbindungslinien zwischen Wolffschem Rationalismus und deistischer Offenbarungskritik ausgezogen worden. Die These, es handele sich hier um einen von Christian Wolff selbst bewußt vorgebahnten Weg, wird sich bei nä-

---

[43] Jean Henri Samuel Formey, Elementa Philosophiae seu Medulla Wolfiana in usum auditorum, Berlin 1746, Nachdruck: Hildesheim 2000 (GW, Abt. III, Bd. 59), vor allem 179 (§ 119). Jedoch entfällt in dieser Kurzfassung auch die – wie noch zu zeigen sein wird – bedeutsame Differenzierung Wolffs zwischen „philosophischem" und „theologischem" Naturalismus. Siehe hierzu ebd., 209 (§ 467) und 210 (§§ 476 f.).

[44] Jean Henri Samuel Formey, La belle Wolfienne, Bd. 6, Den Haag 1753, Nachdruck: Hildesheim 1983 (GW, Abt. III, Bd. 16.6) 62 ff.

[45] Günter Gawlick, Christian Wolff und der Deismus, in: Schneiders, Christian Wolff 1679–1754 (wie Anm. 3), 139–147, hier 144.

[46] Vgl. z. B. Siegmund Jakob Baumgarten, Theologische Lehrsätze von den Grundwahrheiten der christlichen Lehre, nach Ordnung der Freylinghausischen Grundlegung zum academischen Gebrauch verfertiget, und aus dem Lateinischen ins Teutsche übersetzt von Anton Friedrich Büsching, nebst einer neuen Vorrede des Verfassers, Halle 1747, zur Offenbarung vor allem 296 f. Ein anderes zeitlich nahes Beispiel für eine auf Wolff aufbauende Theologie bei Johann Ernst Schubert, Introductio in Theologiam Revelatam, Jena, Leipzig 1749, hier das gesamte Kap. 6 zur Notwendigkeit der Offenbarung. – Siehe weiterführend zur Übergangstheologie Friedrich Wilhelm Kantzenbach, Protestantisches Christentum im Zeitalter der Aufklärung, Gütersloh 1965 (Evangelische Enzyklopädie 5/6), vor allem 102 ff.; Emanuel Hirsch, Geschichte der neuern evangelischen Theologie im Zusammenhang mit den allgemeinen Bewegungen des europäischen Denkens, Bd. 2, Gütersloh 1951; Nachdruck: ders., Gesammelte Werke, Bd. 6, hg. von Albrecht Beutel, Waltrop 2000, 318 ff.

[47] UBL, Ms 0346, 379 r-380 r, Manteuffel an Wolff, Leipzig, 25. 11. 1746, hier 279 v: „Et quant à l'Essai, qu'il dit avoir reçu de Hollande; mais que je soupçonne être de sa façon [...]". Siehe auch Biblioteka Jagiellonska Kraków (Jagiellonische Bibliothek Krakau), Sammlung Varnhagen von Ense, 117, Inw. nr. 17931, 2 Bll., Manteuffel an Formey, Leipzig, 26. 11. 1747, hier 2 r.

herer Erforschung des Wolffschen Korrespondenzen allerdings als unhaltbar erweisen. Vielmehr stößt man hier auf verschlungene Pfade selektiver Rezeption.
Damit wird auch Wolffs apologetischer, jeglicher Religionskritik abholder Haltung ein höheres Maß innerer Konsistenz zuzusprechen sein, als es die bislang
oft geäußerte Rede von einem seiner Philosophie inhärenten, insbesondere in
Wolffs Rationalitätskriterien für eine glaubhafte göttliche Offenbarung enthaltenen protodeistischen „Argumentationspotential" nahelegt. Die religionskritische
Weiterverwendung der Wolffschen Metaphysik war viel eher eine Entfremdung
als eine von Wolff selbst gescheute, jedoch angeblich in sich logische Konsequenz
seines Denkens.[48]

Schlug Formey also mit seinem *Essai* eine die wolffianische Kongruenz von
Vernunft und Offenbarung verlassende „konsequentialistische" Richtung ein
und begann „den Weg des ganzen Rationalismus"[49] zu gehen, so wie ein Jahrzehnt
zuvor Johann Lorenz Schmidt, der damit einen reichsweiten Skandal ausgelöst
hatte? Oder ist der *Essai* etwa als eine Übertragung der Argumentationsstruktur,
mit der Wolff in der *Oratio de Sinarum philosophia practica* die moralphilosophi-
sche Offenbarungsunabhängigkeit eines tugendhaften und sittlich einwandfreien
Lebens ausgeführt hatte, ins Theologische schlüssig zu lesen? – In der Tat wirft
der Text ein erhebliches geistesgeschichtliches Problem in der Bewertung der Rezeption des Wolffianismus auf. Um so bedeutender ist es, daß Wolff, wie sich dank
der Quellenlage genau nachvollziehen läßt, persönlich mehrfach und detailliert
Stellung zu der im *Essai* Formeys aufgeworfenen Problematik nahm. Diese Stellungnahmen stehen im Mittelpunkt der folgenden Ausführungen.

Christian Wolff erhielt den *Essai sur la Necessité de la Revelation* zusammen
mit einem Brief Manteuffels vom 4. Dezember 1746.[50] Sein dabei erbetenes Ur-

---

[48] Anders Gawlick, Christian Wolff und der Deismus (wie Anm. 45), 144: „Wolff stellte in seinen
Schriften ein Argumentationspotential bereit, von dem er keinerlei Gebrauch macht". Nach ebd.,
143 f., hätte eine entschlossene Handhabung der Vernunftkriterien Wolffs zwangsläufig in den
Deismus führen müssen. In ähnlichem Sinne auch Rüdiger Otto, Studien zur Spinozarezeption in
Deutschland im 18. Jahrhundert, Frankfurt am Main u. a. 1994 (Europäische Hochschulschriften,
Reihe XXIII Theologie, 451), hier 153. Vgl. Ulrich Barth, Von der Theologia naturalis zur natürli-
chen Religion. Wolff – Reimarus – Spalding, in: Jürgen Stolzenberg, Oliver-Pierre Rudolph (Hg.),
Christian Wolff und die europäische Aufklärung. Akten des 1. Internationalen Christian-Wolff-
Kongresses, Hildesheim u. a. 2007 (GW, Abt. III, Bd. 101), 247–274. Auch die Ansicht, es habe
objektive „Ambiguitäten der Wolffschen Philosophie" gegeben, die einer deistischen Position Anknüpfungspunkte „ganz unterschiedlicher und zuweilen radikal-kritischer Art" geboten hätten, wie
sie Christopher Voigt, Der englische Deismus in Deutschland. Eine Studie zur Rezeption englisch-
deistischer Literatur in deutschen Zeitschriften und Kompendien des 18. Jahrhunderts, Tübingen
2003 (Beiträge zur historischen Theologie, 121), 111, vertritt, überzeugt im Lichte der neuen
Quellen nicht.

[49] Hirsch, Geschichte der neuern evangelischen Theologie (wie Anm. 46), Bd. 2, 420.

[50] UBL, Ms 0346, 387 r-388 r, Manteuffel an Wolff, Leipzig, 4. 12. 1746, hier 387 r.

teil über die Schrift Formeys erfolgte prompt und eindeutig. In der nur drei Tage später verfaßten Antwort ließ Wolff an seiner strikten Ablehnung der Aussagen Formeys nicht den geringsten Zweifel:

> Was die kleine Schrifft von der Nothwendigkeit der Offenbahrung betrifft, so hätte wünschen wollen, daß der Autor lieber damit zu Hause geblieben wäre, denn ist mehr schlimmes als gutes davon zu hoffen: Er bedienet sich der Waffen die Nothwendigkeit der Offenbahrung zu bestreiten, welche man wieder die geoffenbahrte Religion vorbringet, und räumet den Naturalismum ein, ob zwar mit einiger restriction. […] Die Freygeister werden durch dergleichen Hypotheses gestärcket und andere zweiffelhaft gemacht, wo nicht gar von der christlichen Wahrheit abgeleitet.[51]

Einige Tage später bekräftigte der Hallenser Philosoph diese Deutung mit einem zweiten Schreiben: Eine Infragestellung der Heilsnotwendigkeit der Offenbarung komme einem Angriff auf die Offenbarung insgesamt gleich.[52] Wolff zufolge konnten aus Überlegungen wie denjenigen Formeys nur Verwirrung und Unheil fließen. Dabei kategorisierte der Philosoph die Position des *Essai* allerdings nicht einfach als religionskritisch oder -feindlich, sondern ordnete sie, wie die oben zitierte Aussage belegt, spezifisch dem „Naturalismus" zu. Diese Benennung ist wohlbedacht. Hinter ihr steht das große und komplexe System der Wolffschen Metaphysik und seiner theologischen Implikationen.

Wolff traf, im Gegensatz zum verbreiteten Sprachgebrauch seiner Zeitgenossen ebenso wie zur heutigen Terminologie,[53] eine klare Unterscheidung zwischen „Naturalismus" und „Deismus" – und zwar eine Unterscheidung, die eben gerade aus dem jeweiligen Verhältnis zur Offenbarung abgeleitet war. So sei dem Naturalismus die Behauptung der Heilssuffizienz der aus der natürlichen Vernunft heraus erkennbaren Religion eigen, während der Deismus nach Wolff zu gar keiner Religion mehr führe, sondern einen Zusammenhang Gottes mit der Welt völlig negiere.[54] Naturalist ist demnach, wer der natürlichen Religion folge und eine göttliche Offenbarung entweder grundsätzlich bezweifle oder – und darauf kommt es im folgenden an – sie als für die Erkenntnis Gottes zweitrangig und

---

[51] UBL, Ms 0346, 351 r-352 v, Wolff an Manteuffel, Halle, 7. 12. 1746, hier 351 v-352 r.

[52] UBL, Ms 0346, 399 r-400 v, Wolff an Manteuffel, Halle, 19. 12. 1746, hier 399 r: „Es ist allerdings an dem, wenn man die Nothwendigkeit der Offenbahrung leugnet, es eben soviel ist, als wenn man dieselbe gantz leugnet. Denn da Gott, ohne Christo und den Glauben an Ihn, die Menschen seelig machen kan, warum hat er dann erst, in Ansehung der Favoriten, so die wenigsten sind, solche Umwege gebraucht, um Ihnen eine vorzügliche Wohnung in seinem Hause einzuräumen".

[53] Die Begriffe „Naturalismus" und „Deismus", weitgehend auch der des „Spinozismus" wurden im 18. Jahrhundert oftmals gleichbedeutend verwendet. Die spätere Forschung hat in der Regel „Deismus" als Sammelbegriff bevorzugt. Siehe hierzu u. a. Günter Gawlick, Art. ‚Deismus', in: Joachim Ritter, Karlfried Gründer (Hg.), Historisches Wörterbuch der Philosophie, Bd. 2, Basel 1972, Sp. 44–47, hier 45 f.; Christof Gestrich, Art. ‚Deismus', in: Gerhard Krause (Hg.), Theologische Realenzyklopädie, Bd. 8, Berlin u. a. 1981, 392–406, hier vor allem 393 f.

[54] Theologia naturalis, Bd. 2, 550 (§ 568), sowie 410 f. (§ 529).

nicht notwendig erachte.[55] Diese zweite Variante, der von Wolff so genannte „theologische Naturalismus",[56] bezeichnet eindeutig die Position des Formeyschen *Essai*, der die Realität der Offenbarung ja durchaus unangetastet ließ, sie aber für die Erlösung als verzichtbar deklarieren wollte. Das ohne Zögern gefällte negative Urteil Wolffs vom 7. Dezember 1746 erfolgte also keinesfalls affektivabwehrend, sondern hatte seine eindeutige Basis im Werk des Philosophen.

Der spezifische Irrtum des theologischen Naturalismus bestand für Wolff in seiner fehlerhaften philosophischen Behandlung der Offenbarungswahrheiten. Vernunftkriterien, an denen sich eine göttliche Offenbarung messen lassen muß, verstand der Philosoph als ein apologetisches Instrumentarium zur konsequenten Begründung einer Kongruenz von Vernunft und notwendiger Offenbarung. Die naturalistische Schlußfolgerung einer „nicht notwendigen" Offenbarung hingegen brachte dadurch, daß Gott somit unbegründete und willkürliche Handlungen zugeschrieben wurden, eine eklatante Kontradiktion in das rationale Gottesbild Wolffs ein.[57] Denn eine solche Offenbarung würde bedeuten, Gott greife ganz ohne hinreichende Begründung in die von ihm selbst geschaffene Naturordnung ein und widerspräche sich damit selbst. Offenbarung ohne Notwendigkeit werde unvernünftig – sie wäre, so schrieb der Philosoph in einer prägnanten Wendung an Manteuffel, „ein Gott unanständiges Spielwerck [...], weil keine raison dazu vorhanden".[58] Formeys Relativierung der Offenbarung war also alles andere als eine Konsequenz, die zu ziehen Wolff sich scheute, sondern sie verstieß gegen die Grundregel der Wolffschen Philosophie, gegen den Satz vom zureichenden Grund. Ein solcher Verstoß aber mußte eine ganze Reihe entscheidender Grundaussagen der Wolffschen Metaphysik erschüttern und die Wolffsche Option für eine universale Vernünftigkeit dessen, was ist, insgesamt ins Wanken bringen.

Trotz dieses offensichtlichen Denkfehlers bereitete die Widerlegung des Formeyschen Naturalismus im Rahmen der Natürlichen Theologie Christian Wolffs einige Schwierigkeiten. Während Wolff überzeugt war, Atheisten und Deisten allein mit Vernunftargumenten der Unzulänglichkeit ihrer Standpunkte überführen

---

[55] Wolff gibt bereits in den Prolegomena, ebd., Bd. 1, 20 (§ 20), eine Definition des Naturalismus: „Theologia naturalis Naturalistis confutandis inservit. Naturalistae enim sunt, qui Theologia naturali contenti revelatam vel rejiciunt, vel saltem cognitu minus necessariam judicant". Ähnlich wiederholt ebd., Bd. 2, 511 (§ 530): „Naturalista dicitur, qui religionem naturalem solam agnoscit necessariam, revelatam autem vel rejicit tanquam falsam, vel salutem non necessariam agnoscit".

[56] Ebd., Bd. 2, 511 (§ 530): „[...] in Scholis Theologorum Naturalistae etiam appellantur, qui veritatem religionis revelatae in dubium minime vocant; naturalem tamen homini ad salutem aeternam consequendam sufficere arbitrantur".

[57] Siehe vor allem das erste Offenbarungskriterium, ebd., Bd. 1, 420 ff. (§ 451): „Revelatio divina continere debet homini scitu necessaria, alio modo cognitu impossibilia".

[58] UBL, Ms 0346, 399 r-400 v, Wolff an Manteuffel, Halle, 19.12.1746, hier 399 r.

zu können, schienen ihm die apologetischen Waffen seiner Metaphysik gerade gegenüber der Irrlehre des „theologischen Naturalismus" nicht scharf genug zu sein. Auf eine rein philosophische Argumentation wollte sich Wolff hier nicht verlassen. Vielmehr tendierte er dazu, in diesem Falle die „Evidenz" der Heiligen Schrift selbst als Argument mit heranzuziehen.[59] Für eine treffsichere Widerlegung des Naturalismus hätte es also einer philosophisch kongruenten Theologie bedurft. Die theologisch-naturalistische Position, die die Offenbarung nicht bestritt und doch die Fundamente der hergebrachten christlichen Dogmatik aushöhlte, vermochte deshalb im Schatten des gewaltigen apologetischen Bollwerks der Wolffschen *Theologia naturalis* erstaunlich gut zu gedeihen. Formey traf mit dem *Essai* offensichtlich einen subtilen Schwachpunkt in Wolffs System. Dies ist für das Verständnis der durch den *Essai* unter den Anhängern Wolffs ausgelösten Debatte von Bedeutung. Formeys Naturalismus wurde zu einem Problem, das allein mit Verweisen auf die Aussagen der über 2300 Seiten und mehr als 1840 Paragraphen umfassenden lateinischen *Theologia naturalis* Wolffs nicht mehr zu beheben war. Wolff selbst mußte die Sache erneut durchdenken und seine Stellung schärfer bestimmen.

Im Zuge der anhebenden – fast vollständig auf der epistolären Ebene verbleibenden – Debatte wurden unter der Regie von Manteuffel zahlreiche Stellungnahmen zu Formeys Thesen eingeholt und einer gegenseitigen Prüfung unterzogen. Es äußerten sich unter anderem der reformierte Genfer Theologe Jacob Vernet (1698–1789), der Gothaer Hofprediger Johann Adam Löw (1710–1773), der Theologe und Gottsched-Schüler Abraham Gottlob Rosenberg (1709–1764) sowie der Wolfenbütteler Hofprediger Johann Friedrich Wilhelm Jerusalem (1709–1789).[60] Insonderheit Jerusalems Aussagen sind in diesem Kontext beachtenswert. Sie gaben Wolff Anlaß zu der nochmaligen Klarstellung seiner Position gegenüber Manteuffel, welche hier am Ende im Volltext wiedergegeben wird.

Jerusalem, der in der zweiten Jahrhunderthälfte zu einem der prägenden Vertreter der „Neologie" werden sollte, stand zum Zeitpunkt seiner Auseinandersetzung mit dem Naturalismus Formeys noch am Beginn seiner Karriere. Ende Dezember 1746 lieferte der Wolfenbütteler Prediger eine ausführliche, im Manuskript 23 eng beschriebene Seiten umfassende Stellungnahme, bei der es sich um eine seiner frühesten erhaltenen Schriften überhaupt handelt.[61] Diese Aufzeichnungen, die auch für die Genese der neologischen Theologie Jerusalems ins-

---

[59] Theologia naturalis, Bd. 2, 560 f. (§ 576): „Si naturalisti religionem revelatam rejicit, erroris sui convincitur, ubi ostenderis, S. S. convenire criteria revelationis divinae in Systemate tradita; si eam agnoscit veram, sed non simpliciter necessariam judicat, erroris redarguendus per ea, quae de eadem tradit S. S".

[60] Siehe ausführlich Bronisch, Der Mäzen der Aufklärung (wie Anm. 16), 351 ff.

[61] UBL, Ms 0347, 21 r-32 r. Vgl. Detlef Döring, Katalog der Handschriften der Universitäts-Bibliothek Leipzig, NF, Bd. 1, Teil 2, Wiesbaden 2002, 62.

gesamt von Aufschluß sein dürften, stellen einen der ausführlichsten Beiträge zur Debatte um den *Essai* dar. Jerusalem stützte dabei weder die Thesen Formeys, noch erwies er sich als Wolffianer im Sinne der metaphysischen Konzeption der Wolffschen Natürlichen Theologie. Denn zum einen anerkannte er ausdrücklich den von Formey so wortreich skandalisierten Widerspruch zur Gerechtigkeit Gottes, der durch eine absolute Notwendigkeit der Offenbarung und ihre nur partielle Bekanntmachung entstehe.[62] Zum anderen aber lehnte er ganz wie Wolff eine Erlösung allein aufgrund der „natürlichen" Religion, ohne Teilhabe an der Offenbarung, ab. Denn dies würde bedeuten, so Jerusalem, daß die Heilige Schrift hinfällig werde und Christi Lehre von Sünde und Rechtfertigung nichts „als die leeresten Wortspiele" seien. Man „müßte sagen, daß Gott mit dem Blute unseres Erlösers die überflüßigste und vergeblichste depense gemacht hätte".[63]

Jerusalems Umgang mit diesem Widerspruch enthält frühe Verweise auf die Positionen seiner späteren, zwischen 1768 und 1779 erschienenen *Betrachtungen über die vornehmsten Wahrheiten der Religion*, eines Hauptwerkes der neologischen Theologie.[64] Die der Forschung bislang unbekannt gebliebene Auseinandersetzung über den Naturalismus stellte offensichtlich ein Moment dar, in dem Jerusalem die Entwicklung eines eigenen theologischen Ansatzes vorantreiben konnte. Zum einen gestand der Theologe hier bereits das Recht historischer Kritik zu – die Annahme einer universalen Verbreitung der Offenbarung durch die Jünger und Apostel Jesu sei faktisch unhaltbar.[65] Zum anderen ist Jerusalems Reduktion des Vernunftanspruchs bezeichnend: Der Mensch sei zu schwach, um

---

[62] UBL, Ms 0347, 21 r: „Ich bin mit dem Verfaßer dieser Schrift [= Formey] in dem Hauptsatze völlig eins. Denn man kan die absolute Notwendigkeit einer Offenbarung nicht behaupten, ohne nicht zugleich den Gegensatz anzunehmen, daß die Erlangung der Seeligkeit ohne dieselbe absoluto unmöglich sey. Die Folgen aber, die aus diesem fürchterlichen Satze fließen, sind allen Begriffen, die man sich von der Gerechtigkeit, Güte und Weisheit […] Gottes nur machen kan, so sehr entgegen, daß sie sich unmöglich damit vergleichen laßen, wie der Verfaßer sehr deutlich gewiesen hat. Denn wer kan die ewige Verdamnis so vieler Millionen unschuldiger Menschen mit der Gerechtigkeit dieses allerhöchsten Wesens vergleichen, deren gantzes Verbrechen in dem Mangel einer vollkommeneren Erkäntnis bestehet, deren Erlangung nicht in ihrem […] Vermögen gewesen".

[63] UBL, Ms 0347, 29 r.

[64] Grundlegend hierzu siehe Wolfgang Erich Müller, Johann Friedrich Wilhelm Jerusalem. Eine Untersuchung zur Theologie der „Betrachtungen über die vornehmsten Wahrheiten der Religion", Berlin u. a. 1984 (Theologische Bibliothek Töpelmann, 43); ders., Aufgeklärte Religion versus Theologie. Grundlinien der Religionsauffassung von J. F. W. Jerusalem, in: Klaus Erich Pollmann (Hg.), Abt Johann Friedrich Wilhelm Jerusalem (1709–1789). Beiträge zu einem Colloquium anläßlich seines 200. Todestages, Braunschweig 1991 (Braunschweiger Werkstücke, Reihe A, 31), 33–41.

[65] UBL, Ms 0347, 22 r-23 r. Nach Müller, Aufgeklärte Religion versus Theologie (wie Anm. 64), 40, gelangte Jerusalem „zum Verständnis der Bibel als Lehrbuch über vernünftig einsehbare Dinge – und ihrer Freigabe zur historischen Kritik, gerade um der Vergewisserung des eigentlich von der Religion gemeinten".

Wahrheit oder gar Notwendigkeit einer Offenbarung aus eigener Vernunft heraus bestimmen zu können. So wird das System der „Natürlichen Theologie", zugleich aber auch der Gedanke einer „natürlichen Religion" überhaupt hinfällig. Der Wolfenbütteler Theologe stellte sich damit ebenso gegen den kritisch-rationalistischen Ansatz Formeys wie gegen das scholastische Lehrgebäude Wolffs.[66] Der aufklärerische „Fortschritt" der protestantischen Theologie vollzog sich auf Kosten des umfassenden Vernunftverständnisses. Hierdurch erübrigte sich sowohl Formeys destruktive Konfrontation als auch Wolffs komplementäre Ergänzung von Vernunft und Offenbarung. Für den späteren Jerusalem stellte sich folglich die Frage der Notwendigkeit oder Nichtnotwendigkeit der Offenbarung in dieser Form gar nicht mehr. Der mit der Offenbarung verknüpfte Erlösungsgedanke der Dogmatik trat zurück; die Offenbarung wurde ein Beitrag zur „Erziehung des Menschengeschlechts",[67] gleichsam zu einem Wink Gottes mit dem moralischen Zaunpfahl.[68]

Der Lösungsvorschlag, den Jerusalem innerhalb der Debatte nun unterbreitete, stellte – vereinfachend gesagt – einen Kompromiß zwischen den Positionen Wolffs und Formeys dar. Statt einer Erlösung ohne Offenbarung postulierte Jerusalem eine Wirksamkeit der christlichen Offenbarung auch außerhalb des engeren Bereichs der christlichen Religion. Gott lasse das Erlösungsverdienst Christi auch denjenigen zukommen, bei denen er „nach seiner Allwißenheit erkennet, ob sie diese Gnade, wenn sie ihnen wäre verkündiget worden",[69] angenommen hätten. Diese Erklärung stehe sowohl der Bibel als auch dem christlichen Gottesbild nirgends entgegen und mache zudem auch den Einschluß der Juden in die göttliche Erlösung möglich.[70] Auf Ablehnung stieß damit auch Formeys Hypothese von den verschiedenen Stufen der Erlösung gemäß Teilhabe an der christlichen Offen-

---

[66] UBL, Ms 0347, 23 r-24 r. Vgl. Müller, Johann Friedrich Wilhelm Jerusalem (wie Anm. 64), 13 f. Feststellbar sind hingegen Anknüpfungspunkte an Wolffs Ethik. Siehe hierzu ebd., 180 ff.

[67] Andreas Urs Sommer, Neologische Geschichtsphilosophie. Johann Friedrich Wilhelm Jerusalems Betrachtungen über die vornehmsten Wahrheiten der Religion, in: Zeitschrift für neuere Theologiegeschichte 9 (2002), 169–217, hier 190. Weiterführend Konrad Feiereis, Die Umprägung der natürlichen Theologie in Religionsphilosophie. Ein Beitrag zur deutschen Geistesgeschichte des 18. Jahrhunderts, Leipzig 1965 (Erfurter Theologische Studien, 18), hier zu Jerusalem vor allem 43 ff.

[68] Dies spiegelt sich auch in der neologischen Predigt, die, so Albrecht Beutel (Art. ‚Predigt VIII, Evangelische Predigt vom 16. bis 18. Jahrhundert', in: Gerhard Krause [Hg.], Theologische Realenzyklopädie, Bd. 27, Berlin u. a. 1997, 296–311, hier 306), von einer Ausrichtung auf „Offenbarungswahrheiten" abrückte und eine starke „Tendenz zu Moralismus und Anthropozentrismus" aufwies. Vgl. Müller, Aufgeklärte Religion versus Theologie (wie Anm. 64), 34: „Anstatt eines allgemein nicht mehr nachvollziehbar erscheinenden dogmatisch geprägten Glaubens soll jetzt eine Religionsauffassung formuliert werden, die sich ohne dogmatische Voraussetzungen von jedermann mit besagtem gesunden Menschenverstand direkt an der Bibel überprüfen läßt".

[69] UBL, Ms 0347, 30 r.

[70] UBL, Ms 0347, 30 r-v.

barung. In der Bibel finde sich, so Jerusalem, dafür keinerlei Anhaltspunkt, und der ihm unbekannt gebliebene Verfasser des *Essai sur la Necessité de la Revelation* werde damit „allezeit Mühe haben [...], den Vorwurf einer Praedestination, die ihm dennoch mit Recht so verhast [sic] ist, von sich abzulehnen".[71]

Christian Wolff erhielt Jerusalems Text mit einem Brief Manteuffels vom 26. Dezember 1746. Nur zwei Tage später datiert seine Antwort. Das zu behandelnde Problem hatte erhebliche Bedeutung; Wolff war es offensichtlich wichtig, seine Position schnell und unmißverständlich deutlich zu machen. So entstand eines der ausführlichsten Schreiben, die sich in der gesamten Korrespondenz Wolffs mit Manteuffel nachweisen lassen. Ein weiteres Mal brandmarkte Wolff die erheblichen Gefahren, die aus einer Infragestellung der Notwendigkeit der Offenbarung für das überkommene Gebäude der christlichen Theologie und Dogmatik entstünden. Historischen bzw. bibelkritischen Argumenten sei keine Gültigkeit zuzusprechen, denn die christliche Offenbarung könne nur absolut oder gar nicht gelten. Einen parallelen Erlösungsweg über die natürliche Religion zu behaupten, treibe die Zerstörung des Christentums voran. Jerusalem begehe – wie bereits Formey und nach ihm auch etwa Vernet – den Grundfehler, den Vernunftanspruch unvermittelt an die Offenbarungsaussagen heranzuführen und diese damit dekonstruieren zu wollen.

Wolffs briefliche Kritik, die in mehrfachen Abschriften unter seinen Anhängern zirkulierte, wurde in diesem Punkt zu einem höchst aufschlußreichen konkreten Anwendungsfall der in der *Theologia naturalis* bereitgestellten apologetischen Mittel durch ihren eigenen Autor. Wolffs Urteil zielte auf das Delikt eines regelwidrigen Vernunftgebrauchs. In der Tat basierte ja die bei Wolff ausgeführte Harmonie zwischen offenbarten „mysteria" und „principia rationis" darauf, daß Offenbarung als supranatural „ex principiis rationis indemonstrabile"[72] sei, wodurch gleichsam eine komplementäre Spannung zwischen beiden Erkenntnisweisen erhalten blieb, die die rigorose Anwendung eines eindimensionalen Vernunftbegriffes nicht gestattete. Das Medium des Briefes erlaubte es dem Philosophen nun allerdings etwa ein Jahrzehnt nach dem Erscheinen seiner *Theologia naturalis*, diesen Gedanken der sich aus sich selbst ergebenden Begrenzung der Vernunft nicht nur mit größerer Deutlichkeit zu reformulieren, sondern auch in der Antwort auf das durch Formey gestellte Problem die daraus einzig noch mögliche Konsequenz zu ziehen, nämlich der Vernunft ihre Grenzen ganz explizit aufzuweisen. Es gab für den späten Wolff im Bereich des „lumen revelatum" kein „Räsonnieren". Allein das Wort der Bibel zählte. Die Frage der Glückseligkeit der Nichtchristen und der Notwendigkeit der Offenbarung stellte sich demnach gar nicht primär als philosophisches Problem, sondern mußte eine Frage des Glaubens bleiben.

---

[71] UBL, Ms 0347, 31 r-v.
[72] Theologia naturalis, Bd. 1, 434 ff. (§ 468) und 428 f. (§ 462).

III. Edition

Christian Wolff an Ernst Christoph von Manteuffel
Halle, 28. Dezember 1746*

Überlieferung:
Original: Universitätsbibliothek Leipzig, Ms 0346, 409 r–410 v
Kopien: ebd., Ms 0347, 39 r–40 v; 61 r-62 v

Hochgebohrner Reichs-Graffe,
Gnädiger Herr,
Hoher Patron.

Euer HochReichsgräfl. Excellenz dancke zu förderst vor die Communication der Gedancken des Hn. Jerusalem[1] von dem Tractat sur la nécessité de la Revelation, insonderheit, daß Hochdieselben mir davon eine Copey wollen zukommen laßen.[2] Mich befremdet nicht, daß der H. Jerusalem derjenigen Meinung ist, die er weit-läuffig ausgeführet. Denn da er in Engelland gewesen,[3] können ihn die Einwürffe wieder die geoffenbahrte Religion, die man daselbst vorbringet, nicht unbekandt seyn, und er suchet auf solche Weise die Schwierigkeiten zu heben. Allein ich sehe noch nicht, ob man dadurch der christlichen Lehre viel aufhiellfft, oder nicht viel mehr schadet. Ich will nur eines anführen. So gut als man urgiret, es lauffe aller Gerechtigkeit zuwieder, daß Gott dem größten Theil der Menschen eine ignoran-tiam invicibilem[4] imputiren, und sie deswegen ewig unglücklich machen solle; mit eben dem Rechte kann man sagen, es wäre wieder alle Gerechtigkeit, die selbst in allen menschlichen Gerichten in acht genommen wird, daß Gott dem gan-zen menschlichen Geschlechte den Fall Adams, und also factum alienum[5] impu-

---

* Der Brief Wolffs wird entsprechend den Handschriften und ohne orthographische oder gram-matikalische Veränderungen wiedergegeben. Der Kommentar beinhaltet Hinweise sowohl zum Inhalt des Schreibens als auch zur Textgestalt. Für Hinweise dankt der Verfasser sehr herzlich Herrn Dr. Hanns-Peter Neumann, Berlin.

[1] Johann Friedrich Wilhelm Jerusalem (1709–1789), seit 1742 Erzieher des Erbprinzen von Braunschweig-Wolfenbüttel-Lüneburg und Hofprediger in Wolfenbüttel, 1745 Mitbegründer des Collegium Carolinum in Braunschweig, Aufnahme in die von Ernst Christoph von Manteuffel 1736 gegründete Societas Alethophilorum im Herbst 1745.

[2] Jerusalems Stellungnahme bezieht sich auf [Jean Henri Samuel Formey,] Essai sur la Necessité de la Revelation [1746], Nachdruck in: ders., Mélanges philosophiques, Leyden 1754, Bd. 2, 267–284. Jerusalems Stellungsnahme ging Wolff mit einem Brief Manteuffels vom 26.12.1746 zu.

[3] Jerusalem hielt sich von 1737 bis 1740 in England auf, wo er u. a. auch den Theologen, Physiker, Mathematiker und Geologen William Whiston kennenlernte.

[4] Lies: ignorantiam invincibilem; übers.: eine unüberwindliche Unkenntnis.

[5] Übers.: eine fremde Tat.

tiren und deswegen daßelbe treffen und ewig unglücklich machen wolle. Fället
aber dieses weg, so ist nicht wahr was Paulus saget, daß die Menschen alle in
Adam gesündiget haben und deswegen der Tod zu allen hindurch gedrungen, folgends wir durch Christum das Leben wieder erlangen müßen.[6] Würde man nicht
auf gleiche Weise den Einwurff des Autoris von der famosen Schrift de tribus im-
postoribus wieder die Auferstehung Christi rechtfertigen können, daß er bloß seinen Jüngern und Anhängern erschienen, und sich nicht vielmehr öffentlich in Jerusalem gezeiget habe.[7] Könnte man nicht auch sagen, Gott erwehle nach seiner
vollkommenen Weisheit das beste und sicherste Mittel: wer wollte aber zweiffeln,
daß alle Inwohner zu Jerusalem mehr würden überzeuget seyn worden von der
Auferstehung Christi, wenn ihn alles Volck gesehen hätte, als da sie es nach diesem[8] einigen Zeugen, die seine Anhänger gewesen, glauben sollen. Könnte man
nicht ferner sagen, es wäre seiner Liebe zuwieder, daß, da er alle Menschen wil
glückseelig haben, er nicht dasjenige Mittel erwehlet, wodurch er das ausge-
sprengte Gerüchte, als wenn seine Jünger den todten Leichnam aus dem Grab ge-
stohlen hätten, da die Wächter geschlaffen, auf einmahl hätte gänzlich nieder-
schlagen können? und ein Vorurtheil benehmen, welches viele gehindert sich
des Verdienstes theilhafftig zu machen. Und wäre hierdurch nicht zugleich der
Anstoß vielen andern benommen worden, die an Christum glauben sollen?
Wie wäre es, wenn einer durch eben diese argumenta behaupten wollte, Gott könne vermöge seiner Weisheit und Liebe, folgends seiner Gerechtigkeit den Juden
nicht imputiren, daß sie Christum gecreutziget hätten. Moses hatte den Juden ausdrücklich befohlen, den jenigen Propheten umzubringen, der sie etwas anders, als
er lehren würde Deut. XVIII. 20. Da nun Moses ihnen so scharf eingebunden hatte, daß nur ein einiger Gott wäre, oder Gott nur einer wäre, und dieser einige Gott
seine[r] Ehre so eifrig wäre, daß er sie keinem andern wollte erzeiget wißen,[9] wie
er auch solches durch die Propheten ihnen einprägen laßen, so hielten sie dieses
für eine Lehre, die der Lehre Mosis und der Propheten zuwieder wäre, daß Jesus
Gottes Sohn seyn sollte, dem gleiche Ehre mit dem Vater gebührte, und vermein-
ten deswegen Recht zu haben das Todes-Urtheil über ihn sprechen zu laßen; wie
sie sich nicht allein auf dieses ihr Gesetz bey dem Pilato beruffen, sondern auch
der Hohe-Priester deutlich zu verstehen gab, als Christus auf sein befragen bejah-
te, daß er Gottes Sohn sey.[10] Wer wollte nun sagen, es wäre wieder die Weisheit

    [6] Siehe 1 Kor 15,22.

    [7] Wolff kannte vermutlich die Ausgabe De tribus impostoribus, des trois imposteurs, Frankfurt
1721. Vgl. Winfried Schröder, Einleitung, in: Anonymus, Traktat über die drei Betrüger, hg., übers.
und kommentiert von Winfried Schröder, Hamburg 1992 (Philosophische Bibliothek, 452), XXIII,
Anm. 37.

    [8] Lies: diesen.

    [9] Siehe Ex 20,2–5.

    [10] Mt 26,62–66.

und Güte Gottes, daß er Ihnen die Lehre von der Dreyeinigkeit und daß der Meßias Gottes Sohn seyn würde nicht deutlicher geoffenbahret, und lieffe wieder seine Gerechtigkeit, daß er ihnen ein factum imputiren wollte, das aus ebenjenigem Eifer vor ihr Gesetz herkäme, den Gott selbst durch Mosen und die Propheten in ihnen erreget? Ich habe nicht ohne Ursache in der Theologia naturali erinnert, es sey große Behutsamkeit nöthig, wenn man aus den göttlichen Eigenschaften a priori schließen wil, was Gott und seinem Willen gemäß sey.

Ich weiß sehr wohl, daß die Theologi ihr Lehren[11] nicht immer zum besten bewiesen, auch zu deren Bestetigung öffters facta erdichten. die nicht zu erweisen sind, dergleichen die Predigt des Evangelii in der gantzen Welt ist[12], welche H. Jerusalem mit Recht verwirfft; allein in denen Puncten, welche Paulus zu der Tieffe und Weisheit der Erkäntnis Gottes rechnet, erinnere ich mich auch allzeit der Worte, die er hinzugesetzt: Wer hat des Herrn Sinn erkannt, und wer ist sein Rathgeber gewesen? oder wer hat ihm etwas zuvorgegeben, daß es ihm wieder vergolten würde?[13] Ingleichen daß Gott sein Recht über die Creatur mit dem Rechte der Töpfer über seinen Topf bey dem Propheten vergleichet.[14] Mir hat jederzeit die Meinung der gelindren Theologorum gefallen, daß wir die außer der Kirche weder verdammen, noch seelig preisen können, sondern sie Gottes Gerichte überlassen müßen, und mit dem Apostel sagen: Was gehen mich die an, die draußen sind.[15]

Unterdeßen dünckt mich, wenn die Frage ist, ob die Menschen zu Erlangung der Seeligkeit die Erkäntnis von Christo nöthig haben, oder nicht, komme es wie in anderen zur Theologia revelata[16] gehörigen Puncten darauf an, was Christi und seine[r] Aposteln Meinung gewesen, nicht was uns vermöge unsrer Vernunfft am wahrscheinlichsten vorkommet. Und also kommet in gegenwärtigem Falle die gantze Frage darauf an, ob nach der Lehre Christi und der Aposteln die Erkäntnis Christi zur Erlangung der ewigen Seeligkeit schlechter Dinges nöthig sey, oder nicht, ingleichen ob die Höllen-Straffe der Verdammten ewig ist, oder nicht?[17] Sollte es nun geschehen, daß dieses mit den Theologis zu bejahen wäre; so werden

---

[11] Lies: ihre Lehren.

[12] Wolff hat sich vor allem in seiner Marburger Zeit mehrfach kritisch zur mangelnden wissenschaftlichen Systematik der zeitgenössischen Theologie geäußert. Hervorzuheben sind hier vor allem Wolffs programmatische Schriften *De usu methodi demonstrativae in explicanda scriptura sacra* und *De usu methodi demonstrativae in tradenda Theologia revelata dogmatica* von 1731, beide enthalten in: Horae subsecivae, Bd. 3, 177–327.

[13] Siehe Röm 11,34–35.

[14] Siehe Jes 45,9.

[15] Siehe 1 Kor 5,12–13.

[16] Übers.: zur offenbarten Theologie.

[17] Zielt auf theologische Fragen, die anderweitig innerhalb der Korrespondenz Wolffs mit Manteuffel eruiert wurden.

die Feinde der christl. Religion gleich aus denen von dem Autore[18] der bewusten Schrifft und dem Theologo,[19] der sie beurtheilen sollen, angeführten Gründen schließen, daß die gantze vorgegebene göttliche Offenbahrung etwas erdichtetes sey. Und selbst unter den Christen werden sich viele finden, die lieber bey der natürlichen Religion verbleiben, als sich mit der christlichen einlaßen wollen, wenn sie nicht ausmachen können, wer unter den streitenden Partheyen in denen streitigen Fragen recht hat, in dem nach dieser Herren principio Gott die Verwerffung der christl. Religion nicht beymeßen kan, weil sie nicht vermögend sind zu beurtheilen, wer recht hat, oder nicht.

Ich kam zwar eben auf den Gedancken, daß man des Hn. Formey sein Systema justifiziren könnte, wenn man sagte, es käme das Verdienst Christi auch denen zustatten, die nichts davon wüßten, weil es ihnen Gott zueignete, indem sie sich auf seine Liebe zu den Menschen verließen. Allein da müßte man fidem implicitam[20] annehmen, welchen weder unsere Theologi admittiren, noch auch schwerlich aus der Schrifft wird können erwiesen werden.

Es scheinet mir aber H. Formey und H. Jerusalem nicht völlig miteinander einig zu seyn, indem es das Ansehen hat, als wenn der erste, ohne das Verdienst Christi, die Erlangung der Seeligkeit, obzwar in einem geringeren Grade, vor möglich hielte, dieser aber daßelbe nothwendig dazu erforderte, nur daß es nicht allen bekandt werden dörffte, und keinen Unterschied in der Seeligkeit, dem Grade nach, machte, welches doch der Apostel selbst thut, wenn er saget: eine andre Klarheit habe die Sonne, eine andre der Mond und eine andre die Sterne.[21] Ist nun aber das Verdienst Christi schlechter Dings nothwendig zu Erlangung der Seeligkeit, und hat Gott vermöge seiner Heiligkeit niemandem ohne dasselbe sich mittheilen können, so ist auch eine göttliche Offenbahrung schlechter Dings nöthig gewesen; ob gleich nicht schlechter Dings nöthig ist, daß allen denjenigen, denen Christi Verdienst zugeeignet werden sol, dieselbe bekandt sey, weil Gott

---

[18] Jean Henri Samuel Formey (1711–1797) wurde 1736 Mitglied der Alethophilengesellschaft, 1744 Mitglied der Berliner Akademie der Wissenschaften, 1745 deren Historiograph, 1748 schließlich Ständiger Sekretär. Formey war vor allem in Ablauf und Hintergründe der Monadenpreisfrage der Berliner Akademie von 1746 eingeweiht. Seit 1741 arbeitete er an seinem popularphilosophischen Wolffianischen Roman *La Belle Wolfienne*; 1746 erschien bei Haude und Spener in Berlin sein Wolffianisches Lehrbuch *Elementa philosophiae seu Medulla Wolfiana*.

[19] Bezieht sich auf Johann Friedrich Wilhelm Jerusalem.

[20] Übers.: einen impliziten Glauben. Die fides implicita, auch fides carbonaria (Köhlerglauben) genannt, bezeichnet das unbedingte ungeprüfte Vertrauen auf die Richtigkeit kirchlicher Lehrsätze, damit implizit auch die Möglichkeit, ohne Kenntnis der heilsrelevanten Fakten Erlösung erlangen zu können. Für lutherische Theologen war das Wissen um das Verdienst Christi aber unabdingbarer Bestandteil des Glaubens, ohne den der Mensch der Heilstat Christi nicht teilhaftig werden konnte; aus reformatorischer Sicht war die aus der scholastischen Theologie stammende fides implicita daher nicht akzeptabel.

[21] Siehe 1 Kor 15,41.

noch andere Mittel verordnet deßelben theilhafftig zu werden, die er den Menschen nicht bekandt gemacht. Und also kan man nicht sagen, sie sey nur hypothetica[22] necessaria,[23] insoweit Gott einigen ein Vorrecht vor andern Menschen einräumen wollen. Ich mag die Sache ansehen, wie ich wil, so sind die Schwierigkeiten nicht gehoben, warum eine göttliche Offenbahrung nicht schlechter Dinges nöthig seyn sollte. Mich dünckt die Feinde der geoffenbahrten Religion könnten durch die angeführten argumenta eben sowohl die gantze christliche Religion, als die unbedingte Nothwendigkeit der Offenbahrung über den Hauffen werffen, und wir würden ein gantz anderes Systema Theologiae von nöthen haben, als bisher unter den Christen im Brauch gewesen.

Ich muß mich aber bey diesem Schreiben ebenso, wie der H. Jerusalem entschuldigen, weil wegen Verstopffungen im Kopfe bey jetzigem flüßigen Wetter ordentlich zu dencken nicht recht aufgeleget bin.

Was endlich das Vorhaben Euer HochReichsgräffl. Excellenz betrifft,[24] so wil daßelbe nicht misbilligen; doch hielte [...] davor,[25] es wäre nicht übelgethan, wenn Hochdieselben erst H. D. Jöchern[26] fragten, was er von dem, was mir bedencklich ist, hielte. Verharre mit allerersinnlichen Submission

Euer HochReichsgräfl. Excellenz

ganz unterthänigster und gehorsamster Diener
Wolff.

Halle, d. 28. Dec.
1746.

P.S. Ich habe vergeßen, daß H. Jerusalem seine Meinung den dortigen Herren Theologis[27] nicht wil laßen kund werden, daher dörffte es wohl nicht angehen, daß H. D. Jöcher von diesem Schreiben etwas erführe.

---

[22] Lies: hypothetice.

[23] Übers.: hypothetisch notwendig. Zur hypothetischen, d.h. im Gegensatz zur absoluten Notwendigkeit nur bedingten oder relativen Notwendigkeit, welche Kontingenz nicht ausschließt, vgl. Ontologia, § 318: „Quod hypothetice necessarium est, in se contingens est" („Was hypothetisch notwendig ist, ist in sich kontingent"); vgl. ferner Deutsche Metaphysik, § 575.

[24] Manteuffel äußerte sich in seinem Schreiben an Wolff vom 26. 12. 1746 zu seinem Vorhaben, die Debatte über Formeys *Essai* in einer Publikation zusammenzufassen und dabei insbesondere Wolffs Position darzulegen. Der Plan wurde nicht ausgeführt

[25] Textverlust; vermutlich: hielte ich davor.

[26] Christian Gottlieb Jöcher (1694–1758), Doktor der Theologie, seit 1732 Professor für Geschichte an der Universität Leipzig, seit 1739 Mitglied der Societas Alethophilorum.

[27] Bezieht sich auf die Leipziger Theologen.

Die Natürliche Theologie bildet einen Hauptbestandteil sowohl der deutschen (1720) als auch der lateinischen (1736/37) Metaphysik Christian Wolffs. Sie bleibt darüber hinausgehend auch in Wolffs Briefen ein bedeutsames Thema, das insonderheit im Hinblick auf in der deutschen und europäischen Gelehrtenrepublik virulente Streitfragen mehrfach aktualisiert wird. Noch klarer als in den systematischen Abhandlungen seiner Werke positioniert sich Wolff in seinen Briefen als Apologet des überkommenen christlichen Offenbarungsglaubens. Dies wird nicht nur in Äußerungen Wolffs zu Spinoza, zum englischen Deismus oder zum Newtonianismus deutlich, sondern kommt auch und gerade bei Debatten mit Anhängern seiner Philosophie zum Tragen. So finden sich die pointiertesten Aussagen des späten, an die Universität Halle zurückgekehrten Wolff im Zusammenhang mit einer Kritik der Heilsnotwendigkeit der Offenbarung von Jean Henri Samuel Formey, die anonym im Jahr 1746 erschienen war. Dabei machte die Brisanz des Themas und die sich andeutende Spaltung innerhalb des Lagers der Wolffianer eine nahezu vollständige Verlegung der Diskussion von der publizistischen auf die epistoläre Gesprächsebene notwendig. Der vorliegende Aufsatz untersucht den argumentativen und kommunikativen Verlauf dieser Auseinandersetzung und gibt aus der Fülle des bislang ungedruckten Quellenmaterials das diesbezügliche Schreiben Wolffs vom 28. Dezember 1746 in kommentierter Edition bei.

Natural Theology is a main component of both Christian Wolff's German (1720) and Latin (1736/37) Metaphysics. It also remains an important topic in Wolff's letters and is revised several times – especially in the context of the controversies that are virulent among German and European scholars. In his letters, Wolff positions himself as an apologist of the traditional Christian faith in the revelation – even more than in his systematic essays. This becomes obvious not only in his statements about Spinoza, the English Deism or Newtonianism, but especially also in his debates with the supporters of his philosophy. Thus the clearest statements of the late Wolff, who had returned to the University of Halle, can be found in the context of a critique of the necessity of the revelation for salvation postulated by Jean Henri Samuel Formey, a paper that had been published anonymously in 1746. The importance of the topic and the beginning chasm among the Wolffians was the reason why the debate had to be shifted from an editorial to a discourse by personal letters. This essay studies the argumentative and communicative course of this controversy. Furthermore, it gives – from the mass of material that is widely unknown – a commented edition of Wolff's paper concerning this topic, dating the 28th of December 1746.

Dr. phil. Johannes Bronisch M.E.S., Leibniz-Gemeinschaft, Chausseestraße 111, D-10115 Berlin, E-Mail: bronisch@leibniz-gemeinschaft.de

CLEMENS SCHWAIGER

Philosophie und Glaube bei Christian Wolff und Alexander Gottlieb Baumgarten

I. Einleitung: Streiflichter zur Forschungslage

Das Spannungsverhältnis von ‚fides' und ‚ratio', von religiösem Glauben und philosophierender Vernunft, prägte maßgeblich Wolffs Lebensschicksal, wie es später Baumgartens Sterbeschicksal überschattete. Die von den pietistischen Theologen erwirkte Vertreibung des Aufklärungsphilosophen Wolff aus Halle im Jahre 1723 verstörte nachhaltig die Beziehung zwischen den beiden Nachbardisziplinen. Von dieser vergifteten Atmosphäre zeugt noch Mitte der 1760er Jahre die Debatte um Baumgartens ‚misologischen Tod', schien doch zuletzt beim Sterben dieses ‚christlichen Weltweisen' die philosophische Gelehrsamkeit zugunsten eines reinen Fiduzialglaubens abzudanken.[1] Angesichts solch existentieller Dramatik ging es im 18. Jahrhundert bei der Zuordnung beider Größen stets um weit mehr als ein bloßes Schreibtischproblem; die Frage „Wie hältst Du's mit Glaube und Vernunft?" war eine Art Gretchenfrage für viele deutsche Aufklärer, aber zumal für die führenden Köpfe der Leibniz-Wolffschen Bewegung.

Doch obgleich das Konfliktfeld von philosophischer Vernunft und geoffenbartem Glauben hintergründig das gesamte Denken Wolffs und Baumgartens bestimmte, haben beide das fragliche Verhältnis in ihren Lehrbüchern nicht in eigenen Kapiteln ausdrücklich unter diesem Titel abgehandelt.[2] Man darf indes davon

---

[1] Vgl. dazu Raimund Bezold, Baumgartens Tod, in: Peter-André Alt u. a. (Hg.), Prägnanter Moment. Studien zur deutschen Literatur der Aufklärung und Klassik. Festschrift für Hans-Jürgen Schings, Würzburg 2002, 19–28.

[2] Für Wolff konstatiert dieses Manko Jean École, Les rapports de la raison et de la foi selon Christian Wolff, in: J. É., Études et documents photographiques sur Wolff, Hildesheim, Zürich, New York 1988 (GW, Abt. III, Bd. 11), 229–238, bes. 229 f. – Bei Baumgarten gibt es allerdings eine unter seinem Vorsitz abgehaltenen Dissertatio inauguralis de fidei in philosophia utilitate, Frankfurt a. d. Oder 1750. Zwar kann diese von einem Schüler namens Georg Christoph Wilhelm Bütow verteidigte akademische Qualifizierungsschrift nicht einfach werkgleichen Rang beanspruchen, aber als eine letztlich vom Präses zu verantwortende Abhandlung darf sie doch als aufschlußreiches

Aufklärung 23 · © Felix Meiner Verlag 2011 · ISSN 0178-7128

ausgehen, daß der jeweilige Entwurf einer natürlichen Theologie im Rahmen einer umgreifenden Metaphysik einschlägige Grundüberzeugungen widerspiegelt. Ferner läßt sich von vornherein vermuten, daß Baumgarten, weil ursprünglich in den Franckeschen Bildungsanstalten in Halle aufgewachsen, um eine strukturelle Entschärfung des Prinzipienstreits mit den Pietisten und um eine behutsame Wiederannäherung der verfeindeten Parteien bemüht gewesen sein wird.

Im Zuge der lange vorherrschenden Vernachlässigung des theologischen Wolffianismus überhaupt sind Ansatz und Durchführung der ,Theologia naturalis' bei Wolff einerseits und bei Baumgarten andererseits bislang kaum je gründlicher miteinander verglichen worden.[3] Eine erste Gesamtwürdigung hat vor Jahrzehnten einmal Mario Casula versucht, welche zwar noch recht kursorisch bleibt, aber immerhin eine Reihe ,kleinerer Wolffianer' mit einbezieht.[4] Seither ist das Bild im wesentlichen nur in Teilaspekten weiter vertieft worden: Komparative Einzelstudien liegen inzwischen etwa zu Schlüsselbegriffen wie dem der Religion oder dem der Vorsehung vor.[5] Zudem hat die Kantforschung mancherlei beachtliche Differenzen zwischen Wolff und Baumgarten vor allem hinsichtlich der zentralen Problematik der Gottesbeweise zutage fördern können.[6] Doch solange solche Entdeckungen gleichsam bloß als Nebenresultat quellengeschichtlicher Untersuchungen gewonnen werden, besteht die Gefahr, daß der ursprüngliche Werk- und Entstehungskontext nur unzureichend in den Blick kommt. Im folgenden ist gewiß ebenfalls kein umfassender oder gar erschöpfender Vergleich der philosophischen Theologie des Schulgründers mit der seines wohl produktivsten ,Schülers' möglich. Es soll aber doch der Versuch gewagt werden, anhand einer

Dokument für dessen philosophische Position gewertet werden (zur Analyse dieser in der Forschung bislang ignorierten Dissertation vgl. unten besonders den III. Abschnitt).

[3] Als durchaus typisch für eine bis heute weit verbreitete Einschätzung kann etwa das summarische Urteil von Konrad Feiereis gelten: „Die natürliche Theologie Baumgartens ist übersichtlich, kurz gefaßt und gut gegliedert; ihrem wesentlichen Inhalt nach geht sie aber über Wolff nicht hinaus" (Die Umprägung der natürlichen Theologie in Religionsphilosophie. Ein Beitrag zur deutschen Geistesgeschichte des 18. Jahrhunderts, Leipzig 1965 [Erfurter Theologische Studien, 18], 70).

[4] Vgl. Mario Casula, La metafisica di A. G. Baumgarten, Mailand 1973 (Studi di filosofia, 5), 197–228.

[5] Vgl. Ernst Feil, Religio, Bd. 4: Die Geschichte eines neuzeitlichen Grundbegriffs im 18. und frühen 19. Jahrhundert, Göttingen 2007 (Forschungen zur Kirchen- und Dogmengeschichte, 91), 68–88; Ulrich L. Lehner, Kants Vorsehungskonzept auf dem Hintergrund der deutschen Schulphilosophie und -theologie, Leiden, Boston 2007 (Brill's Studies in Intellectual History, 149), 59–89.

[6] Besonders einflußreich war hier Dieter Henrich, Der ontologische Gottesweis. Sein Problem und seine Geschichte in der Neuzeit, Tübingen 1960, 55–68; kritisch dazu jüngst Konrad Cramer, Ens necessarium, in: Jiří Chotaš, Jindřich Karásek, Jürgen Stolzenberg (Hg.), Metaphysik und Kritik. Interpretationen zur „Transzendentalen Dialektik" der Kritik der reinen Vernunft, Würzburg 2010, 203–233.

Analyse der tragenden Termini die je persönliche Handschrift Wolffs bzw. Baumgartens im Umgang mit dem Fides-Ratio-Konflikt exemplarisch vor Augen zu führen.

II. Die Definition der natürlichen Theologie

Typische Besonderheiten der jeweiligen philosophischen Position treten gleich eingangs schon im Selbstverständnis der ‚Theologia naturalis' als einer unverzichtbaren Teildisziplin der Philosophie hervor. Zwar ist es bei Wolff und seinen Schülern ein durchweg geteiltes Gemeingut, daß die natürliche Theologie im Gegenüber zu einer geoffenbarten Theologie als abschließende Krönung der Metaphysik zu begreifen ist, welche alle übrigen metaphysischen Einzelfächer (Ontologie, Kosmologie und Psychologie) als Beweisgrundlagen logisch voraussetzt. Aber Wolff wie Baumgarten liefern je eigene, vom überlieferten Begriffsverständnis abweichende, mit ihrer je spezifischen Philosophieauffassung zusammenhängende Definitionen von natürlicher Theologie. Beide begnügen sich nicht einfach mit der bloßen Wiederaufnahme der herkömmlichen Bestimmung als Wissenschaft von Gott und den göttlichen Dingen, sofern sie aus Vernunftprinzipien geschöpft ist.[7] Vielmehr rücken sie diese Disziplin (wie manch andere) von ihrem allgemeinen Philosophiebegriff her in eine neue Beleuchtung. Wolff versteht die Philosophie bekanntermaßen als eine Art Möglichkeitswissenschaft, d. h. er definiert sie als Wissenschaft des Möglichen, insofern es sein kann.[8] Entsprechend ist für ihn die natürliche Theologie die Wissenschaft dessen, was durch Gott möglich ist bzw. als durch Gott möglich verstanden wird.[9] Wie Wolffs Versuch einer innovativen Erklärung von Philosophie überhaupt, so stieß auch seine davon abgeleitete Neubestimmung der natürlichen Theologie bei seinen Gegnern auf Widerspruch.[10] Selbst im Lager der Wolffianer erfreute sie sich keiner unein-

---

[7] Vgl. Christian Wolff, Theologia naturalis, Bd. 1, 1 (§ 1 Scholion): „Vulgo [theologia naturalis] definitur per scientiam de Deo rebusque divinis ex principiis rationis acquisitam". – Zur allgemeinen begriffsgeschichtlichen Einordnung siehe Winfried Schröder, Art. ‚Religion bzw. Theologie, natürliche bzw. vernünftige', in: Joachim Ritter, Karlfried Gründer (Hg.), Historisches Wörterbuch der Philosophie, Bd. 8, Basel 1992, 713–727.

[8] Vgl. etwa Discursus praeliminaris, 13 (§ 29): „*Philosophia* est scientia possibilium, quatenus esse possunt".

[9] Vgl. ebd., 29 (§ 57): „*Theologia naturalis* definire [recte: definiri] potest per scientiam eorum, quae per Deum possibilia intelliguntur"; Theologia naturalis, Bd. 1, 1 (§ 1): „*Theologia naturalis* est scientia eorum, quae per Deum possibilia sunt, hoc est, eorum, quae ipsi insunt, & per ea, quae ipsi insunt, fieri posse intelliguntur".

[10] Vgl. Friedrich Christian Baumeister, Philosophia definitiva […] (Wittenberg [1]1735), Wien [15]1775, Nachdruck: Hildesheim, New York 1978 (GW, Abt.III, Bd. 7), 2–4 (§§ 4–7).

geschränkten Zustimmung, so daß man nicht selten wieder zu traditionelleren Auffassungen vom Wesen dieser Wissenschaft zurückkehrte.[11]

Aus der Gruppe der zu den Anhängern Wolffs zählenden Philosophen sticht Baumgarten nun insofern heraus, als er seinerseits nochmals eine originelle, dabei lapidar einfache, wenngleich eher negativ formulierte Definition unterbreitet: „Die natürliche Theologie ist die Wissenschaft von Gott, soweit er ohne Glauben erkannt werden kann".[12] Entscheidend für die philosophische Beschäftigung mit der Gottesfrage und damit trennendes Unterscheidungsmerkmal von aller Offenbarungstheologie ist das Auskommen ‚sine fide', also der konsequente Verzicht auf jegliches Glaubensmoment.[13]

Wenigstens nebenbei sei die auf den ersten Blick vielleicht überraschende Tatsache vermerkt, daß weder Baumgarten noch Wolff auf den Begriff der (natürlichen) Religion zurückgreifen, um die Wissenschaft der natürlichen Theologie einzuführen. Der Terminus ‚religio' im allgemeinen und das Begriffspaar ‚religio naturalis' – ‚religio revelata' im besonderen spielen im Rahmen der Metaphysik eine vergleichsweise untergeordnete Rolle und gewinnen erst später in der Ethik eine Schlüsselbedeutung. Religion wird von beiden Autoren weniger theoretisch denn praktisch verstanden, nämlich als Gottesdienst oder -verehrung, und findet von daher ihren hauptsächlichen Ort in der Lehre von den Pflichten Gott gegenüber.[14]

---

[11] Vgl. z.B. Friedrich Christian Baumeister, Institutiones metaphysicae ontologiam, cosmologiam, psychologiam, theologiam denique naturalem complexae [...], Wittenberg, Zerbst 1738, Nachdruck: Hildesheim, Zürich, New York 1988 (GW, Abt. III, Bd. 25), 529 (§ 774): „*Theologia naturalis* est scientia de DEo eiusque attributis et operibus"; Johann Achatius Felix Bielcken, Historie der natürlichen Gottesgelahrheit [...], Leipzig, Zelle 1742, 2 (§ 2): „Durch die natürliche Gottesgelahrheit aber verstehen wir eine Wissenschaft von GOtt und den göttlichen Eigenschaften und Werken, in sofern sie aus Gründen der gesunden Vernunft gründlich erwiesen wird".

[12] Alexander Gottlieb Baumgarten, Metaphysica (¹1739), Halle ⁴1757, 329 (§ 800): „*Theologia naturalis* est scientia de deo, quatenus sine fide cognosci potest" (zitiert nach: Metaphysica/Metaphysik. Historisch-kritische Ausgabe. Übersetzt, eingeleitet und hg. von Günter Gawlick u. Lothar Kreimendahl, Stuttgart-Bad Cannstatt 2011 [Forschungen und Materialien zur deutschen Aufklärung, Abt. I, Bd. 2]); vgl. ähnlich Georg Friedrich Meier, Metaphysik, Bd. 4 (¹1759), Halle ²1765, Nachdruck: Hildesheim, Zürich, New York 2007 (GW, Abt. III, Bd. 108/4), 5 (§ 797): „Die *natürliche Gottesgelahrheit* ist [...] die Wissenschaft von Gott, in so ferne er ohne Glauben erkant werden kan".

[13] Vgl. Alexander Gottlieb Baumgarten, Sciagraphia encyclopaediae philosophicae, hg. von Johann Christian Förster, Halle 1769, 73 f. (§§ 155–157); ders., Philosophia generalis, hg. von Johann Christian Förster, Halle 1770, Nachdruck: Hildesheim 1968, 83 f. (§ 173).

[14] Vgl. Theologia naturalis, Bd. 2, 497 (§ 512); Baumgarten, Metaphysica (wie Anm. 12), 388 (§ 947); ders., Ethica philosophica (¹1740), Halle ³1763, Nachdruck: Hildesheim 1969, 17 (§ 28). – Die auffällig spärliche Präsenz der Religionsthematik innerhalb von Wolffs bzw. Baumgartens metaphysischer Theologie notiert bereits Feil, Religio (wie Anm. 5), 68–71 u. 83 f.

Doch zurück zu Baumgartens betonter Herausstellung der völligen Glaubensunabhängigkeit philosophisch betriebener Theologie. Sie hängt zweifelsohne zusammen mit seiner generellen These von der Philosophie als einer auf alle Glau-
bensvorgaben Verzicht leistenden Erkenntnisform. Philosophie wird ja von ihm
durchgängig und einheitlich definiert als „eine Wissenschaft von denen [sic!] Be-
schaffenheiten der Dinge [...], die ohne Glauben erkannt werden können".[15] Was
hat Baumgarten wohl dazu gebracht, von Wolff abweichend eine ureigene Philosophiedefinition zu entwickeln, in der gerade die Gegenüberstellung von ‚fides‘
und ‚scientia‘, von Glaube und Wissen im Zentrum steht? Baumgarten hat dabei
den Wolffschen Definitionsvorschlag nicht schlechthin als verfehlt abgetan, sondern erachtete ihn als Umschreibung des Gegenstandsbereichs der Philosophie
durchaus für tauglich. Philosophie sei – so auch Baumgarten – die Wissenschaft
von allem Möglichen, während Unmögliches nicht ihr Objekt sein könne.[16] Allerdings hielt er die Definition nicht für so originell, wie Wolff glauben machen
wollte, sondern fand sie in ähnlicher Form schon in der antiken Philosophie bei
Pythagoras vorgebildet.[17] Vor allem aber schien Baumgarten die spezifische Erkenntnisweise der Philosophie darin noch nicht hinreichend erfaßt. Typisches
Wesensmerkmal des Philosophierens ist es, daß man hier nicht – wie bei den oberen Fakultäten – dem Zeugnis anderer zu trauen braucht,[18] sondern sich auf das
Selbstdenken verlassen kann und muß. Insbesondere darf sich der Philosoph gegenüber den autoritativen Einsprüchen einer religiösen Glaubensgemeinschaft
von vornherein gesichert wissen. Mit diesem philosophischen Selbstverständnis

---

[15] Vgl. Alexander Gottlieb Baumgarten, Gedancken vom vernünfftigen Beyfall auf Academien
(Frankfurt a. d. Oder [1]1740), Halle [2]1741, 40 (§ 12); ders., Philosophische Brieffe von Aletheophi-
lus, Frankfurt, Leipzig 1741, 10 (3. Schreiben); ders., De vitiis quasiphilosophorum ethicis, dissertatio I de pietati contrariis, Frankfurt a. d. Oder 1742, 1 (§ 1); ders., Dissertatio inauguralis de
fidei in philosophia utilitate (wie Anm. 2), 10 (§ 7); ders., Dissertatio periodica an philosophia sit
sapientia mundi, Frankfurt a. d. Oder 1751, 5 (§ 4); ders., Acroasis logica in Christianum L. B. de
Wolff, Halle 1761, Nachdruck: Hildesheim, New York ([1]1973) [2]1983 (GW, Abt. III, Bd. 5), 1 (§ 1):
„Philosophia est scientia qualitatum in rebus sine fide cognoscendarum"; ders., Philosophia generalis (wie Anm. 13), 8 (§ 21).
[16] Vgl. ders., Philosophia generalis (wie Anm. 13), 50 (§ 142): „philosophia est scientia possibilium. Impossibilia non sunt obiectum philosophiae"; siehe auch ebd., 50 f. (§ 143). – Diese noch
ganz auf der Linie Wolffs liegenden Ausführungen zum Materialobjekt der Philosophie werden von
Werner Schneiders (Hoffnung auf Vernunft. Aufklärungsphilosophie in Deutschland, Hamburg
1990, 133 f.) und Alexander Aichele (Wahrheit – Gewißheit – Wirklichkeit. Die systematische
Ausrichtung von A. G. Baumgartens Philosophie, in: Aufklärung 20 [2008], 13–36, bes. 23 f.)
außer acht gelassen, wenn sie Baumgarten eine radikale Verabschiedung der Wolffschen Philosophiedefinition unterstellen.
[17] Vgl. Baumgarten, Philosophia generalis (wie Anm. 13), 11 (§ 28) u. 9 (§ 23).
[18] Vgl. ders., Acroasis logica (wie Anm. 15), 107 (§ 360 Scholion): „Non theologi tantum, sed et
ICti [= Iurisconsulti], et medici, quantum a philosopho differunt, est credere".

wahrte sich Baumgarten wohl nicht zuletzt den nötigen Freiraum für unabhängiges Denken etwa gegenüber Angriffen aus dem pietistischen Lager.[19]

Eine keineswegs bloß nebensächliche Pointe von Baumgartens Philosophiedefinition besteht schließlich darin, daß sie es ungezwungen erlaubt, nicht bloß Menschen, sondern auch Gott in den Kreis philosophierender Subjekte einzuschließen. Weil Gott für sein größtdenkbares Wissen keines Glaubens, also keiner Stütze durch eine fremde Autorität bedarf, kann er ohne weiteres als ‚höchster Philosoph' bezeichnet werden.[20] Somit übernimmt Baumgarten im Kern ungeschmälert, wenn auch mit abgewandelter Begründung, Wolffs bekannte provokative These von Gott als dem ‚philosophus absolute summus'.[21]

III. Die Definition des Glaubens

Zur weiteren Erhellung der Grundspannung von Fides und Ratio in den philosophischen Theologien von Wolff und Baumgarten ist es hilfreich, den jeweiligen Glaubensbegriff der beiden Autoren in seinem definitorischen Umfeld näher zu beleuchten. Seinen angestammten Platz findet dieser nämlich in der Logik innerhalb der klassischen Dreiergruppe ‚Wissen, Glauben, Meinen'. Dieses ganze Lehrstück verdient zumal in rezeptionsgeschichtlicher Hinsicht besondere Beachtung, hat es doch über die Vermittlung durch Meier später für Kant eine herausragende Rolle gespielt.[22]

In der eigentlichen Glaubensdefinition unterscheiden sich Wolff und Baumgarten kaum nennenswert. Wolff versteht unter Glauben „den Beyfall, den man ei-

---

[19] Dagegen wollte etwa das pietistische Schulhaupt August Hermann Francke lediglich die ‚wiedergeborenen Christen' als ‚wahre Philosophen' anerkennen und der Philosophie noch nicht einmal die Rolle einer die Theologie helfend begleitenden ‚ancilla' zubilligen (vgl. Walter Sparn, Philosophie, in: Hartmut Lehmann [Hg.], Geschichte des Pietismus, Bd. 4: Glaubenswelt und Lebenswelten, Göttingen 2004, 227–263, hier 232).

[20] Vgl. ders., Philosophia generalis (wie Anm. 13), 223 (§ 261): „deus est summus philosophus" (vgl. ebd., § 260); ders., Gedancken vom vernünfftigen Beyfall auf Academien (wie Anm. 15), 41 (§ 12); ders., Dissertatio periodica an philosophia sit sapientia mundi (wie Anm. 15), 7 (§ 8): „deus omnium rerum […] qualitates ita scit, ut ad hanc maximam scientiam non indigeat ulla fide"; ähnlich auch Meier, Metaphysik, Bd. 4 (wie Anm. 12), 172 f. (§ 896).

[21] Theologia naturalis, Bd. 1, 244 (§ 268); vgl. Deutsche Metaphysik, 600 f. (§ 973); dazu Werner Schneiders, Deus est philosophus absolute summus. Über Christian Wolffs Philosophie und Philosophiebegriff, in: W. S. (Hg.), Christian Wolff 1679–1754. Interpretationen zu seiner Philosophie und deren Wirkung. Mit einer Bibliographie der Wolff-Literatur, Hamburg (¹1983) ²1986 (Studien zum achtzehnten Jahrhundert, 4), 9–30.

[22] Vgl. für eine gleichermaßen übergreifende wie detailgenaue Analyse neuerdings Robert Theis, Du savoir, de la foi et de l'opinion de Wolff à Kant, in: Archives de Philosophie 73/2 (2010), 211–228.

nem Satze giebet um des Zeugnisses willen eines andern".[23] Baumgarten formuliert wie gewohnt etwas kompakter: Glaube ist der Beifall des Zeugnisses wegen.[24] Aus der zitierten Begriffsklärung ergeben sich zwei noch recht allgemeine, aber nicht unwichtige Konsequenzen: Glaube ist zum einen stets ein personal-dialogisches Geschehen, bedeutet er doch in seinem Wesen, der Aussage eines anderen zuzustimmen, ihr Vertrauen zu schenken. Zum anderen ist das Glauben keineswegs auf den rein religiösen Bereich beschränkt, sondern meint jede Form der Zustimmung zu einem fremden Zeugnis. Wäre nämlich alle ‚fides' per se schon religiös, bedürfte es keiner ausdrücklichen Herausstellung theologischer Gehalte mehr. Die grundsätzliche Weite des Glaubensbegriffs läßt sich daher selbst noch aus der terminologischen Eingrenzung eines spezifisch geoffenbarten Glaubens ablesen, die Baumgarten in einem weiteren Schritt vornimmt. Im letzten Kapitel seiner *Metaphysica*, das der Offenbarungsthematik gewidmet ist und möglichst organisch zu einer Theologie der Offenbarung überleiten soll, führt Baumgarten nämlich in Ergänzung zu Wolff den Sonderausdruck ‚fides sacra' bzw. ‚fides theologica' ein; die inhaltliche Füllung eines solchen geoffenbarten Glaubens ist erklärtermaßen nicht mehr philosophisch zu leisten.[25]

Doch zurück zur allgemeinen Erklärung des Glaubensbegriffs im Kontext der Trias von ‚scientia', ‚fides', ‚opinio'. Bereits hier schließt Baumgarten einige terminologische Differenzierungen an, die deutlich über die Vorlage in den Wolffschen Logiken hinausgehen. Diese ergänzenden Bestimmungen sind zwar nicht allein auf den religiösen Glauben zugeschnitten, doch ihre unmittelbare Bedeutung für das philosophisch-theologische Gespräch liegt auf der Hand. Baumgarten unterscheidet zunächst (analog zu der geläufigen Rede von ‚articuli [fidei] puri' und ‚articuli mixti') zwischen ‚fides pura' und ‚fides mixta'. Der ‚reine Glaube' ist eine Zustimmung, deren ausschlaggebender Grund das Zeugnis (eines anderen) ist, der ‚vermischte' oder ‚bekräftigende Glaube' dagegen eine Zustim-

[23] Deutsche Logik, 200 (Kap. 7, § 3); vgl. Cogitationes rationales, 118 (§ 149): „Per *Fidem* intelligo assensum propositioni alicui propter testimonium alterius datum"; Logica, Bd. 2, 450 (§ 611): „*Fides* dicitur assensus, quem praebemus propositioni propter autoritatem dicentis". – Die Ersetzung von ‚testimonium' durch ‚autoritas' scheint nicht so erheblich zu sein, da der Autoritätsbegriff systematisch nicht weiter vertieft wird.

[24] Baumgarten, Acroasis logica (wie Anm. 15), 105 (§ 357): „assensus[…] propter testimonium *fides* est"; vgl. ders., De vi et efficacia ethices philosophicae, Frankfurt a. d. Oder 1741, 6 (§ 2 Scholion); ders., Dissertatio inauguralis de fidei in philosophia utilitate (wie Anm. 2), 7 (§ 1).

[25] Vgl. ders., Metaphysica (wie Anm. 12), 404 (§ 993): „*Fides sacra obiective sumpta* est complexus revelationi stricte dictae credendorum, uti habita revelationi stricte dictae fides, est sacra *subiective sumpta*". – Die heute unüblich gewordene Bezeichnung ‚heiliger Glaube' ist allem Vermuten nach von der ‚Heiligen Schrift' als dem dafür maßgeblichen Zeugnis abzuleiten. In der ersten Auflage der *Metaphysica* (Halle 1739) hatte Baumgarten noch von ‚fides theologica' gesprochen (291 [§ 993]); genauso auch Meier, Metaphysik, Bd. 4 (wie Anm. 12), 478 f. (§ 1083): ‚theologischer Glaube'.

mung, die wir einem Zeugnis geben, selbst wenn wir auch ohne ein solches einen ausreichenden Grund zum Fürwahrhalten gehabt hätten.[26]

Mit dieser Unterscheidung trägt Baumgarten offenkundig der Tatsache Rechnung, daß das, was von uns Menschen im Laufe des Lebens so alles geglaubt wird, nicht immer ausschließlich auf fremden Zeugnissen beruht, sondern oft durch selbstgewonnene Erfahrungen oder anderweitig gestützte Schlüsse untermauert wird. Um solche häufigen Allianzen namhaft zu machen, spricht Baumgarten von der (sozusagen ehelichen) ‚Verbindung von Glaube und Erfahrung' einerseits, von der ‚Verbindung von Glaube und Vernunft' andererseits.[27] Es gibt jedoch für Baumgarten nicht bloß den anzustrebenden Fall einer fruchtbaren Verknüpfung des Glaubens mit der Erfahrung bzw. der Vernunft, sondern nicht minder auch die Gefahr einer nicht wünschenswerten Vermengung dieser Erkenntnisquellen. Eine solche Konfusion liegt dann vor, wenn man das, was man bloß glauben kann, erfahren oder anderswoher ableiten will, aber auch umgekehrt, wenn man das, was zu beweisen wäre oder was sich bloß erfahren läßt, glauben wollte.[28] Um der genannten schädlichen Verquickung der drei Hauptquellen der Erkenntnis vorzubeugen, mag es schließlich angebracht sein, von reiner Vernunft im Unterschied zu Glaube und Erfahrung zu sprechen, um das Gesamt der Urteile zu bezeichnen, welche ohne Glaube und ohne Erfahrung philosophisch zu erkennen sind.[29]

---

[26] Vgl. Baumgarten, Acroasis logica (wie Anm. 15), 105 (§ 358): „Assensus, cuius ratio, sine qua non, testimonium est, *fides pura*, quem testimonio tribuimus, licet etiam sine hoc rationem ad assensum sufficientem habuissemus, *fides mixta* est"; ders., Dissertatio inauguralis de fidei in philosophia utilitate (wie Anm. 2), 7 (§ 2); dazu vgl. auch ders., Philosophia generalis (wie Anm. 13), 85 (§ 176).

[27] Vgl. ders., Acroasis logica (wie Anm. 15), 105 f. (§ 358): „Si partim creditur aliquid, partim sentitur, oritur *connubium fidei et experientiae*; si partim creditur, partim concluditur aliunde, quam ex testimonio, oritur *connubium rationis et fidei*"; ders., Dissertatio inauguralis de fidei in philosophia utilitate (wie Anm. 2), 14 f. (§ 18); ders., Philosophia generalis (wie Anm. 13), 85 f. (§§ 177 f.). – Baumgarten selbst übersetzt (das wörtlich ‚Ehe' bedeutende) ‚connubium' mit ‚Band' bzw. ‚Verschwisterung', neudeutsch könnte man vielleicht auch von ‚Partnerschaft' sprechen. – Die Formel vom ‚connubium rationis ac fidei' begegnet en passant auch schon bei Wolff (vgl. Theologia naturalis, Bd. 1, 287 [§ 290 Scholion]), freilich bei ihm noch nicht als fester Terminus technicus. Begrifflich handelt es sich dabei wohl um eine Art Pendant zu dem berühmteren ‚connubium rationis et experientiae' (so mit Recht École, Les rapports de la raison et de la foi selon Christian Wolff [wie Anm. 2], 237).

[28] Vgl. Baumgarten, Acroasis logica (wie Anm. 15), 106 (§ 359): „Si non, nisi credenda, velimus experiri, vel aliunde, quam ex testimoniis deducere; si non nisi aliunde, quam ex testimoniis, deducenda aut experienda, velimus credere, *confunditur fides cum ratione vel experientia*"; dazu vgl. auch ders., Philosophia generalis (wie Anm. 13), 87 (§§ 180 f.).

[29] Vgl. Baumgarten, Acroasis logica (wie Anm. 15), 106 (§ 360): „*Ratio fidei et experientiae contradistincta* est complexus iudiciorum sine fide et experientia philosophice cognoscendorum".

Eine klare begriffliche Trennung von ‚fides‘ und ‚ratio‘ braucht jedoch nicht zwangsläufig einen sachlichen Gegensatz beider zu bedeuten. Was von einem anderen unterschieden ist, muß ihm nicht schon widersprechen. In seiner programmatischen Dissertation *De fidei in philosophia utilitate* aus dem Jahre 1750 (kaum ganz zufällig auch dem Erscheinungsdatum des ersten Bandes der *Aesthetica*) liefert Baumgarten hierzu weitere Aufschlüsse.[30] Er bemerkt dort, daß jene – von ihm ja dauernd benutzte – Wendung, daß die Philosophie eines Glaubens nicht bedürfe, noch zweideutig sei. Sie könne bedeuten, daß der Glaube für die Philosophie nicht als Beweisprinzip (principium probandi) fungieren dürfe, und in diesem Sinne verstanden sei diese Aussage zweifelsohne richtig. Sie könne aber auch so gedeutet werden, daß der Glaube ohne jeglichen Nutzen für die Philosophie sei und nicht einmal als Hilfsmittel des Erkennens (subsidium cognoscendi) eingesetzt werden dürfe, doch so sei der Satz von ihm nicht gemeint.[31] Glaubenssätze sind selbstverständlich nicht als demonstrative Prinzipien zugelassen, wohl aber als heuristische Prinzipien erlaubt. Ein Beweisprinzip ist dabei jene Überlegung, die den Grund dafür enthält, weshalb eine andere wahr ist, eine Erkenntnishilfe hingegen wird das genannt, was einem die Gelegenheit bietet, früher bereits Erkanntes wieder ins Gedächtnis zurückzurufen oder sich bislang Unbekanntes erstmalig vertraut zu machen.[32]

Die hier vorgenommene Unterscheidung von ‚principium demonstrandi‘ und ‚subsidium inveniendi‘ gestattet es Baumgarten also, trotz der grundlegenden und unverzichtbaren Glaubensunabhängigkeit aller Philosophie vorhandenen Glaubensdokumenten dennoch einen möglichen Nutzen innerhalb der Philosophie einräumen zu können. Insbesondere das Verhältnis von natürlicher Theologie und Offenbarungstheologie braucht nicht länger bloß eine Einbahnstraße zu sein. Natürlich hat auch für Baumgarten, wie schon für Wolff, die Philosophie zunächst und zumeist eine wegbereitende Funktion für die Theologie, insofern die natürliche Theologie die ersten Prinzipien für eine wissenschaftliche Durchdrin-

Als idealtypisches Gegenüber zur ‚fides pura‘ heißt diese gänzlich unabhängige Vernunft schlicht auch ‚ratio pura‘ (ebd., 107 [§ 360 Scholion]).

[30] Vgl. ders., De fidei in philosophia utilitate (wie Anm. 2), 13 (§ 13): „Non opponimus sibi, distinguimus tamen, Rationem, Experientiam, et Fidem". Die oft für synonym gehaltenen Ausdrücke ‚oppositum‘ und ‚contradistinctum‘ besagten nicht dasselbe: Während bei der ‚oppositio‘ das Gegenteil verneint werde, sei bei der ‚contradistinctio‘ lediglich das Erkenntnisprinzip verschieden (vgl. ebd., 12 [§ 13]).

[31] Vgl. ebd., 16 (§ 20); in Anwendung auf die Ethik s. ders., De vi et efficacia ethices philosophicae (wie Anm. 24), 6 (§ 2 Scholion); vgl. ferner den Beispielsatz in: ders., Acroasis logica (wie Anm. 15), 54 (§ 188 Scholion): „Nulla philosophia ex scriptura sacra demonstranda est".

[32] Vgl. ders., De fidei in philosophia utilitate (wie Anm. 2), 16 (§ 19): „Cogitationem […] illam, quae continet rationem, cur altera vera sit, *principium* vocamus *probandi*, […] *subsidium cognoscendi* vicissim id adpellatur, quod occasionem praebet, in mentem ut revocemus vel olim iam cognita, vel etiam illa ipsa, quorum nunquam nobis aliqua fuit cognitio, nota reddantur".

gung der Offenbarungslehren bereitstellt.[33] Aber während Wolff in erster Linie die (äußerst mannigfachen) Verwendungsmöglichkeiten philosophischer Erkenntnisse innerhalb der Theologie aufzuzeigen sucht,[34] will Baumgarten das Umgekehrte nicht ausschließen: daß der (religiöse) Glaube auch Vervollkommnungschancen für die Philosophie bietet.[35] Ein wichtiges Beispiel dafür ist schon die Gewinnung eines zureichenden philosophischen Gottesbegriffs selbst.

IV. Die Definition des Gottesbegriffs

Für den Gesamtentwurf einer philosophischen Theologie ist zunächst die Beantwortung der Frage entscheidend, welcher Vorbegriff von Gott jeweils zugrunde gelegt wird. Gleich an diesem springenden Punkt tut sich eine erhebliche Kluft zwischen Wolffs und Baumgartens natürlicher Theologie auf. Während Wolff von der Vorstellung Gottes als Existenzgrund der Welt ausgeht, setzt Baumgarten unvermittelt mit der Idee Gottes als des allervollkommensten Wesens ein. Es liegt auf der Hand, daß sich aus diesem unterschiedlichen Ausgangspunkt auch merkliche Differenzen etwa hinsichtlich der Durchführung und Gewichtung der Gottesbeweise ergeben werden.

Laut Wolff läßt sich zwar eine Mehrzahl von Nominaldefinitionen Gottes bilden und nicht bloß eine einzig mögliche denken.[36] Aber im Blick auf den von ihm bevorzugten Gottesbeweis ‚a contingentia mundi' favorisiert er in seinen reifen Werken die Worterklärung von Gott als dem Grund der Existenz dieser Welt, und zwar sowohl der materiellen wie der geistigen Wirklichkeit.[37] Von pietistischer Seite, insbesondere von Joachim Lange, wurden gegen diese Definition

---

[33] Vgl. ders., Metaphysica (wie Anm. 12), 329 (§ 801): „Theologia naturalis prima [...] theologiae revelatae principia continet"; ders., Philosophia generalis (wie Anm. 13), 206 (§ 222).

[34] Den Nutzen philosophischer Gotteserkenntnis für die Offenbarungstheologie betont Wolff beispielsweise in: Ratio praelectionum, 163 f. (Sect. II, Cap. 3, § 60); Theologia naturalis, Bd. 1, 19 f. (§§ 18 f.); ders., De usu methodi demonstrativae in tradenda Theologia revelata dogmatica, § 8 u. § 19, in: Horae subsecivae, Bd. 3, Trimestre aestivum 1731, 502 f. u. 539–542.

[35] Vgl. Baumgarten, De fidei in philosophia utilitate (wie Anm. 2), 16–20 (§§ 20–26).

[36] Vgl. Theologia naturalis, Bd. 1, 5 f. (§ 5 Scholion).

[37] Vgl. mit im einzelnen leicht abgewandelten Definitionsformeln: Ratio praelectionum, 160 (Sect. II, Cap. 3, § 50); Deutsche Metaphysik, 584 (§ 945): „Es ist [...] *GOtt* ein selbständiges Wesen, darinnen der Grund von der Würcklichkeit der Welt und der Seelen zu finden [ist]"; Anmerkungen zur Deutschen Metaphysik, 556 f. (§ 342); Ausführliche Nachricht, 299 (§ 108); Theologia naturalis, Bd. 1, 6 (§ 6) u. 53 (§ 67): „Per *Deum* intelligimus ens a se, in quo continetur ratio sufficiens existiae mundi hujus adspectabilis & animarum nostrarum"; zu Wolffs diesbezüglichem methodischen Vorgehen s. Anton Bissinger, Die Struktur der Gotteserkenntnis. Studien zur Philosophie Christian Wolffs, Bonn 1970 (Abhandlungen zur Philosophie, Psychologie und Pädagogik, 63), 221 f. u. 253 f.

mancherlei Einwände erhoben.[38] Doch führten die vorgebrachten Bedenken nicht dazu, daß die erste Schülergeneration Wolff in der Frage nach dem philosophisch angemessensten Gottesverständnis die Gefolgschaft aufgekündigt hätte.[39] Dagegen baut Baumgarten das Wolffsche Gefüge der natürlichen Theologie grundlegend um, insofern er sogleich mit der cartesianischen Bestimmung Gottes als ‚ens perfectissimum' einsteigt.[40] Erst vergleichsweise spät nimmt er dann die Identifikation mit dem weltbegründenden ‚ens a se' vor.[41] Die Definition Gottes als des allervollkommensten Wesens wird von ihm klar privilegiert, weil sie seiner Ansicht nach nicht nur die höchste objektive Gewißheit darstellt,[42] sondern auch die Überlegenheit der neueren philosophischen Theologie gegenüber der antik-heidnischen begründen soll.[43]

[38] Vgl. etwa Joachim Lange, Bescheidene und ausführliche Entdeckung der falschen und schädlichen Philosophie in dem Wolffianischen Systemate Metaphysico von GOtt, der Welt, und dem Menschen […], Halle 1724, Nachdruck: Hildesheim, Zürich, New York 1999 (GW, Abt. III, Bd. 56), 257 f. – Ein Resümee der einschlägigen Auseinandersetzung findet sich bei Baumeister, Philosophia definitiva (wie Anm. 10), 181 f. (§ 982); Christian Friedrich Polz, Natürliche Gottesgelehrsamkeit […] darinne auch die litterarische und philosophische Geschichte derselben […] zu finden ist, Jena 1777, 83 f.

[39] Vgl. z.B. Ludwig Philipp Thümmig, Institutiones philosophiae Wolfianae […], Bd. 1, Frankfurt, Leipzig 1725, Nachdruck: Hildesheim, Zürich, New York 1982 (GW, Abt. III, Bd. 19/1), 214 (Institutiones theologiae naturalis, § 10); Israel Gottlieb Canz, Philosophiae Leibnitianae et Wolffianae usus in theologia per praecipua fidei capita, Bd. 1 ([1]1728), Frankfurt, Leipzig [2]1749, Nachdruck: Hildesheim, Zürich, New York 2009 (GW, Abt. III, Bd. 110/1), 161 (§ 172), 162 (§ 173) u. 171 (§ 179); Johann Christoph Gottsched, Erste Gründe der gesammten Weltweisheit […], Bd. 1 ([1]1733), Leipzig [7]1762, Nachdruck: Hildesheim, Zürich, New York 1983 (GW, Abt. III, Bd. 20/1), 565 (§ 1109); Baumeister, Institutiones metaphysicae (wie Anm. 11), 532–534 (§ 778).

[40] Vgl. Baumgarten, Metaphysica (wie Anm. 12), 330 (§ 803): „*Ens perfectissimum* est, cui summa in entibus est perfectio"; ebd., 332 (§ 811): „*Deus* est ens perfectissimum". – Wolff führt im Opus metaphysicum diese weitere Nominaldefinition erst im zweiten Band seiner *Theologia naturalis* ein (12, [§ 14]). Entwicklungsgeschichtlich gesehen, hatte er allerdings in seiner cartesianischen Frühphase Gott schon einmal bevorzugt als ‚ens perfectissimum' bestimmt (vgl. ders., Philosophia practica universalis, mathematica methodo conscripta [1703], in: ders., Meletemata, 195 [Def. 23]).

[41] Vgl. Baumgarten, Metaphysica (wie Anm. 12), 346 f. (§ 851).

[42] Vgl. ders., Dissertatio de Dei certitudine, Frankfurt a. d. Oder 1750, 6 f. (§ 3) [benutztes Exemplar dieser bislang in der Baumgartenforschung gänzlich übersehenen, von einem gewissen Georg Ernst Musonius am 17. Oktober 1750 verteidigten Disputation: UB Jena 4 Diss. philos. 188 (4)].

[43] Vgl. ders., Dissertatio inauguralis de fidei in philosophia utilitate (wie Anm. 2), 21 f. (§ 27).

V. Ausblick: Die Nomenklatur der Gottesbeweise

Um den hier unternommenen Vergleich ausgewählter Schwerpunkte von Wolffs und Baumgartens philosophischer Gotteslehre abzurunden, soll zuletzt noch ein kurzer Blick auf die Problematik der sog. Gottesbeweise geworfen werden, freilich begrenzt auf die – indes nicht unerhebliche – Vorfrage nach den Bezeichnungen, die für die vorgetragenen bzw. beanstandeten Argumenttypen jeweils verwendet werden. Dabei ergibt sich bei näherem Zusehen ein Befund, der angesichts der sonstigen begriffsschöpferischen Aktivitäten beider Autoren eigentlich erstaunen sollte: Schon Wolff war trotz einer umfangreichen kritischen Würdigung vorliegender Argumente für die Existenz Gottes kaum an einer begrifflichen Neugestaltung der Klassifikation von Gottesbeweisen interessiert; ihm ging es vielmehr darum, das Bewußtsein für die oft versteckten und problembehafteten Voraussetzungen der meisten Beweisversuche zu schärfen.[44] Erst recht ist bei Baumgarten diesbezüglich ein ausgesprochenes Desinteresse festzustellen; dieser scheint hier sogar eine regelrechte Antipathie gegen die Verteilung von festen Namensetiketten an den Tag zu legen.[45]

Eine grundstürzende, dabei ungemein erfolgreiche Neuvermessung dieses semantischen Feldes hat hingegen Kant vorgenommen. Bereits in der vorkritischen Schrift *Der einzig mögliche Beweisgrund zu einer Demonstration des Daseins Gottes* von 1763 experimentiert er mit einer neuen Gottesbeweistypologie. Diese gewinnt dann mit noch etlichen Modifikationen in der *Kritik der reinen Vernunft* von 1781 ihre kanonische Gestalt.[46] Bekanntermaßen sind demnach überhaupt nur drei Beweisarten vom Dasein Gottes aus spekulativer Vernunft denkbar: der physikotheologische, der kosmologische und der ontologische Beweis.[47]

[44] Zu Wolffs Kritik der bisherigen Gottesbeweise, wie er sie am bündigsten in der *Ratio praelectionum*, 155–161 (Sect. II, Cap. 3, §§ 37–53) vorgetragen hat, vgl. bes. Bissinger, Die Struktur der Gotteserkenntnis (wie Anm. 37), 223–239; Jean École, Les preuves wolffiennes de l'existence de Dieu, in: Archives de Philosophie 42/3 (1979), 381–396 (ebd., 382 mit einer hilfreichen Übersicht über die relevanten Textstellen); ders., La métaphysique de Christian Wolff, Hildesheim, Zürich, New York 1990 (GW, Abt. III, Bd. 12/1), 335–348.

[45] Vgl. Casula, La metafisica di A. G. Baumgarten (wie Anm. 4), 207. – In der Metaphysica (wie Anm. 12), 348 (§ 856) unterscheidet Baumgarten gerade einmal zwischen dem ,probare a priori' und dem ,probare a posteriori', aber mit dieser elementaren Einteilung hat es sich dann auch schon (vgl. zu dieser in der frühen Neuzeit gebräuchlich gewordenen, nicht ganz problemfreien Distinktion École, La métaphysique de Christian Wolff [wie Anm. 44], 329–331).

[46] Vgl. dazu die detaillierte wortstatistische Untersuchung von Lothar Kreimendahl, Einleitung zu: Kant-Index, Bd. 38: Stellenindex und Konkordanz zu „Der einzig mögliche Beweisgrund zu einer Demonstration des Daseins Gottes", Stuttgart-Bad Cannstatt 2003 (Forschungen und Materialien zur deutschen Aufklärung, Abt. III, Bd. 45), XVII-XX.

[47] Vgl. Immanuel Kant, Kritik der reinen Vernunft, A 590 f. (= B 618 f.; Akad.-Ausgabe, Bd. 3, 396).

Frappierenderweise findet sich aber von diesen drei griffigen, heute völlig geläufigen Benennungen weder bei Wolff noch bei Baumgarten die geringste Spur.[48] Kants Urheberschaft bei der Bildung der Begriffe ‚ontologischer‘ bzw. ‚kosmologischer‘ (Gottes-)‚Beweis‘ wird heute in der Literatur zwar gelegentlich registriert.[49] Doch ist sie mutmaßlich auch auf die Rede von einem ‚physikotheologischen Beweis‘ auszudehnen.[50] Trotz der damals immensen Verbreitung und Popularität physikotheologischer Denkmuster hat die Richtungsbezeichnung ‚Physikotheologie‘ selber innerhalb des Wolffianismus auffälligerweise nur ein sehr verhaltenes Echo gefunden.[51] In diese terminologische Leerstelle tritt hier vielmehr schrittweise die Teleologie ein. Wolff schuf zunächst den Neologismus ‚teleologia‘, um im Rahmen der Naturphilosophie das Grundanliegen einer finalistischen Naturbetrachtung aufzugreifen.[52] Baumgarten fügt die neu entstandene Wissenschaft sodann in den Kontext der natürlichen Theologie ein. Die Teleolo-

[48] Ein zusätzliches Indiz für die m. E. viel zu wenig beachtete Tatsache, daß Kants berühmtes Dreierschema allem Vermuten nach eine völlige Neuschöpfung ist, liefert die klassifikatorische Erfassung unterschiedlichster Gottesbeweise bei Polz, Natürliche Gottesgelehrsamkeit (wie Anm. 38), 157–177. Hier ist trotz erheblicher doxographischer Breite expressis verbis weder von einem ‚physikotheologischen‘ noch von einem ‚kosmologischen‘ noch von einem ‚ontologischen Beweis‘ für das Dasein Gottes die Rede. Obwohl Kant als Kritiker des Satzes vom zureichenden Grund einmal knapp erwähnt wird (vgl. ebd., 162), ist dessen Beweisgrundschrift hier offenbar noch nicht rezipiert.

[49] Vgl. etwa Giovanni B. Sala, Kant und die Frage nach Gott. Gottesbeweise und Gottesbeweiskritik in den Schriften Kants, Berlin, New York 1990 (Kantstudien Ergänzungshefte, 122), 164, 198 f., 274 u. 299 f.

[50] Dagegen vertritt Sala (ebd., 199) die Auffassung, die Redewendung ‚physikotheologischer Beweis‘ sei zu Zeiten von Kants *Beweisgrund* schon geläufig gewesen, ohne freilich einen konkreten Textbeleg anzugeben.

[51] Sie begegnet beispielsweise weder im Register der *Deutschen Metaphysik* noch selbst in dem der großangelegten *Theologia naturalis*. Schon diese glatte Begriffsabstinenz spricht gegen das Vorhaben von Manfred Büttner, Wolff zum „führenden Vertreter der deutschen Physikotheologie in der Epoche der Aufklärung“ zu stilisieren (Christian Wolff als Geograph und Physikotheologe. Mit einem Anhang zum Gang der Forschungen zur Physikotheologie nach dem zweiten Weltkrieg, in: Jürgen Stolzenberg, Oliver-Pierre Rudolph [Hg.], Christian Wolff und die europäische Aufklärung. Akten des 1. Internationalen Christian-Wolff-Kongresses, Halle [Saale], 4.–8. April 2004, Bd. 4, Hildesheim, Zürich, New York 2008 [GW, Abt. III, Bd. 104/4], 117–143, hier 117). – Ähnlich herrscht auch im Wortschatz von Baumgartens *Metaphysica* hinsichtlich der Physikotheologie völlige Fehlanzeige (vgl. dazu die Fn. 208 von Gawlick und Kreimendahl in ihrer historisch-kritischen Ausgabe, 579 [wie Anm. 12]). Lediglich in seiner Sciagraphia encyclopaediae philosophicae (wie Anm. 13), 66 (§ 142) erwähnt Baumgarten einmal eine ‚theologische Physik‘ (physica theologica).

[52] Vgl. Discursus praeliminaris, 38 (§ 85): „Datur […] philosophiae naturalis pars, quae fines rerum explicat, nomine adhuc destituta, etsi amplissima sit & utilissima. Dici potest *Teleologia*“. – Zu Wolffs diesbezüglicher Begriffsurheberschaft s. Hubertus Busche, Art. ‚Teleologie, teleologisch‘, in: Joachim Ritter, Karlfried Gründer (Hg.), Historisches Wörterbuch der Philosophie, Bd. 10, Basel 1998, 970.

gie ist für ihn jetzt ausdrücklich die Wissenschaft von den göttlichen Zielen hinsichtlich der Geschöpfe.[53] Den Schritt zu einem eigenen daraus resultierenden Beweistyp vollzieht er indes nicht. So war es schließlich Kants historisch folgenschwere Tat, die möglichen Gottesbeweisstrategien, die bis dahin schulmäßig kaum prägnant geordnet waren, in einer radikalen Vereinfachung zu einer gänzlich neuen Begriffstrias zu bündeln.

Wie an diesem zentralen begriffsgeschichtlichen Beispiel augenfällig wurde, war es von Wolffs und Baumgartens philosophischer Theologie bis hin zu ihrer Infragestellung durch Kants kritische Metaphysik natürlich noch ein weiter Weg. Der Philosophiehistoriker, der an einer gründlichen Rekonstruktion dieser tiefgreifenden Transformationsprozesse interessiert ist, tut indes gut daran, weder allein Wolff noch lediglich Baumgarten als schulphilosophische Grundlage Kants zu berücksichtigen, sondern stets beide miteinander vergleichend zu studieren. Denn bei genauerer Betrachtung lassen sich in Baumgartens Behandlung der Gottesfrage gegenüber Wolff zahlreiche originelle Züge entdecken. Diese Weiterentwicklungen dürften wohl nicht zuletzt dem Bemühen geschuldet sein, auf den mächtigen Problemdruck, der durch die Anfragen der Hallenser Pietisten erzeugt worden war, mit substantiellen Verbesserungen zu reagieren. Man braucht deshalb nicht so weit zu gehen, in Baumgarten einen pietistisch überformten, ‚unechten' Wolffianer zu sehen, der die innere Kohärenz der Leibniz-Wolffschen Philosophie entscheidend geschwächt habe.[54] Aber mehr als ein bloß mechanischer Nachplapperer oder ein blinder Nachtreter Wolffs war er in jedem Fall – gerade auch auf dem Felde der metaphysischen Theologie.[55]

Für Wolff wie für Baumgarten war eine befriedigende Zuordnung von philosophierender Vernunft und religiösem Glauben schon rein biographisch bedingt eine bohrende Lebensfrage. Der vorliegende Beitrag sucht den jeweiligen Umgang mit diesem Spannungsverhältnis durch eine Analyse der einschlägigen Leitbegriffe ‚fides' und ‚philosophia' näher zu erhellen. Bei einem Vergleich der Grundlinien der natürlichen Theologie beider Autoren stellt sich trotz fundamentaler Gemeinsamkeiten eine beträchtliche Eigenständigkeit Baumgartens gegenüber Wolff heraus, die sich nicht zuletzt einer produktiven Aufarbeitung pietistischer Attacken auf den Wolffianismus verdankt.

---

[53] Vgl. Baumgarten, Metaphysica (wie Anm. 12), 388 (§ 946): „Scientia finium in creaturis divinorum est *teleologia*".

[54] So Ursula Goldenbaum, Appell an das Publikum. Die öffentliche Debatte in der deutschen Aufklärung 1687–1796, Bd. 1, Berlin 2004, 67.

[55] „Zur Frage von Baumgartens Wolffianismus" generell vgl. jetzt den gleichnamigen Exkurs in: Clemens Schwaiger, Alexander Gottlieb Baumgarten – ein intellektuelles Porträt. Studien zur Metaphysik und Ethik von Kants Leitautor, Stuttgart-Bad Cannstatt 2011 (Forschungen und Materialien zur deutschen Aufklärung, Abt. II, Bd. 24), 23–25.

For Wolff, as well as for Baumgarten, a satisfactory classification of philosophical reason and religious belief was an urgent, lifelong question – partly because of their biographical backgrounds. By a careful analysis of the essential concepts 'fides' and 'philosophia', this contribution tries to clarify how this tensional relationship was handled by both of them. The comparison of their fundamentals of natural theology shows – besides many essential similarities – that Baumgarten was to a noticeable extend independent from Wolff. One of the reasons for this is his productive reaction to the pietistic attacks that were raised against Wolffianism.

Prof. Dr. Clemens Schwaiger, Don-Bosco-Straße 1, D-83671 Benediktbeuern, E-Mail: schwaiger@pth-bb.de

TEXTEDITION

CHRISTIAN WOLFF

De differentia intellectus systematici & non systematici

Über den Unterschied zwischen dem systematischen und dem nicht-systematischen Verstand

Übersetzt, eingeleitet und
herausgegeben von
Michael Albrecht

Lateinisch-Deutsch

EINLEITUNG

I. Systembegriffe zur Zeit Wolffs

Man versteht die Eigenart und Bedeutung von Wolffs Systembegriff besser, wenn man einen Blick auf die Verwendung des Systembegriffs bei seinen Zeitgenossen wirft.[1] Die lange Geschichte dieses griechischen Begriffs, die hier nicht aufgear-

---

[1] Zur Geschichte des Systembegriffs: Otto Ritschl, System und systematische Methode in der Geschichte des wissenschaftlichen Sprachgebrauchs und der philosophischen Methodologie, Bonn 1906 (zu Wolff: 60–62). – Alois von der Stein, Der Systembegriff in seiner geschichtlichen Entwicklung, in: Alwin Diemer (Hg.), System und Klassifikation in Wissenschaft und Dokumentation, Meisenheim am Glan 1968 (Studien zur Wissenschaftstheorie, 2), 1–13 (zu Wolff: 10). – Friedrich Kambartel, „System" und „Begründung" als wissenschaftliche und philosophische Ordnungsbegriffe bei und vor Kant, in: Jürgen Blühdorn, Joachim Ritter (Hg.), Philosophie und Rechtswissenschaft. Zum Problem ihrer Beziehung im 19. Jahrhundert, Frankfurt am Main 1969 (Studien zur Philosophie und Literatur des neunzehnten Jahrhunderts, 3), 99–122 (zu Wolff: 106 f.). – Helga Hasselbach, Die Kritik der französischen Aufklärung am cartesianischen Systembegriff in der 1. Hälfte des 18. Jahrhunderts, Diss. Akademie der Wissenschaften der DDR, Berlin 1973. – Jean-Louis Vieillard-Baron, Le concept de système de Leibniz à Condillac, in: Akten des II. Internationalen Leibniz-Kongresses, Hannover, 17.–22. Juli 1972, Bd. 4, Wiesbaden 1975 (Studia Leibnitiana

Aufklärung 23 · © Felix Meiner Verlag 2011 · ISSN 0178-7128

beitet werden kann, hatte zu mehreren unterschiedlichen Bedeutungen geführt. Die Reihenfolge, in der diese Bedeutungen im folgenden genannt werden, soll keine Gewichtung ausdrücken. Der Übersichtlichkeit zuliebe soll mit dem Begriff ,Weltsystem' (systema mundi) begonnen werden. Dieser Begriff hat, wie z. B. Chauvin in seinem Lexikon von 1713 vermerkt,[2] zwei verschiedene Bedeutungen. Zum einen bedeutet er, daß offensichtlich ein Zusammenhang oder eine Ordnung zwischen den Bahnen der Planeten (bzw. des Sonnensystems) besteht. Es handelt sich hier um die „Verbindung der einzelnen Dingen, wie sie würcklich existiren".[3] Insoweit ist das Weltsystem eine Tatsache, allerdings eine Tatsache, die der Erklärung bedarf. Die dafür angebotenen drei Modelle – des Ptolemäus, des Kopernikus und des Tycho Brahe – werden ebenfalls als Weltsysteme bezeichnet.

In dieser zweiten Bedeutung meint ,System' nichts anderes als ,Hypothese'. Régis sieht 1690 keinen wesentlichen Unterschied zwischen System und Hypothese, außer daß das System allgemeiner sei und aus mehreren Hypothesen zusammengesetzt.[4] In seiner *Cyclopaedia* von 1728 schreibt Chambers: „*System and Hypothesis* have the same Signification […]".[5] Dabei muß man sich allerdings klarmachen, daß der Begriff der Hypothese seinerseits nicht eindeutig fest-

Supplementa, 15), 97–103 (zu Wolff: 98 f.). – Ulrich Gottfried Leinsle, Das Ding und die Methode. Methodische Konstitution und Gegenstand der frühen protestantischen Metaphysik, 2 Bde., Augsburg 1985 (Reihe wissenschaftliche Texte, 36). – Ders., Reformversuche protestantischer Metaphysik im Zeitalter des Rationalismus, Augsburg 1988 (Reihe wissenschaftliche Texte, 42) (zu Wolff: 260 f.). – Manfred Riedel, Art. ,System, Struktur', in: Otto Brunner, Werner Conze, Reinhart Koselleck (Hg.), Geschichtliche Grundbegriffe, Bd. 6, Stuttgart 1990, 285–322 (zu Wolff: 304). – Fritz-Peter Hager, Christian Strub, Art. ,System', in: Joachim Ritter, Karlfried Gründer, Gottfried Gabriel (Hg.), Historisches Wörterbuch der Philosophie, Bd. 10, Basel, Stuttgart 1998, 824–856 (zu Wolff: 830 f.).

Zeitgenössische Lexika und Wörterbücher (vor dem Erscheinen von Johann Heinrich Zedlers Großem vollständigen Universal-Lexicon 1732–1754): Pierre Sylvain Régis, Cours entier de Philosophie ou Système général selon les principes de M. Descartes, Bd. 1, Amsterdam ²1691, Nachdruck: New York, London 1970 (¹1690), Anhang (unpaginiert): Dictionaire philosophique, Art. ,Systeme'. – Étienne Chauvin, Lexicon philosophicum, Leeuwarden ²1713, Nachdruck: Düsseldorf 1967 (¹1692). – Pierre Bayle, Dictionnaire historique et critique (¹1696). Hier zitiert nach: Historisches und kritisches Wörterbuch. Eine Auswahl, übersetzt und hg. von Günter Gawlick und Lothar Kreimendahl, 2 Bde., Hamburg 2003, 2006 (Philosophische Bibliothek, 542, 582). – [Paul Jacob Marperger], Curieuses Natur-Kunst-Gewerck- und Handlungs-Lexicon, Leipzig 1712. – Johann Georg Walch, Philosophisches Lexicon, Leipzig ¹1726. (Der Text der 1. Aufl. ist so gut wie unverändert in die von Justus Christian Hennings herausgegebene 4. Aufl. Leipzig 1775 [Nachdruck: Hildesheim 1968] übernommen worden. Hennings' Ergänzungen stehen jeweils in eckigen Klammern.) – Ephraim Chambers, Cyclopaedia, or, An universal dictionary of arts and sciences, London 1728.

   2 Chauvin, Lexicon philosophicum (wie Anm. 1), 649b.
   3 Walch, Philosophisches Lexikon (wie Anm. 1), 1726, 2510 = Bd. 2, 1775, 1084.
   4 Régis, Dictionaire (wie Anm. 1), Art. ,Systeme'.
   5 Chambers, Cyclopaedia (wie Anm. 1), 165b.

gelegt war. ‚Hypothese' konnte nicht nur 1) die wahrscheinliche, nicht bewiesene Annahme bedeuten, sondern auch 2) das wahre System, 3) die bloße Fiktion, die keine Realität wiedergibt. Wolff bevorzugte unmißverständlich die erste Bedeutung.[6] – Man darf vermuten, daß der Systembegriff im 17. Jahrhundert und zu Beginn des 18. Jahrhunderts besonders in der Diskussion um das richtige Weltsystem verankert war. Bei Chambers findet sich kein Stichwort ‚System', nur das Stichwort „Systema mundi".

Dieselben begrifflichen Schwierigkeiten in bezug auf ‚System' und ‚Hypothese' kehrten zu Anfang des 18. Jahrhunderts in der Diskussion der drei Systeme zur Erklärung der Interaktion von Geist und Körper wieder: Influxus physicus, Okkasionalismus und prästabilierte Harmonie sind ‚Systeme' in der (ersten) Bedeutung von ‚Hypothese'. Leibniz stellte 1695 seine Theorie der prästabilierten Harmonie als „Système nouveau" vor; als ein System, das eine „Hypothese" bedeutet – allerdings eine Hypothese, „die etwas mehr als eine bloße Hypothese ist".[7] An anderer Stelle unterscheidet Leibniz zwischen einem provisorischen System (Hypothese) und dem vollkommenen System.[8]

Die erstgenannte Bedeutung von ‚System' findet sich nicht nur beim ‚Weltsystem', sondern z.B. auch beim ‚Nervensystem' (systema nervosum).[9] Régis (1691) kennt „le Systeme *des Sens*, *du Mouvement*, *de la Nourriture*".[10] Ab wann es sich eingebürgert hat, den Blutkreislauf als ein System zu bezeichnen, ist bisher nicht untersucht worden. Viel älter ist die Verwendung des Begriffes in der Musik, und zwar sowohl für das Tonsystem (z.B. Pentatonik) als auch für das Harmoniesystem: 1726 veröffentlichte Jean-Philippe Rameau sein *Nouveau système de musique théorique*. Auch die ebenfalls alte politische Verwendung, die von Hobbes erneuert worden war, hat zwei Aspekte: das System der Staaten und das Gesellschaftssystem.[11]

Drittens kann ‚System' das Lehrgebäude eines bestimmten Denkers, die Gestalt seiner spezifischen Philosophie bedeuten. In diesem Sinne gibt es „das Aristotelische, Epicureische, Cartesianische System", wie Walch 1726 schreibt. Hier

---

[6] Vgl. Christian Wolff, Oratio de Sinarum philosophia practica. Rede über die praktische Philosophie der Chinesen, hg. von Michael Albrecht, Hamburg 1985 (Philosophische Bibliothek, 374), 272–274.

[7] Gottfried Wilhelm Leibniz, Die philosophischen Schriften, hg. von Carl Immanuel Gerhardt, Bd. 4, Berlin 1880, Nachdruck: Hildesheim 1960, 486. Vgl. ders., Hauptschriften zur Grundlegung der Philosophie, hg. von Ernst Cassirer und Arthur Buchenau, Bd. 2, Hamburg 1996 (Philosophische Bibliothek, 497) 270.

[8] Hager, Strub, Art. ‚System' (wie Anm. 1), 830.

[9] Marperger, Lexicon (wie Anm. 1), 1237.

[10] Régis, Art. ‚Systeme' (wie Anm. 4).

[11] Riedel, Art. ‚System, Struktur' (wie Anm. 1), 298 ff.; Hager, Strub, Art. ‚System' (wie Anm. 1), 828.

ist keine äußere Realität gemeint, sondern die „Verknüpffung gewisser Wahrheiten untereinander, wie man solche in dem menschlichen Verstand anstellet".[12] Damit gerät der Systembegriff allerdings in eine innere, inhaltliche Spannung zwischen gedanklicher Klarheit und Realitätsbezug. In seinem vielgelesenen und vieldiskutierten Wörterbuch ([1]1696) machte Bayle darauf aufmerksam, indem er an jedes System zwei Forderungen stellte: daß die verwendeten Begriffe deutlich sind und daß das System die natürlichen Phänomene erklären kann.[13]

Weil ein an Autoren orientierter Blick auf die Philosophiegeschichte zu einer Vielzahl von Systemen führt, könnte man annehmen, daß jeder Philosoph über ein System verfügt, daß also ‚System' und ‚Philosophie' Synonyme sein müßten. Dies wurde aber nicht durchweg so gesehen. Wenn der Wolff-Gegner Joachim Lange 1723 erklärt, Wolffs Philosophie sei die in die Form eines Systems gebrachte Leibnizianische Philosophie, so spricht er indirekt der Philosophie von Leibniz den Systemcharakter ab. Daraus ergibt sich aber nicht, daß der Systemaufbau als eine besondere Leistung anerkannt würde. Vielmehr wird der Systematiker Wolff als unselbständiger Denker entlarvt. Sein System ist das „systema Leibnitianum", d. h. Wolff hat bloß eine nicht von ihm selbst stammende Lehre in ein System gebracht, also bloß äußerlich geordnet.[14] Diese vierte Bedeutung von ‚System' als äußerliche Anordnung entstand aber nicht erst aus der Polemik gegen den Leibniz-Wolffianismus. In Christian Weises Logik von 1696 findet sich – neben einer anderen, noch zu erwähnenden Bedeutung – die Gleichsetzung von ‚System' und ‚Einteilung'.[15] Zwar muß die Einteilung ‚ordentlich' sein, doch kann diese Ordnung sowohl in Tabellen als auch in Inhaltsverzeichnissen ihren Niederschlag finden.[16]

Eine fünfte Bedeutung wird sichtbar, wenn Boyle es ablehnt, „to publish compleat systems of natural philosophy". Der Naturforscher wäre nämlich überfordert, wollte er so viele Experimente und Beobachtungen erarbeiten, wie sie für ein System erforderlich sind. Statt den „systematical way [...] of writing" zu beschreiten, sollte man besser „essays", „loose tracts and discourses" verfassen, so wie das Boyle selber mit seinen „Experimental Essays" tut. Er weiß sich dabei in bester Gesellschaft und verweist auf Gassendis „little Syntagma" (*Syntagma philosophicum*) und auf Descartes' *Principia philosophiae*. Auch die Empfehlung der „discourses" läßt sich als Anspielung auf Descartes' *Discours de la méthode*

[12] Walch, Philosophisches Lexikon (wie Anm. 3).

[13] Bayle, Dictionnaire (wie Anm. 1), Bd. 1, 159; vgl. Hasselbach, Systembegriff (wie Anm. 1), 46–51.

[14] Joachim Lange, Modesta disquisitio novi philosophiae systematis de Deo, mundo et homine, Halle 1723, in: ders., Kontroversschriften gegen die Wolffische Metaphysik, Hildesheim u. a. 1986 (GW, Abt. III, Bd. 23), Praefatio Facultatis Theologicae, 7–9 (unpaginiert).

[15] Christian Weise, Curieuse Fragen über die Logica, Leipzig 1696, 28, 648.

[16] Ebd., 648.

lesen. Descartes wird von Boyle also genau deswegen gelobt, weil er Schriften veröffentlichte, die keine ‚Systeme' waren, keine „entire bodies".[17] Denn ‚System' bedeutet hier das vollständige, einen umfassenden Themenkatalog, z. B. den der Physiologie, erschöpfend abhandelnde Werk.

Freilich gibt es auch ein cartesianisches System, aber unter genau demselben Aspekt der Vollständigkeit: Weil sein System außer Theologie und Politik („quae sunt Dei et Caesaris") sämtliche philosophische Disziplinen behandelt, gibt Régis seinem zuerst 1690 erschienenen Hauptwerk 1691 den Titel *Cours entier de Philosophie ou Système général selon les principes de M. Descartes.* Der Cartesianer Régis konnte auf keinerlei Auseinandersetzung seines Meisters mit dem Begriff des Systems zurückgreifen, und so verwendete er diesen Begriff in einer althergebrachten, auf Vollständigkeit zielenden Bedeutung.

Diese Bedeutung läßt sich in der Geschichte der Theologie und der Philosophie vielfältig belegen. Für Clemens Timpler, den Verfasser von fünf als „Systema methodicum" betitelten Lehrbüchern, bedeutet dieser Begriff das „integrae doctrinae corpus" (das Werk der vollständigen Lehre); für Joachim Jungius ist das ‚Systema' die „scientia totalis" (ganze Wissenschaft).[18] 1695 forderte eine Kommission des Parlaments die schottischen Universitäten und Colleges auf, arbeitsteilig einen „course or systeme of philosophy" zu erarbeiten, der Logik, Ethik, Physik und Metaphysik umfassen sollte, aber nie fertiggestellt wurde.[19] Walch zufolge (1727) hatte Leibniz „kein Systema der gantzen Philosophie aufgesetzet, und nur gewisse Materien ausgeführt".[20] Ein zeitgenössischer Beleg aus der Theologie ist das *Systema Theologiae* von Johann Adam Scherzer (Leipzig und Frankfurt [1]1680, [7]1711). Für Johann Franz Budde wird in theologischen Systemen alles „ausführlicher und mit großem Aufwand" („magno adparatu") vorgetragen, wobei auch die Widerlegung der theologischen Irrtümer dazugehört.[21]

Die sechste Bedeutung findet sich – mal mehr, mal weniger deutlich – bei fast allen der schon genannten Autoren: Daß ‚System' einen geordneten Zusammenhang meint, steht meistens als selbstverständliche Grundbedeutung neben anderen bzw. spezielleren Bedeutungen. So schreibt Walch, ‚Systema' bedeute „an

---

[17] Robert Boyle, Some Considerations touching Experimental Essays in general, in: ders., The Works, hg. von Thomas Birch, London 1772, Nachdruck: Hildesheim 1965, Bd. 1, 300–302; ders., The Excellency of Theology, in: ebd., Bd. 4, 54 f.

[18] Leinsle, Ding (wie Anm. 1), Bd. 1, 355, 439.

[19] [Cosmo Nelson Innes], Fasti Aberdonenses. Selections from the records of the University and King's College of Aberdeen, 1494–1854, Aberdeen 1854, 373.

[20] Johann Georg Walch, Einleitung in die Philosophie, Leipzig 1727, Nachdruck, hg. von Werner Schneiders: Hildesheim u. a. 2007 (Thomasiani, 1), 17.

[21] Johann Franz Budde, Institutiones theologiae dogmaticae, Leipzig 1723, Nachdruck: Gesammelte Werke, Bd. 7/1, Hildesheim 1999, 91. – Ders., Isagoge historico-theologica, Leipzig [2]1730 ([1]1727), Nachdruck: Gesammelte Werke, Bd. 8/1, Hildesheim 1999, 303 f.

sich eine ordentliche Verknüpffung verschiedener Dinge unter einander; oder einen Begrieff solcher Sachen, die ordentlich zusammen hängen".[22] Für Budde sind „ordo" und „connexio" die Schlüsselbegriffe seines Systemverständnisses.[23]

Bei Chambers (1728) heißt es: „SYSTEM, in the general, a certain Assemblage, or Chain of Principles and Conclusions [...]".[24] Der Begriff des Prinzips spielt seit Descartes („Principia philosophiae") eine Schlüsselrolle für die Ordnung, ja für die Entstehung eines Systems: Es muß Prinzipien enthalten, auf die es sich stützt. Weise betont, daß die „ingenia systematica" „sich in allen Disciplinen an ein rechtes Systema binden, und die Connexiones mehr in der Sache selbst, als in euserlichen Weitläufftigkeiten suchen. Sie vergleichen die Principia mit den Principiatis, sie formiren sich ihre Definitiones [...]".[25] Ähnlich, aber in besserer Reihenfolge heißt es bei Walch weiter: „[...] so erfodert die systematische Ordnung, daß man richtige Definitiones zum Grund legt, daraus Principia formirt und aus diesen die Schlüsse ziehet".[26]

Mit diesen drei Schritten ist für Walch zugleich die „systematische Methode" beschrieben. Der erste Philosoph, der sich dieser Methode bediente, „ist ausser Streit Aristoteles".[27] Die bereits erwähnten fünf Lehrbücher Timplers erheben schon auf ihren Titeln („Systema methodicum") den Anspruch, methodisch zu sein.[28]

Wichtiger als die Methodenfrage war in der frühen Aufklärung jedoch die Verknüpfung, ja Gleichsetzung des Systemdenkens mit der Scholastik. Christian Thomasius hatte 1703 alle Systeme pauschal verworfen, denn alle Systeme gründen sich auf eine ‚Sekte'; insbesondere habe das Eindringen des aristotelischen Systemdenkens in die scholastische Theologie zu dem Grundübel der Vermischung von Philosophie und Theologie geführt. „[...] so wurde diese scholastische Systematische Methode auf uns gebracht, daß wir nun wie die Scholastici in Pabstthum Systemata machen [...]".[29] Demgegenüber möchte Budde unterscheiden: Scholastische und systematische Theologie seien nicht dasselbe. Luther habe durch seine Kritik der Scholastik den Weg für eine gereinigte systematische Theologie freigemacht. Dies führt auch zu einer Geschichtsschreibung, in

---

[22] Walch, Philosophisches Lexikon (wie Anm. 3).

[23] Budde, Institutiones (wie Anm. 21), 91; ders., Isagoge (wie Anm. 21), 304.

[24] Chambers, Cyclopaedia (wie Anm. 5).

[25] Weise, Fragen (wie Anm. 15), 559 f.

[26] Walch, Philosophisches Lexikon (wie Anm. 1), 1726, 2511 = Bd. 2, 1775, 1085.

[27] Ebd.

[28] Leinsle, Ding (wie Anm. 1), Bd. 1, 355.

[29] Christian Thomasius, Nothwendige Gewissens-Rüge, An den Hällischen Prof. Juris, Herrn D. Christian Thomasium [...] Nunmehro aber durch nothwendige Anmerckungen abgewiesen, Von Einen Freunde der Warheit, Frankfurt und Leipzig 1703, 47. Nachdruck in: ders., Ausgewählte Werke, Bd. 23: Auserlesene deutsche Schriften, Erster Teil, hg. von Werner Schneiders und Frank Grunert, Hildesheim u. a. 1994.

der die Bewertungen geändert werden. Budde räumt zwar ein, daß Christus die systematische Methode nicht verwendet habe, aber das Lob für Aristoteles, als erster in allen Teilen der Philosophie die systematische Methode (bzw. Lehrart: ratio docendi) eingeführt zu haben, ist jetzt ungetrübt. Augustinus wird dafür gerühmt, daß er nach der systematischen Lehrart strebte, indem er die Prinzipien mit den Schlüssen richtig verknüpfte.[30]

Schon beim ersten Blick auf Wolffs Systembegriff zeigen sich erhebliche Unterschiede und Akzentverlagerungen gegenüber den Begriffsverwendungen bei seinen Zeitgenossen: Ein System ist nichts Äußerliches. Jede Wissenschaft muß sich inhaltlich als System konstituieren. Nicht Aristoteles, sondern dessen Vorgänger und Vorbild Euklid, der Mathematiker, ist das Musterbeispiel eines Systemdenkers. Gemäß Wolffs Kriterien gebührt dieser Ehrentitel nur ganz wenigen Wissenschaftlern, aber allen Mathematikern. Die Strenge dieses Systembegriffs ergibt sich in erster Linie daraus, daß das System auf der Anwendung der richtigen Methode beruht, ja das System ist das notwendige Ergebnis des methodischen Denkens. Nicht das System führt zur systematischen Methode, sondern die Methode ist der Schlüssel für das System.

II. Wolffs Systembegriff[31]

Warum Wolff, der Systematiker par excellence, erst so spät zum Begriff des Systems fand, ist unklar. Vielleicht wollte er seine neuartige Systemidee davor schüt-

---

[30] Budde, Isagoge (wie Anm. 21), 305, 318, 316.

[31] Literatur (außer den in Anm. 1 genannten Titeln): Hans Lüthje, Christian Wolffs Philosophiebegriff, in: Kant-Studien 30 (1925), 39–66, hier 60–63. – Hans Werner Arndt, Einführung des Herausgebers, in: Deutsche Logik, 90–92. – Ferdinando L. Marcolungo, Wolff e il possibile, Padua 1982 (Pubblicazioni dell'Istituto di storia della filosofia e del Centro per ricerche di filosofia medioevale, NS 31), 68–71. – Jean École, Introduction de l'éditeur, in: Christian Wolff, Horae subsecivae, Bd. 1, V-CXXXVIII, hier XXX f. – Michael Albrecht, Eklektik. Eine Begriffsgeschichte mit Hinweisen auf die Philosophie- und Wissenschaftsgeschichte, Stuttgart-Bad Cannstatt 1994 (Quaestiones, 5), 526–538. – Norbert Hinske, Zwischen Aufklärung und Vernunftkritik. Studien zum Kantischen Logikcorpus, Stuttgart-Bad Cannstatt 1998 (Forschungen und Materialien zur deutschen Aufklärung, Abt. II, Bd. 13), 103–106. – Hans Werner Arndt, Philosophische Systematik im Anschluß an Leibniz, in: Jean École (Hg.), Autour de la philosophie Wolffienne, Hildesheim u. a. 2001 (GW, Abt. III, Bd. 65), 287–298. – Jean-François Goubet, Fondement, principes et utilité de la connaissance. Sur la notion wolffienne de système, in: Archives de Philosophie 65 (2002), 81–103. – Juan Ignacio Gómez Tutor, Die wissenschaftliche Methode bei Christian Wolff, Hildesheim u. a. 2004 (GW, Abt. III, Bd. 90), 271–277. – Violetta L. Waibel, Die Systemkonzeptionen bei Wolff und Lambert, in: Jürgen Stolzenberg, Oliver-Pierre Rudolph (Hg.), Christian Wolff und die europäische Aufklärung. Akten des 1. Internationalen Christian-Wolff-Kongresses, Halle (Saale), 4.–8. April 2004, Teil 2, Hildesheim u. a. 2007 (GW, Abt. III, Bd. 102), 51–70.

zen, mit traditionellen Systembegriffen gleichgesetzt zu werden. Diese Schwierigkeit wird erst in unserer Abhandlung (1729) dadurch gelöst, daß die Systeme, die nach Art der Schule bloß angehäuft sind, nur dem Namen nach Systeme seien (§ 3). Als schlagkräftig erwies sich die Unterscheidung, die Wolff in § 62 der *Institutiones juris naturae et gentium* (1750) – wie schon in unserem Text – zwischen dem „systema" und dem „systema veri nominis" machte. In seinen Anfängen hatte Wolff den Begriff des Systems vermieden, ja weggelassen. In der Vorrede (1719) zur *Deutschen Metaphysik* erklärt Wolff: „Am allermeisten aber habe ich darauf gesehen, daß alle Wahrheiten miteinander zusammen hiengen, und das gantze Werck einer Ketten gleich wäre, da immer ein Glied an dem anderen, und solchergestalt ein jedes mit allen zusammen hänget".[32] 1724 referiert Lange diese Passage mit den Worten: „[…] daß das gantze systema wie eine Kette an einander hange".[33] Der Begriff des Systems bot sich also wie von selbst an, auch wenn Wolff ihn an dieser und vergleichbaren Stellen nicht verwendete.

Zwar taucht er im Methoden-Kapitel der aufschlußreichen und durchdachten *Ausführlichen Nachricht von seinen eigenen Schrifften* (1726) auf. Wolff verspricht hier seinen Hörern und Lesern, „daß sie ein Systema veritatum bekommen, das ist, daß ihnen die Wahrheiten in einer solchen Verknüpffung mit einander vorgetragen werden, wie zu gründlicher Erkäntniß erfordert wird".[34] Damit hat es hier aber sein Bewenden. Wie bedeutungsvoll die Gleichsetzung von Verknüpfung und System ist, wird sich erst in unserer Abhandlung von 1729 zeigen. Könnte der Grund für die Abwesenheit des Systembegriffs in Wolffs deutschen Schriften darin zu suchen sein, daß ‚Systema' ein Fremdwort ist und daß Wolff sich um eine möglichst vollständige Verdeutschung der lateinischen bzw. griechischen Terminologie bemühte? Dann hätte er den Begriff ‚Lehrbegriff' (oder ‚Lehrgebäude') verwenden und diskutieren können. Das ist aber nicht der Fall.

Aber auch in Wolffs wissenschaftstheoretischem Schlüsselwerk, dem *Discursus praeliminaris de philosophia in genere* (1728), sucht man vergeblich nach einer Auseinandersetzung mit dem Begriff des Systems. Dabei hätte es nahegelegen, z. B. die Anordnung der Teile der Philosophie als eine systematische zu begreifen, denn die Ordnung dieser Teile ergibt sich daraus, daß derjenige Teil voranzugehen hat, der die Prinzipien für andere Teile liefert, so daß alle philosophischen Wahrheiten miteinander verkettet sind.[35] Dagegen hatte z. B. schon Régis

---

[32] Deutsche Metaphysik, 5 (unpaginiert).

[33] Joachim Lange, Bescheidene und ausführliche Entdeckung der falschen und schädlichen Philosophie in dem Wolffianischen Systemate Metaphysico von GOtt, der Welt, und dem Menschen; und insonderheit von der so genannten harmonia praestabilita des commercii zwischen Seele und Leib: Wie auch in der auf solches Systema gegründeten Sitten-Lehre, Halle 1724, Nachdruck: Hildesheim u. a. 1999 (GW, Abt. III, Bd. 56), Historischer Vorbericht, 12.

[34] Ausführliche Nachricht, 109.

[35] Discursus praeliminaris, 92 f. (§ 87).

das folgerichtige Bedingungsverhältnis zwischen den einzelnen Disziplinen als Aspekt des Systems selbst aufgefaßt. Auch in § 878 von Wolffs *Logica*, die durch den *Discursus* eingeleitet wird, ist zwar davon die Rede, daß in wissenschaftlichen Schriften sämtliche Wahrheiten miteinander verknüpft sein müssen – nicht aber vom System. Erst in § 889 wird dieser Begriff definiert: Ein System ist „eine Menge von Wahrheiten, die miteinander und mit ihren Prinzipien verknüpft sind". Und als Beispiel für ein System verweist Wolff seinen Leser auf das Buch, das dieser in den Händen hält: Wolffs „opus logicum" ist ein „systema logicum". Der Anlaß für diese Definition ist allerdings nicht das Werk oder seine Methode, sondern die Unterscheidung zwischen einem „Kompilator" und einem Systemgründer. Wolffs Interesse entspringt also dem Hinblick auf das (fähige oder unfähige) Subjekt. Dieser Aspekt wird in der Abhandlung über den systematischen Verstand wiederkehren: Das System ist die Leistung einer spezifischen Begabung.

Diese Herangehensweise läßt an Malebranche denken. Wolff benutzte Malebranches *Recherche de la vérité* ([1]1674) im französischen Original.[36] Malebranche prüft die Versuche mancher Gelehrter, sich an keine Autorität anzuschließen, sondern selber neue Systeme zu erfinden. Derartige Versuche seien meist unhaltbar, weil die Eigenschaften des „esprit", der sie schuf (in der deutschen Übersetzung: „Verstand"),[37] nicht hinreichen, um ein „véritable système" zu begründen. Dazu sind nur ganz wenige imstande. Worin ein System eigentlich besteht, wird von Malebranche nicht erörtert. Es gibt einen einzigen inhaltlichen Hinweis: Die Erfinder wahrer neuer Systeme beziehen sich in ihrem Denken auf die Gemeinbegriffe („notions communes").[38] Daß Wolff in seiner *Logica* und in der Abhandlung über den systematischen Verstand vom denkenden Subjekt ausgeht, eine kleine Elite der Systemdenker postuliert und daß dabei der Bezug des Systems auf die Gemeinbegriffe hergestellt wird, könnte vielleicht durch Malebranches Sichtweise beeinflußt sein.[39] Eine Nachwirkung Malebranches zeigt sich mögli-

---

[36] Cosmologia, § 285 Anm.

[37] Nicolas Malebranche, Von der Wahrheit, oder von der Natur des menschlichen Geistes und dem Gebrauch seiner Fähigkeiten um Irrthümer in Wissenschaften zu vermeiden, 4 Bde., Halle 1776–1780, Bd. 1, 300.

[38] Ders., Œuvres Complètes, Bd. 1: Recherche de la vérité où l'on traite de la nature de l'esprit de l'homme et de l'usage qu'il en doit faire pour éviter l'erreur dans les sciences, I–III, hg. von Geneviève Rodis-Lewis, Paris [2]1972, 305 (II, II, Kap. 7). – Zu den „Gemeinbegriffen" vgl. unten Anm. 13 und 46 zur Übersetzung.

[39] Mit ganz anderen Kriterien geht Walch an das philosophierende Subjekt heran, vgl. Johann Georg Walch, Gedancken vom Philosophischen Naturell, Jena 1723, Nachdruck, hg. von Frauke Annegret Kurbacher: Hildesheim u. a. 2000 (Studien und Materialien zur Geschichte der Philosophie, 54). – Dazu: Frauke Annegret Kurbacher, Passion und Reflexion. Zur Philosophie des Philosophen in Johann Georg Walchs Gedancken vom Philosophischen Naturell (1723), in: Frank Grunert, Friedrich Vollhardt (Hg.), Aufklärung als praktische Philosophie. Werner Schneiders zum

cherweise auch schon bei Weise, der sich – wie erwähnt – den „ingenia systematica" widmete. Weise unterschied dabei „ingenia mathematica", „ingenia hieroglyphica" und „ingenia systematica".[40] Für Wolff wird es keinen Unterschied zwischen dem mathematischen und dem systematischen Verstand geben, ja letzterer
definiert sich geradezu durch das mathematische Denken.

Wolff legte seine Abhandlung über den systematischen Verstand in einer „Marburger Nebenstunde" vor. Nach seiner Vertreibung aus Preußen, wo er an der Universität Halle gelehrt hatte, war Wolff 1723 als Professor der Mathematik und der
Philosophie an die hessische Universität Marburg berufen worden. Wolff beendete hier die Reihe seiner deutschen Schriften und begann seine lateinische Werkreihe, die 1728 mit der *Logica* eröffnet und 1729/1730 mit der *Ontologia* fortge-
setzt wurde. Daneben erörterte Wolff in den *Horae subsecivae* (Nebenstunden)
eine bunte Fülle freier Themen. In jedem Trimester (Vierteljahr) entstanden
vier bis fünf Abhandlungen, in den Jahren 1729 bis 1731 insgesamt 54 Stücke.
Die Abhandlung über den systematischen Verstand ist die dritte der Reihe.[41] Diese
Abhandlung entstand Anfang 1729, also gleichzeitig mit der *Ontologia*.

Trotz des Ansatzes beim systematischen Verstand, also beim denkenden Subjekt, findet Wolff sogleich (§ 2) zu einer Sachdefinition dessen, worin die systematische Verknüpfung besteht. Es handelt sich nicht um die (kausale) Verknüpfung von Dingen, sondern um die Verknüpfung von Sätzen, und zwar so, daß die
einen Sätze als ‚Prinzipien' der anderen Sätze fungieren. Die ‚Prinzipien' bedeuten hier die Prämissen der folgenden Sätze. Die seit alters her vom System geforderte ‚Verknüpfung' wird damit als logisches Bedingungs- bzw. Beweisverhältnis
aufgefaßt. Diese Definition ist an Strenge nicht zu überbieten. Man bedenke, daß
Wolff zweifellos auch seine eigene Methode und Leistung damit beschreiben
will! Bei solchem Anspruch und Sendungsbewußtsein wundert es nicht, wenn
der systematische Verstand – und damit Wolff selbst – als Liebhaber der Systeme
charakterisiert wird (§ 4). Für die Sachdiskussion ist durch die Definition der systematischen Verknüpfung zweierlei gewonnen: Erst jetzt ist klar, worin die Verknüpfung besteht bzw. bestehen soll. Und der Begriff des Systems hat endlich seinen festen Ort bekommen, nämlich als Ziel der Methode. Wie schon in der *Ausführlichen Nachricht* angedeutet, entpuppt sich die dritte Stufe der Methode, die
Verknüpfung, als das System. Über diese Methode hatte sich Wolff schon des öf-
teren geäußert. In der *Ausführlichen Nachricht* wird sie z. B. gleich an zwei Stellen

65. Geburtstag, Tübingen 1998 (Frühe Neuzeit, 45), 253–268. Walch stützt sich auf Christoph
August Heumann, Von dem Philosophischen Naturel und Ingenio, in: Acta philosophorum [Bd. 1],
Viertes Stück, Halle 1716, Nachdruck: Bristol 1997, 567–670.

[40] Weise, Fragen (wie Anm. 15), 555.

[41] Aber gleich zu Beginn der ersten „Nebenstunde" rühmt sich Wolff, die Wahrheiten in ein
„Systema harmonicum" zu bringen (Horae subsecivae, Bd. 1, 1).

zusammengefaßt, und zwar jeweils in drei Schritten, die 1) deutliche Begriffe, 2) Beweise für die Sätze, 3) deren Verknüpfung fordern.[42] An beiden Stellen wird jedoch für diese dritte Stufe der Begriff ‚System' nicht verwendet, nur in der oben zitierten Passage. Erst in unserer Abhandlung wird die Hinordnung der Methode auf das System durch dessen Definition verdeutlicht. Eingebettet ist dies in das Lob der Mathematik. Im Grunde ist die mathematische Methode die wissenschaftliche Methode überhaupt. Sie heißt aber die mathematische, nicht weil sie irgend etwas mit Rechnen zu tun hätte, sondern weil sie in der Mathematik auf vorbildliche Weise angewendet wird. Dementsprechend sagt Wolff jetzt (§ 6), daß alle Mathematiker, die diesen Namen verdienen, über einen systematischen Verstand verfügen. So wie die wissenschaftliche Methode in der Mathematik ihre angestammte Heimat hat, so auch das Ergebnis dieser Methode: das System.

Gemäß der Definition in § 2 ist jeder (allgemeine) Satz des Systems die Prämisse eines oder mehrerer folgender Sätze, und in dieser Funktion ist er ein ‚Prinzip'. Besonders wichtig sind diejenigen Prinzipien, die am Anfang des Systems stehen (§ 11). Kann man den Begriff ‚Prinzip' in der ersten Verwendung mit ‚Grundlage' wiedergeben, so paßt für die am Anfang stehenden Prinzipien besser der Begriff ‚Grundsätze'. Denn mit diesen ersten Prinzipien steht und fällt das ganze System. Damit verläßt Wolff seinen Ausgangspunkt: die subjektive Fähigkeit des Verknüpfens. Diese Begabung, eben der systematische Verstand, ist anscheinend nicht in der Lage, von sich aus der Errichtung irriger Systeme vorzubeugen. Der systematische Verstand bedarf der Ergänzung, und zwar durch die spezifische Fähigkeit, ein haltbares elementares System zu errichten. Werden hier aber grundlegende Fehler gemacht, dann führt die weitere Bearbeitung durch den systematischen Verstand nur immer wieder aufs neue zu Irrtümern.

Diese Argumentation ist natürlich wie maßgeschneidert für Wolffs Spinoza-Kritik: Ohne dem Verfasser der *Ethica* den systematischen Verstand absprechen zu müssen, kann Spinoza auf diese Weise als Urheber eines völlig verfehlten Systems eingeordnet werden, weil er nämlich aus den falschen Prinzipien seines elementaren Systems einen Irrtum nach dem anderen folgerte. Genau dies weist Wolff in dem großen Spinoza-Kapitel seiner *Theologia naturalis* Punkt für Punkt nach.[43] Was hier nicht erwähnt wird, ist die Tatsache, daß Spinoza trotz alledem ein Systematiker war – dieser Aspekt wird nur in unserer Abhandlung angedeutet (§ 10).[44]

---

[42] Gómez Tutor, Methode (wie Anm. 31), 39–46.

[43] Theologia naturalis, Bd. 2, § 671 ff.; deutsche Übersetzung: GW, Abt. III, Bd. 15.

[44] Über Wolffs Verhältnis zu Spinoza: Konrad Cramer, Christian Wolff über den Zusammenhang der Definitionen von Attribut, Modus und Substanz und ihr Verhältnis zu den beiden ersten Axiomen von Spinozas Ethik, in: Konrad Cramer, Wilhelm G. Jacobs, Wilhelm Schmidt-Biggemann (Hg.),

Warum ist aber die Ausgangsfrage – ähnlich wie bei Malebranche – eigentlich auf den ‚systematischen Verstand' gerichtet, nicht auf den Systembegriff? Wolff erörtert dies nicht. Vielleicht war es der Blick auf die Philosophie- und Wissenschaftsgeschichte, der dazu beitrug, diesen Einstieg zu wählen. Er macht es möglich, statt die Frage zu stellen: Wer schuf ein System? zu fragen: Wer verfügte über einen systematischen Verstand? Der Vergleich zwischen Descartes und Gassendi z. B. (§ 8) kann also nicht durch den Einwand erschwert werden, keiner von beiden habe ein System errichtet. Entscheidend ist, daß Descartes ein systematisch verknüpfender Denker war, Gassendi (Wolff zufolge) nicht. Nun könnte man vermuten: Wenn es nicht in erster Linie um das vollendete System, sondern um das Systemdenken überhaupt geht, dann ist damit eine Schleuse geöffnet, die das Hereinlassen vieler Systematiker erlaubt. Doch das Gegenteil ist der Fall. Gassendi befindet sich in bester Gesellschaft, wenn man z. B. an Leibniz denkt, der nur als Vertreter einer irrigen Meinung Erwähnung findet (§ 12). Die vorliegenden Systeme verdienen diesen Titel meistens nicht; Beispiele werden nicht genannt (§ 3). Ausdrücklich anerkannt werden nur Konfuzius, Aristoteles und Descartes, soweit die Philosophie betroffen ist. Die Meßlatte liegt also hoch. Dabei wird Aristoteles als ein Denker eingeordnet, der – genau wie Wolff selbst – seine Logik im Grunde dem Mathematiker Euklid verdankt. Wie erwähnt, sind alle Mathematiker für Wolff Systemdenker. Daß das systematische Denken in anderen Disziplinen so wenig Niederschlag gefunden hat, liegt nicht daran, daß die Hürden unübersteigbar wären. Es ist nicht unmöglich, dieses Denken von der Mathematik auf andere Wissenschaften zu übertragen. Diese sollten sich vielmehr darauf besinnen, wieviel sie vom Systemdenken profitieren können. Im Grunde können und sollen alle Wissenschaften durch die mathematische Methode, die zum System führt, entscheidend verbessert werden. Für die Philosophie hat Wolff dies geleistet: Er hat die Lehre des Konfuzius auf deutliche Begriffe gebracht, er hat von Aristoteles und Descartes gelernt, besonders aber von Euklid (§ 7).

Damit wird ein weiterer wichtiger Aspekt sichtbar. Bereits in der *Logica* mit ihrem oben erwähnten § 889 heißt es, der Systemgründer wähle die bei anderen Autoren zu findenden Wahrheiten aus und verknüpfe sie miteinander. Hier wird

Spinozas Ethik und ihre frühe Wirkung, Wolfenbüttel 1981 (Wolfenbütteler Forschungen, 16), 67–106. – Cornelia Buschmann, Wolffs „Widerlegung" der „Ethik" Spinozas, in: Hanna Delf, Julius H. Schoeps, Manfred Walther (Hg.), Spinoza in der europäischen Geistesgeschichte, Berlin 1994 (Studien zur Geistesgeschichte, 16), 126–141. – Günter Gawlick, Einige Bemerkungen über Christian Wolffs Verhältnis zu Spinoza, in: Eva Schürmann, Norbert Waszek, Frank Weinreich (Hg.), Spinoza im Deutschland des achtzehnten Jahrhunderts, Stuttgart-Bad Cannstatt 2002 (Spekulation und Erfahrung, Abt. II, Bd. 44), 109–120. – Konrad Cramer, Über einige formale Elemente in Christian Wolffs Spinoza-Kritik, in: Stolzenberg, Rudolph (Hg.), Christian Wolff (wie Anm. 31), Teil 1, (GW, Abt. III, Bd. 101), 275–298.

ein Begriff verwendet, der heutzutage zur Billigvariante des ‚Eklektizismus‘ her-
untergekommen ist, damals aber in seinem Bedeutungsgehalt weit über ein bloßes
‚Auswählen‘ hinausging. Es ist höchst aufschlußreich, wie die zeitgenössische
deutsche Übersetzung der Abhandlung über den systematischen Verstand mit
dem Begriff ‚eclecticus‘ verfährt: Hagen[45] übersetzt in § 16 „eclecticum agere"
(als Eklektiker vorgehen) mit „sich an anderer Meinung nicht binden"; „eclecticam philosophiam" (eklektische Philosophie) mit „eine sich selbst gewehlte
Weltweisheit". Was durch die Übersetzung zum Ausdruck gebracht werden
soll, ist die Idee der geistigen Selbständigkeit. Für diese Idee fehlte zu dieser
Zeit, und auch noch während der Aufklärung, ein adäquater Begriff, denn den Begriff ‚Selbständigkeit‘ gab es noch nicht. Um diese Idee auszudrücken, wurde der
Begriff des Auswählens verwendet. Er bedeutete, daß ein Philosoph kein Anhänger einer bestimmten philosophischen Sekte ist, also kein Aristoteliker, Epikureer
oder Cartesianer, sondern nach eigenem freien Urteil aus den Lehren der verschiedenen alten und neuen Sekten das, was jeweils wahr ist, auswählt und zu einem
System verknüpft. Dieser Begriff von Eklektik genoß in der Zeit der Frühaufklärung höchste Wertschätzung. Johann Christoph Sturm, der angesehene Physiker,
hatte die Eklektik sowohl in der Theorie als auch durch das konkrete Auswählen
empfohlen, und er hatte die Wissenschaftler in zwei Klassen eingeteilt: Eklektiker und Sektierer. Wer eine neue Sekte gründet, kann ja nicht selber Anhänger
einer Sekte sein. Platon, Aristoteles, Descartes: Sie waren Eklektiker! Damit wurde die Attraktivität der Eklektik wirkungsvoll gesteigert.[46]
Wolff hatte dem Thema Eklektik zunächst keine Aufmerksamkeit geschenkt.
Erst der Streit mit dem Theologen und philosophischen Eklektiker Budde weckte
1724 sein Interesse. Wolff grenzte sich nun von der Eklektik ab. Dabei spielte er
keineswegs den Gedanken der Originalität gegen die Eklektik aus. Der Systemdenker – es sei an das große Vorbild Euklid erinnert – ist kein Erfinder. Vielmehr
unterschied Wolff zwei Formen von Eklektik: eine unsystematisch sammelnde
Eklektik und eine nach dem Maßstab des zugrundeliegenden Systems erfolgende
Auswahl des Wahren, das dieses System ergänzt. Die erste Form ist z. B. mit dem
erwähnten „Kompilator" (*Logica*, § 889) gemeint. Die zweite Form bewahrt in
der Arbeit am System die Intentionen der Eklektik: Offenheit für alte wie für
neue Einsichten und ein von Vorurteilen freies, selbständiges Urteil, das nur
der Wahrheit verpflichtet ist. Insofern ist der Systematiker zugleich noch Eklektiker, aber er ist mehr als dies, denn er vermag systematisch vorzugehen, wozu der
Eklektiker nicht in der Lage ist. Natürlich ist das zunächst eine Unterstellung
Wolffs. Selbstverständlich erhoben die Eklektiker wie z. B. Sturm den Anspruch,

---

[45] Kleine Schriften, Bd. 4, 163–219: Von dem Unterscheid des zusammenhangenden und nicht
zusammenhangenden Verstandes.
[46] Albrecht, Eklektik (wie Anm. 31), 307–357.

Systeme zu errichten. Für Wolff tragen eklektische Systeme diesen Titel aber zu Unrecht, weil sie dem strengen Kriterium der Verknüpfung nicht genügen, sondern sich darauf verlassen, daß alles Wahre von vornherein miteinander im Einklang stehe. Wie aber könnten aus verschiedenen Systemen herausgebrochene Teile zusammengefügt werden ohne den Bezug auf ein anderes, schon vorhandenes System? Mehr noch: Wie können überhaupt Wahrheiten entdeckt werden, wenn man über keinen eigenen Maßstab verfügt? Ohne Systematik ist also Eklektik nicht vertretbar.

Geschickt beruft sich Wolff auf die ursprüngliche wörtliche Bedeutung von Eklektik als Auswahl. Wer richtig auswählen will, braucht ein System, an dem er sich orientiert. Ist das der Fall, dann kann man neue bzw. unbekannte Bücher in kurzer Zeit auswerten (§ 16). Der bloße Eklektiker, der über kein System verfügt, muß viel langsamer und sorgfältiger lesen, um Wahrheiten herauszufinden – wenn ihm das überhaupt gelingen sollte. Mehr noch: Der Systematiker ist in der Lage, aus neuen Büchern mehr zu lernen als das, was deren Verfasser intendiert hatten. Es mögen Sätze vorkommen, die ihr Autor nicht begriffen hat, die sich aber dem Systematiker erschließen. Was für falsch erklärt wurde, kann sich als wahr entpuppen, ja selbst aus Irrtümern lassen sich möglicherweise Wahrheiten entnehmen (§ 16). Das ist ein Auswählen, wie es sein soll: Der Systematiker ist der bessere, ja der wahre Eklektiker. Die Eklektik ist im Systemdenken aufgehoben.[47]

Andere Vorzüge des systematischen Denkens erschließen sich dem heutigen Leser auf einfachere Weise: Das systematische Denken erleichtert den Erkenntnisprozeß (§ 9); es gewährleistet einen sicheren wissenschaftlichen Fortschritt (§ 10); es führt zu einem widerspruchsfreien System (§ 14). Wolff behauptet nicht, unfehlbar zu sein. Auch dem Systemdenker können Irrtümer unterlaufen. Die ‚Form‘, also der logisch kohärente Aufbau des Systems, macht es aber dem Verfasser wie dem Leser eines mit Irrtümern behafteten Systems leicht, solche Fehler zu entdecken und zu beheben (§ 17).

All dies ist, wie erwähnt, nicht an eine bestimmte Disziplin gebunden. Was die Mathematik seit langem erreicht hat, das kann auch jede andere Wissenschaft erreichen, z.B. die Rechtswissenschaft. Innerhalb der Rechtswissenschaft hält Wolff es für möglich, die *Pandekten*, eine der Gesetzessammlungen Kaiser Justinians, in ein System zu bringen (§ 15). Als Beispiel einer erfolgreichen Anwendung des systematischen Denkens in der Theologie wird Caspar Neumann, Wolffs Breslauer Lehrer, genannt. Angesichts der Mysterien des Glaubens klingt es kühn, wenn Wolff behauptet, auch die geoffenbarten Wahrheiten könnten in ein System gebracht werden (§ 7). Ferner ist es hier wie bei den anderen Disziplinen kaum vorstellbar, daß mehr als ein System pro Disziplin aufgestellt werden könnte. Dies scheint dadurch bestätigt zu werden, daß die Grundprinzipien jedes Systems

---

[47] Ebd., 526–538.

aus einer Reihe von Gemeinbegriffen hervorgehen. Die Wahl dieser Gemeinbegriffe (in der Mathematik: Axiome) ist ausschlaggebend für die betreffende Wissenschaft; eine andere Wahl erscheint undenkbar. Wolff selbst gibt auch hier keine Beispiele. Man kann vielleicht an den Satz vom zu vermeidenden Widerspruch
denken, der für Wolff das Grundprinzip aller Philosophie ist. Was den Begriff des
Prinzips betrifft, so gewinnt er für das jeweils grundlegende System (§ 11) eine
besondere Funktion, dient das Prinzip doch hier dazu, die allgemeinen, aber verworrenen Grundbegriffe in die Klarheit der wissenschaftlichen Begrifflichkeit zu
transponieren. Sofern erst das logische Verknüpfen den systematischen Verstand
ausmacht, ist er, um erfolgreich sein zu können, auf das Herausfinden der richtigen Grundprinzipien angewiesen.

Abschließend seien zwei andere Wolff-Texte erwähnt. In der Reihe der *Horae
subsecivae* (Bd. 3, 1 ff.; Übersetzung: *Kleine Schriften*, Bd. 2, 739 ff.) forderte
und empfahl Wolff 1731 den Einfluß seiner Philosophie auf die oberen Fakultäten. Die damaligen Universitäten hatten eine untere Fakultät, die philosophische,
und drei obere Fakultäten: Medizin, Jura und Theologie. Die These des Aufsatzes
ergibt sich daraus, daß Wolff seine Philosophie zum Musterbeispiel eines Systems
erklärt und daß er zeigt, wie nützlich es für die oberen Fakultäten sei, systematisch
zu werden. – In Bd. 1 der späten *Ethica* (1750) wird noch einmal an den Begriff
des Systems erinnert (§ 284 f.). Ein System weist echte Verknüpfung auf und muß
von ‚Pseudosystemen' unterschieden werden. Wer aber ein System, das diesen
Namen verdient, zu gründen imstande ist, dessen Verstand zeichnet sich durch
‚profunditas' (Tiefsinn) aus (§ 313). Natürlich beschreibt Wolff hier sich selbst,
aber er tut dies nicht grundlos. Er stellt nicht nur einen strengen Begriff des Systems auf, sondern bemüht sich in seinen Werken auch nach Kräften, diesem Begriff gerecht zu werden.

III. Wirkung

Georg Bernhard Bilfinger, ein Schüler Wolffs, beschäftigte sich schon 1724 mit
dem Begriff des Systems. Dies geschah im Rahmen einer Schrift, die Leibniz' Ansichten über den Ursprung und die (göttliche) Zulassung des moralisch Bösen verteidigte, aber auch Wolffs Freiheitsauffassung offensiv vertrat.[48] Der Einfluß
Wolffs, den Bilfinger vorher drei Jahre lang an der Universität Halle gehört hatte,
zeigt sich darin, daß alle verwendeten Begriffe säuberlich definiert werden, so
auch der Begriff des Systems. Für den Inhalt dieser Definition wird allerdings
nicht – wie bei anderen Definitionen – auf Wolff verwiesen: Ein System ist

---

[48] Georg Bernhard Bilfinger, De origine et permissione mali, praecipue moralis, commentatio
philosophica, Frankfurt und Leipzig 1724, Nachdruck: Hildesheim u.a. 2002 (GW, Abt. III,
Bd. 80).

eine Menge miteinander derart verknüpfter Dinge, daß die Bestimmungen der einen sich aus den Bestimmungen der anderen ergeben. Das bedeutet, daß jeweils der Grund eines Dinges aus einem anderen angegeben werden kann. Wichtig ist dabei, daß dem Ganzen eine Richtschnur (canon) zugrunde liegt. Sie sorgt in erster Linie dafür, daß nur solche Lehren in das System aufgenommen werden, die evident oder bewiesen sind (§§ 62–78).

Die zeitgenössischen Rezensionen unserer Abhandlung interessierten sich besonders für die wenigen Namen, die von Wolff als Beispiele eines systematischen Verstandes angeführt werden: Euklid, Aristoteles, Descartes, Konfuzius, Caspar Neumann. Die Rezension in den *Acta Eruditorum* referiert die vollständige Liste der Namen,[49] während in den *Deutschen Acta Eruditorum* Konfuzius weggelassen wird[50] – vielleicht ein Reflex auf Wolffs anstößige Chinesenrede, die ihn die Hallesche Professur und die preußische Staatsbürgerschaft gekostet hatte.[51]

Zwei Jahre nach Wolffs *Nebenstunde* erschien eine Schrift „über das systematische Leben". Ihr Verfasser, Johann Christian Bucky, war ein Schüler des Leipziger Wolffianers Johann Christoph Gottsched, und er war von Wolffs Lobpreis des systematischen Verstandes so begeistert, daß er die System-Konzeption auf das menschliche Leben übertrug und anwendete.[52] Insbesondere soll der Mensch seine Handlungen untereinander systematisch verknüpfen. Überhaupt ist in allem Systematischen etwas Göttliches, hat doch Gott die Welt als System erschaffen und damit bewiesen, daß er Systeme liebt.[53] – Daß Wolff dem Systemdenken so große Bedeutung verschaffte, geht natürlich nicht auf seine Abhandlung von 1729 zurück, sondern auf die Einheit von (systematischer bzw. mathematischer) Methode und (systematischem) Werk bei Wolff. Zum Siegeszug des Wolffianismus gehört die Rezeption von Wolffs Systemidee, die er als Methode lehrte und in seinen Werken praktizierte, indem er andauernd auf Vorangegangenes und auf andere eigene Werke verwies. Wie durchschlagend das Systemdenken wirkte, zeigt sich daran, daß es die Karriere der Eklektik beendete. Wolff hatte noch den Eklektiker insofern gelten lassen, als er ihn dem systematischen Denken zu- und einordnete. Die Wirkung, die Wolff ausübte, beseitigte diese Rücksichtnahme und opferte die Idee der Eklektik auf dem Altar des Systems. Erst im Nachhinein wurden Philosophen wie der Wolffianer Georg Friedrich Meier als Eklektiker bezeichnet; Meier selbst tat dies nicht. Aber auch keiner der Gegner Wolffs (z. B. Christian August Crusius) nannte sich selber einen Eklektiker. Durch Wolffs Werk war deutlich geworden, daß alle Wissenschaft systematisch sein muß.

---

[49] Acta Eruditorum 1729, 322–328, hier 325–327.

[50] Deutsche Acta Eruditorum 1731, 180–204, hier 193–196.

[51] Vgl. die Einleitung zu Wolffs *Oratio de Sinarum philosophia practica* (wie Anm. 6).

[52] Johann Christian Bucky, Meditatio philosophica de vita systematica, Leipzig 1731.

[53] Ebd., Praefatio, § 1, § 64 f.

Ein eklektisches Auswählen von Wahrheiten setzt in der Philosophie voraus, daß einzelne Wahrheiten von sich aus zusammenpassen und sich von selbst zu einem Ganzen, eben einem System, verknüpfen lassen. Diese Vorstellung war durch Wolffs Systembegriff obsolet geworden. Von Ausnahmen abgesehen, wollte kein Philosoph mehr Eklektiker sein. Wenn man überhaupt noch auf diesen Begriff einging, dann so, daß man ihm den Begriff des Systems und/oder eine Vorstellung von geistiger Selbständigkeit entgegensetzte.[54]

Aus den vielen Autoren, die den Einfluß von Wolffs Systemdenken belegen, ragt einer heraus: Kant. Dabei ist es höchst zweifelhaft, ob Kant Wolff im Original gelesen hat oder bloß Texte der vielen Wolffianer. Für den Systembegriff wäre hier z. B. Friedrich Christian Baumeister mit seiner – immer wieder aufgelegten – *Philosophia definitiva* zu nennen, in der die Definition des Systems aus Wolffs *Logica* wiederholt wird. Auch wenn Kant dem Systembegriff eine eigene Fassung geben wird, so steht doch bei seiner Definition des Systems in der *Kritik der reinen Vernunft* (B 860 f.; Akad.-Ausgabe, Bd. 3, 538 f.) ganz eindeutig Wolff im Hintergrund. Indem Kant aber die Gegenläufigkeit zwischen der systematischen Unterordnung und der Nebenordnung beseitigte, reformierte er zugleich den Begriff des Prinzips.[55]

Zur Textgestaltung

Die vorliegende Textfassung gibt den lateinischen Text des bisher einzigen Druckes (D) wieder. Die Originalpaginierung ist in eckigen Klammern im Text vermerkt, wobei jeweils der Beginn einer neuen Seite bezeichnet wird. Die in D als Marginalien am Rand gedruckten Überschriften der einzelnen Paragraphen wurden über den Text des jeweiligen Paragraphen gesetzt. Die Kustoden wurden nicht übernommen; die gelegentlich bei den Kustoden auftretenden Fehler wurden stillschweigend korrigiert. Wolffs Anmerkungen, die im Original am Ende der betreffenden Seite stehen, wurden an das Ende des jeweiligen Paragraphen gesetzt. Daß diese Anmerkungen im Original zum Teil auf vorangehenden Seiten stehen, wurde nicht eigens gekennzeichnet. Die Kursivschrift wurde auch dann übernommen, wenn sie – wie bei Eigennamen und Zitaten – keine Hervorhebung bedeutet. Dagegen wurden die Punkte hinter den Paragraphenzeichen und -ziffern sowie hinter den Überschriften weggelassen. In Aufzählungen wurden die Punkte durch Kommata ersetzt.

[54] Albrecht, Eklektik (wie Anm. 31), 552, 566 ff., 590 – 603.
[55] Hinske, Aufklärung (wie Anm. 31), 103 – 106; Hansmichael Hohenegger, Der Weg der Wissenschaft und die Arbeitsteilung in der Philosophie. Die Rolle der Teleologie in Kants Philosophieauffassung, in: Michael Oberhausen (Hg.), Vernunftkritik und Aufklärung. Studien zur Philosophie Kants und seines Jahrhunderts, Stuttgart-Bad Cannstatt 2001, 161 – 185, hier 168 f.

DE DIFFERENTIA INTELLECTUS SYSTEMATICI
& NON SYSTEMATICI

§ 1
Institutum Autoris

In dissertatione praecedente mentionem injecimus intellectus systema[108]tici. Quamobrem cum maximae sit utilitatis nosse differentiam, quae inter intellectum systematicum & non systematicum intercedit, quoniam plurima hinc deducuntur praxi apprime convenientia; non inanem operam nec a praesente instituto alienam sumimus, dum illam luculenter explicare pro virili annitimur. Vulgo notio intellectus systematici non attenditur, &, si non prorsus obscura sit, maxime tamen confusa est, ut adeo eam ad distinctam revocari necessarium sit.

§ 2
Intellectus systematici & connexionis propositionum definitio

Vocamus autem *Intellectum systematicum*, qui propositiones universales inter se connectit. *Connectuntur* vero *propositiones*, si aliae per alias tanquam per principia demonstrantur. Alia nimirum est connexio propositionum, quam rerum. Res inter se connectuntur, si ratio, cur una sit, continetur in altera, seu existentia vel actualitas unius per alteram determinatur. Istiusmodi autem nexus in propositionibus locum non habet: neque enim veritas unius propositionis per veritatem alterius determinatur, sed veritas tantummodo unius [109] propositionis per pro-

Aufklärung 23 · © Felix Meiner Verlag 2011 · ISSN 0178-7128

ÜBER DEN UNTERSCHIED ZWISCHEN DEM SYSTEMATISCHEN UND DEM NICHT-SYSTEMATISCHEN VERSTAND

§ 1
Vorhaben des Verfassers

In der vorangehenden Abhandlung[1] haben wir den systematischen Verstand erwähnt. Es ist von größtem Nutzen, den Unterschied zwischen dem systematischen und dem nicht-systematischen Verstand zu kennen, da daraus vieles abgeleitet werden kann, was sehr gut für die Praxis geeignet ist. Deswegen halten wir es für eine lohnende und unserem Vorhaben dienliche Arbeit, wenn wir uns nach Kräften bemühen, diesen Unterschied deutlich zu erklären. Gemeinhin wird dem Begriff des systematischen Verstandes keine Aufmerksamkeit geschenkt, und wenn er auch nicht ganz dunkel ist, so ist er doch höchst verworren. Daher ist es notwendig, diesen Begriff deutlich zu machen.

§ 2
Definition des systematischen Verstandes und der Verknüpfung der Sätze

Wir nennen aber denjenigen Verstand einen *systematischen Verstand*, der allgemeine Sätze[2] miteinander verknüpft. *Sätze* werden aber dann *verknüpft*, wenn die einen durch die anderen als durch ihre Prinzipien bewiesen werden. Die Verknüpfung von Sätzen ist nämlich eine andere als die von Dingen. Dinge werden miteinander verknüpft, wenn der Grund, warum ein Ding ist, in einem anderen Ding enthalten ist, bzw. wenn die Existenz oder Wirklichkeit des einen Dinges durch ein anderes bestimmt wird. Eine derartige Verknüpfung gibt es bei Sätzen aber nicht. Die Wahrheit des einen Satzes wird nämlich nicht durch die Wahrheit des anderen bestimmt, sondern die Wahrheit des einen Satzes wird nur durch an-

---

[1] Horae subsecivae, Bd. 1, 37–107: De notione juris naturae, gentium & civilis. Übersetzung: Kleine Schriften, Bd. 3, 499–594: Von dem Begriffe des Natur-, Völker- und bürgerlichen Rechtes. – Der ‚intellectus systematicus‘ wird hier zwar nicht erwähnt, allerdings ist von „ingeniis non systematicis" die Rede (53, vgl. 103: systematica cognitio).

[2] Wolff unterscheidet zwischen propositio (Satz) und theorema (Lehrsatz). – In den wissenschaftlichen Disziplinen müssen allgemeine Sätze des Typs „Jeder Mensch …" bzw. „Kein Mensch …" behandelt werden, vgl. Logica, § 242, Ontologia, § 500.

positiones alias demonstratur, quas veras esse agnoscimus. In qualibet propositione determinata praedicatum per notionem subjecti determinatur & ipsa haec notio rationem sufficientem continet, cur praedicatum subjecto tribuendum, quemadmodum in philosophia prima, quae proxime lucem adspiciet, a me demonstratum est. Unde in Logica ostendi (a), veritatem propsitionis esse determinabilitatem praedicati per notionem subjecti. Atque ideo ex notione subjecti demonstratur, praedicatum eidem convenire, per propositiones alias, quibus tanquam principiis utimur. Quodsi volupe fuerit ea evolvere, quae de forma demonstrationis ostensivae in Logica (b) docuimus, connexio propositionum clarissima evadet.

a) § 513.
b) § 551 & seqq.[1]

§ 3
Systema doctrinarum

Veritates universales seu propositiones universales inter se connexae *systema doctrinarum* constituunt. Etsi enim usus loquendi ferat, ut systematis nomen libris imponatur, in quibus [110] scholae, quem appello (c), ordine dicenda congeruntur, ita ut uno in loco compareant, quae ad idem subjectum spectant, nulla prorsus habita ratione, quomodo cognitio unius a cognitione alterius pendeat; id tamen

[1] seqq.] seq. D

dere Sätze bewiesen, die wir als wahr erkennen.[3] In jedem genau bestimmten[4] Satz wird das Prädikat durch den Begriff des Subjektes bestimmt, und dieser Begriff selbst enthält den zureichenden Grund, warum das Prädikat dem Subjekt beigelegt wird, so wie das in der „Philosophia prima", die demnächst erscheinen wird,[5] von mir bewiesen worden ist.[6] Daher habe ich in der „Logica" (a) gezeigt, daß die Wahrheit eines Satzes in der Bestimmbarkeit des Prädikates durch den Begriff des Subjektes besteht. Und so wird durch andere Sätze, die wir als Prinzipien verwenden, aus dem Begriff des Subjektes bewiesen, daß ihm das Prädikat zukommt. Wenn man nachzulesen beliebt, was wir in der „Logica" (b) über die Form des zeigenden Beweises gelehrt haben, wird die Verknüpfung der Sätze ganz klar werden.

    a) § 513.[7]
    b) § 551 ff.[8]

§ 3
Das System von Lehren

Allgemeine Wahrheiten oder allgemeine Sätze, die miteinander verknüpft sind, bilden ein *System von Lehren*. Zwar bringt es nämlich der Sprachgebrauch mit sich, solchen Büchern den Namen eines Systems beizulegen, in denen der Inhalt nach der (wie ich sie nenne) (c) Ordnung der Schule angehäuft ist, so daß alles, was denselben Gegenstand betrifft, an einer Stelle enthalten ist, ohne daß irgendein Grund zu finden ist, wie die Erkenntnis des einen von der Erkenntnis eines anderen abhängen sollte. Dies kommt aber bloß daher, daß solche Bücher nicht

---

[3] Zwischen der Verknüpfung von Dingen und der Verknüpfung von Sätzen besteht ein wichtiger Unterschied. Während ein einzelnes Ding der Existenzgrund eines anderen Dinges sein kann (Deutsche Metaphysik, § 29), kann ein einzelner isolierter Satz nicht die Wahrheit eines anderen Satzes beweisen, denn die Wahrheit eines Satzes wird nur aus der Verknüpfung mit anderen wahren Sätzen (Prämissen) abgeleitet. (Für diese Klarstellung danke ich Juan Ignacio Gómez Tutor.)

[4] „bestimmt" ist hier zu lesen als das Partizip Perfekt von „bestimmen", nicht als Adjektiv. Darum ist in der Übersetzung „genau" davorgestellt worden.

[5] Die *Philosophia prima sive Ontologia* (Erste Philosophie oder Ontologie) erschien zur Michaelis-Messe 1729, ist aber auf dem Titelblatt auf 1730 datiert.

[6] Ontologia, § 194. Vgl. Horae subsecivae, Bd. 3, 480–542: De usu methodi demonstrativae in tradenda Theologia revelata dogmatica, § 7. Übersetzung: Übrige kleine Schriften (GW, Abt. I, Bd. 22), 348–387: Von dem Nutzen der beweisenden Lehr-Art zu Lehr-Büchern von der geoffenbarten Theologie. – Durch die Angabe der Prädikate werden die Eigenschaften des Subjektes entfaltet.

[7] Unsere Stelle ist eine wörtliche Wiederholung von Logica, § 513. Vgl. Logica, § 509.

[8] In den §§ 549–552 behandelt Wolff den zeigenden Beweis (demonstratio ostensiva), in § 553 den indirekten Beweis (demonstratio apagogica). – Übersetzung von § 551–553: Kleine Schriften, Bd. 2, 557–560.

inde accidit, quod connexionis propositionum distincta, immo satis clara notione destituantur, non quod systematis alia utantur: videmus enim systematum vulgarium, hoc est, non re, sed nomine talium conditores laudari ob rerum pertractatarum connexionem, etsi nulla prorsus in opere commendato appareat. Propositiones profecto, quae proponuntur, aut ea ratione ordinantur, ut unius veritas per alias anteriores demonstretur, aut ita disponuntur, ut veritas unius per alias anteriores demonstrari nequeat. In priori casu propositiones inter se connecti, ecquis negare ausit? In casu adeo posteriori minime connectuntur. Quodsi ergo in eo consentimus, in systemate doctrinas, quae proponuntur, inter se connecti; defectui omnino attentionis ad notionem connexionis, aut ipsi hujus notionis defectui tribuendum, si quis congeriem propositionum ad [111] idem subjectum pertinentium, sed inter se minime connexarum systema vocet, propterea quod unum argumentum videtur rationem continere, cur de altero quoque in eodem libro tractatio instituatur, verae connexionis doctrinarum seu propositionum universalium notioni falsa substituta (§ 2). Quodsi quis malit sensu quodam vago & minus determinato appellare systema, quod per nostram notionem fixam & determinatam tam augustum nomen non meretur; per nos utatur sua loquendi libertate, sed eadem nos quoque majore jure frui permittat, qui per leges methodi philosophicae, quam alibi (d) explicatam dedimus, a vago & indeterminato vocum significatu abhorrere debemus.

c) § 829 Log.
d) in discursu praeliminari operi logico praemisso § 120.

§ 4
Intellectus systematicus systematum amans

Quoniam intellectus systematicus propositiones universales inter se connectit (§ 2), in systemate autem doctrinarum propositiones universales nisi inter se connexae locum non inveniunt; intellectus systematicus percipit voluptatem ex

über einen deutlichen oder wenigstens hinreichend klaren Begriff der Verknüpfung der Sätze verfügen, nicht daher, daß sie einen anderen Begriff von einem System gebrauchen würden: Wir sehen nämlich, daß die Verfasser solcher üblichen
Systeme – Systeme freilich nicht der Sache, sondern nur dem Namen nach – wegen der Verknüpfung der behandelten Gegenstände gelobt werden, auch wenn
sich in dem gerühmten Werk überhaupt keine Verknüpfung zeigt. Die Sätze,
die vorgetragen werden, sind fürwahr entweder so angeordnet, daß die Wahrheit
des einen Satzes durch andere Sätze, die ihm vorangehen, bewiesen wird, oder sie
sind so hingesetzt, daß die Wahrheit des einen Satzes nicht durch andere, die ihm
vorangehen, bewiesen werden kann. Wer würde zu leugnen wagen, daß im ersten
Fall die Sätze miteinander verknüpft werden? Mithin werden sie im zweiten Fall
gar nicht verknüpft. Wenn wir also darin übereinstimmen, daß bei einem System
die vorgetragenen Lehren miteinander verknüpft sind, dann ist es einem Mangel
jeglicher Aufmerksamkeit auf den Begriff der Verknüpfung oder dem Fehlen dieses Begriffes selbst zuzuschreiben, wenn man eine Anhäufung von Sätzen, die
zwar denselben Gegenstand betreffen, aber überhaupt nicht miteinander verknüpft sind, deswegen ein System nennt, weil das eine Argument den Grund
zu enthalten scheint, warum in demselben Buch auch das andere Argumente behandelt wird, wobei anstelle des wahren Begriffs der Verknüpfung der Lehren
bzw. der allgemeinen Sätze ein falscher Begriff eingesetzt wird (§ 2). Wer lieber
in einem schwankenden und weniger bestimmten Sinn dasjenige ein System nennen will, was nach unserem festen und bestimmten Begriff einen so erhabenen
Namen nicht verdient, der mache meinetwegen von seiner Redefreiheit Gebrauch,
aber er erlaube auch uns, sich ihrer zu bedienen, und zwar mit größerem Recht,
weil wir kraft der Gesetze der philosophischen Methode – einer Methode, die wir
an anderer Stelle (d) erklärt haben – vor einer schwankenden und unbestimmten
Bedeutung der Worte zurückschrecken müssen.

c) „Logica", § 829.[9]
d) Im „Discursus praeliminaris", welcher der „Logica" vorangestellt ist, §120.[10]

§ 4
Der systematische Verstand ist ein Liebhaber der Systeme

Da der systematische Verstand allgemeine Sätze miteinander verknüpft (§ 2) und
da in einem System von Lehren nur solche allgemeinen Sätze vorkommen, die
miteinander verknüpft sind, so empfindet der systematische Verstand aufgrund
von Systemen, die diesen Namen auch verdienen, Lust; folglich liebt er Systeme

[9] Logica, § 829. Übersetzung: Kleine Schriften, Bd. 2, 758 f.
[10] Discursus praeliminaris, 133 (§ 120): Die Ordnung der Lehrsätze. – Vgl. auch unten Anm. 45.

syste[112]matis, veri nempe nominis, consequenter systemata amat, nec in cognitione rerum acquiescit, nisi eam ad systema reduxerit. Atque in eo prorsus differt ab intellectu non systematico, quod ut appareat, notionem intellectus non systematici animo recolamus necesse est.

§ 5
Intellectus non systematici definitio

Cum intellectus non systematicus systematico ita opponatur, ut non systematico instructus sit, qui systematicum non habet; ideo *Intellectus non systematicus* erit, qui propositiones universales non connectit, sed singulas quasi cum ceteris nihil commune habentes intuetur. Nimirum propositiones non connectuntur, quae ita minime ordinantur, ut veritas unius pateat continuo per veritatem ceterarum, quam independenter ab ista cognovimus. Qui libros vulgari modo conscriptos evolvit, is satis superque intelligit, quid sit propositiones non connectere, sed singulas a ceteris quasi sejunctas proponere. Multo tamen clarius idem patet, si librum vulgari modo conscriptum cum Elementis *Euclideis* confert, ut differen[113]tia inter propositiones nullo vinculo inter se cohaerentes & propositiones arctissime inter se connexas in sensum veluti incurrat.

§ 6
Intellectus systematici exempla

Intellectum systematicum habuere Geometrae veteres *Euclides, Archimedes, Apollonius, Theodosius* & in universum Mathematici omnes veri nominis, qui scientia mathematica animum habent imbutum, nequaquam vero tantummodo habitum quendam sibi compararunt praxes quasdam ex Mathesi derivatas exercendi. Etenim in elementis *Euclideis* non occurrunt nisi propositiones universales,

und gibt sich mit der Erkenntnis der Dinge solange nicht zufrieden, bis er diese Erkenntnis in ein System gebracht hat. Und darin unterscheidet er sich gänzlich vom nicht-systematischen Verstand. Daraus ergibt sich die Notwendigkeit, den Begriff des nicht-systematischen Verstandes zu erörtern.

§ 5
Definition des nicht-systematischen Verstandes

Da der nicht-systematische Verstand dem systematischen so entgegengesetzt ist, daß derjenige mit einem nicht-systematischen Verstand versehen ist, der nicht den systematischen Verstand besitzt, so ist *der nicht-systematische Verstand* derjenige, der allgemeine Sätze nicht verknüpft, sondern die einzelnen Sätze so betrachtet, als hätten sie nichts mit den übrigen Sätzen gemeinsam. Sätze werden nämlich dann nicht verknüpft, wenn sie nicht so angeordnet werden, daß die Wahrheit des einen Satzes aus der Wahrheit der übrigen Sätze, die wir unabhängig von jenem Satz erkannt haben, beständig hervorgeht. Wer Bücher durchliest, die auf die übliche Art verfaßt sind, der begreift voll und ganz, was es heißt, Sätze nicht zu verknüpfen, sondern die einzelnen Sätze gleichsam als von den übrigen abgetrennt vorzutragen. Dasselbe wird jedoch viel klarer, wenn man ein Buch, das auf die übliche Art verfaßt ist, mit den „Elementa" (Anfangsgründen) des Euklid[11] vergleicht, damit der Unterschied zwischen Sätzen, die durch kein Band miteinander verbunden sind, und solchen Sätzen, die aufs engste miteinander verknüpft sind, ins Auge fällt.

§ 6
Beispiele für den systematischen Verstand

Über den systematischen Verstand verfügten die alten Geometer Euklid, Archimedes, Apollonius und Theodosius[12] sowie überhaupt alle Mathematiker, die diesen Namen verdienen und mit der mathematischen Wissenschaft vertraut sind; sie haben sich keineswegs bloß eine gewisse Fertigkeit angeeignet, bestimmte aus der Mathematik hergeleitete Praktiken auszuüben. In den Anfangsgründen des Euklid kommen nämlich nur allgemeine – natürlich zureichend bestimmte – Sätze

---

[11] Euklid, Elementa. Aus dem Griechischen übersetzt und hg. von Clemens Thaer, Darmstadt [5]1973. – Wolff nennt acht verschiedene Gesamtausgaben der *Elementa* und zehn verschiedene Ausgaben einzelner Bücher, s. Elementa matheseos, Bd. 5, 5, 8, 15, 17, 33, 39 bzw. 6, 7, 15, 19, 20, 33, 34, 36/37, 133.

[12] Euklid von Alexandria (ca. 360–280 v. Chr.), Archimedes von Syrakus (287–212 v. Chr.), Apollonius von Perge (262–190 v. Chr.), Theodosius von Bithynien (2. Hälfte des 2. Jh.s v. Chr.).

utpote sufficienter determinatae, ita ut & notiones communes, quae sine probatione sumuntur, ad formam propositionum universalium revocentur. Singulae propositiones inter se connectuntur, cum posteriores per anteriores tanquam per principia demonstrentur. *Archimedes*, *Apollonius* & *Theodosius*, quorum opera uno volumine comprehensa edidit *Isaacus Barrovvius*, si librum quintum, sextum & septimum *Apollonii* exceperis, quos pro deperditis habitos ex Arabica versione in La[114]tinum translatos edidit *Joannes Alphonsus Borellus*, ultra Geometriam elementarem ab *Euclide* traditam progredientes non modo eodem prorsus modo

vor, so daß auch die Gemeinbegriffe[13], die ohne Beweis[14] angenommen werden, in die Form allgemeiner Sätze gebracht werden. Die einzelnen Sätze werden miteinander verknüpft, indem die folgenden durch die vorhergehenden als durch ihre Prinzipien bewiesen werden. Archimedes, Apollonius und Theodosius, deren Werke Isaacus Barrowius[15] zusammengefaßt in einem Band herausgab (ausgenommen das fünfte, sechste und siebente Buch des Apollonius, die man für verloren hielt und die Johannes Alphonsus Borellus[16] aus der arabischen Übersetzung ins Lateinische übersetzt und herausgegeben hat), sind über die von Euklid gelehrte elementare Geometrie hinausgegangen und haben die von ihnen gelehrten be-

---

[13] „Notiones communes" sind gemäß der Lehre der Stoa die allen Menschen von Natur gegebenen und daher allen Menschen gemeinsamen „Gemeinbegriffe". In Euklids *Elementa* findet sich eine Liste ‚allgemeiner Begriffe'; sie werden später als ‚Axiome' bezeichnet. Herbert von Cherbury, der die Diskussion neu belebte, definiert sie 1624 als die von Gott erschaffenen und uns eingeschriebenen Begriffe. Descartes listet in seinem Gottesbeweis (Anhang zu den Erwiderungen auf die zweiten Einwände gegen die *Meditationen*) nach Euklids Vorbild eine Reihe „Axiomata sive Communes Notiones" auf (Oeuvres, hg. von Charles Adam und Paul Tannery, Paris 1964–1976, Bd. 7, 164). Er behandelt die Gemeinbegriffe in den *Regulae ad directionem ingenii* (Bd. 12, 14) und in den *Principia philosophiae* (Bd. 1, 49 f.). Im Cartesianismus wurde dieser Ansatz systematisch entfaltet, vgl. z. B. Étienne Chauvin, Lexicon philosophicum, Leeuwarden ²1713, Nachdruck: Düsseldorf 1967 (¹1692), 442. – Zu Descartes vgl. John Cottingham, A Descartes Dictionary, Oxford 1993, 37 f.: Art. ‚common notion'. – Wolff erwähnt die „allgemeinen Begriffe" in seinen *Anmerkungen zur Deutschen Metaphysik* (§ 12). Er erklärt: „Ich suche nichts anders, als die klaren Begriffe, darnach alle Menschen urtheilen, zur Deutlichkeit zu bringen" (24 f.). „Notio communis" hat bei Wolff aber auch die Bedeutung des Gattungs- oder Artbegriffs. Dieser ist in Wolffs Terminologie ebenfalls ein „allgemeiner Begriff" vgl. *Logica*, § 113; vgl. auch *Deutsche Logik*, Kap. 1, § 28 (138). Diese Äquivokation führt zu der kaum glaublichen Konsequenz, daß die *Ontologia* im § 186 als Beispiel für eine „notio communis" (im Sinne von Gemeinbegriff) ausgerechnet seinen Lehrsatz über die „notio communis" (im Sinne von Allgemeinbegriff) anführt. (Vgl. auch unten Anm. 46.) Bei Descartes waren die Allgemeinbegriffe mit den Gemeinbegriffen nicht zu verwechseln, weil diese ontologische Begriffe und keine Gattungsbegriffe sind. Außerdem werden sie im Unterschied zu den Allgemeinbegriffen intuitiv erkannt. Vgl. Joachim Schneider, Art. ‚Notiones communes', in: Joachim Ritter, Karlfried Gründer, Gottfried Gabriel (Hg.), Historisches Wörterbuch der Philosophie, Bd. 6, Basel, Stuttgart 1984, 938–940; Ferdinando L. Marcolungo, Wolff e il problema del metodo, in: Sonia Carboncini, Luigi Cataldi Madonna (Hg.), Nuovi studi sul pensiero di Christian Wolff, Hildesheim u. a. 1992 (GW, Abt. III, Bd. 31) 11–37, hier 16 f.

[14] Die Unterscheidung zwischen „demonstratio" (Demonstration, Beweis) und „probatio" (Erweis, Beweis) spielt im vorliegenden Text keine Rolle. Vgl. aber Discursus praeliminaris, § 153 (186).

[15] Archimedes, Opera; Apollonius Pergaeus, Conicorum libri IV; Theodosius [Tripolita], Sphaerica, methodo nova illustrata, & succincte demonstrata per Is[aacum] Barrow, London 1675. Wolff zitiert diese Ausgabe (Elementa matheseos, Bd. 5, 38 a). Vgl. Archimedis opera omnia, hg. von Johan L. Heiberg, 3 Bde., Leipzig ²1910–1915. – Les Coniques d'Apollonius de Perge, hg. von Paul Ver Eecke, Brügge 1923. – Theodosius, Sphaerica, hg. von Johan L. Heiberg, Berlin 1927, Nachdruck: Nendeln 1970.

[16] Apollonius Pergaeus, Conicorum libri V-VII, cura Jo[annis] Alfonsi Borelli, Florenz 1661. Wolff zitiert diese Ausgabe (Elementa matheseos, Bd. 5, 39 a, wo allerdings fälschlich 1641 steht).

propositiones, quas tradunt, determinatas easque universales inter se, verum etiam cum elementis *Euclidis* connectunt. Et quis nescit Mathematicos continuo inventa sua cum inventis anteriorum connectere? Quodsi quis ea de re dubitet, is evolvat elementa nostra Matheseos universae, in quibus praecipua veterum ac recentiorum Mathematicorum inventa cum Elementis *Euclidis* connexa damus, addituri in posterum peculiari volumine, quae ex sublimioribus hodie repertis desiderantur, cum iisdem connectenda, ubi nova illorum editio limatior ad umbilicum fuerit perducta, cujus nunc Tomus primus sub praelo sudat, praesertim cum in usum artis inveniendi, quae aliquam operis philosophici partem constituet, inventa ista, accuratiori trutina nobis sint expendenda. Si quis dubitet, num *Ptolemaeus* intellectum habuerit systematicum, propterea quod Almagestum [115] ipsius seu opus Astronomicum, cui ipse magnae compositionis indidit nomen, communi more conscriptum videtur, utpote continuo discursu in capita digestum, is evolvat Mathematici clarissimi *Joannis Regiomontani* Epitomen operis *Ptolemaici*, in qua a *Ptolemaeo* tradita ad formam elementorum *Euclidis* in propositiones digessit hasque cum Elementis *Euclidis* connectit. Sed in Mathesi prorsus hospes sit necesse est, qui in dubium vocaverit, Mathematicis & olim fuisse, & hodienum esse intellectum systematicum, cum intellectus systematici notionem non aliunde rectius quam ex scriptis Mathematicorum haurire possis.

stimmten und allgemeinen Sätze nicht nur auf genau dieselbe Weise miteinander verknüpft, sondern auch mit den Anfangsgründen des Euklid. Und wer weiß nicht, daß die Mathematiker die eigenen Erfindungen ständig mit denen der Vorgänger verknüpfen? Wenn jemand daran zweifeln sollte, dann schlage er unsere „Elementa matheseos universae"[17] auf, in denen wir die wichtigsten Erfindungen der alten und neueren Mathematiker mit den Anfangsgründen des Euklid verknüpft haben. Später werden wir in einem eigenen Band[18] das ergänzen, was von den wichtigeren heutigen Erfindungen noch fehlt, und mit den Anfangsgründen verknüpfen, sobald nämlich die neue Auflage, deren erster Band jetzt im Druck ist, fertiggestellt sein wird[19] – besonders wenn wir zum Nutzen der Erfindungskunst, die einen Teil meines philosophischen Werkes bilden wird,[20] jene Erfindungen genauer zu erwägen haben. Wer bezweifeln sollte, ob Ptolemäus über einen systematischen Verstand verfügte, und zwar deswegen, weil sein „Almagest seu opus Astronomicum", dem er selbst den Namen der „Magna Compositio"[21] gegeben hat, auf die übliche Art verfaßt zu sein scheint, ist das Buch doch in einer fortlaufenden Erörterung in Kapitel eingeteilt, der schlage den Auszug aus dem Werk des Ptolemäus auf, den der berühmte Mathematiker Johannes Regiomontanus[22] verfaßt hat, und in dem er das, was von Ptolemäus gelehrt worden ist, gemäß dem Aufbau der Anfangsgründe des Euklid in Sätzen formuliert und diese mit den Anfangsgründen des Euklid verknüpft hat.[23] Nur wer in der Mathematik ganz unerfahren ist, könnte bezweifeln, daß die Mathematiker sowohl damals als auch heute über den systematischen Verstand verfügen, da der Begriff des systematischen Verstandes nirgendwo richtiger als aus den Schriften der Mathematiker geschöpft werden kann.

---

[17] Die *Elementa matheseos universae* (Anfangsgründe der gesamten Mathematik) waren in erster Auflage in zwei Bänden 1713–1715 erschienen. 1730 begann die Neuauflage zu erscheinen, die 1741 mit dem fünften Band abgeschlossen wurde.

[18] Der fünfte Band enthält eine kommentierte Bibliographie der mathematischen Literatur (1–164).

[19] Siehe oben Anm. 17.

[20] Wolff hat dieses Vorhaben nicht umgesetzt. Im *Discursus praeliminaris* (§ 74) stellte er fest, daß es bisher noch keine „Ars inveniendi" gibt, die diesen Titel zu Recht trägt.

[21] Claudius Ptolemäus (ca. 100 bis ca. 175). Seine *Syntaxis mathematica* (auch *Magna Compositio* [Große Zusammenstellung]) wurde ab ca. 800 von den Arabern *Almagest* (*seu opus astronomicum* [Astronomisches Werk]) genannt. Wolff zitiert die Ausgabe von 1528 und die *Opera* von 1551 (Elementa matheseos, Bd. 5, 106 a und b). Vgl. Ptolemy's Almagest, übersetzt von Gerald J. Toomer, London 1984.

[22] Johannes Regiomontanus (Johannes Müller aus Königsberg) (1436–1476) begründete die moderne Trigonometrie, reformierte den Julianischen Kalender und erarbeitete astronomische Tafeln, die der Navigation eine bessere Grundlage boten.

[23] Joannes Regiomontanus, Epitome in Almagestum Ptolemaei. Wolff zitiert die Ausgabe Nürnberg 1550 (Elementa matheseos, Bd. 5, 106 b).

§ 7
Exempla alia

Videamus vero, an istiusmodi exempla etiam occurrant inter philosophos & eruditos alios. Inter veteres *Aristotelem* intellectum habuisse systematicum, ex Organo ipsius apparet: quod, si ad lectionem afferantur notiones, quae ad idem intelligendum sufficiunt, ita conscriptum esse apparet, ut veritas una per alias demonstretur, simulque notio intellectus sy[116]stematici in praeceptis ibidem propositis contineatur. Neque ullus dubito, *Aristotelem* eam theoriam, quam in Organo suo proposuit, ex attenta lectione Elementorum *Euclidis* derivasse, quemadmodum mihi attenta demonstrationum mathematicarum, praesertim *Euclidearum*, consideratio ad theoriam Logicae genuinam inveniendam profuit: qua reperta, nec inania esse praecepta intellexi, quae *Aristoteles* tradidit, antea parum intellecta, cum genuinae notiones ex praxi haustae mihi nondum suppeterent. Etsi autem in ceteris scriptis *Aristotelis* non ea appareat methodus, qua *Euclides* usus est; non tamen desunt intellectus systematici indicia. Neque enim putandum est, quotquot dispositionem naturalem, quam Philosophi appellant, intellectus systematici nacti sunt, eos eandem ad istum habitum evehere vel pro temporum rerumve suarum cognitione evehere posse, ut omnem rerum cognitionem in systema actu redigant, quam sibi compararunt, vel systema animo in ideis conceptum cognitioni quoque symbolicae inferant. [117] Cui principia verioris Metaphysicae intimius fuerint perspecta, communi experientia comprobata, si ingenii luce collustretur, ei manifesta sunt, ut, quae per rei naturam fieri possunt, ad actum perducantur, extrinsecis opus esse determinationibus; quae non semper in agentis rationalis potestate posita sunt. Sane *Confucius*, magnus ille Sinarum philosophus, is erat, in quo intellectus systematici naturalis dispositio eminebat: quae enim in ideis ipsius continebantur, non modo acumen profundum sapiunt, verum etiam

§ 7
Andere Beispiele

Sehen wir aber nach, ob derartige Beispiele auch unter Philosophen und anderen Gelehrten vorkommen! Daß es unter den alten Philosophen Aristoteles war, der den systematischen Verstand hatte, geht aus seinem „Organon"[24] hervor. Wenn zur Lektüre diejenigen Begriffe mitgebracht werden, die zu seinem Verständnis ausreichen, stellt sich heraus, daß das „Organon" so verfaßt ist, daß eine Wahrheit durch andere bewiesen wird und daß zugleich der Begriff des systematischen Verstandes in den vorgetragenen Lehren selbst enthalten ist. Ich hege keinen Zweifel, daß Aristoteles die Theorie, die er in seinem „Organon" vortrug, aus der aufmerksamen Lektüre der „Elementa" des Euklid gewonnen hat, so wie mir die aufmerksame Erwägung der mathematischen Beweise, besonders derjenigen des Euklid, von Nutzen war, um die echte Theorie der Logik zu erfinden. Nachdem ich sie gefunden hatte, sah ich ein, daß die von Aristoteles verbreiteten Lehren nicht grundlos sind, auch wenn ich sie früher noch nicht eingesehen hatte, weil mir die echten, aus der Praxis entnommenen Begriffe noch nicht zur Verfügung standen. Auch wenn sich in den übrigen Schriften des Aristoteles die von Euklid verwendete Methode nicht zeigt, gibt es doch Anzeichen des systematischen Verstandes. Es wäre falsch anzunehmen, daß alle, denen die natürliche Anlage (wie sie die Philosophen nennen[25]) zum systematischen Verstand angeboren ist, diese Anlage zu einer solchen Fertigkeit bringen können oder sie dem Kenntnisstand der Zeit und der Umstände entsprechend ausbilden können, so daß sie die gesamte Erkenntnis der Dinge in ein wirkliches System, das sie sich angeeignet haben, bringen könnten oder daß sie ein System, das sie sich im Geist ideell vorgestellt haben, auch in eine symbolische Erkenntnis überführen könnten. Wer die Prinzipien der richtigeren Metaphysik – Prinzipien, die durch die allgemeine Erfahrung bestätigt werden – genau durchschaut hat, weil er über einen hellen Kopf verfügt, dem ist klar, daß das, was gemäß der Natur der Dinge geschehen könnte, nur dann Wirklichkeit werden kann, wenn bestimmte äußere Bedingungen vorliegen. Diese liegen aber nicht immer in der Macht eines vernünftig handelnden Wesens. Konfuzius, jener große Philosoph der Chinesen, war nämlich jemand, bei dem die natürliche Anlage zum systematischen Verstand sichtbar wurde. Denn was in seinen Ideen enthalten ist, läßt nicht nur tiefen Scharfsinn erkennen, sondern hängt auch

[24] Das *Organon* ist eine Sammlung von sechs logischen Schriften. Es wurde maßgeblich für die Logik des Abendlandes. – Vgl. Aristoteles, Philosophische Schriften, übersetzt von Hermann Bonitz u.a., Bd. 1 und 2, Hamburg 1995.
[25] Hagen (174) bezieht Wolffs „dispositio naturalis" auf das „philosophische Naturell". Vgl. die vorliegende Einleitung, Anm. 39; vgl. auch den Artikel ‚Naturell des Verstandes', in: Johann Heinrich Zedler (Hg.), Großes vollständiges Universal-Lexicon, Bd. 23, Leipzig und Halle 1740, 1243–1246.

pulcherrimo nexu inter se cohaerent, ut, qui intellectu systematico pollet ac notionibus animum habet refertum, verbis factisque *Confucii* respondentibus, in systema ordinatissimum redigere queat veritates universales in ideis *Confucii* clarissimis, sed minime distinctis olim contentas. Quoniam tamen in ea incidit tempora, ubi deerant, quae extrinsecus in dispositionem naturalem ad habitum evehendam influere debebant; ipsum habitum nunquam fuit consecutus. Non tamen otiosa ac inutilis prorsus eidem erat dispositio [118] illa naturalis intellectus systematici prorsus praeclara: neque enim absque ea ideas rerum moralium atque civilium solas animo infixisset, quae systema pulcherrimum idemque veritati consentaneum comprehendunt ab eo in apricum producendum, qui ideas *Confucianas* in animo suo excitare ac veritates universales in iis latentes eruere, erutas inter se connectere valet (e).[2] Inter recentiores philosophos, qui nomen clarissimum fuere consecuti, *Cartesius* intellectus systematici exemplum praebet, quemadmodum ex ejusdem Meditationibus & Principiis liquet, magni vel hoc nomine faciendus, quod modum ex notionibus distinctis philosophandi nobis aperuit, profligatis ex philosophia confusis atque obscuris, quae Scholasticam obscurabant, etsi ab ipsomet (quod in primo autore ferendum) non sufficienter excultum, ab asseclis vero in abusum pertractum. Non omnes recensemus cum veteres, tum recentiores philosophos, quibus intellectus fuit systematicus, cum tan[119]tum exempla commemorare nonnulla velimus, nequaquam vero nobis propositum sit eundo per omnium saeculorum memoriam catalogum eorum contexere, qui intellectum systematicum possederunt. Ut vero appareat, intellectum systematicum non esse Mathematicorum & philosophorum proprium, exemplis in medium adductis unicum adhuc subnectere liceat. Prodeat igitur in scenam *Casparus Neu-*

---

[2] valet (e).] valet. (e) D

in der schönsten Verknüpfung miteinander zusammen, so daß jemand, der über den systematischen Verstand verfügt sowie über solche Begriffe, die den Worten und Taten des Konfuzius entsprechen, die allgemeinen Wahrheiten, die in den ganz klaren, aber überhaupt nicht deutlichen Ideen des Konfuzius einst enthalten waren, in ein wohlgeordnetes System bringen kann. Da er jedoch in einer Zeit lebte, in der das fehlte, was von außen darauf hinwirken muß, daß die natürliche Anlage zu einer Fertigkeit ausgebildet werden kann, hat er diese Fertigkeit niemals erlangt. Jene ganz herrliche natürliche Anlage zum systematischen Verstand war jedoch für ihn gar nicht überflüssig oder unnütz, denn ohne sie wäre er nicht auf die einzigartigen Ideen von Moral und Politik gekommen, die ein wunderschönes und mit der Wahrheit übereinstimmendes System bilden. Dieses System wird von dem ans Licht gebracht, der imstande ist, die Ideen des Konfuzius im eigenen Geist hervorzubringen und die in ihnen verborgenen allgemeinen Wahrheiten zu ermitteln und miteinander zu verknüpfen (e). Unter den neueren Philosophen, die sich einen Namen gemacht haben, stellt Descartes ein Beispiel für den systematischen Verstand dar, wie aus seinen „Meditationes"[26] und „Principia"[27] hervorgeht. Er ist besonders deswegen hoch einzuschätzen, weil er uns die Art erschloß, aufgrund von deutlichen Begriffen zu philosophieren, nachdem er die verworrenen und dunklen Begriffe, welche die Scholastik verdunkelten, aus der Philosophie entfernte. Allerdings wurde diese Art von ihm selbst (was bei dem Begründer eines Neuanfangs in Kauf genommen werden kann) nicht zureichend ausgebildet; von seinen Anhängern wurde sie dagegen bis zum Mißbrauch traktiert. Wir besprechen nicht alle alten und neueren Philosophen, die über den systematischen Verstand verfügten, da wir nur einige Beispiele anführen wollen, uns aber keineswegs vorgenommen haben, die Erinnerung an alle Zeitalter zu durchstreifen und einen Katalog all derer zu erstellen, die den systematischen Verstand besaßen. Damit aber klar wird, daß der systematische Verstand nicht nur den Mathematikern und Philosophen eigen ist, darf den angeführten Beispielen noch ein weiteres hinzugefügt werden. Also soll Kaspar Neumann[28] die Bühne betreten,

---

[26] Meditationes de prima philosophia. – Vgl. René Descartes, Meditationen mit sämtlichen Einwänden und Erwiderungen, hg. von Christian Wohlers, Hamburg 2009 (Philosophische Bibliothek, 598).

[27] Vgl. René Descartes, Principia philosophiae/ Die Prinzipien der Philosophie, hg. von Christian Wohlers, Hamburg 2005 (Philosophische Bibliothek, 566).

[28] Vgl. Ausführliche Nachricht, 118 f. – Christian Wolffs eigene Lebensbeschreibung, hg. von Heinrich Wuttke (GW, Abt. I, Bd. 10), 122. – Herbert Schöffler, Deutsches Geistesleben zwischen Reformation und Aufklärung. Von Martin Opitz zu Christian Wolff, Frankfurt a. M. ³1974 (¹1956), 176–183. – Hildegard Zimmermann, Caspar Neumann und die Entstehung der Frühaufklärung. Ein Beitrag zur schlesischen Theologie- und Geistesgeschichte im Zeitalter des Pietismus, Witten 1969 (Arbeiten zur Geschichte des Pietismus, 4).– Jean-Paul Paccioni, Cet Esprit de profondeur. Christian Wolff, l'ontologie et la métaphysique, Paris 2006, 33–38.

mannus, Theologus apud Vratislavienses nuper clarissimus. Specimen is intellectus systematici luculentissimum exhibuit, dum in Genesi linguae sanctae significatum vocum hebraicarum essentialem scrutatus est, & ea de re mentem suam in
Clave, quam vocat, Domus Heber, uberius exposuit. Eam enim excogitavit[3] hypothesin, quae nonnisi ab intellectu systematico proficisci potest, eoque modo hypothesi sua usus, qui nonnisi systematicis convenit ingeniis. De veritate ejus ju-
dicent alii, quorum interest[4] Hebraismi fontes limpidos conservari; nobis sufficit
hypothesin istam prorsus systematicam deprehendi. Supponit enim [120] nos non
habere ideas nisi rerum materialium & immaterialia concipi ad similitudinem materialium, ideas vero materiales resolvi in materiae & motuum ideas simpliciores.
Hinc litterae hebraicae vel materiam significant, vel certas motuum species, atque
inde exsculpitur significatus quidam generalis vocum Hebraicarum, unde empha-
sis earum explicatur, cum hinc denominationis reddi possit ratio re, quam eaedem
denotant, intimius intellecta. Quoniam Theologo huic eminenti systematicus erat
intellectus, ideo systema Theologiae veri nominis adhuc desiderari affirmabat,
cum in libris, quibus vulgo hoc nomen tribuitur, nondum ita inter se connexae
ipsi viderentur veritates theologicae, quemadmodum[5] in systemate fieri debebat.

[3] excogitavit] ex cogitavit D
[4] interest] inter est D
[5] quemadmodum] quamadmodum D

der in neuerer Zeit hochberühmte Breslauer Theologe. Er lieferte eine glänzende Probe des systematischen Verstandes, indem er in der „Genesis linguae sanctae"[29] die wesentliche Bedeutung der hebräischen Wörter untersuchte und seine Ansicht im „Clavis domus Heber"[30], wie er das Buch nannte, ausführlicher dargestellte. Denn er ersann eine Hypothese, die nur aus einem systematischen Verstand hervorgehen kann, und er bediente sich seiner Hypothese auf eine Art, die nur systematischen Geistern gemäß ist.[31] Über die Wahrheit dieser Hypothese mögen andere urteilen, denen daran liegt, die reinen Quellen des Hebräischen zu bewahren; uns reicht es, daß jene Hypothese als systematisch anerkannt wird. Er nimmt nämlich an, daß wir ausschließlich Ideen der materiellen Dinge haben und daß das Immaterielle gemäß der Ähnlichkeit mit dem Materiellen vorgestellt wird, wobei die materiellen Ideen in die einfacheren Ideen der Materie und der Bewegungen eingeteilt werden können. Daher bedeuten die hebräischen Buchstaben entweder die Materie oder bestimmte Arten der Bewegungen, wodurch wiederum die allgemeine Bedeutung der hebräischen Wörter ermittelt wird. Daraus wird ihre Betonung erklärt, weil der Grund der Benennung angegeben werden kann, wenn die Sache, die von diesen Worten bezeichnet wird, genauer verstanden worden ist. Da dieser hervorragende Theologe über einen systematischen Verstand verfügte, versicherte er, daß ein System der Theologie, das diesen Namen verdient, bis jetzt noch ein Desiderat sei. Denn in denjenigen Büchern, denen dieser Name gewöhnlich beigelegt wird, werden die theologischen Wahrheiten offensichtlich noch nicht so

[29] Caspar Neumann, Genesis linguae sanctae V. T. [Die Erschaffung der heiligen Sprache des alten Testamentes] perspicue docens: vulgo sic dictas radices non esse vera Hebraeorum primitiva, sed voces ab alio quodam radicibus his priore et simpliciore principio deductas, Nürnberg 1696.

[30] Clavis domus Heber [Der Schlüssel zum Hause Heber], reserans januam ad significationem hieroglyphicam. 3 Teile, Breslau 1712–15. – Heber (Eber) (Gen 10,21–24; 11,14) bewahrte angeblich die nach ihm benannte hebräische Sprache in der Epoche der babylonischen Sprachverwirrung für die Nachwelt. Vgl. Augustinus, *De Civitate Dei* 16,11. – Neumanns Werk ist ein hebräisches Wörterbuch; es blieb unvollendet.

[31] Neumann führte alle hebräischen Wörter auf zwei Grundbuchstaben zurück und entfaltete diese These mit ebensoviel Phantasie wie Genauigkeit, wobei er die cartesianische demonstrative Methode benutzte. Bei den Zeitgenossen stieß er nicht nur auf Ablehnung, sondern auch auf Zustimmung, während das spätere Urteil der Fachwelt ganz negativ ausfiel. Eine Ausnahme bildet die Dissertation von Aber, die aber nur als Zusammenfassung gedruckt wurde. – Vgl. Gottschalk Eduard Guhrauer, Leben und Verdienste Caspar Neumann's. Nebst seinem ungedruckten Briefwechsel mit Leibniz, in: Schlesische Provinzialblätter NF 2 (1863), 7–17, 141–151, 202–210, 263–272, hier 203 f. – Ludwig Diestel, Geschichte des Alten Testamentes in der christlichen Kirche, Jena 1869, Nachdruck: Leipzig 1981, 454. – Felix Aber, Caspar Neumann. Ein Beitrag zur Geschichte des hebräischen Studiums in Deutschland, insbesondere des semitischen Wurzel-Problems. Auszug aus einer Schrift zur Erlangung der philosophischen Doktorwürde bei der philosophischen Fakultät der Universität zu Breslau, Breslau 1920 [2 Seiten]. – Konrad Müller, Caspar Neumann, in: Friedrich Andreae (Hg.), Schlesische Lebensbilder, Bd. 3: Schlesier des 17.–19. Jahrhunderts, Breslau 1928, Sigmaringen [2]1985, 131–138, hier 136.

Immo sermones quoque ejusdem sacri, quos ad populum pro ratione muneris ecclesiastici habebat, intellectus systematici indicia praebebant manifesta non modo in textus explicatione, sed ejus quoque applicatione ad theoriam fidei ac praxin pietatis, cum unum continuo ex altero explicaretur & colligeretur, ut & [121] veritatum revelatarum consensus appareret, & theoria credendorum in praxin agendorum influeret. Veritates revelatas non minus inter se connecti posse, quam naturales, alibi ostendi (f). Nullum adeo dubium superest, quin in systema veri nominis eaedem redigi possint. De utilitate istiusmodi systematis statuet, qui probe perpenderit, quae de intellectus systematici praestantia & ejus prae communi praerogativa mox fusius docentur.

e) Vid. Oratio de Sinarum philosophia practica.
f) Log. § 980.

§ 8

Differentia intellectus systematici & non
systematici exemplis illustratur

Si quis differentiam, quae inter intellectum systematicum & non systematicum intercedit, exemplis doceri cupit, is scripta *Cartesii*, Meditationes praesertim, Principia Philosophiae & Tractatum de Meteoris cum scriptis *Gassendi* conferat. Etsi enim uterque merito suo philosophus magni nominis habeatur; *Cartesius* tamen alio prorsus modo philosophatur, quam *Gassendus*. Etenim *Gassendus* cum multae ac diffusae esset lectionis, de iis, quas tractat, rebus scitu non inutilia proponit non sine judicio eligens, quae veritati magis convenire [122] existimavit.

miteinander verknüpft, wie es in einem System geschehen muß. Sogar seine Predigten, die er entsprechend den Aufgaben seines kirchlichen Amtes vor seiner Gemeinde hielt, boten offenkundige Anzeichen des systematischen Verstandes, und zwar nicht nur durch die Erklärung des Textes, sondern auch durch dessen Anwendung auf die Glaubenslehre und die Frömmigkeitspraxis, weil beständig das eine aus dem anderen erklärt und gefolgert wird. Dadurch wird einerseits die Übereinstimmung der geoffenbarten Wahrheiten klar; andererseits beeinflußt dadurch die Theorie dessen, was zu glauben ist, die Praxis dessen, was zu tun ist. Daß die geoffenbarten Wahrheiten nicht weniger miteinander verknüpft werden können als die natürlichen, habe ich an anderer Stelle (f) gezeigt. Also kann kein Zweifel bestehen, daß sie in ein System, das diesen Namen verdient, gebracht werden können. Über die Nützlichkeit eines derartigen Systems möge derjenige urteilen, der reiflich erwogen hat, was ich über die Vortrefflichkeit des systematischen Verstandes und seine Vorzüge vor dem gewöhnlichen Verstand sogleich weitläufiger lehren werde.

e) Siehe die „Oratio de Sinarum philosophia practica".[32]
f) „Logica", § 980.[33]

§ 8
Der Unterschied zwischen dem systematischen und dem nicht-
systematischen Verstand wird durch Beispiele erläutert

Wenn sich jemand über den Unterschied, der zwischen dem systematischen und dem nicht-systematischen Verstand besteht, durch Beispiele unterrichten möchte, der vergleiche die Schriften von Descartes, besonders die „Meditationes"[34], die „Principia philosophiae"[35] und den „Tractatus des Meteoris"[36] mit den Schriften von Gassendi.[37] Denn wenn auch jeder von beiden zu Recht für einen großen Philosophen gehalten wird, so philosophierte doch Descartes auf eine ganz andere Art als Gassendi. Weil Gassendi nämlich über eine große und weitläufige Literaturkenntnis verfügte, trägt er von dem, was er behandelt, das Wissenswerte vor, indem er nicht ohne Urteil das auswählt, was seiner Meinung nach der Wahrheit

[32] Vgl. Wolff, Oratio (wie Einleitung, Anm. 6), 46–50, 54–56, 64.
[33] Logica, § 980. Übersetzung: Kleine Schriften, Bd. 2, 482–488. – Vgl. auch *De usu methodi demonstrativae* (wie Anm. 6), § 6 f.
[34] Siehe oben Anm. 26.
[35] Siehe oben Anm. 27.
[36] Vgl. René Descartes, Les Météores/Die Meteore, hg. von Claus Zittel, Frankfurt a. M. 2006 (Zeitsprünge. Forschungen zur Frühen Neuzeit, 10, H. 1/2).
[37] Pierre Gassendi (1592–1655), französischer Theologe, Naturwissenschaftler und Philosoph.

Sed non perinde, ac a *Cartesio* factum apparet, ex principiis quibusdam positis continuo nexu cetera inde ab eo deducuntur. Unde & scripta *Gassendi* magis sunt ad captum atque palatum eorum, qui veritatum connectendarum notionem nullam habent, sed singulas tanquam cum ceteris nihil commune habentes intuentur, quam *Cartesii*, quem ubi legunt non intelligunt, cum eam attentionem afferre nequeant, quae ad veritates inter se connexas perpendendum requiritur, in ingenia autem minus systematica non cadit.

§ 9
Intellectus systematicus veritatem intimius perspicit

Agedum vero intueamur propius praerogativas, quibus intellectus systematicus non systematico praestat, ne inutili labore defungi videamur, ubi veritates connectere & connexas in systema redigere tentamus. Primum itaque observamus, veritatem propositionum multo evidentius cognosci, ubi in systema fuerint redactae, quam ubi vulgari more tanquam scopae dissolutae proponuntur. Constat enim nos veritates alicujus propositionis non esse convictos, antequam con[123]stet, & principia non sumi ad eam probandam nisi quae certa esse jam cognovimus, & formam probationis legitimam esse (g). Formam probationis legitimam, quam alibi accuratissime delineavimus (h), vix tenebit nisi intellectu systematico instructus: id quod & a posteriori patet, cum communi eruditorum more argumenta magis indicentur, quam evolvantur, ut eorum vim ac efficaciam non sentiat intellectus systematicus. Sed demus intellectum non systematicum genuinam probationis formam comprehensam habere: cum tamen propositiones non eo ordine digestas didicerit, ut veritas unius per veritatem alterius pateat, unde eidem constat principia probandi, quae sumit, esse certa, nec in probatione committi circulum?

mehr entspricht.[38] Von ihm werden aber nicht, so wie es bei Descartes der Fall ist, aus einigen angenommenen Prinzipien die übrigen in einer beständigen Verknüpfung abgeleitet. Daher sind die Schriften von Gassendi eher der Fähigkeit und dem Geschmack derjenigen angemessen, die keinen Begriff von den zu verknüpfenden Wahrheiten haben, sondern die einzelnen Wahrheiten so betrachten, als ob sie mit den übrigen Wahrheiten nichts gemeinsam haben. Lesen sie dagegen die Schriften von Descartes, dann verstehen sie ihn nicht, weil sie ihm nicht diejenige Aufmerksamkeit schenken können, die erforderlich ist, um die miteinander verknüpften Wahrheiten zu erwägen. Weniger systematische Geister verfügen aber nicht über diese Aufmerksamkeit.

§ 9
Der systematische Verstand durchschaut die Wahrheit genauer

Lassen Sie uns die Vorzüge näher betrachten, die der systematische Verstand dem nicht-systematischen voraushat, damit wir nicht den Anschein erwecken, als würden wir uns vergebliche Mühe machen, wenn wir Wahrheiten zu verknüpfen und die verknüpften Wahrheiten in ein System zu bringen versuchen! Zuerst merken wir also an, daß die Wahrheit von Sätzen viel einleuchtender erkannt wird, wenn sie in ein System gebracht worden sind, als wenn sie auf die übliche Weise als aufgelöste Besen[39] vorgetragen werden. Es steht nämlich fest, daß wir von den Wahrheiten irgendeines Satzes nicht überzeugt sind, bevor nicht einerseits feststeht, daß nur solche Prinzipien zu seinem Beweis herangezogen werden, von denen wir bereits erkannt haben, daß sie gewiß sind, andererseits, daß die Form des Beweises regelgerecht ist (g). Die regelgerechte Form des Beweises, die wir an anderer Stelle (h) ganz genau beschrieben haben, wird einer, der nicht mit dem systematischen Verstand ausgestattet ist, kaum beherrschen. Dies geht auch aus der Erfahrung (a posteriori) hervor, weil nach der üblichen Art und Weise der Gelehrten die Argumente mehr angezeigt als entwickelt werden, so daß der systematische Verstand ihre Kraft und Wirksamkeit nicht wahrnimmt. Aber angenommen, ein nicht-systematischer Verstand hätte die echte Form des Beweises begriffen – da er jedoch die Sätze nicht in einer solchen Ordnung gelernt hat, daß die Wahrheit des einen Satzes aus der Wahrheit eines anderen Satzes hervorgeht: Woher steht für ihn fest, daß die Beweisgründe, die er annimmt, gewiß sind und

---

[38] Indem Wolff Gassendi durch das Verfahren einer an der Wahrheit orientierten Auswahl charakterisiert, stellt er ihn als einen Eklektiker dar. Vgl. unten § 16.

[39] Cicero, *De oratore* 235, d.h. die Reiser des Besens sind auseinandergenommen. Wolff übernahm dieses Bild aus dem Cartesianismus, der damit für den Systemcharakter der Philosophie eintrat. Vgl. Albrecht, Eklektik (wie Einleitung, Anm. 31), 284.

Alia longe est ratio intellectus systematici. Etenim is memoriae non infixit propositiones, nisi quarum veritatem admisit ob veritatem antecedentium, ita ut, si opus fuerit, analysin instituere possit in prima principia, definitiones, axiomata atque principia ab experientiis claris [124] derivata. Et quamvis superfluum foret analysin istam instituere; in dato tamen quolibet casu certus est eam institui posse: quod omnino sufficit ac revera perinde est ac si analysis actu instituta fuisset. Quodcunque igitur intellectui systematico ad dijudicandum offertur, id omne ad systema suum, quod animo comprehensum habet, refert, consequenter eadem evidentia contuetur, qua systema effulget. Hac ratione eandem evidentiam per omnem suam cognitionem conservat. Quodsi vero systema aliquod veritatum animo comprehensum non habueris, quod ad dijudicandum offertur ad eas referre teneris notiones nullo nexu cohaerentes, quas memoriae infixisti. Quamobrem cum de illarum veritate convictus minime fueris, sed vana saltem persuasione animum obstinatum confirmaveris; nec ea majorem certitudinem habere possunt, quae vi illorum principiorum tanquam vera amplecteris. Assensus adeo dubiis fortunae fluctibus commissus veritatem nisi casu non attingit. Mathematici continuo ulterius progrediuntur & [125] evidentiam ac certitudinem non aliter conservant, quam quod omnia tandem ad elementa *Euclidis* referant, quibus ad sacra illorum admittendi initiantur. Suppone enim systema veritatum paucarum earumque maxime communium, quae tanto clariores erunt, quo notionibus communibus sunt propiores. Quodsi ulterius progressuri non admittant, nisi quae ex principiis in systemate contentis certa ratiocinandi lege deducuntur; eo ipso systema continuis accessionibus augetur, ut plurium tandem opera conjuncta in molem excrescat. Non alia sane ratio est, quod Mathesis continuo nova capiat incrementa, cum disciplinae ceterae potius deformentur, quam excolantur, & decrementa magis patiantur, quam ut incrementis superbiant.

g) § 570 Log.
h) § 551 & seqq. Log.

daß beim Beweisen kein Zirkelschluß begangen wird?[40] Ganz anders ist der systematische Verstand beschaffen. Er prägt dem Gedächtnis nämlich nur solche Sätze ein, deren Wahrheit er wegen der Wahrheit der vorangehenden Sätze annimmt, so daß er sie, wenn nötig, in ihre ersten Prinzipien (d. h. Definitionen, Axiome und aus klar erkennbaren Erfahrungen abgeleitete Prinzipien) zergliedern könnte. Und wenn es auch überflüssig wäre, eine solche Zergliederung vorzunehmen, so ist er doch in jedem Fall sicher, daß sie vorgenommen werden könnte. Das reicht aus und ist dasselbe, als wenn die Zergliederung tatsächlich vorgenommen worden wäre. Was auch immer also dem systematischen Verstand zur Beurteilung vorgelegt wird, das vergleicht er mit seinem System, das er sich gebildet hat. Folglich betrachtet er es mit derselben Evidenz, wie sie sein System aufweist. Auf diese Weise bewahrt er diese Evidenz durch sein gesamtes Erkennen hindurch. Wenn man sich aber kein System von Wahrheiten gebildet hat, dann muß man das, was zu beurteilen ist, auf solche Begriffe beziehen, die durch keine Verknüpfung verbunden sind und die man seinem Gedächtnis eingeprägt hat. Weil man von der Wahrheit dieser Begriffe gar nicht überzeugt ist, sondern durch einen leeren Wahn nur seinen starrsinnigen Geist bestärkt, so kann das, was man kraft dieser Prinzipien für wahr hält, über keine größere Gewißheit verfügen. Eine Zustimmung, die derart durch die schwankenden Wellen des Glücks zustande kommt, erreicht die Wahrheit nur durch Zufall. Die Mathematiker schreiten beständig weiter voran und halten die Evidenz und Gewißheit dadurch aufrecht, daß sie schließlich alles auf die Anfangsgründe des Euklid beziehen, in die diejenigen eingeweiht werden, die in deren Heiligtümer eingelassen werden sollen. Man setze nämlich ein System voraus, das aus wenigen und ganz allgemeinen Wahrheiten besteht, die um so klarer werden, je näher sie den Gemeinbegriffen kommen. Wenn man, um weiter voranzuschreiten, nur das zuläßt, was aus den Prinzipien, die im System enthalten sind, nach sicheren Schlußregeln abgeleitet wird, so wird eben dadurch das System durch ständigen Zuwachs erweitert, so daß es schließlich durch die vereinigten Bemühungen vieler zu einem großen Gebäude heranwächst. Genau dies ist der Grund, warum die Mathematik ständig neuen Zuwachs gewinnt, während andere Disziplinen eher verunstaltet als gefördert werden und eher Verluste erleiden, als daß sie auf Zuwachs stolz sein könnten.

g) „Logica", § 570.[41]
h) „Logica", § 551 ff.[42]

---

[40] Ein nicht-systematischer Verstand vermag angesichts einzelner wahrer Sätze nicht zu zeigen, daß sie wahr sind. Dies kann nur der Systematiker, der sich auf die zusammenhängenden vorangehenden Sätze stützt.

[41] Logica, § 570. Übersetzung: Hagen 184, Anm. 10.

[42] Logica, § 549–563 (vgl. auch oben Anm. 8).

§ 10
Securus in scientiis progressus unde pendeat

Ex his adeo manifestum est, si intellectus formetur systematicus, securum fieri in scientiis progressum, modo caveamus, ne *systema elementare*, quod primas veritates continet, erroribus sit obnoxium. Etenim si errores pro veritate amplectaris, & ex [126] iis tanquam principiis alia deducas, dato uno absurdo sequentur plura & error continuo multiplicabitur, ita ut tandem systema errorum, non veritatum obtineatur: etenim errores non minus inter se connectuntur & iisdem ratiocinandi legibus alii ex aliis deducuntur, quibus veritates incognitae ex aliis[6] cognitis in apricum protrahuntur (i). Exemplum habemus in *Spinosa*, qui abusu intellectus systematici condidit errorum systema, propterea quod defectu systematis elementaris errores capitales amplexus fuerit, antequam de systemate condendo cogitaret, atque deinde pro ea, quae ipsi erat, ingenii acie talia posuit principia, ex quibus errores ejus demonstrativa quadam ratione sequerentur. Intellectus systematici est ex principiis, quae de secuturis parum sollicitus aequa animi lance ponderavit, deducere, quae certa ratiocinandi lege inde sequuntur: intellectu autem systematico abutitur, qui propositionibus, quas nondum sufficienter probatas tanquam certas sumit, principia aptat, ex quibus eaedem legitima ratiocinatione deducan[127]tur. Quodsi objicias, si propositio ad dijudicandum proponatur, aptanda quoque esse principia ad conclusionem, consequenter id abusui intellectus systematici tribui minime posse; haud difficulter ostendimus, insignem omnino differentiam intercedere inter propositionum ad systema relationem & principiorum ad propositiones datas aptationem, unde legitima ratiocinandi lege consequuntur. Etenim qui propositionem datam ad systema, quod animo concepit, refert, is determinationem subjecti sumit & ex ea vi principiorum e systemate mutuatorum legitima ratiocinatione colligit, quod per notionem subjecti determinatur, praedicatum. Quodsi idem fuerit cum eo, quod in propositione data subjecto tribuitur, propositionem ipsam tanquam veram amplectitur & systemati suo tanquam eidem congruam superaddit de nova accessione laetatus. Quodsi vero diversum ab illo prodierit, propositionem ipsam tanquam falsam rejicit & ex systemate suo tanquam eidem adversam excludit, contrariam vero, quam & veram, & syste[128]mati suo

---

[6] ex aliis] exaliis D

§ 10
Wovon der sichere Fortschritt in den Wissenschaften abhängt

Dadurch ist also offenkundig, daß, wenn der Verstand zu einem systematischen
Verstand ausgebildet wird, ein sicherer Fortschritt in den Wissenschaften erfolgt,
wenn wir nur darauf achten, daß *das grundlegende System*, das die ersten Wahrheiten enthält, keinen Irrtümern ausgesetzt ist. Wenn man nämlich Irrtümer statt
der Wahrheit annimmt und aus ihnen, als Prinzipien verwendet, anderes ableitet,
so folgen, wenn es *eine* Absurdität gibt, viele, und der Irrtum wird ständig verviel-
fältigt werden, so daß man endlich ein System von Irrtümern, nicht von Wahrheiten erhält. Auch die Irrtümer werden nämlich miteinander verknüpft, und die einen werden aus den anderen nach denselben Schlußregeln abgeleitet, durch die
unbekannte Wahrheiten aus anderen bekannten Wahrheiten ans Licht gebracht
werden (i). Ein Beispiel dafür ist Spinoza, der durch den Mißbrauch des systematischen Verstandes ein System von Irrtümern schuf, und zwar deswegen, weil er
wegen des Fehlens eines grundlegenden Systems auf folgenschwere Irrtümer ver-
fiel, bevor er über die Gründung eines Systems nachdachte, und hierauf, entsprechend dem Scharfsinn seines Geistes, solche Prinzipien aufstellte, aus denen seine
Irrtümer auf demonstrative Art folgen. Der systematische Verstand muß aus Prinzipien, die er, ohne sich um die Folgen zu kümmern, unparteiisch erwogen hat,
dasjenige ableiten, was daraus nach sicheren Schlußregeln folgt. Derjenige miß-
braucht aber den systematischen Verstand, der seinen Sätzen, die er noch nicht
zureichend bewiesen hat, aber als sicher annimmt, die Prinzipien anpaßt, aus denen jene Sätze nach einer regelgerechten Schlußfolgerung abgeleitet werden sollen. Wenn man einwendet: Wird ein Satz zur Beurteilung vorgelegt, dann müssen
auch die Prinzipien an die Schlußfolgerungen angepaßt werden, folglich kann
dies nicht einem Mißbrauch des systematischen Verstandes zugeschrieben werden – dann können wir unschwer aufzeigen, daß ein ganz auffallender Unterschied besteht zwischen dem Verhältnis der Sätze zum System und der Anpassung
von Prinzipien an gegebene Sätze, woraus diese nach richtigen Schlußregeln folgen. Denn wer einen gegebenen Satz auf das System, das er sich gebildet hat, bezieht, der nimmt die Bestimmung des Subjektes und leitet aus ihr kraft der Prinzipien, die aus seinem System entlehnt sind, mittels einer regelgerechten Schlußfolgerung das Prädikat her, das durch den Begriff des Subjektes bestimmt wird.
Wenn es dasselbe Prädikat ist wie dasjenige, was in dem gegebenen Satz dem Subjekt zugeschrieben wird, so hält man den Satz selbst für wahr, fügt ihn seinem System als mit diesem übereinstimmend ein und freut sich über den neuen Zuwachs.
Wenn aber etwas herauskommt, das von jenem Subjekt verschieden ist, dann
weist man den Satz selbst als falsch zurück und schließt ihn aus seinem System
als diesem entgegengesetzt aus; das Gegenteil aber, das man als wahr und als mit
seinem System übereinstimmend befunden hat, fügt man diesem hinzu und ist

consentientem deprehendit eidem adjicit non minori quam antea voluptate per-
fusus. Alia longe est ratio, ubi principia ad propositionem aptantur, quae vera sumitur, antequam ejus veritas fuerit perspecta. Etenim in hoc casu principia vel desumuntur ex systemate, vel aliunde petuntur. Ubi ex systemate desumuntur, quod
veritates complectitur, ratiocinandi forma negligitur, quando principia vera aptantur ad conlusionem, quae inde minime sequitur. Non desunt exempla inter ipsos
Mathematicos praeclari nominis. Ratio autem in promptu est. Etenim si ex principiis positis colligitur propositio, quae inde minime sequitur, id vel vitio materiae, vel vitio formae accidit. Ubi principia desumuntur ex systemate vero, veluti
ex elementis *Euclidis*, aut iisdem connexis disciplinis, vitium in materia minime
haeret. Haeret igitur in forma: id quod & experiri datur, si ad exempla inter Mathematicos obvia animum advertas. Ubi principia aliunde petuntur, & ratiocinandi
forma legitima observatur; ea in gratiam propo[129]sitionis finguntur ac ideo admittuntur, quod hanc inde sequi animadvertimus, quemadmodum accidit *Spin-*
osae, nec inter Mathematicos primi ordinis desunt exempla, ubi aliunde certas
conclusiones a priori demonstrare voluerunt, quo in casu ipsa quoque principia
certa sint necesse est, cum ex propositione certa consequantur, si ea primum ponitur. Ubi principia aliunde, quam ex systemate petuntur, ac forma ratiocinandi
simul negligitur; principia & vera, & falsa esse possunt, perinde ac conclusio
vel vera est, vel falsa, ad quam illa aptantur.

i) § 626 & seqq. Log.

§ 11
Systematis elementaris ratio

Vidimus necessitatem systematis elementaris, cujus defectu intellectus systematicus in errores incidit, & ex uno errore alios legitima ratiocinandi lege deducit.
Docendum itaque est, quaenam in systemate elementari condendo observari debeant, ut intellectui systematico formando & ad altiora praeparando sufficiat.
Omnis nostra[7] cognitio ortum trahit a notionibus communibus, obvia experientia
acquisitis, quibus vulgo utimur omnes in communibus vitae negotiis. [130]

---

[7] nostra] ad nostra D

darüber nicht weniger vergnügt als im vorigen Fall. Ganz anders verhält es sich, wenn die Prinzipien einem Satz angepaßt werden, der als wahr angenommen wird, bevor seine Wahrheit erkannt wurde. In diesem Fall werden die Prinzipien nämlich entweder aus dem System übernommen oder von woanders hergenommen. Werden sie aus einem System übernommen, das Wahrheiten umfaßt, so wird die Form des Schließens dann vernachlässigt, wenn die wahren Prinzipien dem Schlußsatz, der daraus gar nicht folgt, angepaßt werden. Selbst unter hochberühmten Mathematikern gibt es dafür Beispiele. Der Grund dafür liegt auf der Hand. Wenn nämlich aus aufgestellten Prinzipien ein Satz hergeleitet wird, der daraus gar nicht folgt, so geschieht das entweder durch einen Fehler in der Materie oder durch einen Fehler in der Form. Werden die Prinzipien aus einem wahren System wie aus den Anfangsgründen des Euklid oder aus Disziplinen, die mit diesen verknüpft sind, übernommen, so steckt der Fehler nicht in der Materie. Also steckt er in der Form, was man auch erfahren kann, wenn man auf die Beispiele achtet, die man bei Mathematikern antrifft. Werden die Prinzipien von woanders hergenommen und wird die regelgerechte Form des Schließens eingehalten, dann werden sie zugunsten des Satzes erdacht und deswegen zugelassen, weil man erkennt, daß er daraus folgt. So ist es Spinoza ergangen, und auch unter erstrangigen Mathematikern gibt es dafür Beispiele, daß man Schlußsätze, die anderswoher gewiß sind, a priori beweisen will. In diesem Fall müßten auch die Prinzipien gewiß sein, weil sie aus einem Satz, der gewiß ist, folgen, wenn er zuerst aufgestellt wird. Werden die Prinzipien von woanders als aus dem System hergenommen und wird gleichzeitig gegen die Form des Schließens verstoßen, dann können die Prinzipien sowohl wahr als auch falsch sein, so wie auch der Schlußsatz, an den sie angepaßt werden, sowohl wahr als auch falsch sein kann.

i) „Logica", § 626 ff.[43]

§ 11
Die Beschaffenheit eines grundlegenden Systems

Wir haben die Notwendigkeit eines grundlegenden Systems eingesehen: Wenn es fehlt, gerät der systematische Verstand in Irrtümer und leitet aus *einem* Irrtum mittels richtiger Schlußregeln andere Irrtümer ab. Daher muß gezeigt werden, worauf bei der Errichtung eines grundlegenden Systems zu achten ist, damit es hinreicht, einen systematischen Verstand heranzubilden und auf Höheres vorzubereiten. Unsere ganze Erkenntnis entspringt aus Gemeinbegriffen, die durch augenscheinliche Erfahrung erworben werden und die alle für gewöhnlich in den alltäglichen Beschäftigungen des Lebens von uns verwendet werden. Demnach müssen in ei-

---

[43] Logica, § 626–630. Übersetzung von § 626–629: Hagen 189 f.

Quamobrem in systemate elementari notiones istae communes, quae clarae quidem sunt, sed confusae, universalitate in imaginibus singulorum latente, reducen-
dae sunt ad distinctas & verbis determinati fixique significatus expressae ab imaginibus separandae, ut abeant vel in defintiones, vel in propositiones universales
ad ratiocinandum utiles, ubi veritates a priori deducendae. His notionibus ita re-
ductis utendum est tanquam principiis primis, nec admittendum tanquam verum
systematique inferendum, nisi quod legitima ratiocinandi forma eorum ope ex assumtis eruitur, quae vel definitiones nominales, vel[8] determinationes subjecti in
propositionibus natura sua hypotheticis constituunt. Hac ratione enim prima
disciplinae principia, quae systema elementare continet, non modo inter se,
verum etiam cum notionibus communibus connectuntur atque ab his lucem mutuantur, & si quis propositionem aliquam in dubium vocare velit, indirecta demonstratione in eas angustias compellitur, ut notionem communem ab omnibus [131]
concessam communique usu approbatam, quam & ipse praxis rectricem in casu
dato agnoscit, immo volens nolensque agnoscere tenetur, negare cogatur, nisi
illam concedere velit. Major adeo evidentia expectanda non est ea, qua systema
elementare effulget, cum singula tantum habeant certitudinis gradum, quantum
habent notiones communes, quas in dubium vocare nequit, nisi qui cum usu rationis ipsum sensuum usum ejuravit. Dedimus systematis elementaris notionem:
quam in numerum impossibilium minime referendam esse docent elementa *Euclidis*. Acutissimus ille Geometra & veram systematis elementaris notionem ha-
buit, & ei conforme opus condidit, praeclarum antiquitatis monumentum. Axiomata enim, quae sumit in Elemento primo & quinto esse notiones communes ab
imaginibus separatas atque ad propositiones determinatas revocatas, ut iisdem sua
constet universalitas, in philosophia, quae proxime in lucem prodibit, prima ostendimus. Quae in Elemento septimo comparent axiomata non sunt nisi [132] an-
teriora ad numeros applicata, casu speciali ex generali per immediatam consequentiam collecto. Etenim cum *Euclides* elementa Arithmeticae ab elementis
Geometriae distincta tradiderit, utrisque communia de magnitudinibus continuis
atque numeris sigillatim demonstrans, propterea quod veteres cognationem, quae

[8] vel] vet D

nem grundlegenden System jene Gemeinbegriffe, die zwar klar, aber verworren
sind (weil ihre Allgemeinheit in den Bildern der einzelnen Dinge verborgen ist),
auf deutliche Begriffe gebracht werden und durch Worte, die eine genau bestimmte und festgelegte Bedeutung haben, ausgedrückt und von den Bildern getrennt
werden, so daß daraus entweder Definitionen oder allgemeine Sätze werden. Diese lassen sich zum Schlüsseziehen verwenden, wenn Wahrheiten a priori abgeleitet werden sollen. Die so gewonnenen Begriffe sind als erste Prinzipien zu verwenden, und nichts darf als wahr zugelassen und in das System eingefügt werden,
außer wenn es nach der regelgerechten Form des Schließens aus den festgestellten
Prinzipien ermittelt wird. Diese bilden entweder Nominaldefinitionen oder Bestimmungen des Subjektes in solchen Sätzen, die ihrer Natur nach hypothetisch
sind. Auf diese Weise werden nämlich die ersten Prinzipien einer Wissenschaft –
Prinzipien, die das grundlegende System enthält – nicht nur miteinander, sondern
auch mit den Gemeinbegriffen verknüpft, von denen sie ihr Licht entlehnen. Und
wenn jemand einen Satz in Zweifel ziehen wollte, so wird er durch einen indirekten Beweis derart in die Enge getrieben, daß er den von allen eingeräumten und
durch den allgemeinen Gebrauch gebilligten Gemeinbegriff, den er selbst im gegebenen Fall als für die Praxis maßgeblich anerkennt, nolens volens anerkennen
muß, so daß er zum Widerruf gezwungen ist, auch wenn er diesen Satz nicht einräumen will. Eine größere Evidenz als diejenige, über die das grundlegende System verfügt, ist also nicht zu erwarten, weil alles Einzelne nur denjenigen Grad an
Gewißheit hat, den die Gemeinbegriffe haben. Diese kann man nicht in Zweifel
ziehen, wenn man nicht zusammen mit dem Gebrauch der Vernunft auch dem Gebrauch der Sinne entsagt hat. Damit haben wir den Begriff des grundlegenden Systems geliefert; daß er keineswegs unmöglich ist, lehren die „Elementa“ des Euklid. Dieser scharfsinnige Geometer verfügte nicht nur über den wahren Begriff
des grundlegenden Systems, sondern schuf auch eines, das diesem Begriff entspricht und ein berühmtes Denkmal des Altertums ist. Daß nämlich die Axiome,
die er im ersten und fünften Buch der „Elementa“ annimmt, Gemeinbegriffe sind,
die von ihren Bildern getrennt sind und auf genau bestimmte Sätze gebracht worden sind, so daß ihre Allgemeinheit feststeht, zeige ich in der „Prima philosophia“[44], die demnächst erscheinen wird. Die im siebenten Buch enthaltenen Axiome sind nur die vorangehenden, die jetzt auf Zahlen angewendet werden, indem
der besondere Fall durch eine unmittelbare Folgerung aus dem allgemeinen Fall
hergeleitet wird. Weil nämlich Euklid die Anfangsgründe der Arithmetik getrennt
von den Anfangsgründen der Geometrie behandelt hat – wobei er das, was beiden
hinsichtlich der stetigen Größen und Zahlen gemeinsam ist, jeweils gesondert
zeigt, weil die Alten die Verwandtschaft, die zwischen der Geometrie und der

[44] Ontologia, § 125 Anm. – Zur Zuordnung der Axiome zu den Gemeinbegriffen vgl. oben
Anm. 13.

inter Geometriam & Arithmeticam intercedit, non satis clare perspicerent; autor circumspectus nihil desiderari passus est, quod ad conservandam evidentiam in utroque systemate elementari, geometrico & arithmetico, necessarium videbatur. Majus adeo acumen probavit Elementorum conditor, ac vulgo putatur, genuinamque systematis elementaris notionem ipso opere exhibuit: quae sane ratio est, cur a *Platone* summi acuminis philosopho maximi fuerit habitus. Etsi enim veritates mathematicas, quas elementis suis comprehendit, non ipse invenerit, sed plerasque ab aliis inventas in systema redegerit; plurimum tamen praestitit, dum dispersas collegit, collectasque in systema veri nominis redegit & distincta explicatione ad no[133]tiones communes reduxit, unde tanta earum nata est evidentia ac certitudo, ut attentus quivis lector ad assensum trahatur; tanta utilitas, ut ab iis maxime remotae veritates aliae evidentiam a notionibus communibus mutuentur minime negandae, quamdiu ipsae admittuntur. Enimvero erunt forsitan, qui negaturi sunt istiusmodi systemata elementaria etiam extra Mathesin condi posse, propterea quod *Euclidei* rationem minime perspectam habent, objecto tribuentes, quod methodo conveniebat. Enimvero qui ex opere nostro[9] Logico perspexerunt, methodum, quam *Euclides* tenuit, non ab objecto, quod tractat, derivari, sed ex ipsa entis notione generali & mentis humanae natura deduci; ei dubium istud veluti sponte sua evanescit, quatenus forma methodi difficultatem facessit. Quodsi vero quis alterum adhuc dubium urgeat, non prostare notiones communes, ad quas ceterae disciplinae eodem modo revocentur, quo Mathesis ab *Euclide* revocata fuit; ei quidem ipsum non aliter eximi poterit, quam ubi ipso facto [134] contrarium doceatur. In philosophia prima notiones plerasque omnes ad communes revocamus & propositiones demonstramus iisdem respondentes, veluti proposi-

[9] nostro] nosto D

Arithmetik besteht, nicht klar genug durchschauten –, hat der umsichtige Verfasser nichts zu wünschen übrig gelassen, was zur Wahrung der Evidenz in beiden grundlegenden Systemen, dem geometrischen und dem arithmetischen, nötig zu sein scheint. Der Verfasser der „Elementa" hat also einen größeren Scharfsinn bewiesen, als gemeinhin angenommen wird, und den echten Begriff eines grundlegenden Systems durch sein Werk selbst aufgezeigt. Das ist fürwahr der Grund, warum er von Platon, dem höchst scharfsinnigen Philosophen, sehr geschätzt wurde. Denn obgleich er die mathematischen Wahrheiten, die er in seinen „Elementa" darstellt, nicht selber erfunden hat, sondern Wahrheiten, die meistens von anderen erfunden worden waren, in ein System gebracht hat, so hat er doch das meiste geleistet, indem er die verstreuten Wahrheiten gesammelt hat, die gesammelten Wahrheiten in ein System, das diesen Namen verdient, gebracht hat und sie durch eine deutliche Erklärung auf Gemeinbegriffe zurückgeführt hat. Dadurch ist eine so große Evidenz und Gewißheit derselben entstanden, daß jeder aufmerksame Leser zum Beifall veranlaßt wird; ein so großer Nutzen, daß andere Wahrheiten, die von ihnen sehr weit entfernt sind, ihre Evidenz von den Gemeinbegriffen entlehnen und nicht geleugnet werden können, solange diese eingeräumt werden. Jedoch könnte vielleicht jemand in Abrede stellen, daß derartige grundlegende Systeme auch außerhalb der Mathematik begründet werden können, und zwar deswegen, weil er die Beschaffenheit des euklidischen Systems nicht durchschaut hat und das, was zur Methode gehört, dem Gegenstand zuschreibt. Wer jedoch aufgrund unserer „Logica" durchschaut hat, daß die Methode, die Euklid befolgt, nicht aus dem Gegenstand, den er behandelt, hergeleitet wird, sondern aus dem allgemeinen Begriff des Dinges und aus der Natur des menschlichen Geistes abgeleitet wird, dessen Zweifel wird sich wie von selbst auflösen, sofern die Form der Methode Schwierigkeiten bereitet haben sollte.[45] Wenn aber jemand noch als einen weiteren Zweifel vorbringen würde, es gebe keine Gemeinbegriffe, auf die sich andere Disziplinen in derselben Weise bringen lassen, in der die Mathematik von Euklid auf Gemeinbegriffe gebracht worden ist, dann kann ihm dieser Zweifel nicht anders ausgeräumt werden, als daß ihm das Gegenteil durch unser Tun gezeigt wird. In der „Prima philosophia" bringen wir die allermeisten Begriffe auf Gemeinbegriffe[46] und beweisen die ihnen entsprechenden Sätze so wie alle Sätze,

---

[45] Wolff zeigt im *Discursus praeliminaris* der *Logica* zunächst, daß die philosophische und die mathematische Methode identisch sind (Discursus praeliminaris, § 139). An späterer Stelle der *Logica* wird diese Methode mit der wissenschaftlichen Methode gleichgesetzt (Logica, § 792, vgl. auch § 26).

[46] Dies betont Wolff auch in seinem Aufsatz über die ontologischen Begriffe: De notionibus directricibus (Horae subsecivae, Bd. 1, 310–350). Übersetzung: Von den zur Richtschnur dienenden Begriffen, und dem rechten Gebrauch der Grundwissenschafft (Kleine Schriften, Bd. 2, 108–168), § 7. Das Verhältnis zwischen den undeutlichen Gemeinbegriffen und den ontologischen Begriffen wird in der *Philosophia prima sive Ontologia* nicht eigens abgehandelt. Mehrfach wird aber in den Anmerkungen darauf hingewiesen, daß der betreffende Lehrsatz mit dem Gemeinbegriff

tiones omnes, quas *Euclides* in axiomatis sumit aliasque iisdem affines. Hoc autem pacto non modo ipsam philosophiam primam ad notiones communes revocavimus, quae omnium maxime ab iis abhorrere videri poterat; verum etiam ex parte plerasque disciplinas alias, quae perinde ac Mathesis principia sua prima inde mutuantur: etenim si a Mathesi pura discesseris, quae sola in principiis ex philosophia prima assumtis tanquam primis acquiescere valet, cum omnia ibi prorsus a priori deducantur, in disciplinis ceteris assumendae adhuc sunt principia quaedam alia, quae notionibus communibus respondent, ad philosophiam primam minime spectantibus. Quamobrem & *Euclides* ad Opticam progressus & hujus quoque disciplinae systema elementare daturus, assumit axiomata, quae notionibus quidem communibus aeque ac geometrica & arithmetica respondent, [135] minime tamen in philosophia prima demonstrantur, sed ad Physicam spectant aut, si mavis, naturae cognitionem mathematicam. Quemadmodum vero Logicam ad notiones communes quasdam psychologicas reduximus, praeter eas, quae ex philosophia prima desumsimus; ita in ceteris quoque disciplinis ad eas tanquam fundamentum recurremus.

§ 12
Qua ratione systema elementare ab erroribus immune obtineatur

Plurimum interest, ut systema elementare ab erroribus sit immune, quemadmodum paulo ante (§ 10) evicimus. Quamobrem non immerito disquirendum, quomodo certi reddamur, nullum in istud errorem irrepsisse. Duplex adeo institui potest examen, alterum quidem a priori, alterum vero a posteriori. Examen a priori instituimus, ubi principia, quae sine probatione sumuntur, ad exempla transferimus, ut appareat num universale in iisdem latens eidem respondeat, quemadmodum axiomata *Euclidea* ad examen revocamus; propositionum vero demonstrationes eo modo resolvimus, quem in opere nostro Logico docuimus (k): ex hac enim ana[136]lysi cum appareat, nec principia sumi demonstrandi, nisi certa, nec in forma ratiociniorum eorumque concatenatione a vero aberrari; nihil quo-

die Euklid zu den Axiomen zählt, und andere Sätze, die ihnen ähnlich sind. Auf diese Weise haben wir nicht nur die Erste Philosophie auf Gemeinbegriffe gebracht (obwohl die Erste Philosophie ihnen in höchstem Maße zuwiderzulaufen scheint), sondern zum Teil auch die meisten anderen Disziplinen, die ebenso wie die Mathematik ihre ersten Prinzipien aus der Ersten Philosophie entlehnen. Sieht man nämlich von der reinen Mathematik ab, die allein auf Prinzipien beruht, die aus der Ersten Philosophie als erste Prinzipien übernommen worden sind – weil in der Ersten Philosophie alles ganz und gar a priori abgeleitet wird –, dann sind in den anderen Disziplinen noch einige andere Prinzipien anzunehmen, die zwar Gemeinbegriffen entsprechen, sich aber nicht auf die Erste Philosophie beziehen. Deshalb nimmt Euklid, wenn er zur Optik übergeht und das grundlegende System auch dieser Disziplin liefern möchte,[47] Axiome an, die zwar ebenso wie die geometrischen und arithmetischen Axiome Gemeinbegriffen entsprechen, aber nicht in der Ersten Philosophie bewiesen werden, sondern sich auf die Physik beziehen oder, wenn man so will, auf die mathematische Erkenntnis der Natur. So wie wir aber die Logik auf einige psychologische Gemeinbegriffe zurückgeführt haben – außer denjenigen Begriffen, die wir aus der Ersten Philosophie übernommen haben –, so werden wir auch in den übrigen Disziplinen diese Begriffe als Grundlage verwenden.

§ 12
Durch welches Verfahren ein grundlegendes System gewonnen wird, das von Irrtümern frei ist

Es ist von größter Wichtigkeit, daß das grundlegende System frei von Irrtümern ist, wie wir kurz vorher (§ 10) bewiesen haben. Deshalb ist es angebracht zu untersuchen, wie wir gewiß sein können, daß sich darin kein Irrtum eingeschlichen hat. Die Prüfung kann auf zweifache Weise durchgeführt werden, einerseits a priori, andererseits a posteriori. Die Prüfung a priori führen wir durch, wenn wir die Prinzipien, die ohne Beweis angenommen werden, auf Beispiele anwenden, damit sich zeigt, ob das Allgemeine, das in ihnen enthalten ist, demjenigen entspricht, wie wir die Axiome des Euklid einer Prüfung unterzogen haben. Die Beweise der Sätze aber zergliedern wir so, wie wir es in unserem Werk über die Logik gelehrt haben (k). Denn da aus dieser Analyse hervorgeht, daß nur solche Prinzipien zum Beweis herangezogen werden, die gewiß sind, und daß in der Form der Schlüsse und ihrer Verkettung nicht vom Weg der Wahrheit abgewichen

übereinstimme, vgl. z. B. §§ 125, 178, 186, 189, 203, 268, 347, 376, 377, 393, 395. Vgl. auch oben Anm. 13.

[47] Wolff zitiert drei verschiedene Ausgaben der *Optica* (Elementa matheseos, Bd. 5, 94). Vgl. Euklid, L'optique et la catoptrique, hg. von Paul Ver Eecke, Paris 1938.

que in certitudine desiderari amplius potest (l). Quodsi vero verearis, ne aliqua ex parte attentionem tuam desiderari patiaris; examini a priori jungi praestat examen a posteriori. Fatetur *Leibnitius* (m), potissimam causam successus in Mathematicis esse, quod res mathematicae sua examina & comprobationes secum ferant; sed in Metaphysicis hoc commodo nos carere affirmat. Enimvero nos non minus res philosophicas in universum omnes, quam mathematicas examina sua habere comperimus & ipso opere ostendimus. Examina rerum mathematicarum consistunt maxima ex parte in applicatione veritatum universalium ad exempla singularia. E. gr. Si problema quoddam algebraice resolvimus; data sumimus singularia & ex iis juxta formulam per calculum erutam determinamus numerum, vel numeros quae[137]sitos: qui si eas conditiones habere deprehenduntur, quos habere debent vi problematis, resolutio rite facta inde comprobatur. Enimvero quis nescit, in ipsa Ontologia, quae Metaphysicae pars omnium maxime abstracta est, nullam dari notionem, cui exempla minime ficta, sed vere[10] convenientia afferri possunt? Habes igitur in omni philosophia examina, si idem a posteriori sive per observationes, sive per experimenta confirmes, quod a priori fuerat demonstratum: quod adeo certum est, ut nec theologia naturalis istiusmodi examinibus destituatur, quatenus per naturae opera intimius perspecta a posteriori comprobantur, quae in illa a priori demonstrantur (n). Philosophia experimentalis, cujus haud postremus usus est explicationes rerum naturalium a priori factas a posteriori confirmare, non intra Physicae solius pomoeria continetur, sed multo latius patet, ita ut ipsius theologiae experimentalis quaedam species detur, ubi de revelata, non naturali sermo nobis fuerit, utut hactenus non[138]dum pro sua amplitudine exculta. Sed ea de re dicemus aliquando ex instituto. Quodsi igitur systemati non inferantur, nisi quae ex anterioribus demonstrata sive per observationes, sive per experimenta fuere comprobata; nihil profecto obstat, quo minus systema elementare, consequenter & omne reliquum ab erroribus immune obtineas, modo eidem condendo non ante operam tuam addicas, quam ubi tanto operi par extiteris. De facul-

[10] vere] vera D

wird, so kann auch in Bezug auf die Gewißheit nichts zu wünschen übrig bleiben (l). Falls man befürchtet, irgendeine Unachtsamkeit begangen zu haben,
dann ist es besser, mit der Prüfung a priori die Prüfung a posteriori zu verbinden.
Leibniz (m) bekennt, die wichtigste Ursache des Erfolges in der Mathematik sei,
daß die mathematischen Sachverhalte ihre Prüfungen und Erprobungen schon mit
sich tragen, aber bei den metaphysischen Sachverhalten, so behauptet er, fehle uns
dieser Vorteil. Daß jedoch alle philosophischen Sachverhalte überhaupt ebenso-
sehr wie die mathematischen Sachverhalte geprüft werden können, haben wir
festgestellt und in jenem Werk gezeigt. Die Prüfungen mathematischer Sachverhalte bestehen zum größten Teil in der Anwendung allgemeiner Wahrheiten auf
einzelne Beispiele. Zum Beispiel: Wenn wir eine Aufgabe mit Hilfe der Algebra
gelöst haben, dann nehmen wir einzelne gegebene Werte an und bestimmen aus
ihnen gemäß der Formel, die wir durch die Rechnung ermittelt haben, die Zahl
bzw. die Zahlen, die gesucht worden sind. Wenn sich herausstellt, daß sie diejenigen Eigenschaften haben, die sie gemäß der Aufgabe haben sollen, so wird dadurch bestätigt, daß die Lösung richtig war. Wer weiß denn nicht, daß es selbst in
der Ontologie, die der abstrakteste Teil der Metaphysik ist, keinen Begriff gibt, für
den bloß erdachte und nicht wirklich übereinstimmende Beispiele angeführt werden können? In der gesamten Philosophie gibt es also Möglichkeiten der Überprüfung, wenn man nämlich dasjenige, was a priori bewiesen worden war, entweder durch Beobachtungen oder durch Experimente a posteriori bekräftigt. Das ist
so gewiß, daß auch die natürliche Theologie über solche Möglichkeiten der Überprüfung verfügt, insofern dadurch, daß die Werke der Natur genauer erkannt werden, dasjenige, was in der Natur a priori bewiesen worden ist, a posteriori bestätigt wird (n). Die experimentelle Philosophie, deren Nutzen zu einem nicht gerin-
gen Teil darin besteht, die a priori gegebenen Erklärungen der natürlichen Dinge
a posteriori zu bekräftigen, ist nicht allein auf die Physik beschränkt, sondern erstreckt sich viel weiter, so daß es sogar eine Art experimentelle Theologie gibt
(sofern wir uns jetzt auf die geoffenbarte und nicht auf die natürliche Theologie
beziehen), auch wenn sie bis jetzt noch nicht in ihrer ganzen Weite ausgebildet
worden ist. Aber darüber werden wir bei Gelegenheit an geeigneter Stelle sprechen.[48] Wenn also in das System nichts eingefügt wird, was nicht aus dem Vorhergehenden bewiesen oder durch Beobachtungen oder Experimente bestätigt worden ist, dann hindert nichts daran, ein grundlegendes System zu gewinnen, das von
Irrtümern frei ist – so wie folglich auch alles übrige. Man darf sich freilich nur
dann an die Arbeit machen, ein System zu gründen, wenn man dieser Aufgabe
gewachsen ist. Von seinen eigenen Fähigkeiten darf man aber nicht mehr erwar-

---

[48] Vgl. Horae subsecivae, Bd. 3, 1–106: De Influxu philosophiae Autoris in Facultates superiores, § 12. Übersetzung: Kleine Schriften, Bd. 2, 739–882: Von dem Einfluß der Weltweisheit des
Verfassers in die höhern Facultäten, 807 f.

tatibus autem tuis non plus sperabis, quam in iis est, ubi tibi intelligere datum fuerit, quae modo de systemate elementari condendo (§ 11) & de notione systematis
in genere paulo superius (§ 3) diximus.

k) § 551 & seqq. Log.
l) § 569, 570 Log.
m) in Actis Erudit. A. 1694. P. 111.
n) Vid. die Gedancken von den Absichten der natürlichen Dinge.

§ 13
Claritas in systemate conservanda

Ubi istiusmodi examina & comprobationes non negliguntur, claritas simul per
omne systema conservatur. Etenim veritates universales sicuti evidentiam habent
a demonstratione, qua assensus extorquetur; ita claritatem ab exemplis, quibus
illustrantur, & quae examina illarum praebent, ubi fuerint vera. Claritas nimirum
notionibus universalibus inest, quatenus eas [139] in singularibus intuemur:
neque enim quae mente separantur distinctisque nominibus insigniuntur, a singularibus, in quibus existunt, actu separari possunt, ut extra eadem sigillatim existant
lucem verbis affusurae sua praesentia, ne sint inania. Caveat vero, qui veritatis[11]
cupidus est, ne istiusmodi examina in pluribus casibus impossibilia per praecipi-
tantiam pronunciet, qui talia a se institui non posse, nec hactenus ab aliis instituta
esse agnoscit. Etenim si nostro more philosophaturi sunt posteri, multa ipso opere
praestabunt, quae nunc quomodo fieri debeant, minime intelligunt.

[11] qui veritatis] quiveritatis D

ten, als in ihnen liegt, wenn man verstanden hat, was wir soeben über die Errichtung eines grundlegenden Systems (§ 11) und ein wenig weiter oben über den Begriff des Systems im allgemeinen (§ 3) gesagt haben.

k) „Logica", § 551 ff.[49]
l) „Logica", § 569 f.[50]
m) In den „Acta Eruditorum" Jahrgang 1694, S. 111.[51]
n) Siehe die „Gedancken von den Absichten der natürlichen Dinge".[52]

§ 13
Wie man Klarheit in einem System gewährleistet

Wenn solche Prüfungen und Erprobungen nicht vernachlässigt werden, wird für das ganze System zugleich Klarheit gewährleistet. So wie nämlich die allgemeinen Wahrheiten dem Beweis, durch den die Zustimmung erzwungen wird, ihre Evidenz verdanken, so verdanken sie ihre Klarheit den Beispielen, durch die sie veranschaulicht werden und die für jene Wahrheiten, wenn sie wahr sind, die Prüfungen liefern. Klarheit wohnt nämlich den allgemeinen Begriffen insofern inne, als wir diese in einzelnen Dingen anschauen. Was im Geist unterschieden wird und mit unterschiedlichen Worten bezeichnet wird, kann nämlich in Wirklichkeit nicht von den einzelnen Dingen, in denen es existiert, getrennt werden, so daß es einzeln außerhalb der Worte existiert und durch seine Gegenwart Licht auf die Worte wirft, damit sie nicht leer sind. Wer nach der Wahrheit strebt, sollte sich aber hüten, aus Übereilung derartige Prüfungen in vielen Fällen für unmöglich zu erklären, weil er erkennt, daß diese Prüfungen von ihm nicht durchgeführt werden können und auch von anderen bis jetzt noch nicht durchgeführt worden sind. Denn wenn die Nachfolger auf meine Art philosophieren, werden sie durch ihre Arbeit vieles leisten, von dem man jetzt noch nicht einsehen kann, wie es geschehen soll.

[49] Siehe Anm. 42.
[50] Logica, § 569 f.
[51] Gottfried Wilhelm Leibniz, De primae philosophiae Emendatione, et de Notione Substantiae, in: Acta Eruditorum, Jg. 1694, 110–112, hier 111. – Auch in: Die philosophischen Schriften, hg. von Carl Immanuel Gerhardt, Bd. 4, Berlin 1880, Nachdruck: Hildesheim 1960, 468–470, hier 469: „[…], quia res Mathematicae sua examina et comprobationes secum ferunt, quae causa est potissima successus, sed in Metaphysicis hoc commodo caremus". – „[…], da die mathematischen Sachverhalte ihre Überprüfungen und Beweise schon mit sich tragen, was die wichtigste Ursache des Erfolges [der Mathematik] ist; aber in der Metaphysik fehlt uns dieser Vorteil".
[52] Deutsche Teleologie, Vorrede zur ersten Auflage.

§ 14
Contradictionum evitatio

Qui intellectu systematico praediti sunt, omnium facillime contradictiones vitant, ita ut praestantius contra eas remedium praescribi non possit continuo illo studio, quod intellectui in systematicum convertendo impendimus. Mathematici sane omnium maxime a contradictionibus liberi sunt, ita ut in talia minime incidant, quae principiis primis contradicunt, etsi longissimo intervallo ab iis digrediantur nec principiorum memoriam tunc [140] temporis habeant, quo de his cogitant. Quodsi contingat, ut aliqua in re attentionem suam desiderari passi (id quod non una de causa accidit), in contradictoria incidant, quae una cum systemate veritatum, quod ipsis est, consistere nequeunt, ea vel ab aliis, quibus attentio requisita non deficit[12], facile animadvertuntur & emendantur, vel ipsimet alio tempore eadem animo volventes, quo is ab attentionis impedimentis vacuus est, contradictionem nemine monente perspiciunt & quod verum est erroneo substituunt, aut, ubi veritas detecto errore nondum patet; hunc missum faciunt, nec systemati inferunt, ne uno admisso absurdo sequantur plura. Nec desunt rationes a priori, quibus idem clarissime ostenditur. Intellectus systematicus omnem cognitionem suam in systema redigit, veritates universales inter se connectens (§ 2, 3). Quoniam igitur veritates inter se connectuntur, si aliae per alias tanquam per principia demonstrantur (§ 2); ad demonstrandum propositionem quamcunque datam non sumuntur nisi principia, quae [141] in systemate continentur. Quamobrem cum propositiones posteriores ex anterioribus legitima consequentia deducantur; iisdem contradicere nequeunt: quin potius posteriora conveniunt prioribus iisque consentanea sunt. Etsi enim tantus sit eorum numerus, quae in systemate continentur, ut omnium meminisse impossibile habeatur, immo si vel maxime quorundam anteriorum, a quibus tanquam principiis remotis pendet evidentia propositionis datae, prorsus fueris oblitus, modo propiora noveris, quibus in contexenda demonstratione opus est; nunquam tamen in propositionem aliquam incidere poteris, quae ulli in systemate contrarietur, cum singulis in eodem contentis consentire debeat, quae nonnullis consentit instar principiorum demonstrationem ingredientibus. Enimvero intellectus non systematicus non eadem felicitate contradictiones evitat, quam systematicus. Cum enim propositiones inter se minime connectat,

---

[12] deficit] sufficit D

§ 14
Wie man Widersprüche vermeidet

Diejenigen, die über einen systematischen Verstand verfügen, vermeiden Widersprüche ganz leicht, so daß kein besseres Heilmittel gegen sie verschrieben werden kann als jener beständige Fleiß, den wir daran wenden, den Verstand zu einem systematischen zu machen. Die Mathematiker sind fürwahr am ehesten frei von Widersprüchen, so daß sie auf keine Sätze verfallen, die den ersten Prinzipien widersprechen, auch wenn diese Sätze durch einen noch so großen Abstand von den Prinzipien getrennt sind, und auch wenn die Mathematiker sich dann, wenn sie diese Sätze bedenken, nicht mehr an die Prinzipien erinnern. Geschieht es aber, daß sie es in einer Frage an Aufmerksamkeit haben fehlen lassen (was ganz verschiedene Ursachen haben kann) und auf Widersprüche verfallen, die mit dem System der Wahrheiten, über das sie verfügen, unvereinbar sind, so werden diese Widersprüche entweder von anderen, denen es nicht an der erforderlichen Aufmerksamkeit mangelt, leicht bemerkt und verbessert, oder sie selbst erkennen zu einem anderen Zeitpunkt, wenn sie diese Frage mit uneingeschränkter Aufmerksamkeit wieder erwägen, den Widerspruch auch ohne den Hinweis eines anderen und ersetzen das Falsche durch das Wahre, oder, wenn die Wahrheit nicht schon aus der Aufdeckung des Irrtums hervorgeht, lassen sie den Irrtum fallen und fügen ihn nicht in das System ein, damit nicht aus einer zugelassenen Absurdität mehrere folgen. Es gibt auch Gründe a priori, durch die dasselbe ganz klar gezeigt werden kann. Der systematische Verstand bringt seine gesamte Erkenntnis in ein System, in dem er die allgemeinen Wahrheiten miteinander verknüpft (§ 2, 3). Weil also die Wahrheiten miteinander verknüpft werden, wenn die einen durch die anderen als durch ihre Prinzipien bewiesen werden (§ 2), dann werden zum Beweis beliebiger gegebener Sätze nur solche Prinzipien verwendet, die im System enthalten sind. Da nun die folgenden Sätze durch eine regelgerechte Folgerung aus den vorangehenden Sätzen abgeleitet werden, so können sie diesen nicht widersprechen; vielmehr stimmen die folgenden Sätze mit den vorangehenden überein und stehen mit ihnen in Einklang. Denn wenn auch die Anzahl der im System enthaltenen Sätze so groß ist, daß man sie sich unmöglich alle merken kann, ja sogar wenn man vorangehende Sätze, von denen – als seinen entfernten Prinzipien – die Gewißheit eines gegebenen Satzes abhängt, ganz und gar vergessen hat, so wird man doch – wenn man nur die näheren Sätze kennt, die man zum Verflechten des Beweises braucht – niemals auf einen Satz verfallen, der irgendeinem anderen Satz des Systems widerspricht, da jeder Satz, der mit einigen Sätzen des Systems, die anstelle der Prinzipien in den Beweis eingehen, übereinstimmt, auch mit allen anderen im System enthaltenen Sätzen übereinstimmen muß. Der nichtsystematische Verstand jedoch vermeidet Widersprüche nicht so erfolgreich wie der systematische Verstand. Da er nämlich die Sätze nicht miteinander verknüpft,

sed singulas sigillatim expendat, neque principia, quibus ad probandum eas utitur, sufficienter [142] evolvat, resolutione in alia simpliciora facta, quod intellectus systematici proprium est, immo nec ex iis, quae sumit, principiis distincta ratiociniorum analysi conclusiones deducat; nihil profecto facilius est, quam ut propositionem aliquam amplectatur tanquam veram, quae aliis contradicit, quas defendit. Quodsi memoriae non mandavit, quae tanquam vera ante admisit; fieri omnino potest, ut de eodem subjecto nunc affirmet, quod ante negaverat, vel nunc neget, quod ante affirmaverat. Prostant ejus[13] rei illustria exempla passim apud Autores famam latam consecutos, quae hic in medium adduci eo minus necessarium existimamus, quo magis obvia sunt & pervulgata. Si cui sufficere videatur ad evitandum contradictiones, ut non amplectemur propositionem nisi veram, cum veritas veritati contradicere nequeat, etsi utriusque consensum minime perspiciamus; ei ambabus manibus largimur ipsum scopo suo potiturum, ubi nunquam admiserit tanquam verum, nisi quod evidenter verum agnoverit: etenim ipse *Euclides* in axioma[143]tis, quae sumit, non aliunde certum reddit lectorem, ea sibi mutuo contradicere non posse, quam quod singula sigillatim notionibus communibus excussis vera deprehendantur. Enimvero non omnium propositionum veritas adeo evidens est, ut citra probationem agnoscatur, nec a posteriori propositiones determinatae tanta facilitate formantur, praesertim ab intellectu minus systematico, ut certi esse possimus, nos rite determinasse subjectum nec nihil eorum omisisse, quibus positis demum ponitur praedicatum, cum & in veritate a posteriori investiganda constans esse debeat rationis ac experientiae connubium. Neque hic provocare licet ad exemplum *Confucii*, qui, etsi dispositionem naturalem, qua pollebat, ad habitum nunquam perduxerit, ea tamen in moralibus & politicis dedit, quae ab intellectu systematico notionibus convenientibus instructo optime inter se cohaerere deprehenduntur (§ 7). Etenim *Confucius* nihil tradebat tanquam verum, nisi quod proprio experimento comprobaverat, notionibus singu[144]lis ex praxi propria derivatis, ita ut ipsemet subinde magistratum gereret, ne deesset experimentorum in doctrina civili capiendorum occasio. Quotusquisque vero est, qui illius exemplum imitari velit, vel possit, nostro praesertim seculo, ubi tantum non indispensabili lege tenemur, ut plura scire videri velimus, quam scimus, paucissimis tyrannidis consuetudinis jugo cervicem non submittentibus?

---

[13] Prostant ejus] Prostantejus D

sondern jeden einzelnen Satz gesondert erwägt und die Prinzipien, die er zum Beweis der Sätze verwendet, nicht ausreichend entwickelt und sie nicht – wie es dem
systematischen Verstand eigentümlich ist – in andere, einfachere auflöst; weil er
auch nicht aus den Prinzipien, die er annimmt, die Folgerungen durch eine deutliche Zergliederung der Schlüsse ableitet, so kann es wahrlich ganz leicht geschehen, daß er einen Satz als wahr annimmt, der anderen Sätzen, die er verteidigt,
widerspricht. Wenn er seinem Gedächtnis nicht eingeprägt hat, was er vorher
für wahr gehalten hat, so kann es freilich geschehen, daß er jetzt von derselben
Sache etwas behauptet, was er vorher verneint hatte, oder jetzt verneint, was er
vorher behauptet hatte. Überall finden sich dafür bei Autoren, die großen
Ruhm erlangt haben, bekannte Beispiele, die hier anzuführen wir um so weniger
für nötig halten, je offenkundiger und geläufiger sie sind. Wem es zur Vermeidung
von Widersprüchen auszureichen scheint, einen Satz nur dann anzunehmen, wenn
er wahr ist, da eine Wahrheit einer anderen Wahrheit nicht widersprechen kann,
auch wenn wir die Übereinstimmung beider nicht durchschauen, dem räumen wir
gerne ein, daß er sein Ziel erreichen wird, wenn er nur das als wahr zuläßt, was er
auf evidente Weise als wahr erkannt hat; selbst Euklid überzeugt den Leser von
der Nicht-Widersprüchlichkeit der Axiome, die er annimmt, nur dadurch, daß jedes einzelne jeweils durch die gesonderte Ausarbeitung der Gemeinbegriffe als
wahr befunden wird. Doch ist die Wahrheit nicht bei allen Sätzen so evident,
daß sie ohne Beweis erkannt würde, und Sätze, die bestimmt werden sollen, lassen
sich nicht so leicht aus der Erfahrung (a posteriori) gewinnen (besonders nicht von
einem nicht-systematischen Verstand), so daß wir gewiß sein könnten, das Subjekt richtig bestimmt und nichts von dem ausgelassen zu haben, mit dessen Setzung dann das Prädikat gesetzt wird, weil auch bei einer Wahrheit, die a posteriori
aufgesucht wird, die Verbindung von Vernunft und Erfahrung gegeben sein muß.
Hier darf man sich auch nicht auf das Beispiel des Konfuzius berufen, der – auch
wenn er die natürliche Anlage, über die er verfügte, nicht zu einer Fertigkeit entwickelte – dennoch in der Moral und Politik Lehren verbreitete, von denen ein
systematischer Verstand (der über die passenden Begriffe verfügt) erkennt, daß
sie bestens miteinander zusammenhängen (§ 7). Konfuzius behandelte nämlich
nichts als wahr, was er nicht durch eigene Experimente bestätigt hatte, indem
er die einzelnen Begriffe aus der eigenen Praxis ableitete, so daß er selbst bisweilen ein Amt ausübte, um die Gelegenheit zu bekommen, Experimente in der
Staatslehre durchzuführen.[53] Wie wenige gibt es aber, die seinem Beispiel folgen
wollen oder können, besonders in unserer Zeit, in der wir so sehr von einem un-
aufhebbaren Gesetz beherrscht werden, demzufolge wir so erscheinen wollen, als
wüßten wir mehr, als wir tatsächlich wissen, während die wenigsten sich weigern,
ihren Nacken unter das Joch der Tyrannei der Gewohnheit zu beugen? Wenn je-

---

[53] Vgl. Wolff, Oratio (wie Anm. 32), 110.

Si qui in scriptis aliorum, qui, cum systematico intellectu polleant, systematicam offerunt cognitionem, contradictiones sibi offendere videntur; id vitio ipsorum accidit, quod methodi leges ignorant & notione contradictionis determinata destituantur. E. gr. Astronomus in parte prima Astronomiae, quae sphaerica appellatur, affirmat, coelum intervallo viginti quatuor horarum cum omnibus stellis circa tellurem rotari; in parte autem secunda, quae Theoricae fert nomen, contendit, terram moveri motu vertiginis coelumque quiescere. Quodsi quis dicat, Astronomum sibi contradicere, cum uno in loco quietem telluris motumque [145] coeli, in altero telluris motum coelique quietem defendat; is ignorantiam methodi prodit, cum ignoret, quando ex eo, quod apparet, reddi potest ratio alterius, quod itidem apparet, apparens posse sumi tanquam verum citra praejudicium veritatis, non autem idem amplius fieri posse, ubi illius ratio a priori reddenda. Demus vero irrepsisse alicubi in scriptum systematicum aliquam contradictionem defectu attentionis scribentis, cujus variae esse possunt causae; nullibi sane facilius ea detegetur a lectoribus peritis, quam in istiusmodi systemate, nec alibi, quam hic, facilius corrigetur ipsumque systema integritati suae restituetur. Quodsi *Euclidi* aliquid humani accidisset in conscribendo systemate elementari, ut contradictio aliqua non patens, quae in omnium oculos cadit, sed latens, quam nonnisi intel-

mand in den Schriften anderer, die, da ihre Verfasser einen systematischen Verstand besitzen, eine systematische Erkenntnis anbieten, auf Widersprüche zu stoßen scheint, dann geschieht das durch seinen eigenen Fehler, weil er die Gesetze der Methode nicht kennt und nicht über den bestimmten Begriff des Widerspruchs verfügt. Zum Beispiel erklärt ein Astronom im ersten Teil der Astronomie[54], welcher die sphärische Astronomie genannt wird, daß der Himmel sich alle 24 Stunden mit allen Sternen um die Erde drehe; im zweiten Teil aber, der den Namen „Theorica" trägt, behauptet er, daß die Erde sich durch eine Drehbewegung bewege, während der Himmel stillstehe. Wenn jemand sagen würde, der Astronom widerspreche sich, weil er an der einen Stelle das Stillstehen der Erde und die Bewegung des Himmels vertritt, an der anderen Stelle die Bewegung der Erde und das Stillstehen des Himmels, der verrät dadurch seine Unkenntnis der Methode. Er weiß nämlich nicht, daß, wenn aus dem, was erscheint, der Grund von etwas anderem, was ebenso in Erscheinung tritt, angegeben werden kann, das Erscheinende ohne das Vorurteil der Wahrheit[55] als wahr angenommen werden kann, und daß dies nicht geschehen kann, wenn dessen Grund a priori angegeben werden soll. Aber angenommen, in einer systematischen Schrift habe sich aufgrund der fehlenden Aufmerksamkeit des Verfassers (was verschiedene Ursachen haben kann) ein Widerspruch eingeschlichen, so wird er von erfahrenen Lesern gewiß nirgendwo leichter entdeckt als in einem derartigen System und nirgendwo leichter korrigiert als hier, so daß das System wieder vervollständigt wird. Wenn Euklid beim Verfassen seines grundlegenden Systems ein Fehler unterlaufen wäre – was ja nur menschlich wäre –, so daß sich irgendwo ein Widerspruch eingeschlichen hätte, der nicht offenkundig und für alle augenfällig, sondern verborgen wäre, weshalb ihn nur ein systematischer Verstand entdecken könnte, dann wäre er

---

[54] Wolff unterscheidet zwischen der sphärischen Astronomie (Astronomia sphaerica) und der theorischen Astronomie (Astronomia theorica). Gemäß der traditionellen Bedeutung dieser Begriffe betrachtet der erste Teil die Bewegungen der Himmelskörper so, wie sie sich den Sinnen darstellen, z. B. auch die scheinbare Bewegung der Sonne um die Erde. Der zweite Teil behandelt die Theorien (des Ptolemäus, Kopernikus, Tycho Brahe), welche diese Bewegungen erklären sollen, aber bloße Hypothesen sind. Bei Wolff bleibt die Aufgabenstellung der sphärischen Astronomie dieselbe: Sie betrachtet das Universum so, wie es in die Augen fällt. Im zweiten Teil werden dagegen die Theorien der drei Weltsysteme nicht mehr als bloße Hypothesen bewertet. Vielmehr betrachtet die Theorica die wahre Gestalt des Universums (wie sie das heliozentrische System lehrt). Vgl. Elementa matheseos, Bd. 3, 451–548, 549–768.

[55] Vgl. Johann Gottlieb Heineccius, Elementa philosophiae rationalis et moralis, Amsterdam 1742 ([1]1728), 75 (Elementa Logicae, § XIX): Praeiudicium „veritatis quasi possessae". Dieses Vorurteil des Wahrheitsbesitzes zählt zur Gruppe der Vorurteile aus Übereilung und findet sich laut Heineccius besonders bei den „Päpstlichen". Vgl. Werner Schneiders, Aufklärung und Vorurteilskritik. Studien zur Geschichte der Vorurteilstheorie, Stuttgart-Bad Cannstatt 1983 (Forschungen und Materialien zur deutschen Aufklärung, Abt. II, Bd. 2), 140 und 355.

lectus systematicus detegere valet, alicubi irrepsisset; dudum illa ab aliis fuisset
detecta pulcherrimumque systema ab hoc naevo liberatum.

§ 15
Antinomiae in jure vitandae

Quemadmodum vero contradictiones in omni veritatum genere non facilius evitantur, quam si eas [146] in systemata redigas; ita non rectius in jure antinomiae, si
quae commissae fuerint, deteguntur, & in corpore juris condendo evitantur, quam
ubi leges systema quoddam efficiunt. Cum *Justinianus* Pandectarum opus condi
juberet, disertis verbis praecepit, ut ea adhiberetur diligentia, quae ad eliminandas
antinomias sufficit. *Nulla,* inquit (o), *in omnibus praedicti codicis membris antinomia aliquem sibi vindicet locum; sed sit una concordia, una consequentia adversario nemine constituto.* Utrum desiderio Principis aequissimi fuerit satisfactum, nec ne; nemo rectius judicabit, quam qui leges in opere Pandectarum omnes
in systema veri nominis redegerit: quod etsi difficile sit, non tamen pro impossibili
haberi debet. Triplici potissimum labore defungi tenetur, qui arduum adeo opus
aggredi audet. Etenim primum in interpretandis legibus danda est opera, ut genuinas notiones iis respondentes detegamus, rerum magis quam verborum rationem
habentes, id quod consonum esse arbitramur [147] *Celsi* effato notissimo (p),
quod *scire leges non sit verba earum tenere, sed vim ac potestatem,* cum vim
ac potestatem constituat notio, quae verbis respondet. Et quoniam in cognitione
veritatum universalium inprimis caveri debet, ne errore ullo imbuatur animus, intellectui praesertim systematico valde nocuus (§ 10); in mente tamen aliorum interpretanda tamdiu verba eorum ita explicanda esse, ut nullus sit inter ea nec a
rebus dissensus, & supra monuimus, & ratione confirmavimus (§ 4. II). Idem quoque in interpretandis legibus fieri debere tanto confidentius pronunciamus, quod
*in ambigua voce legis eam potius accipiendam esse significationem, quae vitio
caret, praesertim cum etiam voluntas legis ex hoc colligi possit,* idem *Celsus* in-

schon längst von anderen entdeckt worden und das wunderschöne System wäre von diesem Makel befreit worden.

§ 15
Wie man in der Rechtswissenschaft Antinomien[56] vermeiden kann

So wie aber in jeder Gattung von Wahrheiten Widersprüche am einfachsten vermieden werden, wenn man die Wahrheiten in ein System bringt, so werden in der Rechtswissenschaft Antinomien – falls sie erzeugt worden sind – unschwer entdeckt und beim Abfassen eines Gesetzbuches vermieden, wenn die Gesetze ein System ergeben. Als Justinian die „Pandekten"[57] abfassen ließ, ordnete er ausdrücklich an, diejenige Sorgfalt aufzuwenden, die zur Beseitigung von Antinomien erforderlich ist. „In keinem Teil des besagten Buches," sagt er (o), „darf eine Antinomie vorkommen; es herrsche eine durchgängige Übereinstimmung und Folgerichtigkeit, der niemand widersprechen kann." Ob der Wunsch des höchst gerechten Fürsten in Erfüllung ging oder nicht, wird niemand besser beurteilen können als derjenige, der alle Gesetze aus den „Pandekten" in ein System gebracht hat, das diesen Namen verdient. Das ist zwar schwierig, darf jedoch nicht für unmöglich gehalten werden. Wer diese schwierige Arbeit in Angriff zu nehmen wagt, muß vor allem eine dreifache Anstrengung auf sich nehmen. Erstens muß man sich nämlich bei der Auslegung der Gesetze Mühe geben, um die richtigen, ihnen entsprechenden Begriffe zu entdecken, wobei man mehr auf die Sachen als auf die Worte achten muß. Das stimmt nach unserer Meinung mit dem ganz bekannten Ausspruch des Celsus[58] (p) überein, daß „die Gesetze zu kennen, nicht heißt, sich ihre Worte zu merken, sondern ihren Sinn und Zweck", da der Begriff, der den Worten entspricht, den Sinn und Zweck ausmacht. Und da man sich bei der Erkenntnis der allgemeinen Wahrheiten besonders davor hüten muß, auf einen Irrtum zu verfallen (was zumal bei einem systematischen Verstand sehr schädlich ist, § 10), haben wir oben gesagt und begründet (II, § 4)[59], daß, wenn man die Ansicht anderer auslegen will, die Worte der anderen solange erklärt werden müssen, bis kein Widerspruch mehr zwischen den Worten und zwischen ihnen und den Sachen besteht. Daß dies auch bei der Auslegung der Gesetze geschehen muß, erklären wir um so zuversichtlicher, als derselbe Celsus einschärft (q), daß „bei einem mehrdeutigen Wortlaut eines Gesetzes diejenige Be-

---

[56] Antinomien entstehen, wenn zwei verschiedene Gesetze Normen oder Bestimmungen enthalten, die einander widersprechen.

[57] Pandekten (= Digesten) sind derjenige Teil des Gesetzgebungswerkes von Kaiser Justinian I. (482–565), der das ältere Juristenrecht auswählt und ordnet.

[58] Publius Iuventus Celsus, römischer Politiker und Jurist am Anfang des 2. Jahrhunderts n. Chr.

[59] Stück 2 der Horae subsecivae (vgl. Anm. 1), § 4. In der Übersetzung: 510.

culcet (q). Leges deinde revocandae sunt ad rationes generales, unde tanquam a principiis pendent, ita ut positis istis principiis immutabili consecutionis lege ponantur etiam leges. Tandem eaedem leges cum principiis suis ordinandae, ut appare[148]at, tum quomodo principia ista a se invicem, tum leges ab hisce principiis atque a se invicem pendeant: per generalia enim illa principia in luculentam consonantiam leges eriguntur. Sed nostrum non est in praesente de tantis moliminibus disserere enucleatius. Ceterum quae hic de antinomiis in jure evitandis praecipiuntur, ea non tantum jus civile Romanum respiciunt, quod in unum corpus colligi jussit *Justinianus*; sed & de omni jure civili, quocunque in loco & quocunque tempore condatur, nullo respectu habito ad Romanum, accipienda sunt. Ponamus enim statuta civitatis cujusdam in systema fuisse redacta; leges quascunque in posterum ferente occasione eidem consonas addere licebit, modo a consiliis sit, qui methodo pollet, sine qua cohaerentiam[14] tradere non artis, sed fortunae est. Quodsi jus in systema veri nominis fuerit redactum, tum singulari quodam jure *Corporis* nomen merebitur, cum corpus animale systema referat, in quo organa eorumque partes ea lege ordinantur, qua veritates in systemate ordinari convenit.

o) l. 1, § 8, C. de veteri jure enucleando.
p) l. 17 ff. de LL.
q) l. 19 eod.

---

[14] cohaerentiam] cohaerentia D

deutung vorzuziehen ist, die ohne Fehler[60] ist, zumal da auf diese Weise auch der Wille des Gesetzes erschlossen werden kann". Ferner müssen die Gesetze auf allgemeine Gründe gebracht werden, von denen sie – als von ihren Prinzipien – abhängen, so daß, wenn jene Prinzipien angenommen werden, kraft dem unveränderlichen Gesetz der Folgerung auch die Gesetze angenommen werden. Schließlich müssen diese Gesetze mit ihren Prinzipien zusammengestellt werden, damit sowohl klar wird, wie jene Prinzipien voneinander abhängen, als auch, wie die Gesetze von diesen Prinzipien und voneinander abhängen. Durch jene allgemeinen Prinzipien werden die Gesetze nämlich in eine deutliche Übereinstimmung gebracht. Es ist jedoch hier nicht unsere Aufgabe, derartige Vorhaben eingehender zu erörtern. Übrigens: Was hier über die Vermeidung von Antinomien im Recht gelehrt wird, das betrifft nicht nur das römische Zivilrecht, das Justinian in einem Gesetzbuch zu sammeln befahl, sondern es gilt auch ohne Bezug auf das römische Zivilrecht von jeglichem Zivilrecht, an welchem Ort und zu welcher Zeit auch immer es abgefaßt wird. Wenn wir nämlich annehmen, daß die Satzungen eines bestimmten Staates in ein System gebracht worden seien, dann ist es später möglich, bei gegebener Gelegenheit beliebige Gesetze hinzuzufügen, die mit diesem System übereinstimmen, wenn es denn einen fürstlichen Rat[61] gibt, der die Methode beherrscht, ohne welche die Herstellung des Zusammenhangs keine Sache der Geschicklichkeit, sondern eine des Zufalls ist. Wenn das Recht in ein System gebracht worden ist, das diesen Namen verdient, dann darf es wahrlich ein *Korpus* genannt werden, da der tierische Körper ein System darstellt, in dem die Organe und ihre Teile nach demselben Gesetz angeordnet sind, durch das die Wahrheiten in einem System angeordnet werden müssen.

o) Buch 1, § 8, Kapitel „Von den aus dem alten Recht zu fertigenden Auszügen".[62]
p) Buch [Ziffer] 17 ff. „Von den Gesetzen".[63]
q) Ebd., Buch [Ziffer] 19.[64]

---

[60] Im Sinne von Schlechtigkeit, Absurdität. – Vgl. Antoine Favre bei Christian Friedrich Glück, Ausführliche Erläuterung der Pandecten nach Hellfeld, ein Commentar, Bd. 1, Erlangen [2]1797, 229, Anm. 30.

[61] Kein Gremium; „a consiliis" ist der Titel von Ratgebern des Fürsten.

[62] Codex Iustinianus, Liber I, Tit. 17, 1, § 8 = Corpus Iuris Civilis, Bd. 2: Codex Iustinianus, hg. von Paul Krüger, Berlin [1]1877, 70 a. Übersetzung: Das Corpus Juris Civilis, in's Deutsche übersetzt von einem Vereine Rechtsgelehrter, hg. von Carl Eduard Otto, Bruno Schilling und Carl Friedrich Ferdinand Sintenis, Bd. 5, Leipzig 1832, 179.

[63] Digesta I, Tit. 3, § 17 = Corpus Iuris Civilis, Bd. 1: Institutiones, hg. von Paul Krüger. Digesta, hg. von Theodor Mommsen und Paul Krüger, Berlin [1]1872, Digesta, 34 a. Übersetzung: Corpus Iuris Civilis. Text und Übersetzung, Bd. 2: Digesten 1 – 10, hg. von Okko Behrends u. a., Heidelberg 1995, 113.

[64] Digesta I, Tit. 3, § 19 = Corpus Iuris Civilis, Bd. 1 (wie Anm. 63), 34 a. Übersetzung: 113 f.

[149] *§ 16*
Autoritatis praejudicium quomodo evitetur
& quinam eclecticum agere possit

Qui intellectu systematico praediti sunt, ab autoritatis praejudicio immunes, & ec-
lecticos agere apti sunt. Qui enim intellectu pollent systematico, iidem non admit-
tunt, nisi quod per principia in systemate contenta demonstrari potest. Judicant
adeo ex intrinsecis rationibus, minime autem ex extrinsecis, (quarum differentiam
me luculenter alibi (r) tradidisse memini) non tribuentes praedicatum subjecto,
nisi vi notionis ejusdem. Enimvero autoritas inter rationes extrinsecas locum
habet, ad quas confugiunt, qui intrinsecas minime capiunt. Eclecticum agere dicitur, qui ex Autoribus optima quaeque seligit verum a falso separans, certum ab
incerto discernens. Qui intellectu systematico gaudet, is Autorum volumina fugi-
tivo oculo percurrens, praetermissis in systemate suo jam contentis attentionem in
iis solum propositionibus figit, quae sibi nondum perspectae sunt. Eas ubi intel-
lexerit, vel notionibus suis convenienter explicaverit, ex notione subjecti per principia [150] ex systemate suo desumta deducere allaborat: quodsi per ea deprehendantur verae, eas systemati suo adjicit; si falsae, easdem missas facit (§ 9). Atque
adeo non eligit nisi veritati consentanea, erroneis ac dubiis eorum autoribus relic-
tis. Obiter observamus hinc apparere, quantum fallantur, qui eclecticam[15] philosophiam demonstrativae opponunt, quasi necessario scopae sint dissolutae, quae
ex autoribus in eadem principia minime consentientibus eliguntur. Immo si intellectu systematico instructus ad autores legendos accedas, non uno modo contingit,
ut, quod paradoxum, si non prorsus absurdum judicabitur plurimis, ab iisdem dis-
cas, quae ipsimet ignorarunt sicque ipsis doctior ab eorum libris recedas. Fieri
enim potest, ut propositio juxta notiones systematis tui explicata sensum fundat

---

[15] eclecticam] electicam D

§ 16
Wie das Vorurteil der Autorität vermieden wird und
wer als Eklektiker vorgehen kann

Diejenigen, die einen systematischen Verstand besitzen, sind frei vom Vorurteil der Autorität und in der Lage, als Eklektiker vorzugehen. Diejenigen nämlich, die über einen systematischen Verstand verfügen, lassen nur das zu, von dem bewiesen werden kann, daß es durch seine Prinzipien in einem System enthalten ist. Also urteilen sie aus inneren Gründen, nicht aber aus äußeren (an anderer Stelle (r) habe ich diesen Unterschied, wie ich mich erinnere, deutlich gemacht), denn sie legen dem Subjekt nur das als Prädikat bei, was aus dem Begriff des Subjektes hervorgeht. Die Autorität jedoch gehört zu den äußeren Gründen, zu denen diejenigen ihre Zuflucht nehmen, welche die inneren Gründe nicht erfassen. Daß jemand als Eklektiker vorgeht, sagt man von dem, der aus den Autoren das Beste auswählt und das Wahre vom Falschen trennt, das Gewisse vom Ungewissen unterscheidet. Wer sich eines systematischen Verstandes erfreut, der überfliegt die Schriften anderer Autoren schnell.[65] Er übergeht, was in seinem System schon enthalten ist und richtet seine Aufmerksamkeit bloß auf solche Sätze, die er noch nicht kennt. Wenn er sie versteht oder sie seinen Begriffen gemäß erklärt, dann bemüht er sich, sie aus dem Begriff des Subjektes durch Prinzipien abzuleiten, die aus seinem System stammen. Wenn sie durch diese Prinzipien als wahr befunden werden, fügt er sie seinem System hinzu; wenn sie als falsch befunden werden, läßt er sie fallen (§ 9). Und so wählt er nur das aus, was mit der Wahrheit übereinstimmt, und das Irrige und Zweifelhafte bleibt dessen Autoren überlassen. Nebenbei merken wir an, daß daraus hervorgeht, wie sehr sich diejenigen täuschen, welche die eklektische Philosophie der demonstrativen Philosophie entgegensetzen, so als ob das notwendigerweise aufgelöste Besen[66] wären, was aus Autoren, die in ihren Prinzipien nicht übereinstimmen, ausgewählt wurde. Wenn jemand, der mit einem systematischen Verstand versehen ist, sich daran macht, andere Autoren zu lesen, so geschieht es sogar mehr als einmal, daß das, was von den meisten dieser Autoren als paradox, wenn nicht als ganz absurd beurteilt wird, von denjenigen lernt, die das[67] selber nicht wissen, und daß er somit die Bücher klüger beiseite legt, als ihre Autoren es sind. Es kann nämlich geschehen, daß ein Satz, der gemäß den Begriffen des eigenen Systems erklärt worden ist, einen wah-

---

[65] So schon *Ausführliche Nachricht* (1726), 668 f. – Systematische Bücher müssen dagegen langsam gelesen werden: Horae subsecivae, Bd. 1, erste Hälfte, 269–310: De succesiva Assensus generatione, § 4. Übersetzung: Kleine Schriften, Bd. 2, 519–587: Von der nach und nach entstehenden Ueberzeugung.

[66] Wie Anm. 39.

[67] Daß das scheinbar Paradoxe eine Wahrheit enthält.

verum, quae ex mente autoris intellecta fuerit falsa. Nec minus accidit, ut alia propositio, quae certum ex autore sensum non habet, talem in systemate tuo conse-
quatur, verbis autoris de re cogitandi ansam praeben[151]tibus, quae alias mentem
tuam non subiisset. Ex eadem ratione novo commodo contingit, ut intellectus systematicus ex aliorum erroribus eliciat veritatem, ad quam alias eidem pervenire
datum non fuisset. Cum adeo grato animo agnoscat, qui intellectu systematico
gaudet, si quis ei vel ansam dederit veritatem investigandi, ab aliis reprehendendis
ob errores commissos abhorret ridens intellectum non systematicum, quod ab errore metuat veritati; etenim si in systemate patet veritas, error eidem oppositus
sponte sua ruit. Atque ea ratio est, cur intellectu systematico praediti in veritate
adstruenda toti sint, in erroribus confutandis nulli, nisi singularis quaedem ratio
suaserit aliquem quasi in transitu notari, cum e contrario qui intellectum non systematicum habent in impugnandis erroribus toti sint, in veritate adstruenda fere
nulli, etiamsi errorum refutatio viribus eorum superior sit.

r) § 1004 Log.

§ 17
Errorum evidens detectio

Quodsi systemata veri nominis prostent, errores nos parum angunt. Etenim propositiones apud alios oc[152]currentes ubi fuerint propositionibus in systemate
contentis contrariae, eo ipso falsae deprehenduntur, quod iisdem contrarientur,
cum in systemate non contineantur nisi demonstratae (s). Quodsi erroribus contrariae propositiones in systemate non occurrant, per eas, quae in systemate continentur, tanquam per principia vera vel contrariae erroribus propositiones deducuntur, vel per demonstrationem indirectam falsitas erronearum detegitur ope eo-
rundem principiorum. Ubi contingit per principia in systemate contenta errorem
detegi non posse, falsa propositio nobis dubia manet, neque adeo in systema re-
cipitur. Quodsi denique in ipso systemate errores fuerint commissi, lector attentus,

ren Sinn ergibt – ein Satz, der falsch wäre, wenn er gemäß der Ansicht des Autors verstanden würde. Auch geschieht es nicht selten, daß ein Satz, der seinem Autor zufolge keinen bestimmten Sinn hat, diesen im eigenen System erlangt, wobei die Worte des Autors den Anlaß bieten, über eine Sache nachzudenken, auf die man sonst nicht gekommen wäre. Daraus entsteht der neue Nutzen, daß ein systematischer Verstand den Irrtümern anderer die Wahrheit abgewinnt, zu der er sonst nicht hätte gelangen können. Da also derjenige, der sich eines systematischen Verstandes erfreut, dankbar erkennt, wenn ihm jemand wenigstens den Anlaß gab, eine Wahrheit zu entdecken, ist es ihm zuwider, andere wegen der von ihnen begangenen Irrtümer zu tadeln, und er verlacht den nicht-systematischen Verstand, weil dieser sich irrtümlich vor der Wahrheit fürchtet. Wenn nämlich in einem System eine Wahrheit klar ist, fällt der ihr entgegengesetzte Irrtum von allein weg. Und dies ist der Grund, warum diejenigen, die über einen systematischen Verstand verfügen, ganz darin aufgehen, die Wahrheit aufzuzeigen, und sich nicht damit abgeben, Irrtümer zu widerlegen, falls nicht ein besonderer Grund es nahelegt, gleichsam im Vorbeigehen einen Irrtum anzumerken. Im Gegensatz dazu gehen diejenigen, die keinen systematischen Verstand besitzen, ganz darin auf, Irrtümer zu bekämpfen, und tun nichts dafür, die Wahrheit aufzuzeigen, weil schon die Widerlegung der Irrtümer ihre Kräfte übersteigt.

r) „Logica", § 1004.[68]

§ 17
Die evidente Entdeckung von Irrtümern

Wenn es also Systeme gibt, die diesen Namen zu Recht tragen, dann können uns Irrtümer nicht bange machen. Wenn nämlich Sätze, die bei anderen vorkommen, den im System enthaltenen Sätzen entgegengesetzt sind, werden sie von selbst als falsch erkannt, weil sie jenen entgegengesetzt sind, da ja in einem System nur bewiesene Sätze enthalten sind (s). Wenn also in einem System keine Sätze vorkommen, die Irrtümern entgegengesetzt werden,[69] dann werden durch diejenigen Sätze, die in dem System enthalten sind, entweder – als durch ihre wahren Prinzipien – solche Sätze abgeleitet, die den Irrtümern entgegengesetzt sind, oder es wird kraft derselben Prinzipien durch einen indirekten Beweis die Falschheit der irrigen Sätze entdeckt. Geschieht es, daß ein Irrtum nicht durch die im System enthaltenen Prinzipien entdeckt werden kann, so bleibt der falsche Satz für uns zweifelhaft, und er wird also nicht in das System aufgenommen. Wenn schließlich im System selbst Irrtümer begangen worden sind, dann entdeckt sie der aufmerksame

---

[68] Logica, § 1004. Übersetzung: Kleine Schriften, Bd. 2, 520.
[69] Wolff knüpft an den Schluß seines § 16 an: Das System gibt sich nicht mit der ausdrücklichen Widerlegung von Irrtümern ab.

si vel maxime tyro sit, eos detegit, ubi demonstrationes rite evolvit, quemadmodum fieri convenit & quomodo fieri debeat alibi (t) docuimus. Systematis nimirum formae debetur facilis erroris in eo admissi detectio, non lectoris acumini,
multo minus acumini majori eo, quod autori est, quemadmodum tyronibus sub-
in[153]de videtur, in quibus defectus judicii toleratur. Ceterum cum errores in systemate admissi sint adeo evidentes, ut vel tyroni attento pateant; multo minus
iidem attentionem autoris effugiunt, ubi ad eos examinandos accedit mente
magis serena & ab iis obstaculis libera, quae illam, cum systema conderet, impe-
divere. Quamobrem qui intellectu systematico pollent a pertinaci errorum defen-
sione maxime alieni sunt. Etenim si ipsis non unica cordi fuisset veritas, morem
communem secuti verbis ancipitibus sua proposuissent, ut iis sensum attribuere
possent ab adversariis impugnati, qui commodus tunc videretur, & suae menti
conformia asserere valerent, quae ab aliis de ea re posthac fuerint detecta. Intellectus enim systematicus non adeo hebes est, ut non perspiciat ista artificia, quibus
subinde magna etiam ingenia utuntur, qui vanitate gloriae ducuntur.

s) § 1035 Log.
t) § 551 & seqq. Log.

§ 18
Cur plura non addantur de praestantia
[154]   *intellectus systematici*

Equidem plurima adhuc supersunt, quae de praestantia intellectus systematici in
medium afferri poterant: enimvero cum in posterum in his ho[154]ris subsecivis
data opera de iisdem commodius dicturi simus, quae nosse juvat, in praesente ab
iis merito abstinemus[16]. Abunde nobis sufficit, patere ex jam dictis satis superque
insignem prorsus differentiam, quae inter intellectum systematicum & non syste-

---

[16] abstinemus] abstinem us D

Leser, auch wenn er noch ein Anfänger ist, indem er die Beweise auf die richtige
Art und Weise durchdenkt, so wie es angebracht ist und so wie wir an anderer Stelle (t) gezeigt haben, daß es geschehen soll. Die Leichtigkeit der Entdeckung eines
in einem System begangenen Fehlers verdankt sich nämlich der Form des Systems, nicht dem Scharfsinn des Lesers und noch viel weniger einem Scharfsinn,
der größer ist als der des Verfassers, so wie es für Anfänger den Anschein hat, bei
denen ein Mangel an Urteilskraft hingenommen werden muß. Da übrigens die in
einem System begangenen Fehler so evident sind, daß sie sogar einem aufmerksamen Anfänger klar sind, können sie noch viel weniger der Aufmerksamkeit des
Verfassers entgehen, wenn er sie mit einem Geist überprüft, der klarer und von
denjenigen Hindernissen freier ist, die ihn beeinträchtigten, als er das System begründete. Deswegen liegt es denjenigen, die über einen systematischen Verstand
verfügen, gänzlich fern, ihre Irrtümer hartnäckig zu verteidigen. Denn wenn ihnen
nicht einzig und allein die Wahrheit am Herzen liegen würde, würden sie der allgemeinen Gepflogenheit folgen und ihre Ansicht mit zweideutigen Worten äu-
ßern, so daß sie diesen einen Sinn beilegen könnten, der ihnen dann, wenn sie
von Gegnern angegriffen würden, als zweckmäßig erschiene, und daß sie von
dem, was von anderen später in diesem Punkt entdeckt worden wäre, versichern
könnten, es stimme mit ihrer Ansicht überein. Ein systematischer Verstand ist
nämlich nicht so schwerfällig, daß er nicht jene Kunstgriffe durchschauen würde,
deren sich bisweilen sogar große Geister bedienen, die durch eitle Ruhmbegierde
angetrieben werden.

s) „Logica", § 1035.[70]
t) „Logica", § 551 ff.[71]

§ 18
Warum über die Vortrefflichkeit des systematischen Verstandes
nichts weiter hinzugefügt wird

Zwar gibt es noch vieles, was über die Vortrefflichkeit des systematischen Verstandes vorgebracht werden könnte. Da wir jedoch später bei gegebener Gelegenheit in diesen „Horae" zweckmäßiger über das, was zu wissen nützt, sprechen
werden,[72] nehmen wir gegenwärtig füglich davon Abstand. Uns genügt es vollauf,
wenn aus dem Gesagten der gewaltige Unterschied zwischen dem systematischen
Verstand und dem nicht-systematischen Verstand ganz klar wird, auch wenn wir

---

[70] Logica, § 1035. Übersetzung des wichtigsten Satzes bei Hagen, 218.
[71] Siehe Anm. 42.
[72] Nicht zu ermitteln, vgl. aber schon Horae subsecivae, Bd. 1, 1–37: De habitu philosophiae ad
publicam privatamque utilitatem aptae. Übersetzung: Kleine Schriften, Bd. 2, 22–79: Von der
Beschaffenheit einer Weltweisheit, welche zu öffentlichen und besondern Nuzen tüchtig seyn soll.

maticum intercedit, utut ea, quae maximae utilitatis sunt, veluti studiorum litte-
rariorum uniformitatem, non sine maximo detrimento hodie fere penitus neglec-
tam, silentio praeteriverimus.

manches, was von größtem Nutzen ist, mit Stillschweigen übergangen haben, wie z. B. die Gleichartigkeit aller Wissenschaften, die heutzutage – wenn auch mit größtem Schaden – fast ganz vernachlässigt wird.

KURZBIOGRAPHIE

Luise Adelgunde Victorie Gottsched (1713–1762)

Luise Adelgunde Victorie Kulmus kam am 11. April 1713 als einzige Tochter der Familie Kulmus in Danzig zur Welt. Beide Eltern stammten aus wohlhabenden Familien und waren wohlgebildet. Der Vater, Johann Georg Kulmus, war Leibarzt des sächsischen Kurfürsten Friedrich August I. und Mitglied der Gelehrtengesellschaft „Kaiserliche Akademie der Naturforscher". Die Mutter, Katharina Dorothea Kulmus, geb. Schwenk, verfügte als Tochter einer Augsburger Patrizierfamilie ebenfalls nicht nur über eine angemessene Bildung, sondern war darüber hinaus „eine große Liebhaberin der schönen Wissenschaften", wie Gottsched im Nachruf auf seine Frau über seine Schwiegermutter berichtet (Gottsched, Leben, o.p.).

Gottsched beginnt den Nachruf mit einer Anekdote zu Luise Kulmus Geburt: Die Merkmale der Schwangerschaft deutend, habe man einen Sohn erwartet. Ein für eine Tochter zur Taufe passendes Häubchen habe sich dann vor allem deshalb nicht finden lassen, weil die vorhandenen „dem neugeborenen Kinde durchaus zu klein" gewesen seien, und „[a]lle Angehörige[n] hätten gesagt]: das Kind [habe] einen Poetenkasten mit auf die Welt gebracht: eine Weissagung, die dereinst vollkommen eingetroffen" sei (ebd.).

Zwei Faktoren sind es vor allem gewesen, die Luise Kulmus Werdegang bestimmten: ihre große Begabung und ihr geistiges Potential, das ihr zeitlebens Bewunderung einbrachte, und der Umstand, daß sie nicht nur die in bürgerlichen Kreisen übliche, auf die zukünftige Rolle als Ehefrau und Mutter ausgerichtete Erziehung genoß, sondern durch ihr Elternhaus eine ihren Begabungen entsprechende umfangreiche Förderung erfuhr.

Der institutionelle Bildungs- und Berufsweg war ihr als Frau des 18. Jahrhunderts natürlich verschlossen. Luise Kulmus besuchte nie eine Schule oder eine Universität. Aber die Fächer, in denen sie in ihrem Elternhaus unterrichtet wurde, unterschieden sich kaum von denjenigen, die der männlichen Jugend ihrer Zeit gelehrt wurden: Mathematik, Philosophie, Geometrie, Geographie. Hinzu kamen Unterweisungen in Grundfragen des christlichen Glaubens, die sie zudem in öffentlichen Katechismusstunden erhielt. Durch ihre Mutter lernte sie die französische Sprache und Literatur kennen und lieben, von ihrem Halbbruder die englische. Latein eignete sie sich über Abschriften, die sie für einen Bruder ihres Vaters, ebenfalls Arzt, herstellte, selbst an. Später – schon während ihrer Ehe mit Gottsched – perfektionierte sie diese Kenntnisse und nahm Lateinunterricht. Ihr Vater vermittelte ihr den Zugang zu den Naturwissenschaften. Johann Georg Kulmus gehörte zu einer neuen, diskussionsfreudigen Generation von Ärzten, die sich als moderne Wissenschaftler verstan-

Aufklärung 23 · © Felix Meiner Verlag 2011 · ISSN 0178-7128

den, deren Behandlungen sich auf die Be-
obachtung der Natur selbst stützten (Goodman, Luise, 24). Zudem stand die Familie
Kulmus in regem Austausch mit zahlreichen anderen Intellektuellen in- und außerhalb Danzigs. Daran durfte Luise Kulmus
teilhaben, sie wurde von den häufigen Dis-
kussionsrunden nicht ferngehalten (ebd.,
25 f.). Die Bildung des Intellekts stand
also eindeutig im Vordergrund. Aber auch
in den musischen Fächern wurde Luise
Kulmus unterrichtet. Sie spielte Klavier
und Laute und schrieb eigene Kompositio-
nen. Bereits in sehr frühen Jahren verfaßte
sie publikationsreife Gedichte, die nur deshalb nicht veröffentlicht wurden, weil ihr
Vater sie so jung nicht in die Öffentlichkeit
drängen wollte. Selbstverständlich wurde
sie auch in den Fertigkeiten der Haushalts-
führung geschult und auf ein Leben als
Ehefrau vorbereitet. Für Luise Gottsched
blieb dieser Aspekt ihrer Erziehung immer
ein Identitätsmoment, wenn auch ein nicht
ganz unproblematischer. Sie identifizierte
sich zeitlebens mit der zeitgenössischen
Rolle der Frau als Ehefrau und Mutter –
entsprechend litt sie sehr unter der Kinder-
losigkeit ihrer Ehe – und verstand sich lediglich als „Gehülfinn" ihres Mannes.
Der heutige Forschungstand deutet jedoch
darauf hin, daß es sich bei den Eheleuten
Gottsched um eine ‚Arbeitsgemeinschaft
auf Augenhöhe' handelte (Diskurse der
Aufklärung, Vorwort, 7).

Luise Adelgunde Victorie Kulmus hei-
ratete Johann Christoph Gottsched
(1700–1766) im April 1735 und zog mit
ihm nach Leipzig. Sie lernte ihn bereits
1729 kennen. Gottsched wurde auf sie aufmerksam aufgrund „[i]hre[r] Neigung zu
den Wissenschaften, und ihr[es] feine[n]
Witz[es], der schon verschiedene kleine
Gedichte hervorgebracht hatte; ihre Geschicklichkeit in der Musik, und überdem,
ihre angenehme Gestalt und artige Sitten,
bewogen" (Gottsched, Leben, o.p.) ihn,
mit ihr einen Briefwechsel aufzunehmen.
Nachdem Gottsched ordentlicher Profes-

sor für Logik und Metaphysik geworden
war, erfolgte die Eheschließung. Sie eröff-
nete Luise Gottsched ein quasi institutio-
nelles Arbeitsfeld, in dessen Rahmen sie
sowohl eigenständig literarisch-intellektu-
ell tätig sein als auch in der Öffentlichkeit
wirksam werden konnte.

Als Professorengattin mußte sie in Leipzig einem mehr oder weniger öffentlichen
Haushalt vorstehen, entsprechend zahl-
reich waren ihre hausfraulichen Pflichten.
Den Schwerpunkt aber bildete das intellektuelle Leben, zunächst ganz zur Freude
Luise Gottscheds. Aus eigenem Interesse
nahm sie gern an den Projekten ihres Mannes teil und nutzte daher auch die Möglichkeit, seine Vorlesungen zu hören, wenn
auch versteckt hinter der Tür, da Frauen
zu Hörsälen keinen Zutritt hatten. Obwohl
sie die Hausfrauenpflichten als Professorengattin immer als vordringlich ansah
(Döring, Lebenswelt, 42), schrieb sie Rezensionen für die *Critischen Beyträge*, re-
digierte und kopierte Briefe, las Korrektur,
ordnete die Bibliothek, war als brillante
Übersetzerin und als Dichterin tätig (Martens, Nachwort, 152). Gottsched nahm die
sehr geschätzte fachliche Kompetenz seiner Frau und ihren Fleiß häufig und gerne
zur Vorbereitung und Fertigstellung eigener Arbeiten in Anspruch. Sie hielt dem,
zum Teil unter großer Anstrengung, stand
und gab die eigenständige intellektuelle
und literarische Tätigkeit nie auf. Die
Ehe und die Zusammenarbeit mit Gottsched erschloß Luise Gottsched – als
Frau ohne Gelehrtenstatus – einen weiten
Wirkungskreis innerhalb der gelehrten
Welt des 18. Jahrhunderts. Medium dieses
Wirkungskreises war u. a. das Gespräch.
Beide Gottscheds pflegten einen regen
Austausch, nicht nur mit Leipziger Intellektuellen, wenn auch im Falle Luise
Gottscheds ebenfalls nicht institutionali-
siert: Sie gehörte keiner Gesellschaft an,
auch nicht der bedeutenden „Deutschen
Gesellschaft", traf aber viele Gelehrte pri-
vat, im eigenen Haus. Ihr Interesse richtete

sich dabei vor allem auf philosophische Auseinandersetzungen. Das belegt die Büchersammlung livres philosophiques der Gottschedin (Ball, Büchersammlung, 228 ff.). Sie entsprach in keiner Weise der üblichen „Frauenzimmerbibliothek", aber unterschied sich auch deutlich von der ihres Mannes (ebd., 221). Der Bestand zeigt, daß sich ihr intellektuelles Interesse vor allem auf die zeitgenössische Philosophie des 18. Jahrhunderts richtete (ebd., 231.). Die zahlreichen Aufsätze und Pamphlete, in denen sich Luise Gottsched vorwiegend mit der Philosophie Leibniz' und Wolffs auseinandersetzte und diese scharf gegen Kritiker verteidigte, spiegeln das wider, ebenso ihre Briefe, Vorworte (zu Triumph der Weltweisheit, 1739) und Übersetzungen.

In den Jahren der Ehe und bis zu Luise Gottscheds Tod im Juni 1762 entstand also ein umfangreiches Werk von unterschiedlichen Schriften. Luise Gottsched hat wesentlichen Anteil an der Übersetzung des *Dictionnaire historique et critique* von Pierre Bayle (Martens, Nachwort, 152), dem bedeutendsten und, aufgrund der umfangreichen Quellenangaben und der stark diskursiv ausgerichteten Artikel, in Aufbau und Struktur komplexesten zeitgenössischen Lexikon der Aufklärung. Martens schreibt ihr auch den größten Anteil an der vortrefflichen Übersetzung von Addisons und Steels *Spectator* zu. Auch die Übersetzung des *Guardian* ist ihr zu verdanken. Die Erstellung einer *Geschichte der lyrischen Poesie der Deutschen. Ein starkes Manuscript von ihr selbst geschrieben* ist zwar belegt (Ball, Büchersammlung, 222 f.), aber nicht überliefert, da Luise Gottsched sie verbrannte. Es fand sich, trotz der lobenden Fürbitte durch Johann Christoph Gottsched, kein Verleger (ebd., 223). Die wichtigste Gemeinschaftsarbeit der Gottscheds ist die Dramenanthologie *Die Deutsche Schaubühne* (1741–1745), für die Luise Gottsched ein Großteil der umfangreichen philo-

logischen Vorarbeiten leistete. Mit der Übersetzung von Komödien und eigenen Stücken lieferte sie ‚regelmäßige Lustspiele' im Sinne der Theaterreform Gottscheds, damit ist sie maßgeblich und praktisch wirkend an ihr beteiligt. Ihre Lustspiele *Die Pietisterey im Fischbein-Rocke, Die ungleiche Heiyrat, Die Hausfranzösin, Das Testament, Der Witzling* begründen die Sächsische Typenkomödie, die von Mylius, Quistorp, Gellert, Joh. Elias Schlegel und Lessing weitergeführt wird. Sie bezeugen ein bemerkenswertes dichterisches Talent, dem schon Martens (Nachwort, 152) bescheinigte, den „dramatischen Fähigkeiten ihres Eheherrn" überlegen zu sein. Nicht zuletzt muß unter ihren Schriften die stattliche Anzahl von Briefen, die sie hinterlassen hat, hervorgehoben werden. Sie sind von ganz eigenständiger neuer, bereits auf die Empfindsamkeit hindeutender Qualität (Heuser, Louise, 178).

Literatur: Johann Christoph Gottsched, Leben der […] Luise Adelgunde Victoria Gottschedinn […], in: Johann Christoph Gottsched (Hg.), Der Luise Adelgunde Victoria Gottschedinn, geb. Kulmus, sämmtliche kleinere Gedichte […], Leipzig 1763; Wolfgang Martens, Nachwort, in: Luise Adelgunde Victorie Gottsched, Pietisterey im Fischbein-Rocke, hg. von W. M., Stuttgart 1979; Ruth H. Sanders, „Ein kleiner Umweg". Das literarische Schaffen der Luise Gottsched, in: Barbara Becker-Cantarino (Hg.), Die Frau von der Reformation zur Romantik, Bonn 1980, 170–194 [Literaturverz. zu den selbständigen Schriften L. G.s]; Magdalene Heuser, „Das Musenchor mit neuer Ehre zieren". Schriftstellerinnen zur Zeit der Frühaufklärung, in: Gisela Brinker-Gabler (Hg), Deutsche Literatur von Frauen, Bd. 1: Vom Mittelalter bis zum Ende des 18. Jahrhunderts, München 1988, 293–313; Irene Ruttmann, Luise Adelgunde Victorie Gottsched, in: Gunter E. Grimm, Rainer Marx (Hg.), Deutsche Dichter, Bd. 3: Aufklärung und Empfindsamkeit, Stuttgart

1988, 80–87; Inka Kording (Hg.), Louise Gottsched – „mit der Feder in der Hand". Briefe aus den Jahren 1730–1762, Darmstadt 1999 [Biographisches zu L. G. in der Einleitung]; Magdalene Heuser, Louise Adelgunde Victorie Gottsched (1713– 1962), in: Kerstin Merkel, Heide Wunder (Hg.), Deutsche Frauen der Frühen Neuzeit, Darmstadt 2000, 169–181; Gabriele Ball, Helga Brandes, Katherine R. Goodman (Hg.), Diskurse der Aufklärung. Luise Adelgunde Victorie und Johann Christoph Gottsched, Wiesbaden 2006 (Wolfenbütteler Forschungen, 112); Katherine R. Goodman, Luise Kulmus' Danzig, in: ebd., 13– 37; Detlef Döring, Die Leipziger Lebenswelt der Luise Adelgunde Victorie Gottsched, in: ebd., 39–63; Gabriele Ball, Die Büchersammlungen der beiden Gottscheds. Annäherungen mit Blick auf die *livres philosophiques* L. A. V. Gottscheds, geb. Kulmus, in: ebd., 213–260.

Uta Klein (München)

DISKUSSION

Rainer Enskat

Aufklärung –
‚Erwirb sie, um sie zu besitzen!‘
oder
Literarische Spielwiese?

Bemerkungen zu Methodenproblemen der Aufklärungsforschung anläßlich von Philipp Bloms Untersuchungen zum vergessenen Erbe der Aufklärung

Spätestens seit Friedrich Nietzsches Frage nach ‚Nutzen und Nachteil der Historie für das Leben‘ wird die Arbeit der Geisteswissenschaften von einer Leitfrage begleitet, die die Auseinandersetzung mit der Geschichte schon weit diesseits aller wissenschaftsspezifischen Fragen von alters her bestimmt. Da die Geschichte stets die mehr oder weniger unmittelbare Vorgeschichte der Generation ist, die auf sie zurückzublicken sucht, wird dieser Rückblick stets mehr oder weniger ausdrücklich von der Frage nach Art und Grad der *Bedeutsamkeit* geleitet, mit der diese Vorgeschichte die Lebensform der jeweiligen Generation prägt oder vielleicht sogar prägen sollte bzw. nicht prägen sollte. In den auf den Ersten und den Zweiten Weltkrieg folgenden Generationen hat sich nach und nach ein geschichtliches Bewußtsein entwickelt, das diese Bedeutsamkeitsfrage auch mit Blick auf die sogenannte Geistesgeschichte des 18. Jahrhunderts zu beantworten sucht. In diesem Jahrhundert ist das Aufklärungs-Vokabular in allen europäischen Nationalsprachen nicht nur zum ersten Mal in statistisch signifikant häufiger Weise verwendet worden und schließlich sogar inflationär geworden. In den Geisteswissenschaften ist der Name des *Jahrhunderts der Aufklärung* für das 18. Jahrhundert nachgerade konventionell geworden. Sogar der epochengeschichtliche Eigenname eines *Zeitalters der Aufklärung* ist von keinem geringeren Zeitzeugen als Kant im Blick auf den nicht näher bestimmten Zeitraum geprägt worden, in den seine Lebenszeit fällt.[1] Allerdings ist Kant selbst skeptisch genug, die Frage offenzuhalten, welche Prognosen man diesem Zeitalter stellen kann. Kants Offen-

---

[1] Vgl. Immanuel Kant, Beantwortung der Frage: was ist Aufklärung?, in: Kant's gesammelte Schriften. Akademie-Ausgabe, Berlin 1900 ff., Bd. 8, 40.

Aufklärung 23 · © Felix Meiner Verlag 2011 · ISSN 0178-7128

halten dieser skeptischen Frage ist ein Signal einer Klugheit, die sich mit Blick auf eine epochale Tragweite von dominierenden Themen und Agenden ihrer Zeit zu Recht keine prognostischen Gewißheiten zutraut. Lediglich eine Aufgabe hält Kant unter den von ihm überblickten Umständen seiner Gegenwart für die vordringlichste und wohl auch chancenreichste – die Aufklärung „vor allem in *Religionssachen*".[2] Indessen ist die Geschichte, auf die wir zweihundert Jahre nach dem 18. Jahrhundert zurückblicken können, der beste Zeuge im Prozeß um die Frage nach den Fortschritten, die der Aufklärung im Maßstab eines Zeitalters gelungen sein müßten: Kants abstrakte epochenanalytische Kategorie eines Zeitalters der Aufklärung ist seit damals in mehr als einer Weltgegend mit immer mehr Leben erfüllt worden – vor allem durch bedeutsame Fortschritte des Rechtswesens, insbesondere des Verfassungsrechts und des Völkerrechts, der Religionspolitik und der institutionellen und prozeduralen Formen der praktischen Politik, aber auch durch politisch gesteuerte Verbesserungen der Lebensbedingungen mit Hilfe von Errungenschaften vor allem der Naturwissenschaften und der klinischen Forschung. Allerdings erinnert Paul Hazard schon 1938 zu Recht daran, daß die Bemühungen des 18. Jahrhunderts um Aufklärung ihrerseits aus einer *Krise des europäischen Geistes* hervorgegangen sind.[3]

Es ist unter diesen Umständen nur allzu verständlich, daß sich die Aufklärungs-Forschung zunächst gerade dann mit einzelnen Stimmen in bedeutsamen Formen zu Wort gemeldet hat, wenn Fortschritte der Aufklärung durch krisenförmige Entwicklungen oder durch katastrophale Ereignisse gefährdet wurden. So veröffentlicht der jüdische Philosoph Ernst Cassirer in einem Akt von unüberbietbarer symbolischer Bedeutsamkeit noch ein Jahr vor dem nationalsozialistischen Ausbruch der politischen, rechtlichen und moralischen Katastrophe Deutschlands sein Buch *Die Philosophie der Aufklärung.*[4] In dieser gelehrten philosophiehistorischen Bilanz ruft er noch einmal die moralphilosophischen, die rechtsphilosophischen und die Einsichten der Politischen Philosophie in Erinnerung, die die europäische Reflexionselite des 18. Jahrhunderts erarbeitet hat. Angesichts der katastrophalen Ausgeburt, die die deutsche Katastrophe auch mit dem Zweiten Weltkrieg hervorgebracht hat, und angesichts der verstörenden gesellschaftlichen Erfahrungen, die sie in ihrem amerikanischen Exil gemacht haben, fordern die beiden Philosophen Max Horkheimer und Theodor W. Adorno in ihrem Gemeinschaftswerk *Dialektik der Aufklärung* dazu auf: „[…] die Aufklärung muß sich

---

[2] Ebd., 41, Kants Hervorhebung; vgl. hierzu auch unten 15–16.

[3] Paul Hazard, Die Krise des europäischen Geistes (frz. [1]1939), Hamburg 1939. – Die agonalen Züge dieser Krise für das Gebiet des Deutschen Reichs werden in umfassender Form vorzüglich herausgearbeitet durch Kay Zenker, Libertas philosophandi. Das Problem der Denkfreiheit in der deutschen Aufklärung, Diss. Münster 2009.

[4] Ernst Cassirer, Die Philosophie der Aufklärung ([1]1932), Hamburg 1998.

auf sich selbst besinnen".[5] Es sind diese und einige wenige andere aus Krisen-, Katastrophen-, Denk- und Forschungserfahrungen hervorgegangenen Werke, die die inzwischen weltweit institutionalisierte und international organisierte Aufklärungs-Forschung während der vergangenen fünf Jahrzehnte ins Leben gerufen und inspiriert haben. Eines der gewichtigsten Zwischenresultate bildet die monumentale zweibändige Untersuchung von Peter Gay *The Enlightenment: An Interpretation.*[6] Von Anfang an gehörte es daher auch zu den sprachlichen Konventionen dieser Forschung und ihrer Stammväter, daß die Resultate der Reflexionsarbeit, die das 18. Jahrhundert in seine Bemühungen um Aufklärung investiert hat, als Erbe, Erbschaft und Vermächtnis für die nachfolgenden Generationen reklamiert werden.[7]

In seinem Buch *Böse Philosophen* beteiligt sich Philipp Blom an dieser Konvention, indem er *Das vergessene Erbe der Aufklärung* wiederzugewinnen sucht und zu zeigen unternimmt, daß es *Ein Salon in Paris* sei, durch den dies Erbe hinterlassen worden ist.[8] Die nahezu enthusiastische Aufnahme, die das Buch fast einhellig durch Besprechungen in großen überregionalen Zeitungen durch renommierte Rezensenten gefunden hat, läßt aufschlußreiche Eröffnungen über das vergessene Erbe dieses Salons erwarten. Nun pflegen Salons die für die Aufklärungs-Forschung allerdings hinderliche Eigenschaft zu haben, daß die Gespräche ihrer Teilnehmer weder durch unmittelbare Protokolle noch durch Gedächtnisprotokolle authentisch dokumentiert sind. Überdies weiß selbstverständlich auch Blom nur zu gut, daß die Teilnehmer an dem für ihn so symbolhaften Salon des Baron d'Holbach in politischen Strukturen lebten, in denen authentische Dokumente ihrer internen Selbstverständigung angesichts der allgegenwärtigen politischen und kirchlichen Zensur und von deren polizeilichen Kontroll- und Zugriffsrechten geradezu Bedingungen der Unmöglichkeit ihres Salons und ihrer

---

[5] Max Horkheimer, Theodor W. Adorno, Dialektik der Aufklärung. Philosophische Fragmente, Amsterdam 1948, 5.

[6] Peter Gay, The Enlightenment. An Interpretation, 2 Bde. ([1]1969), New York 1996.

[7] Für Hazard besteht die Pointe des *Jahrhunderts der Aufklärung* allerdings darin, daß es das meiste von der ‚Krise des europäischen Geistes‘ des 17. Jahrhunderts geerbt hat: „Die entscheidende Ideenschlacht findet vor 1700 statt" (Krise [wie Anm. 3], 506); ähnlich urteilt, wenngleich sein säkularer Schwerpunkt im 18. Jahrhundert liegt, auch Cassirer, vgl. Aufklärung (wie Anm. 4), IX, ebenso Gay, Enlightenment (wie Anm. 6), Bd. 1, 319. Für Horkheimer und Adorno verbirgt sich der wichtigste Erblasser der Aufklärung in der aus dem Halbdunkel des Mythos herausragenden Gestalt des Odysseus, vgl. Dialektik (wie Anm. 5), 50–87; diese erratische Frühgestalt der Aufklärung ‚entbirgt‘ sich den Autoren durch die „Einsicht in das bürgerlich aufklärerische Element Homers" (ebd., 52). Hans-Georg Gadamer, Wahrheit und Methode ([1]1960), Tübingen [2]1965, kommentiert diese ‚Einsicht‘ indessen mit der sarkastischen Bemerkung, daß man darin doch wohl „eine Verwechslung Homers mit Johann Heinrich Voß sehen muß" (258).

[8] Vgl. Philipp Blom, Böse Philosophen. Ein Salon in Paris und das vergessene Erbe der Aufklärung (amerik. [1]2010), München 2011.

Diskurse gewesen wären – um so mehr als die Abschirmung ihrer Diskurse durch das private Format des Salons eines Mitglieds des Adels gerade dem Zweck diente, die Inhalte ihrer Diskurse noch viel freimütiger zu gestalten als die Inhalte jener publizierten Schriften, die ihre Autoren sogar durch literarisch kunstvoll verschlüsselte Formen ihrer gemäßigteren Inhalte nicht davor bewahren konnten, der Zensur und den Strafbehörden zum Opfer zu fallen. Gerade Diderot, auf dessen Rangerhöhung als Erblasser der vergessenen Aufklärung Blom in erster Linie zielt, konnte hiervon ein besonders leidvolles Lied singen: Für seine kunstvoll verschlüsselte theologie- und religionskritische Schrift *Über die Blinden* mußte er 1749 Kerkerhaft im Schloß von Vincennes vor den Toren von Paris erdulden, wo ihn sein damaliger Noch-Freund Rousseau fast jeden Tag in mehrstündigen Fußmärschen zu Gesprächen aufsuchte – jener Rousseau, der im Licht der martialischen Kriterien und Kategorien Bloms aus dem „Kampf" der *philosophes* „um die Nachwelt" (19) bis heute als ‚Sieger' hervorgegangen ist.

Nun ist es gewiß ein wichtiges sozialhistorisches Faktum, daß die französischen *philosophes* einen wichtigen Teil ihrer internen Selbstverständigung nur in den geheimen Zirkeln von Salons herbeiführen konnten. Doch das ist nicht nur alles andere als neu. Bloms plakative Exposition eines solchen mikrosozialen Orts im Untertitel seines Buches als Ort des vergessenen Erbes der Aufklärung soll anscheinend vor allem signalisieren, daß dieser Ort auch ein vorzüglicher *lieu de mémoire* der Aufklärung sei.[9] Doch dieser Ort ist eine hermeneutische *black box.* Aus den ungeschrieben gebliebenen Dokumenten seiner Diskurse kann kein einziges Partikel bzw. keine einzige Welle eines Lichtstrahls nach draußen dringen. Der Salon des Baron d'Holbach bleibt in Sachen Aufklärung genauso stumm wie das bekannte Gemälde der Damen aus dem Gesprächs-, Lese- und Handarbeitskreis der Herzogin Anna Amalia, das dem gegenwärtigen Publikum gelegentlich allen Ernstes als eine Ikone Weimarer Aufklärung angedient wird. Die einzigen Quellen, die für die Bemühungen der *philosophes* um Aufklärung ernsthaft in Frage kommen, bleiben daher die von ihnen publizierten Schriften. Eine Aufklärung, die diesen Namen verdient, ist, wie Kant nüchtern formuliert, eine öffentliche Aufklärung, eine Aufklärung des Publikums.[10] Der Salon, dessen vergessenes Aufklärungserbe der Verf. seinen Lesern in Aussicht stellt, ist in methodischer Hinsicht dazu verurteilt, ein hermeneutisches Phantom, allenfalls ein Projektionsraum für literarische Phantasien zu bleiben – wie der Verf. eine in der grammatischen Form eines irrealen Konditionals formuliert, wenn er vor allem

---

[9] Im Titel der amerikanischen Originalausgabe ist denn auch gar nicht von einem sozialen Ort des Pariser Adels die Rede, sondern von einer ‚verschworenen Gemeinschaft', einer *Wicked Company,* und vom vergessenen Radikalismus der europäischen Aufklärung, *The Forgotten Radicalism of the European Enlightenment.*

[10] Vgl. Kant, Aufklärung (wie Anm. 1), 36 f.

von d'Holbachs *Le système de la nature* den gewiß nicht ganz abwegigen Eindruck wiedergibt, es sei geschrieben „fast so, als wären die einzelnen Teile Protokolle der abendlichen Diskussionen in der Rue Royale" (203). Doch welche realen hermeneutischen Potentiale aus den öffentlichen Diskursen der *philosophes* und allgemein der Bemühungen des 18. Jahrhunderts um Aufklärung werden unter diesen Umständen vom Verf. genutzt, welche Mittel der Aufklärungsforschung werden von ihm zu Hilfe und welche ihrer Resultate zu Rate gezogen, und vor allem: Welche Aufklärungs-Themen werden von ihm für wichtig genug erachtet, daß es sich für uns lohnt, sie für uns fruchtbar zu machen? Welche Kriterien verwendet der Verf., um sich selbst und seine Leser in dieser vieldimensionalen Sphäre der Aufklärungsforschung zu orientieren? Und *last, but not least* – wie ist es angesichts dieser Fragen um die Kriterien bestellt, die dem Buch und seinem Autor den Enthusiasmus seiner literaturkritischen Rezensenten beschert haben?

Eine der allzu seltenen Gelegenheiten, bei denen er sich veranlaßt sieht, solche Kriterien ausdrücklich zu thematisieren, bietet dem Verf. die Stellungnahme zum Fehlen einer Bibliographie im Anhang zu seinem Buch (vgl. 381 ff.). Aufschlußreich sind seine Stellungnahmen zu den von ihm bevorzugten umfassenderen Studien zum Thema Aufklärung. Während man über die faktische Auswahl der von ihm präsentierten Titel (vgl. 382 f.) nicht gut wird streiten können, sind es die Attribute, die er ihnen beilegt, wodurch ein Licht auf diese Kriterien fällt. Abgesehen von belanglosen Formalbelobigungen wie, „gute Einführung" (382), „Anspruchsvoller ist […]" (ebd.), „guter Referenzpunkt" (ebd.) sind aufschlußreicher seine spezifizierenden Attribute. Peter Gays monumentales Werk (vgl. oben FN 6) ist in seinen Augen die „vielleicht eleganteste und eindrucksvollste Darstellung der Aufklärung" (382). Bei Robert Darntons mikrosozial- und mentalitätshistorischer Studie *Das große Katzenmassaker*[11] zum Vorspiel der Französischen Revolution aus der Perspektive von „nous, hommes vulgaires"[12] handelt es sich um ein „leichtfüßiges und und wunderbar lesbares" (ebd.) Buch. Michel Onfrays *Contrehistoire de la philosophie* ist „Unterhaltsam zu lesen und wunderbar leidenschaftlich" (ebd.). Angesichts dieser Charakterisierungen darf man vorhersagen, daß jede Untersuchung zum Thema der Aufklärung überaus willkommen sein wird, wenn es ihrem Autor gelingt, dem Publikum ein vergessenes Erbe der Aufklärung nicht nur mit methodischer Sorgfalt aufschlußreich zu erschließen, sondern auch noch mit solchen literarischen Stilqualitäten zu bedenken zu geben. Indessen läßt das Motto, das der Verf. seinem Buch in Form eines de la Mettrie-Zitats voranstellt, nicht nur Gutes ahnen, falls man in ihm seine metho-

---

[11] Robert Darnton, Das große Katzenmassaker (amerik. [1]1984), München 1989.
[12] Jean-Jacques Rousseau, Discours sur les sciences et les arts, in: ders., Œuvres complètes, Bd. 3, Paris 1964, 30.

dologische Einstellung zur gelehrten Aufklärungs-Forschung gespiegelt sehen darf: „Löst euch von den langweiligen Gelehrten, deren Werke tristem, eintönigem und grenzenlosem Ödeland gleichen, in dem keine einzige Blume wächst" (7). Allerdings hätte nicht erst ein Biologe der Wende vom 19. zum 20. Jahrhundert wie der jüngst für das deutsche Publikum wiederentdeckte Insektenforscher Jean-Henri Fabre den Verf. ‚in wunderbar lesbarer‘ und ‚wunderbar leidenschaftlicher‘ Form darauf aufmerksam machen können, welches florale Wunderland sich jenseits des Wahrnehmungshorizonts des Laien in manchem von ihm für Ödland gehaltenen Landstrich verbirgt.[13] Sollte die blühende Landschaft der multidisziplinären und multithematischen gelehrten Aufklärungs-Forschung ebenso jenseits des Wahrnehmungshorizonts des auf atheistische und materialistische Popular-Landschaften konzentrierten Verf. liegen?

Wie der Untertitel der amerikanischen Originalausgabe sogleich auf den ersten Blick signalisiert, ist es der Typus der radikalen Aufklärung,[14] den der Verf. dem gegenwärtigen Publikum so in Erinnerung bringen möchte, daß es sich seiner als ihres wichtigsten Erbes der Aufklärung annehmen kann. Dieser Typus wird vom Verf. in methodischer Hinsicht indessen nicht gleichsam wie eine einzigartige Monokultur der Aufklärung behandelt, sondern immer wieder auch indirekt durch vergleichende Erörterungen der von ihm so genannten ‚gemäßigten Aufklärung‘ konturiert (vgl. 14 ff., zuletzt 381 ff.). Der Radikalismus des vom Verf. thematisierten Aufklärungstyps hat im Licht seiner Kriterien revolutionäre Züge: „Der Umsturz, der hier vorbereitet wurde, zielte auf die Fundamente des abendländischen Denkens" (13). Angesichts der gegen Null tendierenden Vertrautheit der *philosophes* mit so gut wie allen originalen Mikro-Elementen auch nur der

---

[13] Vgl. Jean-Henri Fabre, Erinnerungen eines Insektenforschers ([1]1879), Berlin 2010. Musterhaft für die einschlägigen *botanischen* Beobachtungen in einem jenseits des Wahrnehmungshorizonts des Laien liegenden ‚Ödlands‘ ist der Bericht: „Wo Schafe grasten, findet man nur klägliche Reste. Solange sie von den Herden verschont bleiben, sind die *Geröllhalden* [Herv. R. E.] des Ventoux im Juli buchstäblich ein Blütenmeer" (172). – Ein noch viel älteres Zeugnis stammt aus der sogenannten Narratio prima des Rheticus, in der dieser seinem ehemaligen Lehrer Johannes Schöner die Inhalte ‚erzählt‘, die er vorläufig aus dem im Entstehen begriffenen Buch seines gegenwärtigen Lehrers Nicolaus Copernicus über die Revolutionen der Himmelskörper gelernt hat. Die methodischen Grundzüge der Arbeit des Astronomen seiner Zeit charakterisiert er so: „Der Astronom, der die Bewegungen der Sterne studiert, gleicht einem wahrhaft Blinden, der von nichts anderem als einem Stab [d.h. der Mathematik] begleitet, eine große, nie endende und gefährliche Reise unternehmen muß, auf gewundenen Wegen, durch unzählige *Einöden* [Herv. R. E.]", zitiert nach: Nicolaus Copernicus, Das neue Weltbild. Drei Texte. Commentariolus, Brief gegen Werner, De revolutionibus I. Im Anhang eine Auswahl aus der Narratio prima des G. J. Rheticus, übersetzt, herausgegeben und mit einer Einleitung und Anmerkungen versehen von Hans Günter Zekl, Hamburg 1990, 45[17].

[14] Vgl. dazu auch Jonathan Israel, Radical Enlightenment. Philosophy and the Making of Modernity, 1650–1750, Oxford 2001. – Die programmatische Öffnung der Aufklärungsforschung für die Gestalt einer ‚radikalen Aufklärung‘, geht indessen auf das Buch von Margaret Jacob, The Radical Enlightenment, London 1981, zurück.

überlieferten größeren und kleineren Klassiker der abendländischen Philosophie ist das Zutrauen mehr als erstaunlich, das der Verf. offenkundig in die Zielgenauigkeit der fundamentalkritischen Kompetenz der *philosophes* hegt. Doch was ist, wenn sie im Rahmen ihrer ‚Vorbereitungen‘ schlecht gezielt haben, oder wenn der Verf. die von ihm apostrophierten Fundamente mit etwas anderem verwechselt – z. B. mit teilweise fast zweitausend Jahre lang tradierten falschen *empirischen* Überzeugungen wie denen von der Genese des Embryos, vom Alter der Erde sowie von der Konstanz der Tier- und Pflanzenarten (vgl. 208 f.)? Indessen stempelt der Umstand, daß sich solche Überzeugungen in naturkundlichen Gelegenheitsschriften von gelegentlich empirisch forschenden Philosophen wie Aristoteles finden, diese Überzeugungen nicht im geringsten zu so etwas wie ‚Fundamenten des abendländischen Denkens‘. Er läßt sie vielmehr sein, was sie von Anfang an waren – falsche, wenngleich indiziengestützte empirische Überzeugungen aus der Epoche der ‚erwachenden Wissenschaft‘ (B. –L. van der Waerden). An ihrer *empirischen* Korrektur wurden viele Generationen teilweise mit Hilfe von respektablen, aber teilweise auch skandalösen Gründen gehindert oder waren teilweise durch mißliche Umstände verhindert, sich an solchen Korrekturen zu versuchen. Ein Musterbeispiel einer bis ins 18. Jahrhundert tradierten Überzeugung, deren Korrektur in die Obhut des im wahrsten Sinne reinen Denkens gehört, bildet die vom Verf. im Rahmen seiner kurzen d'Holbach-Präsentation (vgl. 202– 227) angedeutete und vom Baron mit psychologisierenden Argumenten verworfene physiko-teleologische Argumentation zugunsten der Existenz eines göttlichen Schöpfers der Natur-im-Ganzen (vgl. 205–207). Die erste und ein für alle Mal letzte wahrhaft ‚fundamentale‘ kritische Analyse dieser mit einer ‚fundamentalistischen‘ materialen Naturteleologie verbundenen Schöpfungstheologie hat indessen knapp dreißig Jahre später Kant in seiner rein formal, methodologisch und erkenntnistheoretisch argumentierenden *Kritik der teleologischen Urteilskraft* ausgearbeitet. Doch die ‚kritischen‘ Schriften Kants sind für den Verf. ohnehin ohne Belang, weil „die Vernunft" in seinen Augen hier ohnehin nur „zelebriert" (370) wird.

Wer unter den *philosophes* hat indessen in den Augen des Verf. deren ‚Vorbereitungen‘ auf einen ‚Umsturz der Fundamente des abendländischen Denkens‘, so zu einer ‚Fundamentalphilosophie‘ ausgearbeitet, daß sie in den Augen des Verf. den Kriterien der von ihm favorisierten radikalen Aufklärung genügt? Doch hat nicht wenigstens der ehemalige Oxford-Student der Philosophie Philipp Blom spätestens aus den Elementarlektionen der Analytischen Philosophen gelernt, daß es *ein fundamentaler methodischer Fehler* ist, wenn man in ‚dem‘ abendländischen Denken der Philosophie nach irgendwelchen vermeintlichen Fundamenten sucht, als wäre ‚die‘ Philosophie oder gar ‚die abendländische‘ Philosophie einem architektonischen Bauwerk vergleichbar, während jeder einzelne philosophische Entwurf in Wahrheit einem mehr oder weniger kohärenten lebendigen

Gewebe gleicht, dessen Kohärenzform stets von irgendwelchen anderen formalen, methodischen und thematischen Binnenbeziehungen belebt wird als jedes
Gewebe irgendeines anderen Entwurfs? Doch schon von Cassirer hätte er sich
ausgerechnet mit direktem Blick auf die „Aufklärungsphilosophie" zu bedenken
geben lassen können, daß sie „[…] zu jenen Gedanken-Webermeisterstückchen
[gehört], ‚wo ein Tritt tausend Fäden regt, Die Schifflein hierüber, hinüber schie-
ßen, Die Fäden ungesehen fließen' ".[15] Von den ‚hierüber und hinüber schießen-
den' Funktionen der reflektierenden und der bestimmenden Urteilskraft, die nach
Kant jedes ‚Gedanken-Webermeisterstückchen' hervorbringen, hat der Verf. vermutlich noch nichts vernommen. Und wie ist es mit dem fundamentalistischen
Bild des Verf. von der Philosophie verträglich, daß das Werk seines Hauptprotago-
nisten Diderot „ungeheuer eklektisch" (383) ist? Was für Fundamente, die diesen
Namen verdienen, legt der ‚ungeheuer eklektisch' arbeitende Diderot in den Augen des Verf. ‚der' Philosophie statt dessen zugrunde? Oder ist es eher so etwas
wie eine *patchwork*-Philosophie, die aus dieser methodischen Einstellung Diderots hervorgegangen ist? Immerhin hat einer der bedeutendsten Kant-Interpreten
des 20. Jahrhunderts, der spätere Oxford(!)-Professor Herbert James Paton sogar
die *Kritik der reinen Vernunft* als eine „Patchwork Theory" charakterisiert.[16] Doch
zumindest eine kohärente *Behandlung* von Diderots ‚ungeheuer eklektischem'
Beitrag zur Neufundierung der Philosophie im Geist der ‚radikalen Aufklärung'
ist der Verf. dem Publikum zumindest bis jetzt schuldig geblieben.

Indessen ist diese Fehlanzeige vielleicht auch damit zu erklären, daß die vom
Verf. apostrophierte und in eher pointillistischer Manier skizzierte radikale Aufklärung erheblich theorieresistent ist? Denn was stempelt den von diesen Autoren
hinterlassenen Aufklärungstyp in den Augen des Verf. eigentlich zu einem Erbe,
das wir durch theoretische oder durch literarische Anstrengungen erst noch ‚er-
werben müssen, um es zu besitzen'? Sie haben „die Welt neu gedacht" (352) und
zwar durch eine „gesellschaftliche Vision" (371). Diese „gesellschaftliche
Vision zielte [darauf] […], die Freude am eigenen Leben zu entdecken und zu
kultivieren und sie anderen auch zugänglich zu machen" (371), damit wir
„[…] Trost [finden] in Freundschaft und Sex, in Kunst und […] in Ironie" (25).
Für den Verf. ist eine Vision mit diesem Inhalt nichts anderes als „Der radikale
Humanismus" und ebenso die „Ethik des aufgeklärten Hedonismus" (372), deren
wir bedürfen, weil „Wir erkennen, dass wir alle vor unserer persönlichen Auslö-
schung stehen" (24 f.). Diese Vision soll „bis heute nichts von ihrer Relevanz verloren [haben]" (16)? Doch bilden die trost- und lustfreundlichen moralpädagogi-
schen Maximen dieser ‚radikal-humanistischen' und ‚aufgeklärt-ethischen Visi-

---

[15] Cassirer, Aufklärung (wie Anm. 4), XIII.
[16] Vgl. H. J. Paton, Kant's Metaphysic of Experience. A Commentary On the First Half of the
Kritik der reinen Vernunft, Bd. 1 (¹1936), London, New York 1961, 38–40.

on‘ inzwischen nicht vielmehr weitgehend konventionell gewordene Einstellungen in unserer gegenwärtigen gesellschaftlichen Wirklichkeit? Der Verf. macht es seinen Lesern unter diesen Umständen, gelinde gesagt, nicht gerade leicht zu beurteilen, ob er ihnen mit Hilfe seiner paraphrasierenden rhetorischen Farbtupfer im Zusammenhang seines ganzen Buches nicht etwas ganz anderes zu verstehen gibt als der Titel seines Buches in Aussicht stellt, nämlich: Diese Einstellungen haben sich als Erbe der Schriften der *philosophes* gleichsam im direkten rezeptionsliterarischen Erbgang im Publikum durchgesetzt, obwohl ‚wir‘ es vergessen haben; doch dann hätte sein Buch den angemesseneren Titel ‚*Freundliche* Philosophen. Der Salon und die vergessene *Gegenwart* des Erbes der Aufklärung‘ tragen können. Indessen ist die Wahrscheinlichkeit viel größer, daß sich diese aktuellen Einstellungen durch tausend und abertausend verschiedenartige Mikro-, Meso- und Makro-Faktoren der vergangenen zweieinhalbhundertjährigen Geschichte entwickelt haben. In ihrem Verlauf haben sich die *philosophes* der ‚radikalen Aufklärung‘ zwar gleich am Anfang mit erinnerungswürdigen *fulgurations* an den *lumières* des Taufjahrhunderts der Aufklärung beteiligt. Doch von einem Vergessen solchen Wetterleuchtens kann angesichts der Hochschätzung vor allem von Schriften Diderots durch monumentale Autoren wie Goethe, Hegel, Marx, Nietzsche und Freud, wie der Verf. wohl weiß (vgl. 372 f.), nicht im mindesten die Rede sein. Haben die *philosophes* unter diesen Umständen eine Erinnerungshilfe auf dem sich abzeichnenden methodischen Niveau des Buchs des Verf. wirklich nötig oder verdient?

Der Typus der gemäßigten Aufklärung wird für den Verf. indessen von Autoren repräsentiert, deren Werke nach seinen mehr als bemerkenswerten Kriterien so gut kommensurabel sind wie die Werke Voltaires und Kants (vgl. 368 f.). Diese Kommensurabilität und das ‚Gemäßigte‘ ihres gemeinsamen Beitrags zur Aufklärung zeigt sich nach diesen Kriterien darin, daß sich dieser Beitrag „[…] hervorragend als Überbau für die Werte eines kapitalistischen Bürgertums [eignet]. Die Vernunft wurde zelebriert, aber gleichzeitig wurde ihr Wirkungskreis auf die Wissenschaften beschränkt, sodass sie keinerlei Gefahr für den heiligen Hain der Religion darstellte. […] Die gemäßigte Aufklärung war ein hocheffektives philosophisches Werkzeug, dessen rationalisierender Impuls zu einer immer umfassenderen Kontrolle des gesellschaftlichen und persönlichen Lebens führte“ (370). „Obwohl die Logik der rationalistischen, deistischen und gemäßigten Aufklärung nicht notwendigerweise zur Selektionsrampe von Auschwitz führt, so hat sie doch unzweifelhaft eine Tendenz, nach der einzelne Menschen kaum mehr sind als neutrale Elemente in einem allmächtigen System“ (371). Gewiß kann niemand einen Autor daran hindern, einen Begriff von Logik und logische Kriterien zu haben, zu deren Inhalten nicht nur formale Konsequenzen, sondern auch noch reale ‚Tendenzen‘ gehören. Spätestens seit Marx’ einschlägigen Formulierungen ist die Bedeutung des Wortes *Logik* zu dieser Art von Freiwild von allen geworden, die sich darin üben, die Philosophie ‚vom Kopf auf die Füße zu stellen'. Ebenso kann niemand einen Autor daran hindern, den Narren auf eigene Faust zu spielen. Doch bislang haben sich im Publikum eines Autors früher oder später noch immer Stimmen Gehör verschafft, die zeigten, daß es des Kaisers neue Kleider zu durchschauen versteht, wenn es darauf ankommt. Daran kann auch die wohlfeile Pauschal-Berufung des Verf. auf Horkheimers und Adornos *Dialektik der Aufklärung* (vgl. 371 f.) nichts ändern, die ebenso wenig Respekt für die Mikrostrukturen klassischer philosophischer Theorien übrig haben[17] wie die *philosophes* und der Verf. selbst.

Gemäß dem Begriff von Logik und gemäß den logischen Kriterien, die dem Verf. die Diagnose erlauben, daß die angeblich sowohl von Voltaire wie von Kant repräsentierte ‚gemäßigte Aufklärung' zwar ‚nicht notwendigerweise', aber doch durch ‚eine Tendenz' bis an die Rampe von Auschwitz führt, wird auch die Rolle behandelt, die der Verf. auf der Basis seiner entsprechenden Lektüren Rousseau zuschreibt. Durch seine wichtigste Prämisse schreibt er Rousseau zunächst eine „totalitäre, aus seinem kochenden Zivilisationshass geborene Utopie" (20) zu. Unter dieser Prämisse des Verf. „überrascht es wenig, daß Rousseaus Zukunftsvisionen nicht nur Robespierre beeinflussten, sondern auch Lenin und den kambodschanischen Diktator Pol Pot, der Rousseaus Werke während der 1950er Jahre in Paris aufmerksam [!, R. E.] und mit Begeisterung gelesen hatte und der später den wohl grausamsten Versuch unternahm, Rousseaus Gesellschaft unverdorbener und tugendhafter Landbewohner fern von allen Einflüssen einer dekadenten Zivilisation zu verwirklichen, indem er versuchte, sein eigenes Land in die Eisenzeit zurückzumorden" (ebd.). Doch was darf man von der Sorgfalt der Rousseau-Lektüre des Verf. halten? In Fortsetzung einer schier endlosen scheinenden Fehlerreproduktion identifiziert er das berühmt-berüchtigte Paradox Rousseaus „Der Mensch wird frei geboren, und liegt doch überall in Ketten"[18] mit dem Anfangssatz des *Du contrat social* (vgl. 253). Doch mit dem ersten Satz dieses Schlüsselwerks der neuzeitlichen Politischen Philosophie „Ich will untersuchen, ob es in der Ordnung des zivilen Lebens irgendeine legitime und sichere Regel für die Regierung geben kann"[19] signalisiert Rousseau auch für jeden

---

[17] Vgl. hierzu z. B. Winfried Schröder, Moralischer Nihilismus. Typen radikaler Moralkritik von den Sophisten bis Nietzsche, Stuttgart-Bad Cannstatt 2002, bes. 126–129, insbesondere die aufschlußreiche abgrenzende Nebenbemerkung über „seriöse Arbeiten von Philosophiehistorikern" (128), wiewohl die ‚Seriositäts'-Defizite des Entwurfs der beiden Autoren gewiß ebenso unmittelbar auch dessen philosophisches Format einschließen.

[18] „L'homme est né libre, et partout il est dans les fers" (Jean-Jacques Rousseau, Du contrat social, in: ders., Œuvres complètes, Bd. 3, Paris 1964, 352).

[19] „Je veux chercher si dans l'ordre civile il peut y avoir quelque régle d'administration légitime et sûre" (ebd). Daß Rousseau *administration* und *gouvernement* synonym verwendet, zeigt unmittelbar das *Fragment botanique Nr. 12,* in: ders., Fragments botaniques, Œuvres complètes, Bd. 3,

nicht sonderlich sorgfältigen Leser, daß er eine Untersuchung ankündigt, die den Bedingungen des legitimen und sicheren Regierens in einem bürgerlichen Gemeinwesen gewidmet ist. Allerdings widmet der Verf. auch nicht eine einzige Zeile auf eine Prüfung der Frage, aus welchen Elementen dieser Politischen Philosophie Pol Pot durch ‚sorgfältige Lektüre' zu seiner mordträchtigen Gesellschaftskonzeption gelangt sein soll. Peter Gay, dessen Werk für den Verf. die ‚vielleicht eleganteste und eindrucksvollste Darstellung der Aufklärung', bildet, kommt am Ende seiner Rousseau-Analyse stattdessen zu dem Ergebnis: „[…] he did the work of the Enlightenment, and gave substance, more than any other philosoph, to the still youthful, always precarious, science of freedom".[20] Im *Finale* seines Werks analysiert Gay unter den Vorzeichen des ‚Programms' der europäischen Aufklärung Schlüsselpassagen aus den verfassungsrechtlichen und -politischen Erörterungen der *Federalist Papers* vom Vorabend der Gründung der Vereinigten Staaten von Amerika. Unter dem Titel *The Program in Practice* kommt er zu dem Ergebnis: „It is also a classic work of the Enlightenment, […] and a worthy companion to Rousseau's *Contrat social*".[21] Doch da der Verf. anscheinend die ‚Eleganz' von Gays Stil mehr schätzt als ihn dessen Analysen und Beurteilungen ‚beeindrucken', kann ihm dies radikale Kontrastbild seiner grotesken Rousseau-Karikaturen auch nicht weiter zu denken geben. Allerdings macht es den Verf. auch nicht einmal im mindesten skeptisch gegen die fast schon wieder rührend unkritische Schlichtheit, mit der er seinen Lesern die ‚Tendenz'-Linie Rousseau – Pol Pot andient, daß sogar seine ‚radikalen' Aufklärungs-‚Helden' auf solchen ‚Linien' instrumentalisiert worden sind: „Die Parteidenker der Sowjetunion widmeten dem Baron sowie auch Helvétius und Diderot große Aufmerksamkeit, weil ihr Materialismus einer sozialistisch geprägten Neuausrichtung der Philosophiegeschichte entsprach" (366). Eine ‚Tendenz' der ‚radikalen Aufklärung', die bis an die Tore des Gulag führen würde, mag der nur allzu häufig *sine studio*, aber trotzdem selten *sine ira* tätige Verf. seinen ‚Helden' im Licht – oder besser: im Schatten – dieser Instrumentalisierung selbstverständlich nicht zuschreiben.

Statt dessen erschöpft sich seine Aufmerksamkeit für Rousseaus *Du contrat social* und die Freiheits-Paradoxie darin, sie als Symptom eines „himmelstürmende[n] Gefühl[s]" (ebd.) zu diagnostizieren. Ergibt sich diese Symptomdiagnose in

485. – Rousseaus Paradox bildet den ersten Satz des Ersten Kapitels (!) des Ersten Buches und formuliert in zugespitzter Form die zwei Bedingungen der *conditio humana* und der *conditio socialis*, die die Theorie des demokratischen Regierens zu respektieren hat, die er mit dem vorangeschickten ersten Satz des Ersten Buches (!) in Aussicht stellt.

   [20] Gay, Enlightenment (wie Anm. 6), Bd. 2, 552.

   [21] Ebd., 563. – Vgl. zu diesem Punkt auch meine entsprechenden Erörterungen, in: Rainer Enskat, Bedingungen der Aufklärung. Philosophische Untersuchungen zu einer Aufgabe der Urteilskraft, Weilerswist 2008, 510–512, 661–664.

den Augen des Verf. als ein Musterbeispiel aus dem, was er als „die psychologische Tiefenschärfe der radikalen Aufklärung" (243) apostrophiert und vielleicht auch sich selbst als gelehrigem Schüler dieses Typs von Aufklärung zuschreibt? Hat ihn die Sorgfalt seiner Lektüre der ‚vielleicht elegantesten und eindrucksvollsten Darstellung der Aufklärung' (vgl. 382) vielleicht übersehen lassen, was Peter Gay angesichts des Denkwegs Rousseaus bemerkt: „His reports of his sudden dramatic inspirations [...] have eclipsed his other reports of slow, deliberate reflection [...]. Many of his important ideas, in fact, he pondered for years and subjected to severe logical scrutinity"?[22] Doch ‚severe logical scrutinity' ist des Verf. Sache nicht. Er zieht es vor, Rousseaus Politische Philosophie und im selben Atemzug – um nicht zu sagen: in einem Aufwasch – Rousseaus *Émile ou de l'éducation* mittels einer Unverträglichkeits(!)-Diagnose zu erschöpfen: „Gegen dieses himmelstürmende Gefühl steht die Tatsache, dass der Held von Rousseaus Roman [!, R. E.] die zugesagte Freiheit gar nicht will, sondern es vorzieht, in der Position des Kindes zu bleiben" (ebd.). Rousseaus Buch *Vom Gesellschaftsvertrag* bescheinigt der Verf. überdies die erstaunliche Eigenschaft, sowohl „eine atemberaubende Argumentation" und „gleichzeitig ein Psychogramm seines Autors" (254) zu enthalten. Die nötige Argumentationsanalyse bleibt der Autor wie üblich genauso schuldig wie eine sorgfältige Erhebung, Deutung und Beurteilung der relevanten psychischen Symptome – von der abenteuerlichen methodologischen Unterstellung einmal ganz abgesehen, daß Argumentationsanalyse und psychologische Symptomerhebung, -deutung und -diagnose in diesem Fall mit einem und demselben Verfahren gelingen können müßten. Hat der Verf. das Urteil übersehen, das d'Alembert Rousseau spendet, wenn er aus seiner maßvollen Distanz zu den *philosophes* in seinem unsignierten Brief vom 17. 07. 1762 an Rousseau schreibt – daß der *Émile* zugunsten der Überlegenheit (*superiorité*) Rousseaus über alle anderen Autoren (*tous les gens de lettres*) sogar *entscheide* (*décide*)?[23]

---

[22] Ebd., 534. – Zu einem umfassenden Versuch, ‚to subject many of his important ideas to severe locical scrutinity' mit Mitteln der Philosophie, vgl. ebd., bes. 213–523, speziell zu Rousseaus Politischer Philosophie, ebd., 425–514.

[23] Vgl. das Zitat aus diesem Brief bei: Jean-Jacques Rousseau, Les confessions, in: ders., Œuvres complètes, Bd. 1, 574 f. – Daß d'Alembert seinen Brief nicht unterzeichnet hat, ist nur der Vorsicht zuzuschreiben, die er um seiner eigenen bürgerlichen Sicherheit willen walten lassen mußte: Rousseau war zum Zeitpunkt des Briefes vom *Parlément de Paris* auf Grund von zensursensiblen Passagen der im selben Jahr erschienen Schriften *Du contrat social* und *Émile* zur steckbrieflich gesuchten Person erklärt worden; d'Alembert hätte sich durch namentlich identifizierbare Korrespondenz mit einem solchen Autor selbst in Gefahr gebracht. Als um so gewichtiger ist das Urteil einzuschätzen, um dessen Inhalt willen d'Alembert das Risiko einer solchen Korrespondenz gleichwohl eingegangen ist.

Doch für das Rousseau-Bild, das der Verf. seinen Lesern präsentiert, genügen ihm andere Quellen. Es ergibt sich so gut wie ausschließlich aus Anregungen, wie sie psychopathologisch dilettierende Leser Rousseaus nun schon seit mehr als zweihundert Jahren mit unermüdlicher Faszination aus den teilweise rücksichtslos intimen Selbstbespiegelungen seiner autobiographischen Schriften sowie aus den entsprechenden Berichten seiner vielen verstörten ehemaligen Freunde und seiner stets zahlreichen persönlichen und intellektuellen Gegner beziehen. Die repetitive Ferndiagnose Paranoia (vgl. 18 ff., 103, 154 f., 162 f., 281 f., 290 f., 346 f., 349 ff., 379), von dilettierenden Zeitzeugen aus der Steinzeit der Psychopathologie überliefert – *memento* Hölderlin! –, stellt in den Augen von entsprechend interessierten Lesern offensichtlich auch gegenwärtig das Urteil d'Alemberts immer noch in den Schatten ihrer Aufmerksamkeit. Vielleicht hätte es den Verf., wenn er es dank sorgfältigerer Lektüre nur zur Kenntnis genommen hätte, sogar versucht sein lassen können, es wegen „seiner [d'Alemberts] intellektuellen Brillanz" (166) ernst genug zu nehmen. Doch die Ferndiagnose Paranoia entlastet manche gegenwärtigen Literaten und manche ihrer Kritiker offenbar auch von der Mühe, Aufklärungskonzeptionen mit dem Maß an ‚logical scrutiny' zu prüfen, das der Wichtigkeit gemäß wäre, die sie der Sache der Aufklärung so wortreich beimessen.

Der Rousseau, den der Verf. seinen Lesern präsentiert, war aus „persönlichen wie aus philosophischen Gründen zu einem erklärten Feind der radikalen Aufklärung geworden" (165). Zwar breitet der Verf. zum allergrößten Teil eine fast schon übergroße Fülle von ganz und gar aufschlußreichen – wenngleich kaum irgendwelchen neuen – Informationen über den *persönlichen* Charakter dieser Gründe aus. Die persönlichen Gründe, die der Verf. behandelt, stammen in der Regel aus brieflich dokumentierten Berichten und haben sich in realen lebensgeschichtlichen Situationen der Beteiligten entwickelt, die in vielen Fällen der „philosophischen Schlammschlacht um Rousseau und Hume" (291) ähnlich sind, vom Verf. aber jedenfalls stets der „Schlacht um die Nachwelt" (25) zugeschrieben werden. Was der Verf. unter dem *philosophischen* Charakter der Gründe der Feindschaft zwischen Rousseau und den ‚radikalen Aufklärern' versteht, bleibt indessen völlig im Dunkeln und daher selbstverständlich um so mehr der philosophische Charakter einer Schlammschlacht – wenn man einmal davon absieht, daß die von ihm zitierten bzw. zumeist nur paraphrasierten Auffassungen aus der Feder von Autoren stammen, die nach den akzeptierten Konventionen der Philosophiegeschichtsschreibung allerdings zu den *philosophes* oder zu den Philosophen bzw. zumindest zu den Philosophieprofessoren gehören. Aus der Überzeugung des Verf., daß er es alleine schon deswegen mit Auffassungen philosophischen *Charakters* zu tun hat, spricht angesichts dieser Konventionalität seiner Bürgschaft für den philosophischen Charakter der von ihm zitierten bzw. paraphrasierten Auffassungen indessen eine Autoritätsgläubigkeit, deren Maß bei einem Freund einer ‚radikalen Aufklärung' allerdings überraschend ist.

Sein Buch gehört insofern zu dem Typus, der in der Geschichte der Philosophie in klassischer Form durch Diogenes Laertius' *Leben und Meinungen der Philosophen* repräsentiert wird – eine ihrem philosophischen *Charakter* nach gänzlich belanglose Sammlung von doxographischen Informationen über Philosophen nach dem Schema der Frage, wer wann wo was gesagt hat. Doch was ist auch lediglich von der doxographischen Zuverlässigkeit des Verf. zu halten, wenn er seine Leser – was für welche eigentlich? – z. B. allen Ernstes glauben zu machen sucht: „*Wie Descartes* [Herv. R. E.] konstruiert auch Spinoza seine Argumentation nach mathematischer Methode mit Definitionen, Axiomen und Thesen" (116). Ein von Descartes publizierter philosophischer Text, in dem er so *more geometrico* verfährt, ist bisher allerdings nicht überliefert. Der Titel von Descartes' auch unter philosophisch ambitionierten Laien bekanntestem Werk *Meditationes de prima philosophia* hat den Verf. gegen seine lektüreenthaltsame *more geometrico*-Unterstellung offensichtlich nicht mißtrauisch werden lassen können – Meditationen *more geometrico?!* Umgekehrt hält er ebenso irrtümlich Spinoza für den prototypischen Repräsentanten der Auffassung, daß diese wirkliche Welt die beste aller möglichen sei, wenn er im sarkastischen Ton fragt: „War dies nicht, wie nicht nur Spinoza behauptet hatte, die beste aller möglichen Welten?" (133). Ob er den Namen des wahren prototypischen Repräsentanten kennt? Im Personenregister taucht sein Name nicht auf. Überdies hätte sich diese Auffassung zweifellos bestens dafür geeignet, vom Verf. in seinem pseudo-voltaireschen und pseudo-kantischen Entwurf der ideologischen Vorgeschichte der Rampe von Auschwitz instrumentalisiert zu werden. Angesichts der verblüffenden Identitätszuschreibungen, die der Verf. mit den Namen von Descartes und Spinoza verbindet, wird es indessen fraglich, welches wirklich ‚die beiden geheimen Pole' waren, von denen er im Abschnitt *Das Wagnis des Denkens* (106–124) behauptet, daß „Descartes und Spinoza [...] die beiden geheimen Pole [waren], zwischen denen die großen philosophischen Debatten der Aufklärung geführt wurden" (119). Waren es nicht vielleicht doch ein paar mehr und gar nicht so geheime und polarisierende Denker nicht nur des 17. und des beginnenden 18. Jahrhunderts, von denen die Denker des Taufjahrhunderts der Aufklärung in Atem gehalten wurden?

Nachdem der Verf. zur Genüge gezeigt hat, auf welchem methodischen Niveau er die Anti-Aufklärungskonzeption des nach seiner Auffassung wichtigsten Feindes der von ihm so genannten radikalen Aufklärung behandelt, fragt sich der nicht ganz unkundige Leser, ob den Freunden dieses radikalen Aufklärungstyps angesichts der Freundschaft des Verf. eigentlich noch etwas anderes übrig bleibt, als Zuflucht bei dem zu Recht berühmten Hilferuf „einer Art Wunderkind der Aufklärung" (266) des Rechtstheoretikers Cesare Beccaria zu nehmen – *Schützt uns vor unseren Freunden, vor unseren Feinden wollen wir uns schon selbst in Acht nehmen!* Indessen gibt die zur philosophischen Belanglosigkeit verurteilte doxographische Methode des Verf. seinen Lesern nicht die geringste Chance, sich auch nur einige wenige kontrollierbare Schritte an einer *Denkart* der *philosophes* zu beteiligen, die diesen Namen verdienen würde und geeignet erscheinen könnte, die „Denkart ihrer Zeit [zu] verändern" (15). Seine paraphrasierenden Mitteilungen von doxographisch verkürzten atheistischen und materialistischen Auffassungen der *philosophes* degradieren die Anstrengungen, die es sie gewiß gekostet hat, entsprechende theistische oder deistische bzw. idealistische frühere Auffassungen durch eine solche Denkart zu überwinden, zu spätneuzeitlicher Dutzendware. In unseren Tagen kann man sie ohne das geringste moralische, rechtliche und politische Risiko in fast jedem unserer unzähligen Medien kommunizieren. Die rhetorische Emphase, mit der der Verf. „ihre scharfe Analyse verborgener religiöser Strukturen in unserem Denken und unserem Alltag" (18 f.) ebenso beschwört wie „die psychologische Tiefenschärfe der radikalen Aufklärung" (243) bleibt so lange wohlfeil, wie er sich nicht die Mühe macht, im Rahmen von entsprechenden Fallstudien Schritt für Schritt zu *zeigen, wie* man am Leitfaden eines entsprechenden überlieferten musterhaften Textes und mit Hilfe solcher analytischen Vorbilder solche ‚in der Tiefe verborgene Strukturen' aufdecken kann.

Es ist angesichts der populär-atheistischen Vorlieben des Verf. offensichtlich auch gegenwärtig nicht überflüssig, auf das bedeutendste Beispiel aus dem 18. Jahrhundert für die Denkart eines Denkwegs hinzuweisen, der diesen Namen verdient und von Blaise Pascals ‚Gott der Philosophen' („Dieu des philosophes"[24]) zum Paradoxon einer atheistisch konzipierten Religion führt. Es ist noch vergleichsweise wenig bekannt und dem Verf. selbstverständlich (?) gänzlich unbekannt, daß es Kant ist, der einen Denkweg mit dem Ergebnis einer solchen Paradoxie durchmessen hat. Von dem Traktat, in dem 1763 *Der einzig mögliche Beweisgrund zu einer Demonstration des Daseins Gottes* analysiert wird, führt dieser Weg auf verschlungensten Reflexions- und Analysepfaden 1781 in der *Kritik der reinen Vernunft* zu einer wahrhaft radikalen *Kritik aller Theologie aus speculativen Principien der Vernunft* und eröffnet bekanntlich den vorletzten Schritt zur sogenannten Postulatenlehre einer moraltheoretisch konzipierten Theologie der *Kritik der praktischen Vernunft* von 1787. In ihr wird argumentiert, daß das Zutrauen des braven Mannes in die Honorierung seines lebenslangen Anstands nur dann angemessen in Erfüllung gehen kann, wenn er mit Gründen hoffen können darf, daß eine jenseitige göttliche Instanz existiert, die das Maß seines moralischen Verdienstes in dieser ungerechten Welt auch noch nach seinem Tod mit

---

[24] Vgl. Blaise Pascal, Le Mémoiral, in: ders., Oeuvres complètes, Bd. 3, Paris 1994, 50–51.

Weisheit und Gerechtigkeit beurteilen und seiner unsterblichen Seele kraft Allmacht auch wirklich zuteil werden lassen kann.[25]

Erst mehr als dreißig Jahre nach seinem ontotheologischen Erstlingswerk von 1763 über die Existenz des ‚Gottes der Philosophen' – aber eben auch als Frucht eines entsprechend kritischen und vor allem selbstkritischen Nachdenkens – gelangt Kant in den 90er Jahren nicht nur zur Kritik dieser seiner eigenen Postulatenlehre des Daseins Gottes, sondern sogar zu der Einsicht: „[Religion] zu haben wird nicht der Begriff von Gott und noch weniger das Postulat ‚Es ist ein Gott' gefordert".[26] Gemessen an der radikalen analytischen Tiefenschärfe dieses ebenso kritischen wie selbstkritischen Weges präsentieren die doxographischen Paraphrasen, die der Verf. dem Atheismus der *philosophes* widmet, belanglose verbalradikale Schatten einer ehedem für Leib und Leben gefährlichen öffentlichen Selbstverständigung über Möglichkeiten und Grenzen von Religion, Theologie und Philosophie. Nicht einmal der ‚gemäßigte Aufklärer' Kant – seit dem den Siebzigjährigen bedrohlich mahnenden Königlichen Reskript vom 1. bzw. 12. Oktober 1794 wegen seiner moral-hermeneutischen Schrift von 1793 *Die Religion innerhalb der Grenzen der bloßen Vernunft* ein für alle Mal gewarnt – hat es gewagt, seine atheistische Religionskonzeption aus der Verborgenheit seiner persönlichen Aufzeichnungen ins Licht der Öffentlichkeit zu transponieren. Aus der unbelehrten Belehrung, die seine Leser durch den Verf. empfangen, geht indessen hervor, daß die „gemäßigte Aufklärung [...] von Kant" (270) „[...] ein kleines Türchen offen[ließ], durch das Gott wieder zurück in die Philosophie kommen konnte" (269). Wohl wurde von Kant die „Vernunft [...] zelebriert, aber gleichzeitig wurde ihr Wirkungskreis auf die Wissenschaften beschränkt, sodass sie keinerlei Gefahr für den heiligen Hain darstellte" (370). Angesichts von so viel Reproduktion von Seichtigkeiten aus vulgären Verschnitten einer vermeintlichen Philosophiegeschichtsschreibung darf man, ohne die Regeln des elementaren Respekts im Umgang mit philosophisch ambitionierten Buchautoren zu verletzen, doch wohl zumindest die Frage zu bedenken geben, wessen Vernunft hier eigentlich auf welchen Wirkungskreis beschränkt wurde.

[25] Wenn der Verf. Rousseaus Konzeption der Religion mit den Worten wiedergibt, daß „dieses Leben einfach zu schrecklich sei und er auf etwas anderen *hoffen können müsse* [Herv. R. E.]" (19), dann ist gerade diese gestufte modale Formulierung ein adäquater Ausdruck eines Kernelements von Kants Postulatenlehre. – Zu Rousseaus Religionsphilosophie vgl. zuletzt die vorzügliche Untersuchung von Michaela Rehm, Bürgerliches Glaubensbekenntnis. Moral und Religion in Rousseaus politischer Philosophie, München 2006.

[26] Immanuel Kant, Opus postumum. Erste Hälfte, in: Kant's gesammelte Schriften. Akademie-Ausgabe, Bd. 22, 120. – Vgl. hierzu im ganzen Rainer Enskat, Religion trotz Aufklärung?, in: Claudia Bickmann, Markus Wirtz, Hermann-Josef Scheidgen (Hg.), Religion und Philosophie im Widerstreit?, Bd. 1, Nordhausen 2008, 45–102, bes. 68–102.

Was der Verf. unter dem typologischen Theorienamen des Materialismus im doxographischen Stil präsentiert, ist ein heterogenes Florilegium aus stenographischen sensualistischen, hedonistischen und atomistischen Paraphrasen von höchst verwickelten, in den unterschiedlichsten literarischen Formen verfaßten und publizierten kritischen Auseinandersetzungen der *philosophes* mit traditionalen philosophischen, theologischen, religiösen und wissenschaftlichen Auffassungen. John Locke, das Studium von dessen Erkenntnistheorie, Politischer Philosophie und Pädagogik für die *philosophes* von richtungweisender Bedeutsamkeit geworden war, wird anscheinend nur ein einziges Mal höchst beiläufig erwähnt (vgl. 39). Zu Recht hält Paul Hazard mit souveräner Knappheit fest: „Ohne Locke hätte d'Alembert den *Discours préliminaire de l'Encyclopédie* nicht geschrieben".[27] Und Peter Gay erinnert daran: „Locke […] left his mark on the Enlightenment as much as any man".[28] Andererseits ist es mehr als fraglich, ob z. B. eine radikal-sensualistische Kritik, wie Diderot sie an der These von der Existenz Gottes in seiner Schrift *Über die Blinden* übt, gerade den religionsphilosophischen Kriterien Lockes standgehalten hätte. Bekanntlich nimmt er ausschließlich die Atheisten von der Toleranzverpflichtung des von ihm konzipierten Gemeinwesens aus. Im Licht sensualistischer Kriterien gilt zwar, daß ein Wesen vom Typus Gottes der Sinneswahrnehmung nicht zugänglich ist, jedoch nicht, daß daraus *folgen* würde, daß es ein solches Wesen nicht gibt. Und daß anderseits der ‚gemäßigte Aufklärer‘ und ‚Vernunft-Zelebrierer‘ Kant die Auffassung vertritt, „die Wahrnehmung […] ist der einzige Charakter der Wirklichkeit",[29] dürfte himmelweit jenseits des Erwartungshorizonts liegen, den der Verf. nicht nur durch die Selbstkarikaturen seiner grotesken Kant-Karikaturen zu erkennen gibt.

Die Reanimationsversuche, mit denen sich der Verf. an dem von ihm sensualistisch, hedonistisch und atomistisch kolorierten Materialismus versucht, haben eine gemeinsame Quelle: Er leiht sich von den *philosophes* – als wenn während der zweihundertfünfzig Jahre seit dem Beginn der Industriellen Revolution[30] nichts zumindest Kontraintuitives geschehen wäre – einen utilitaristisch konzipierten szientistischen Fortschrittsenthusiasmus aus, dessen Optimismus spätestens in der Gegenwart nur noch von seiner Naivität übertroffen wird. Wohl schreibt der Verf. der in wissenschaftlicher Hinsicht bedeutsamsten Gestalt unter den *philosophes*, dem Baron d'Holbach, „utilitaristische Bescheidenheit" (20) zu.

---

[27] Hazard, Krise (wie Anm. 3), 597.

[28] Gay, Enlightenment (wie Anm. 6), Bd. 1, 320.

[29] Immanuel Kant, Kritik der reinen Vernunft ([1]1781), Philosophische Bibliothek, Bd. 39a, Hamburg 1962, A 225, B 273.

[30] Der Wirtschaftshistoriker David S. Landes, The Unbound Prometheus. Technological Change and Industrial Development in Western Europe from 1750 to the Present ([1]1969), Cambridge, New York 1999, datiert den Beginn der Industriellen Revolution aufgrund von einkommensstatistischen Vergleichskriterien auf die Mitte des 18. Jahrhunderts.

Aus den Ausführungen, die der Verf. dem in wissenschaftshistorischer Hinsicht wichtigsten Werk des Barons, dem *Système de la nature* widmet (vgl. 202–227), geht indessen mit keiner Andeutung hervor, mit Hilfe welchen Kriteriums diese Bescheidenheit in diesem konkreten Fall bemessen werden kann. Er gibt lediglich zu verstehen, daß er diese Art von Bescheidenheit für „natürlicher" hält, als die von ihm beschworene „[...] totalitäre, aus einem kochenden Zivilisationshass geborene Utopie [Rousseaus]" (ebd.). Allerdings hatte man zu Lebzeiten d'Holbachs allen Grund, zumindest mit den Hoffnungen alles andere als bescheiden zu sein, die am künftigen Nutzen des Fortschritts vor allem der Naturwissenschaften orientiert sein konnten. Angesichts der tiefen materiellen und technischen Bedürftigkeiten, die das Leben aller Menschen auch im 18. Jahrhundert noch immens leidvoll sein ließen, war die hoffnungsvolle wissenschaftsutilitaristische Unterstellung Diderots, daß die Wissenschaften *absolut*, also ohne einschränkende Bedingung nützlich seien,[31] viel verständlicher als d'Holbachs angebliche Bescheidenheit. Peter Gay charakterisiert die Bedürftigkeit der Lebensbedingungen in dieser geschichtlichen Situation so: „[...] the pitiless cycles of epidemics, famines, risky life and early death, devasting war and uneasy peace – the treadmill of human existence".[32] Und David Landes beleuchtet den geschichtlichen Grad dieser Bedürftigkeit und ihrer mit der Industriellen Revolution verbundenen Milderung besonders eindrucksvoll durch eine Proportionalitätsabwägung: „The result [of the Industrial Revolution] [...] has changed man's way of life more than anything since the discovery of fire: The Englishman of 1750 was closer in material things to Cesar's legionnairs than to his own great-grand-children".[33] Im Rückblick auf Francis Bacons und Descartes' mehr als hundert Jahre frühere menschheitsumspannende Erwartungen eines Nutzens durch die experimentelle Naturforschung urteilt Emil du Bois-Reymond zwar noch ein Jahrhundert nach Diderots Einschätzung über die Erwartungen Bacons und Descartes': „[...] sie träumten".[34] Doch im selben Atemzug kann er mit Blick auf die Steigerung, die der technische Komfort der Lebensbedingungen der Menschen vor allem in Westeuropa dank der Naturwissenschaften und der Ingenieurskunst inzwischen durchgemacht hat, die Zwischenbilanz ziehen: „Was sie träumten, ist übertroffen",[35] und – wenn auch mit einer gewissen begrifflichen Krudheit und utilitaristischen

---

[31] „[...] en prenant l'utilité absolue des sciences pour une donnée", Denis Diderot, Art. ‚Chymie', in: Encyclopédie ou Dictionnaire Raisonnée des Sciences, des Arts et des Métiers, Paris 1751 ff., Bd. 1, 451.

[32] Gay, Enlightenment (wie Anm. 6), Bd. 2, 3.

[33] Landes, Prometheus (wie Anm. 30), 5.

[34] Emil du Bois-Reymond, Culturgeschichte und Naturwissenschaft (1877), 137.

[35] Ebd.

Kurzschlüssigkeit – die zumindest vorläufige funktionalistische Diagnose treffen: „[…] die Naturwissenschaft [verleiht] unserem Dasein […] Sicherheit“.[36]
Indessen bleiben die langfristig eingetretenen menschenrechtlichen sowie verfassungsrechtlichen und -politischen Tragweiten der Bemühungen nicht nur des 18., sondern auch des 17. Jahrhunderts um Aufklärung gänzlich im Schatten der Aufmerksamkeit des Verf. Doch ohne eine entsprechende rechtliche Hegung wäre die millenienlange leidvolle Mühsal der ‚dreadmill of human existence‘ auch durch eine noch so energisch betriebene politische Förderung der wissenschaftsbasierten Industriellen Revolution nicht vor einer Entartung in jene ökonomisch-technokratische Diktatur bewahrt geblieben, als die die Verächter der westlichen Gemeinwesen sie aus den amoenen Horten ihrer vorwiegend akademischen Existenzform immer wieder einmal von neuem in Verruf zu bringen suchen. Die gegenwärtige politische Entwicklung des kulturgeschichtlich ältesten ostasiatischen Volkes bietet hierfür reiche Beobachtungsmöglichkeiten. Eine wissenschaftsprogressistisch orientierte ökonomisch-technokratische Diktatur kann das Volk hinter einem neokonfuzianischen Schleier durchaus den vom Verf. favorisierten ‚Trost in Freundschaft und Sex, in Kunst und in Ironie finden‘ lassen und ihm gleichzeitig alle menschen- und bürgerrechtlichen Früchte der Aufklärung vorenthalten.

Nun berücksichtigt inzwischen allerdings jeder hinreichend Informierte – oder Aufgeklärte? –, daß Nützlichkeit – anders als z. B. Diderot meinte – keine interne und schon gar keine absolute Eigenschaft wissenschaftlicher Forschungsergebnisse ist. Sie ist vielmehr eine normative Kategorie für eine gänzlich wissenschaftsexterne, praktische Bewertung wissenschaftlicher Forschungsergebnisse. Mit ihrer Hilfe kann ihrer technischen *Verwendung* in der praktischen Lebenswelt ausschließlich mit Blick auf die mehr oder weniger wahrscheinlichen *Folgen* dieser Verwendung eine mehr oder weniger große Nützlichkeit beigemessen werden. Ausgerechnet Rousseau, mit Blick auf den der Verf. seinen Lesern auf Schritt und Tritt kein anderes Bild als das des prototypischen Dunkelmanns des Taufjahrhunderts der Aufklärung anzudienen weiß, gibt in der ausgereiften Wissenschaftsdidaktik des *Émile* unter diesem utilitaristischen Gebrauchsaspekt zu bedenken: „Es kommt wenig darauf an, daß er [Émile] dies oder jenes lernt, vorausgesetzt, er weiß von dem, was er lernt, einen guten Gebrauch zu machen“.[37] Doch die Fähigkeit, von wissenschaftlichen Forschungsergebnissen einen guten, also nützlichen Gebrauch zu machen, zeigt sich für Rousseau erst in der Befolgung von konkreten utilitaristischen Abwägungsregeln wie: „Man muß die Nützlichkeit einer

---

[36] Ebd., 138.
[37] „[…] il importe peu qu'il apprend ceci ou cela, pourvu qu'il conçoive bien […] l'usage de ce qu'il apprend“, Jean-Jacques Rousseau, Émile ou de l'éducation, in: ders., Œuvres complètes Bd. 4, Paris 1969, 447.

einmal entdeckten Wahrheit abwägen gegen den Schaden, den die Irrtümer bereiten können, die (der Forschung) während derselben Zeit passieren können".[38]
Doch solche Subtilitäten verschwinden nicht nur in dem Dunkel, in dem Rousseaus Werk vor den Augen des Verf.verschwindet. Sie gehören auch zu jener Sorte
von begrifflicher und methodischer Sorgfalt, die im Buch des Verf. vor allem
durch Abwesenheit glänzt.

   Dieser unattraktiven Art von Glanz ist indessen auch die Methode zuzuschreiben, mit der sich der Verf. zwei seiner Hauptthemen aus den ‚Vorbereitungen' der
philosophes auf einen ‚Umsturz der Fundamente des abendländischen Denkens'
widmet – den Themen des Materialismus und des Sensualismus. Man wird dem
Verf. vielleicht nicht ernsthaft vorwerfen können, daß er nicht mit Platons durch-
schlagender Kritik am *dogmatischen* Materialismus und *dogmatischen* Sensualismus vertraut ist: Der dogmatische Materialist gerät ebenso wie der dogmatische
Sensualist schon dann mit sich selbst in Widerspruch, wenn er anfängt, *Aussagen*
zu formulieren, durch die er mit Hilfe von *Prädikaten* in Verbindung mit einem
Wahrheitsanspruch über *etwas* spricht;[39] denn mit solchen Aussagen macht man,
wie zuerst Platons Schüler Aristoteles während derselben Zeitspanne in mehreren
logischen Traktaten gezeigt hat, von grammatischen, semantischen und logischen
Formen bzw. Funktionen Gebrauch, die keine materiellen Entitäten sind und auch
nicht sinnlich wahrgenommen werden können. Problematisch ist des Verf. Behandlung der dogmatischen Gestalten des Materialismus d'Holbachs und des
Sensualismus Diderots, weil beide zum Erbe der ‚radikalen Aufklärung' gehören,
ohne daß der Verf. klarstellen würde, ob sie in seinen Augen zu dem rehabilitati-
ons- und aneignungswürdigen Teil dieses Erbes gehören oder nicht. Doch
fruchtbar und legitim ist selbstverständlich ausschließlich der *methodologische*
Materialismus der empirischen Wissenschaften, der sie die primären methodischen Zugänge zu ihren Gegenstandsbereichen und Forschungsfeldern am Leitfaden von Manifestationen *materieller* Entitäten erproben und bewähren läßt.
Und ebenso fruchtbar und legitim ist selbstverständlich ausschließlich der *methodologische* Sensualismus dieser Wissenschaftsgruppe, der sie diese Entitäten direkt oder indirekt nie anders als mit Hilfe der *Sinneswahrnehmung* entdecken läßt.
Den materialistischen Kronzeugen des Verf. Diderot und d'Holbach wird jedoch
kommentarlos die dogmatische *ontologische* Auffassung zugeschrieben, „dass
die Welt aus nichts weiter bestehe als aus zahllosen Atomen, die auf unendlich
komplexe Weise zueinander in Beziehung stünden. Darüber hinaus gäbe es
nichts" (14). Als Materialist sei d'Holbach überdies „davon überzeugt [...],
dass es keine Wirkung ohne Ursache geben [kann]" (132). Doch der Begriff

---

[38] [...] il faut balancer [...] l'utilité d'une vérité découverte par le tort que font les erreurs qui
passent en même temps", ebd., 269.
[39] Vgl. Platon, Soph. 246 a4 ff. und 237 d1 ff.

des Ursache-Wirkung-Verhältnisses ist kein materialistischer Begriff, sondern ein formaler Grundbegriff, der in einem ersten Schritt auf den Begriff des Verhältnisses einer hinreichenden Bedingung zu dem durch sie Bedingten zurückgeführt werden kann,[40] und von hier aus in eine Vielzahl von formal verschiedenen Typen solcher konditionalen Verhältnisse zerlegt werden kann.[41] Die Einsicht, daß darüber hinaus *jede* fruchtbare naturwissenschaftliche Forschung, *jede* fruchtbare ingenieurswissenschaftliche Forschung und daher auch *jede* fruchtbare *klinische* Forschung zu Recht von der Überzeugung geleitet wird, daß keine Wirkung ohne Ursache ist, ist indessen gewiß kein Erbe der vom Verf. favorisierten ‚radikalen Aufklärung‘. Doch an einer radikalen Aufklärung, die diesen Namen verdienen würde, läßt der Verf. seine Leser ohnehin auf keiner Seite seines Buches in irgendeiner gelehrten, reflexiven, analytischen oder meditativen Denkart teilnehmen, die wenigstens eines dieser Attribute verdienen würde. Die Antwort des Buches auf Nietzsches Frage nach ‚Nutzen und Nachteil der Historie für das Leben‘ fällt daher mit Blick auf das Taufjahrhundert der Aufklärung und gemessen an den methodischen Standards und an den bisherigen Resultaten der geisteswissenschaftlichen und der philosophischen Aufklärungsforschung ohne irgendeine Einsicht in Nutzen und Nachteil der Auseinandersetzung mit diesem Jahrhundert aus.

Es bereitet alles andere als Freude, ein Buch eines vergleichsweise jungen Autors einer Prüfung zu unterziehen, die die Sache der Aufklärung so ernst zu nehmen sucht, wie es nicht nur das Pathos nahelegt, mit dem der Autor *seine* Lichtgestalten, nicht nur die Verachtung, mit der er *seine* Dunkelmänner, und nicht nur die Herablassung, mit der er *seine* zwielichtigen Gestalten der Aufklärung bedenkt. Wohl könnte man das vorliegende Buch auch als den mißlungenen Versuch eines in der Aufklärungsforschung dilettierenden Anfängers abtun. Doch das wäre die Angelegenheit eines Lektorats gewesen, das auch nur über vergleichsweise bescheidene disziplinäre Kompetenzen und disziplinenspezifische Informationen aus der Aufklärungsforschung sowie über ein damit verbundenes Urteilsvermögen hätte verfügen müssen. Vielleicht wäre das Buch unter einem Titel wie *Freundliche Philosophen. Divertimento für verspielte Aufklärung* in einem Verlag richtig aufgehoben gewesen, der Unterhaltungsliteratur für ein sich als Bildungsbürgertum verstehendes oder mißverstehendes Segment des Publikums veröffentlicht. Nachdem das Buch aber nun einmal auch in einem zu Recht renommierten deutschen Verlag erschienen ist – immerhin in unmittelbarer Nachbar-

---

[40] Vgl. hierzu Georg Henrik von Wright, On the Logic and Epistemology of the Causal Relation (¹1973), in: Ernest Sosa (Hg.), Causation and Conditionals, Oxford 1975, 95–113.

[41] Vgl. hierzu die Basisinformationen bei Wolfgang Stegmüller, Probleme und Resultate der Wissenschaftstheorie und Analytischen Philosophie, Bd. 1: Erklärung – Begründung – Kausalität (¹1973), 2., verb. und erw. Aufl., Berlin, Heidelberg, New York 1983.

schaft zu Werken von gelehrten Experten für die Literatur des *huitième siècle* wie
Jean Starobinski und Robert Darnton – und eine nahezu einhellige enthusiastische
Aufnahme auch bei renommierten Kennern der Literatur des *huitième siècle* gefunden hat, kann eine ernstzunehmende Auseinandersetzung mit seinen Methoden, Thesen, Argumenten und Kriterien nicht umhin, zumindest indirekt auch zu
einer Auseinandersetzung mit den Kriterien dieser Rezeption zu werden. Es steht,
wie es scheint, nicht sonderlich günstig um das Schicksal, das diesen Kriterien im
öffentlichen Zusammenspiel zwischen dem Verf. und seinen enthusiasmierten
Rezensenten beschieden ist. Doch um die verschwindend wenigen unmittelbaren
Mitspieler in dieser Form von Zusammenspiel braucht man vielleicht gar nicht
einmal sonderlich besorgt zu sein. Ernster zu nehmen ist ein Publikum, das im
Vertrauen auf die nominellen und die funktionalen Kompetenzen dieser Mitspieler zuverlässige Winke erwartet, *wodurch, worüber, wozu* und *wie* es der Aufklärung teilhaftig werden sollte und kann, deren es in der Gegenwart bedarf. Die
Chance, sich an dieser Aufgabe auf einem kritischen Niveau von auch nur ‚gemä-
ßigtem Radikalismus‘ zu beteiligen, haben der Verf. und seine Mitspieler in diesem literarischen Zusammenspiel im wahrsten Sinne des Wortes *verspielt* – mo-
tiviert von dem Bedürfnis, den nahezu lebensgefährlichen öffentlichen Radikalismus und „moralische[n] Mut" (18) von atheistisch, materialistisch und wissen-
schaftsutilitaristisch gesonnenen *philosophes* des 18. Jahrhunderts unter rechts-
politischen und religionspolitischen Freiheitsbedingungen literarisch zu imitie-
ren, wie sie sich diese *philosophes* vermutlich auch in ihren schönsten Träumen
nicht ausmalen konnten. Das einzige Risiko, das man unter diesen gegenwärtigen
Bedingungen mit einer solchen Imitation eingeht, besteht darin, nicht ernst genommen zu werden. Doch auch dies im übrigen kostenlose Risiko ist, wie das bis-
herige Zusammenspiel zwischen dem Verf. und seinen literaturkritischen Mit-
spielern zeigt, nahezu verschwindend gering. Allerdings sucht sich der Verf.
mit seinem Buch ohnehin an den Spielregeln zu orientieren, die „Auf dem Akti-
enmarkt der historischen Reputation" (11) gelten, der „[…] von Großinvestoren
ängstlich beobachtet, von Zockern manipuliert und immer wieder von Spielerna-
turen aufgemischt [wird]" (ebd.). Man darf das „Angebot" (19) seiner ‚radikalen
Aufklärungskonzeption‘ daher auch getrost der Verwertung durch einen Markt
überlassen, der von solchen Gestalten dominiert wird. Da ernstzunehmende Bemühungen um Aufklärung oder um die Aufklärungsforschung auf diesem Markt
weder erwartet noch honoriert werden, hat der Verf. vermutlich ein ganz und gar
marktgerechtes Buch geschrieben.

Prof. Dr. Rainer Enskat, Martin-Luther-Universität Halle-Wittenberg, Philosophisches
Seminar, Schleiermacherstr. 1, 06114 Halle, E-Mail: rainer.enskat@phil.uni-halle.de